D0272057

NUOVI SAGGI

David Stafford

D-DAY: CONTO ALLA ROVESCIA

I dieci giorni che decisero la guerra

Traduzione di Piero Budinich

il Saggiatore

www.saggiatore.it

© David Stafford, 2003
First published in Great Britain in 2003 by Little, Brown
© Gruppo editoriale il Saggiatore S.p.A., Milano 2004
Titolo originale: *Ten Days to D-Day. Countdown to the Liberation of Europe*

Realizzazione editoriale: Il Paragrafo s.n.c., Udine

La scheda bibliografica, a cura del Sistema Bibliotecario Brianza, è riportata nell'ultima pagina del libro

D-DAY: CONTO ALLA ROVESCIA

alla cara memoria dei miei genitori,
e con gratitudine per tutte le persone
della generazione del D-Day
i cui sacrifici hanno contribuito a costruire
un futuro migliore per la nostra

Gli era di giugno un giorno appunto – il sei –
Io son ligio alle date, io citar l'ora
Non che l'anno ed il mese e il dì vorrei;
Muta cavalli il Fato ad ora ad ora
E il mondo muta in men che non direi;
Poi di quel tramenio molto s'ignora.

LORD BYRON, *Don Juan*, Canto I

Sommario

Prefazione

> In tempo di pace nulla si addice tanto all'uomo
> quanto la moderazione, la calma e l'umiltà;
> ma quando ci squilla nell'orecchie la tromba della guerra,
> allora imitate l'azione della tigre;
> irrigidite i muscoli, fate appello al vostro sangue
> nascondete la mitezza naturale sotto il furore dal volto feroce.
>
> WILLIAM SHAKESPEARE, *Enrico V*

Il D-Day, cioè il 6 giugno del 1944, ha cambiato il corso di una guerra mondiale e di un intero secolo. Mentre l'alba diffondeva il suo chiarore sulla Manica, con gli sbarchi di oltre centotrentamila soldati alleati sulle spiagge della Normandia prendevano avvio il grande attacco finale contro la Germania nazista e la liberazione dell'Europa occidentale.

Quegli sbarchi rimangono tuttora l'attacco dal mare più imponente mai tentato e rappresentano un trionfo sul piano della pianificazione e dell'esecuzione, la cui scala, anche a sessant'anni di distanza, lascia senza fiato. «Nella storia della guerra non si era mai assistito a un'operazione così grandiosa» osservò Stalin, uomo certo non estraneo ai progetti ambiziosi. «Nemmeno Napoleone l'aveva mai tentata.»

Eppure l'impresa sarebbe potuta fallire: la storia è costellata da tentativi di far sbarcare truppe su spiagge validamente difese risoltisi in modo catastrofico, e Hitler riponeva le sue speranze appunto in questo incerto discrimine fra la vittoria e la sconfitta. Se nel D-Day gli Alleati fossero stati ributtati in mare, promise, ciò avrebbe avuto conseguenze ben al di là del fronte occidentale. Il feldmaresciallo Erwin Rommel, l'uomo cui aveva affidato l'incarico di proteggere il Terzo Reich lungo il Vallo Atlantico, formulò una previsione divenuta poi celebre, cioè che quello sarebbe stato il "giorno più lungo" sia per le potenze dell'Asse sia per gli Alleati. Avevano ragione entrambi. Se gli Alleati non fossero riusciti a prendere piede sulle spiagge della Normandia, il 6 giugno 1944 ciò avrebbe comportato uno spaventoso bagno di sangue e un disastro di proporzioni immani, e inoltre Hitler sarebbe stato libero di concentrare le proprie energie sul fronte orientale per tentare di respingere l'Armata rossa. I popoli oppressi dell'Europa sarebbero stati condannati a un altro anno di regime nazista e di terrore delle SS. Il corso e l'esito della storia sarebbero stati radicalmente e imprevedibilmente diversi.

Ma l'invasione fu un successo. Nel giro di alcune settimane il generale Charles De Gaulle e le truppe di France Libre sfilavano sugli Champs-Élysées in mezzo a una folla esultante. Poi toccò a Bruxelles e ai belgi festeggiare. Le truppe alleate conquistarono Aquisgrana, la prima città tedesca a cadere nelle loro mani, nell'ottobre del 1944 e attraversarono il Reno il 1° marzo 1945. Poco meno di un anno dopo il D-Day Hitler si diede la morte. Il mostruoso "Reich millenario" era finito: Berlino era ridotta a un cumulo di macerie, la popolazione tedesca si ritrovava oppressa dalla carestia e dalle devastazioni.

Fin dal D-Day gli storici hanno meditato su questo evento epico, narrando e rinarrando una storia che di solito comincia con l'atterraggio delle prime divisioni paracadutate e degli alianti nell'oscurità del primissimo mattino e si conclude con lo sfondamento degli Alleati in Normandia verso la fine del luglio del 1944. Hanno descritto le battaglie, raccontato nei minimi particolari le imprese di divisioni, corpi, reggimenti, battaglioni e plotoni, analizzato la condotta di comando dei generali, discusso la strategia alleata e tedesca, esaminato con acribia gli errori e le debolezze di entrambe le parti e ricombattuto sul fronte con tutto il generoso entusiasmo e le prerogative del senno di poi.

Questo è un libro diverso. Oggi chiunque affronti un crudele vento d'aprile che sferza Omaha Beach spirando dalla Manica comprende chiaramente che i cimiteri militari della Normandia non sono frequentati solo dai cultori di quella campagna muniti di cartine sgualcite per orientarsi sul campo di battaglia e che i cimiteri militari della zona non riecheggiano solo del cordoglio dei veterani alla ricerca di commilitoni caduti o dei luoghi delle loro imprese giovanili. Qui vengono anche generazioni di giovani che vogliono vedere di persona la scena dell'azione, rendere omaggio a coloro che hanno garantito la loro attuale libertà e cercare di comprendere le imprese grandiose tanto di coloro che sono sopravvissuti al D-Day quanto di coloro che quel giorno sono caduti in battaglia. Accanto ai visitatori inglesi, americani e canadesi e a un esiguo numero di persone di paesi del Commonwealth come Australia, Nuova Zelanda e Sudafrica si incontrano dunque quelli provenienti dalle nazioni liberate in conseguenza del D-Day, e quindi non solo dalla Francia ma anche dal Belgio, dall'Olanda, dalla Danimarca e dalla Norvegia, nonché dalla Polonia e dalla Cecoslovacchia, nazioni che hanno contribuito in maniera così significativa all'impegno delle forze alleate nel D-Day. Anche i tedeschi vengono qui, perché anche in loro permangono cordoglio e dolore; anche loro qui hanno ricordi e terreni di sepoltura, e i cimiteri degli sconfitti sono forse addirittura più commoventi di quelli dei vincitori.

In queste pagine vengono narrate le vicende individuali di alcuni soldati, ma il libro non si occupa solo delle grandi armate dell'invasione o dei loro generali e leader politici: parla anche di uno scricciolo (*Wren*) che lavorava sui codici e sui dispacci cifrati in Inghilterra, di un attivista della Resistenza e della sua rete clandestina, di un agente segreto che tagliava i cavi delle comunicazioni dietro le linee nemiche, di un prigioniero politico rinchiuso in una cella della Gestapo, di un ufficiale dei servizi segreti che forniva informazioni false al nemico, di un ebreo che si nascondeva dai nazisti in una soffitta parigina. Gli eventi del 6 giugno 1944 hanno cambiato le loro vite in maniera tanto decisiva quanto quelle di coloro che combattevano sul fronte. Tutti, in modi diversi, si sono ritrovati coinvolti in quella che Eisenhower chiamava la "Grande Crociata". La vicenda del D-Day appartiene a molte nazionalità e ha toccato i civili quanto gli uomini e le donne impegnati nella battaglia (i quali, non va dimenticato, in tempo di pace erano per la maggior parte civili); essa costituisce una parte cruciale dell'esperienza europea del Novecento.

Tutti sapevano che l'invasione era imminente. I quotidiani e la radio, in tutto il mondo ma soprattutto nell'Europa occupata, non cessavano di formulare congetture al riguardo. L'attesa si sarebbe conclusa all'inizio della primavera o un po' più tardi, forse in luglio? Gli esperti dibattevano sull'invasione, Roosevelt e Churchill la promettevano, Hitler la prevedeva e ovunque la gente, sull'uno e sull'altro fronte, voleva che iniziasse, mettendo fine a quella tensione logorante. Oggi siamo informati con dovizia di particolari sulla flotta alleata e sull'Operazione Neptune, sull'assalto delle truppe aviotrasportate e sull'avanzata dalle spiagge e attraverso le siepi confinarie che ebbero luogo in quel "giorno più lungo".

È invece meno chiaro che cosa stesse accadendo nei pochi giorni cruciali prima di quel fatale 6 giugno. Quali effetti esercitavano sugli uomini e le donne comuni la speranza, l'attesa e il timore? Il grande interrogativo, che non aveva ancora trovato risposta, non era se gli Alleati sarebbero sbarcati, bensì quando e dove lo avrebbero fatto.

Quello fu il segreto meglio custodito di tutta la guerra, serbato persino più gelosamente di Ultra, il sistema di intercettazione e decrittazione degli Alleati. Inoltre, anche i pochi che conoscevano la data e il luogo previsti dell'invasione non sapevano se essa sarebbe riuscita. Il senno di poi può essere una iattura per la comprensione storica, perché agli occhi di quanti erano coinvolti in quegli eventi il futuro non riservava nulla di certo. Il generale Dwight D. Eisenhower, comandante supremo alleato, impartì l'ordine finale di partenza e poi scarabocchiò un appunto su un foglietto di carta: erano le parole che avrebbe usato per rivolgersi a milioni di persone in tutto il mondo se il D-Day avesse avuto un esito disastroso e l'invasione fosse fallita. Poi infilò l'appunto nel taschino della sua uniforme e se ne dimenticò.

Per comprendere appieno il D-Day dobbiamo immaginare gli eventi che l'hanno preceduto via via che si sviluppavano e le persone che vi hanno partecipato, le quali, va ribadito, non avevano il vantaggio della conoscenza postbellica dei fatti o della nostra esperienza del presente. Molti, nel campo degli Alleati, temevano il peggio, mentre molti tedeschi tentavano di immaginare il meglio, e spesso era proprio ciò che scrivevano nelle loro lettere e nei loro diari. Oggi, però, la grandezza della vittoria alleata mette spesso in ombra il timore e l'ottimismo, e soprattutto l'incertezza. Le memorie scritte tanto tempo dopo la battaglia possono essere fonte di fuorviamento oltre che di informazione: la memoria non è la stessa cosa dell'esperienza ed è sicuramente diversa dalla storia, sottoposta com'è alla costante rielaborazione, alla deformazione e all'errore.

Le fonti principali utilizzate in questo volume sono le lettere e i diari scritti nel corso dei dieci giorni che precedettero il D-Day da coloro che vi furono coinvolti, vuoi in veste di generali e statisti che dovevano prendere le decisioni vuoi in veste di sabotatori che dovevano partecipare all'azione facendo saltare una linea ferroviaria. Ogniqualvolta i superstiti hanno fornito un contributo i loro racconti sono stati messi a confronto con documenti contemporanei. Gli archivi segreti continuano a rendere disponibili nuovi materiali, in particolare i dossier dei servizi informativi e i documenti sulla pianificazione del depistaggio messo in opera dagli Alleati a proposito dei loro progetti per il D-Day; questi materiali permettono di comprendere con maggiore chiarezza per quale ragione i tedeschi furono colti di sorpresa quando l'invasione ebbe luogo là dove essa fu lanciata, ma consentono anche di capire come siano stati ingannevolmente indotti a pensare che la "vera" invasione doveva ancora giungere in una regione molto più settentrionale della Francia. Dai nascondigli emergono anche altri vecchi diari, le cui indiscrezioni ormai non possono più ferire o compromettere i vivi.

Quel che segue è la narrazione di ciò che ha preceduto il D-Day, delle giornate cruciali che hanno portato al 6 giugno 1944 e delle speranze e dei timori che svariati partecipanti e osservatori, compresi i capi sull'una e sull'altra sponda della Manica, nutrivano riguardo all'invasione imminente: uomini e donne delle forze alleate e tedesche che si preparavano all'azione, civili imprigionati nell'Europa occupata da Hitler e attivisti coinvolti nella guerra segreta del sabotaggio, dello spionaggio e del depistaggio. Soprattutto, è la vicenda umana di alcune delle persone che si trovarono sospese sull'orlo di un momento epico della storia.

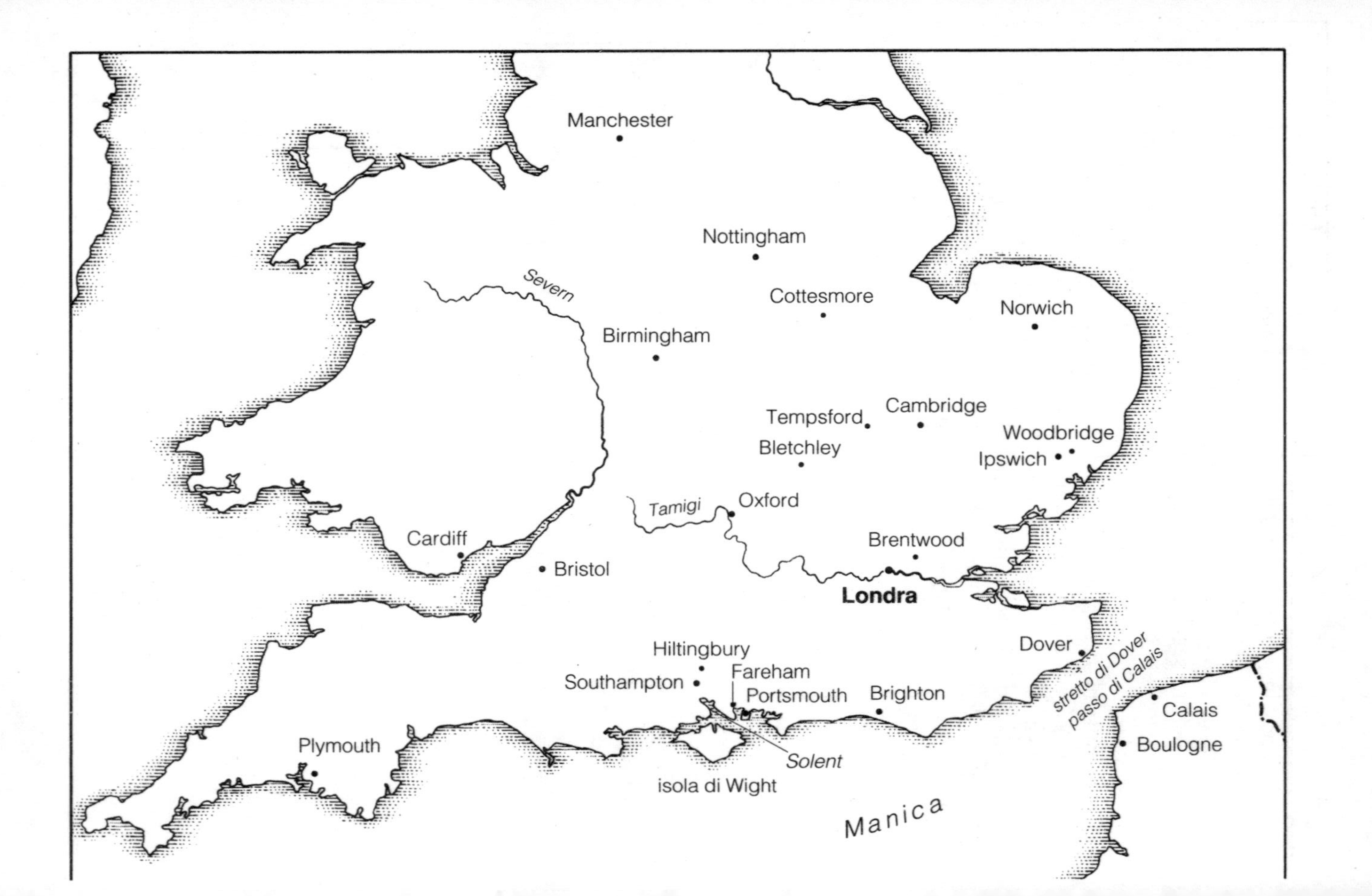
Manchester
Nottingham
Severn
Cottesmore
Norwich
Birmingham
Tempsford
Cambridge
Woodbridge
Bletchley
Ipswich
Tamigi
Oxford
Cardiff
Brentwood
Bristol
Londra
Dover
Hiltingbury
Fareham
Southampton
Portsmouth
Brighton
stretto di Dover
passo di Calais
Calais
Boulogne
Plymouth
Solent
isola di Wight
Manica

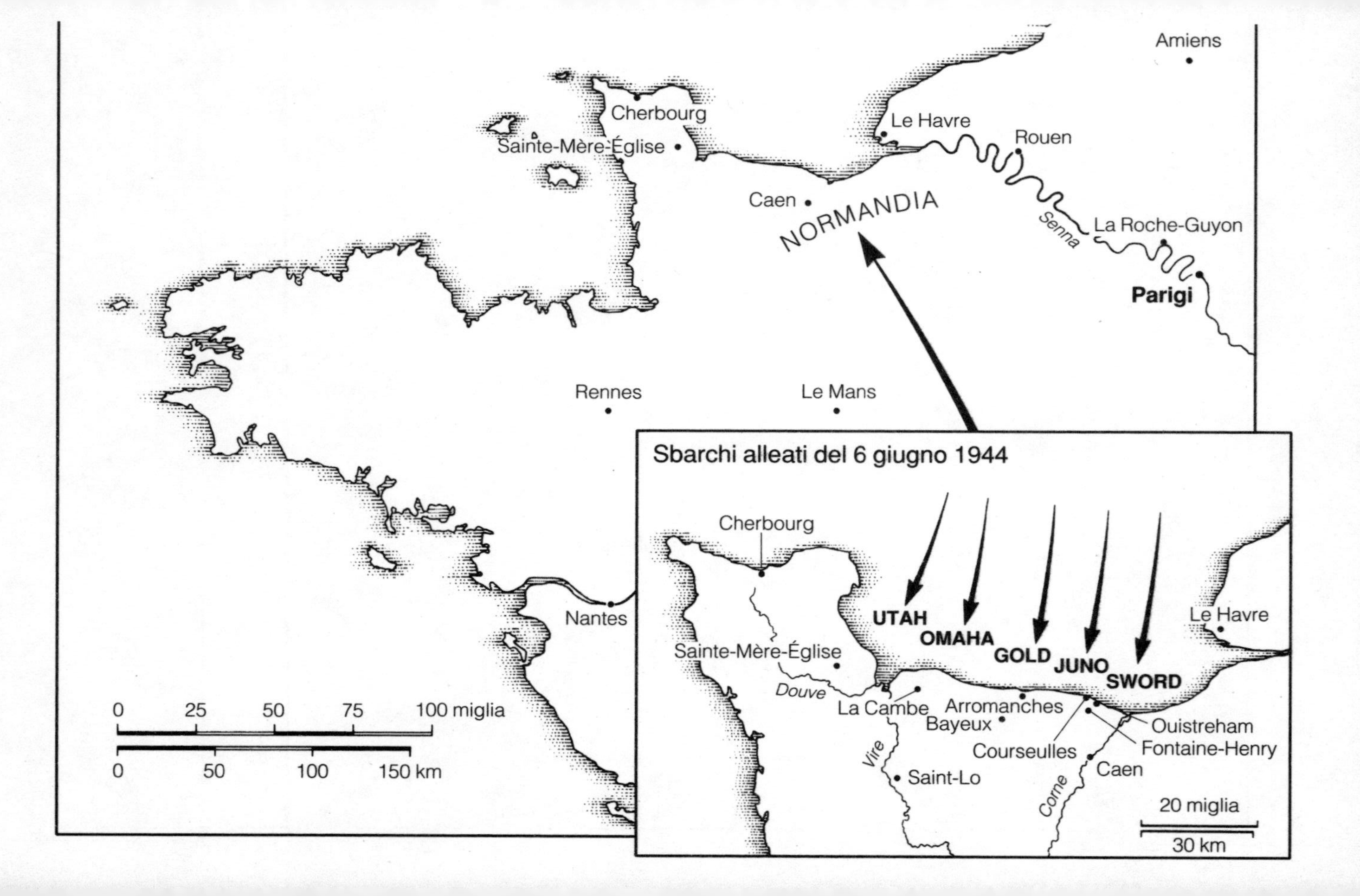
Amiens
Cherbourg
Le Havre
Rouen
Sainte-Mère-Église
Caen
NORMANDIA
Senna
La Roche-Guyon
Parigi
Rennes
Le Mans
Nantes
0
25
50
75
100 miglia
0
50
100
150 km
Sbarchi alleati del 6 giugno 1944
Cherbourg
UTAH
OMAHA
GOLD
JUNO
SWORD
Le Havre
Sainte-Mère-Église
Douve
La Cambe
Arromanches
Bayeux
Ouistreham
Fontaine-Henry
Courseulles
Caen
Vire
Saint-Lo
Corne
20 miglia
30 km

1

Che cosa significa la vittoria

Domenica 28 maggio

Sonia d'Artois saltò e la corrente d'aria la trascinò via, in direzione obliqua. Poi il paracadute si aprì bruscamente e lei si trovò a fluttuare libera nel chiarore lunare, mentre il rombo dell'aereo si affievoliva rapidamente in lontananza. La gonna di flanella e il maglione pesante che indossava sotto l'apposita tuta le avevano assicurato un confortevole tepore nell'aereo privo di riscaldamento, e i suoi vecchi scarponi chiodati da sci l'avrebbero protetta al momento dell'atterraggio. D'un tratto le sagome degli alberi emersero dalla penombra, il terreno sembrò correrle incontro e lei piegò le ginocchia, come le avevano insegnato durante l'addestramento. «Non guardare in giù» l'avevano avvertita «altrimenti finirai per impigliarti nelle funi.» Ma non riuscì a non guardare verso il basso, e stava ancora lottando per districarsi quando urtò il suolo, atterrando dolorosamente in un fossato e procurandosi una storta a una spalla. Poi udì le voci di persone che parlavano in francese, mentre il comitato di accoglienza accorreva da dietro gli alberi per liberarla. «Mio Dio» sentì esclamare «uno di loro è una donna!» Ma Sonia non provava altro che gioia e sollievo: era finalmente tornata in Francia, dietro le linee nemiche, in tempo per il D-Day.

Peter Moen stava in piedi sulla sua angusta cuccetta. Aveva staccato furtivamente una puntina da disegno dalla tenda di oscuramento dell'unica finestra della cella e poi aveva preso un foglio di quella ruvida carta igienica grigio-brunastra che ogni giorno gli veniva consegnata con riluttanza dalle guardie. Graffiava sulla carta una dopo l'altra, con diligente attenzione, le lettere fino a ottenere una parola, poi una frase, poi una pagina. Era un lavoro lento e ingrato, ma tenere un diario gli permetteva di conservare la ragione: era l'unico modo per dare un senso alla sua esistenza sospesa. Il detenuto numero 5842 stava iniziando la sua centoquindicesima giornata di reclusione. Di primo mattino, quando le guardie erano impegnate in altri incarichi, era solito sbirciare la strada dalla finestra: vedeva il sole che illuminava la chiesa vicina, guardava le automobili che giravano sulla rotatoria e scorgeva in lontananza la sagoma blu del tram che risaliva la collina. Il brutale contrasto con la sua condizione di recluso gli riusciva quasi intollerabile. Gli doleva ancora il capo là dove il giorno prima era stato percosso per non aver reagito abbastanza prontamente all'ordine della guardia di smettere di giocare a carte. "Se questo è un esempio di *Herrenvolk* [popolo di dominatori]" annotò "allora preferisco essere uno schiavo."

Quando ebbe finito arrotolò strettamente il pezzo di carta e lo infilò nella griglia a rete del condotto di ventilazione sul pavimento, dietro l'unico tavolino della cella. Là sarebbe stato al sicuro, ma doveva fare in fretta. Una volta una guardia gli aveva confiscato una pagina di diario del giorno precedente prima che lui riuscisse a nasconderla; per fortuna, non c'erano state ulteriori conseguenze.

Un centinaio di giorni prima Moen aveva scritto: "Solo coloro che si trovano sotto la sferza della Gestapo, esposti alla minaccia continua della pena capitale, possono comprendere appieno che cosa significa la vittoria".

Glenn Dickin volse lo sguardo attraverso il recinto di filo spinato che circondava il campo di transito in Inghilterra nel quale si trovava e pensò alla sua famiglia nella prateria canadese, a migliaia di chilometri di distanza. Era rincantucciato in una tenda di un accampamento punteggiato da una miriade di altri ricoveri di tela simili a quello: lì, in una delle centinaia di tendopoli militari di cui era costellata la campagna inglese, erano alloggiate migliaia di soldati come lui. Il campo, contornato da un paesaggio suburbano di casette di mattoni rossi a breve distanza l'una dall'altra e da file di piccoli negozi, distava appena qualche chilometro dalla Manica. Il suo reggimento vi era acquartierato da ormai quasi due mesi e aveva preso parte a tutte le principali esercitazioni di sbarco. L'ultima era stata una prova generale, con equipaggiamento completo, della durata di sei giorni. Il mare era agitato e lui era stato costretto a usare il suo sacchetto per il vomito. Era tornato esausto ma euforico. Da allora aveva dovuto sorbirsi una serie ininterrotta di riunioni, distribuzioni di nuovi indumenti ed equipaggiamento, esercitazioni con le armi leggere, oltre all'assegnazione dei veicoli anfibi alle rispettive navi che li avrebbero dovuti portare oltremanica. Per il resto, la vita consisteva nell'attesa del gran giorno che tutti sapevano imminente.

Da tre giorni il campo era isolato dal mondo esterno: a nessuno era permesso entrare o uscire. Oltre i reticolati, però, la vita civile proseguiva, e Glenn poteva vedere le casalinghe che uscivano per sbrigare le loro commissioni, i bambini che andavano a scuola e tornavano dalle lezioni e, di tanto in tanto, un autobus di linea. Dickin, tenente dei Fucilieri di Regina, era un ragazzo di ventidue anni dagli occhi azzurri e dalla carnagione chiara. Come la maggior parte dei giovani lontani da casa, ostentava noncuranza e continuava a ripetere alla madre di non preoccuparsi. Prima che il campo venisse isolato (e che fosse bloccata qualsiasi forma di corrispondenza con il mondo esterno) le aveva scritto che ogni giorno vedeva gli stormi di bombardieri pesanti che passavano sopra di loro per andare a colpire il territorio nemico. "È uno spettacolo grandioso" aveva esultato. "Stanno sicuramente facendo un buon lavoro e ammorbidendo il terreno per le truppe di invasione." Poi aveva promesso che avrebbe fatto del suo meglio per tornare a casa la primavera successiva in modo da poter dare una mano nelle pulizie. Il giorno dopo, però, aveva prudentemente chiesto alla sorella di informare la sua ragazza in Canada qualora gli fosse accaduto qualcosa: non era una parente e quindi non compariva nell'elenco ufficiale di quanti avevano diritto di essere informati sui dispersi, i feriti e i morti.

Qualche chilometro a ovest della tendopoli militare la diciannovenne Veronica Owen, dagli occhi azzurri, se ne stava seduta in giardino con gli occhiali da sole a godersi quella radiosa domenica. Erano appena le nove del mattino, ma già all'alba aveva fatto la comunione nella vecchia chiesa sassone segnata dalle intemperie che sorgeva in fondo alla strada. Come Glenn Dickin, anche lei era ipnotizzata dalle formazioni di bombardieri che vedeva volare sopra di sé nell'azzurro cielo primaverile. "Uccelli d'acciaio" li chiamava. Anche lei scriveva alla famiglia. "Mamma e papà adorati" esordiva il suo resoconto del fine settimana. Anche se le sarebbe piaciuto molto di più giocare una partita a cricket, il giorno precedente aveva giocato a tennis con un'amica su un campo privato messo a disposizione da un garbato vicino, e benché fosse fuori allenamento si era divertita. La moglie dell'ospite aveva portato loro graditi bicchieri di limonata a base di ghiaccio e (lusso raro) limoni freschi. La sera un'altra amica le aveva raggiunte in bicicletta per chiacchierare un po'. Era giunta ormai alla quarta pagina della lettera: la carta si arricciava per il calore e le mani un po' sudate facevano sbavare l'inchiostro, perciò concluse la missiva con un "Dio vi benedica". In seguito, quel pomeriggio, avrebbe letto ancora qualche pagina dell'epistolario di Lawrence d'Arabia, che aveva iniziato qualche settimana prima. Poi andò ai vespri e cenò piuttosto tardi.

Quella, per lei, era una giornata di vacanza tanto rara quanto gradita. Normalmente trascorreva la maggior parte del giorno e della notte nel profondo sottosuolo: Veronica Owen era uno scricciolo (*Wren*), cioè un'effettiva del servizio femminile della Royal Navy, una delle oltre settantamila donne adibite, in terra e in mare, a mansioni di portaordini, riparatrici di radio, operatrici di telescrivente, radariste, cartografe, cineoperatrici e dattilografe. Il suo compito specifico era crittare e decrittare i messaggi delle navi. Una notte su tre era di guardia dalle sette di sera ("ore diciannove e zero zero", come veniva indicata l'ora nel gergo che aveva dovuto apprendere) fino alle otto e mezzo ("zero otto e trenta") del mattino seguente. Poi era libera fino all'una del pomeriggio del giorno dopo. Negli ultimi tempi il lavoro era divenuto particolarmente pesante e il tema dei turni come il suo, che duravano tredici ore e mezzo, era stato addirittura oggetto di interrogazioni parlamentari. Teneva un piccolo diario tascabile nel quale registrava le fatiche del lavoro e i momenti di riposo, che tuttavia arrivavano troppo di rado.

La limonata piaceva anche a un giovane soldato tedesco di stanza sulla costa atlantica settentrionale della Francia. Anche Walter Schwender si stava godendo quella radiosa giornata di Pentecoste. Finalmente era riuscito a procurarsi una macchina da scrivere e, proprio come lo scricciolo, stava scrivendo a casa. Lettere e piccoli regali contribuivano a tenere uniti i familiari. Aveva inviato loro un pacchetto di semi di cocomero e a volte inoltrava anche la sua razione di sigarette. Lui, in compenso, si sarebbe goduto l'abbondanza di fragole. "Cari tutti" esordì, poi si fermò per bere un po' di vino. Ma faceva troppo caldo, e così preferì versarsi un bicchiere di limonata.

Quando era di servizio lavorava in un'officina dell'esercito: aggiustava tutto ciò che aveva bisogno di essere riparato, dalle biciclette alle macchine da scrivere, e così era finalmente riuscito a mettere le mani su una di queste ultime. A volte si limitava a rispondere al telefono. Il giorno prima, come i commilitoni, aveva ricevuto un'altra razione di sigarette, ma, dato che in quei giorni non c'era molto da fidarsi della posta, forse gli sarebbe toccato fumarsele anziché inviarle al padre:

era giunta la sconfortante notizia di ulteriori ritardi nella consegna della posta dalla Germania. Anche lui, però, si rese conto che faceva troppo caldo per scrivere a lungo e in capo a una pagina concluse la lettera e la firmò, spiegando che voleva andare a farsi una nuotata. Come tutti i soldati al fronte, sapeva che la corrispondenza che inviava a casa veniva censurata. Ma riuscì a inserire un frammento di una notizia significativa: tutte le licenze dei soldati erano state sospese. "Be'" concludeva in tono ottimista "spero che presto tutto ciò finirà."

Quello stesso giorno, in una Parigi afosa e occupata, un uomo di mezza età, intrappolato in uno stanzino al sesto piano di un palazzo in rue des Écoles, si tormentava pensando alla sorte dei suoi figli. Ad Albert Grunberg gli "uccelli d'acciaio" alleati fornivano sicuramente motivo di sollievo, in quanto combattevano contro il comune nemico tedesco; nel contempo, però, temeva che potessero distruggere la sua famiglia. Grunberg era ebreo e da un anno e mezzo se ne stava nascosto in quella stanza, che misurava poco più di due metri e mezzo per due. I tedeschi erano venuti ad arrestarlo nel 1942 e la portinaia di un palazzo vicino lo aveva aiutato a nascondersi. La moglie, che non era ebrea e quindi era relativamente al sicuro, gli portava da mangiare; i loro due figli, ormai adulti, vivevano e lavoravano a Chambéry. Non più tardi di quel mattino, tuttavia, Grunberg aveva sentito alla radio che gli aerei alleati avevano bombardato il complesso di smistamento ferroviario della città, un obiettivo di importanza strategica.

Anche Grunberg teneva un diario: come per Peter Moen, era un'occasione di conforto e rappresentava più di un semplice registro degli eventi quotidiani, perché poter dare sfogo ai propri sentimenti, lenire il dolore dei periodi più brutti e prendere nota dei momenti migliori gli forniva una specie di equilibrio. Aveva trovato un nascondiglio per il diario sopra la vaschetta dello sciacquone, nel corridoio all'esterno della sua stanza.

Quel pomeriggio sua moglie venne da lui, arrancando su per i sei piani di scale. Nonostante il marito facesse del suo meglio per inumidire il pavimento con acqua fredda, fu colpita dal caldo soffocante della stanza e decise di non trattenersi a lungo. Più tardi, quella sera, avevano cercato ancora in tutti i modi di ottenere notizie dei figli. E se i liberatori fossero riusciti a farlo uscire di lì, ma nel farlo avessero ucciso i suoi figli?

L'interno degli "uccelli d'acciaio" alleati era fin troppo familiare al paracadutista americano dal viso ossuto che se ne stava disteso sulla brandina, pigiato insieme ad altri otto soldati sotto una tenda di un campo di transito nella lussureggiante campagna verde delle Midlands inglesi, famose per le partite di caccia alla volpe. A differenza del fuciliere canadese Glenn Dickin, Bill Tucker era un veterano ormai indurito dalle battaglie. L'anno prima, all'età di vent'anni, aveva effettuato il suo primo lancio di combattimento su Salerno, in Italia. Si era presentato volontario dopo aver visto nei cinegiornali in patria, a Boston, i paracadutisti tedeschi e russi e aver stabilito che per svolgere quell'incarico non serviva aver studiato in un college.

La tendopoli in cui si trovava era stata allestita entro il perimetro di un vecchio muro di pietra di una casa di campagna a una trentina di chilometri dalla foresta di Sherwood. Fuori c'era un villaggio da cartolina, in cui alla sera suonavano le campane della chiesa e la vita sociale si raccoglieva in confortevoli e animati pub. Molly, una ragazza bionda di Nottingham, era una simpatica compagnia per il cinema, il ballo e qualche occasionale picnic. Era pilota collaudatrice dei bombardieri Stirling: verificava gli strumenti quando uscivano dalla fabbrica; sfortunatamente, però, aveva un marito, un pilota di caccia della RAF che prestava servizio a Malta. Tucker, comunque, apprezzava la sua amicizia.

Anche Bill era stato appena informato che da quel momento in poi il suo campo sarebbe rimasto isolato. Niente più scappatelle al botteghino di *fish and chips*. Ora l'ordine del giorno prevedeva addestramento e attesa; non si sarebbero più fatti nemmeno lanci di addestramento. Tucker ne era lieto, dato che così si sarebbe risparmiato il noioso tragitto in camion fino al campo d'aviazione più vicino e i frequenti rinvii dovuti alla nebbia. Per vincere la noia non restavano che le interminabili partite a carte e, di tanto in tanto, una sfida a calcio. Qualsiasi cosa era meglio che strisciare in mutande in un pozzo pieno di carcasse di animali, come gli era capitato di dover fare durante il corso di addestramento in Georgia, rabbrividire per la malaria che aveva contratto perché non riusciva a tenere nello stomaco le pillole per la profilassi o, ancora, starsene accovacciato per ore sopra una fetida latrina, ridotto a un rottame dalla dissenteria, come gli era accaduto in una base infestata dalle mosche nel deserto nordafricano. I novellini pescavano le mosche dal rancio con un cucchiaio prima di mangiare. I veterani si limitavano ad affondarle nel sugo finché smettevano di dibattersi e poi le trangugiavano insieme al cibo. Almeno così si raccontava.

L'attesa era la carta da giocare anche per André Heintz, l'agile e giovane insegnante francese che quella sera stava tornando a casa in bicicletta a Caen, l'antica capitale della Normandia, città favorita del duca Guglielmo, che nell'XI secolo aveva conquistato l'Inghilterra. Caen, dominata dall'imponente cittadella fondata dal duca nel 1060, dista appena sedici chilometri dalla Manica, cui è collegata dal fiume Orne e da un canale che sfociano entrambi presso il porto di Ouistreham. André aveva trascorso la giornata con il padre aiutandolo a piantare fagioli nel loro piccolo appezzamento di terra alla periferia della città. Era uno degli espedienti con cui riuscivano a rimpolpare la magra razione settimanale di cibo: barattavano le verdure con il burro prodotto da una latteria locale. Il padre aveva addirittura smesso di fumare per fare economia.

André Heintz viveva con i genitori e la sorella in una grande casa indipendente nel centro cittadino. A poche centinaia di metri sorgeva il quartier generale militare della 716ª divisione tedesca, un edificio rigorosamente sorvegliato, e così gli Heintz, per raggiungere casa, dovevano oltrepassare uno sbarramento e presentare i documenti di identità. Ogni sera, dopo il coprifuoco, i tedeschi srotolavano un recinto di filo spinato. La notte precedente André aveva sentito un intenso bombardamento lungo la costa della Manica e anche in città erano stati lanciati vari allarmi aerei.

All'insaputa dei genitori e della sorella André era attivamente impegnato con il maquis, la Resistenza locale. Perlopiù dava una mano nel lavoro di falsificazione di documenti di identità per chiunque si trovasse nei guai: uomini evasi dai campi di lavoro forzato in Germania, elementi del maquis che avevano bisogno di una nuova identità oppure ebrei in fuga, anche se non ne erano rimasti più molti. Più rischiosa era invece la sua attività di raccolta di informazioni sulle installazioni militari degli occupanti: due volte alla settimana faceva il giro della città in bicicletta per osservare se vi fossero stati mutamenti nella composizione della guarnigione tedesca o fossero giunti nuovi materiali e poi passava le informazioni al suo contatto, un uomo anziano che viveva sulla costa e sapeva come inoltrarle segretamente a Londra. Verso l'inizio di quel mese da Parigi era giunto un altro uomo, che gli aveva chiesto di moltiplicare gli sforzi per trovare altri agenti per il lavoro di raccolta di informazioni, nonché di reclutare il più alto numero possibile di giovani per costituire una formazione attiva del maquis che sarebbe entrata in azione in occasione del D-Day. Da allora aveva esplorato la campagna a sud di Caen in cerca di possibili nascondigli e aveva tenuto gli occhi bene aperti per individuare terreni sgombri, privi di troppi alberi, adatti all'atterraggio dei paracadutisti.

Centotrenta chilometri più a sud, nei pressi di Le Mans, patria avita della dinastia dei Plantageneti, sovrani inglesi nel Medioevo, e già famosa in tutto il mondo per le corse automobilistiche, un uomo intorno ai trentacinque dall'aspetto in gamba se ne stava seduto sulla veranda di un castello isolato. Sydney Hudson era un agente segreto britannico e stava pensando ai preparativi per la notte a venire. Il proprietario dello Château de Bourdeaux era abbastanza disposto a collaborare, e quindi la notte l'agente non aveva timore di dormire nella tenda nascosta nel bosco sul retro della sua tenuta; per Hudson le ultime settimane erano state però frustranti: la zona era abbastanza vicina alla costa perché la Gestapo fosse pericolosamente attiva e c'erano stati molti arresti. I locali, perlopiù agricoltori, non sembravano molto desiderosi di essere coinvolti.

Insieme ad altri due agenti era giunto lì paracadutandosi alla cieca (senza un comitato di accoglienza pronto a riceverlo) durante il fine settimana di Pasqua. Ma aveva fatto alcuni progressi. L'operatore radio, un inglese che come lui parlava correntemente il francese, aveva preso contatto con Londra, e insieme erano riusciti a organizzare diversi lanci di casse piene di mitragliette Sten ed esplosivi, tutti coronati da successo. Inoltre, avevano cominciato ad allacciare un ristretto numero di contatti affidabili. A quel punto ciò di cui aveva davvero bisogno era un corriere che lo tenesse regolarmente in comunicazione con gli altri e potesse muoversi nella campagna senza destare sospetti. In precedenza aveva lavorato con una donna e aveva constatato con quanta maggiore facilità quella riuscisse a circolare indisturbata. Il D-Day si stava avvicinando, e questo fatto avrebbe potuto rivelarsi di importanza vitale; pochi giorni prima aveva dunque inviato un messaggio a Londra, e la sua richiesta era stata accolta. La risposta era giunta sotto forma di un enigmatico messaggio radio in codice che aveva sentito una sera nella sua tenda: "Marguerite cueille les marguerites" ("Margherita raccoglie le margherite").

Il lancio era previsto per quella notte, ma Hudson non si sarebbe recato sul posto di persona: sarebbe stato troppo rischioso e comunque doveva dedicarsi al reclutamento. Si sarebbe fatto vivo il mattino seguente, una volta saputo che il lancio era andato bene, per incontrare la persona che Londra gli aveva mandato. Era curioso di conoscerla.

All'interno del numero 35 di Crespigny Road, una piccola casa vittoriana nel sobborgo di Hendon, nella parte nordoccidentale di Londra, un uomo sedeva curvo di fronte a una radiotrasmittente: stava inviando un messaggio cifrato in morse. Lavorava su un apparecchio tedesco della potenza di cento watt; il dispaccio era destinato a Madrid, dove sarebbe stato ricevuto dall'Abwehr, il servizio informativo militare tedesco. Lì uno degli ufficiali più preparati ed efficienti dell'organizzazione si sarebbe concentrato sul contenuto del messaggio: nel corso degli ultimi due anni aveva imparato a fare affidamento su Arabel, nome in codice del suo agente a Londra, come fonte della massima affidabilità riguardo alle imminenti operazioni militari alleate. Ora che i venti di guerra avevano cominciato a soffiare con forza a sfavore dei tedeschi, Berlino era sempre più impaziente di ottenere informazioni sui nemici. L'Abwehr aveva dunque creato uno speciale reparto di servizi di informazione sull'invasione e stava cercando in tutti i modi di infiltrare agenti in Gran Bretagna tramite paesi neutrali come il Portogallo, la Spagna e la Svezia. Una volta lì, gli agenti avrebbero riferito sui movimenti delle truppe, sull'identificazione delle unità militari, sulla consistenza e il posizionamento delle forze americane, britanniche e degli altri alleati; in breve, avrebbero fornito ogni indizio che contribuisse a formulare una previsione sul luogo e sul momento dell'invasione.

Arabel era sul posto ormai da due anni. Aveva fatto un buon lavoro durante l'Operazione Torch, gli sbarchi angloamericani in Nordafrica del novembre del 1942, benché alla fine a Berlino non avessero sfruttato a dovere il materiale da lui fornito. Il suo superiore, un ufficiale ambizioso, aveva fatto del suo meglio per fornire ad Arabel tutti i ritrovati più recenti in materia di cifrari e inchiostri simpatici, inviandogli cospicue somme di denaro per coprire le spese nonché per pagare la decina o più di informatori che era riuscito a reclutare. Dopo aver elaborato e valutato i rapporti di Arabel l'ufficiale dell'Abwehr li inoltrava via radio al quartier generale a Berlino, anche se, purtroppo, non sempre venivano apprezzati o presi in considerazione dall'Alto comando tedesco. Di recente, però, aveva avuto la soddisfazione di sapere che i suoi superiori consideravano Arabel una fonte particolarmente preziosa. Per esempio, il feldmaresciallo Gerd von Rundstedt in persona, comandante in capo delle forze occidentali, aveva definito "di particolare importanza" un'informativa raccolta da Arabel, e Heinrich Himmler, il capo delle SS che recentemente aveva rilevato l'incarico dell'ammiraglio Wilhelm Canaris, da lungo tempo a capo dell'Abwehr, dopo la sua destituzione da parte di Hitler, gli aveva inviato un messaggio personale di apprezzamento per l'operato della sua rete in Gran Bretagna.

La situazione stava migliorando. Era sottoposto a forti pressioni perché i suoi agenti raccogliessero informazioni sull'invasione imminente. Grazie alla sua precedente esperienza di addetto militare all'ambasciata di Parigi, sapeva come integrare i frammenti delle notizie in modo da comporre un quadro delle forze nemiche. Qual era l'ordine di battaglia delle truppe alleate? Quante divisioni? Quanti uomini? Dove erano di stanza? Quando sarebbe stato sferrato l'attacco? Dove? Faceva affidamento su Arabel perché scoprisse le risposte a questi interrogativi e gliele riferisse. I rapporti inviati dall'agente negli ultimi tempi rivelavano un interessante concentramento di truppe nell'Inghilterra sudorientale, significativamente vicino allo stretto di Dover, la zona della Manica in cui la distanza fra Inghilterra e Francia era minore. Era questo il punto in cui sarebbe giunto l'attacco? A Madrid e a Berlino i superiori di Arabel stavano cercando di comporre le tessere di questo complicato mosaico.

Tranne un ristretto numero di persone, nessuno conosceva le risposte agli interrogativi formulati dall'Abwehr: certo non gli agenti segreti tedeschi, né il partigiano francese, il soldato tedesco, lo scricciolo inglese, il paracadutista americano o il fuciliere canadese, i quali pure erano tutti destinati a svolgere un ruolo negli epici avvenimenti che stavano per dipanarsi. E non ne erano al corrente neppure il clandestino ebreo né il prigioniero rinchiuso nella cella della Gestapo; eppure la loro libertà e probabilmente le loro stesse vite dipendevano dal successo delle forze dei liberatori che erano pronte a entrare in azione.

Il D-Day era uno dei segreti più importanti mai serbati, ma la concentrazione di forze che si stava svolgendo per prepararlo fu uno degli eventi più noti di tutta la Seconda guerra mondiale. Entro la fine di maggio del 1944, infatti, in Gran Bretagna erano stati dislocati oltre due milioni di effettivi, nei porti e nelle darsene lungo la linea di costa si erano radunate cinquemila navi e migliaia di bombardieri (i graziosi "uccelli d'acciaio" del giovane scricciolo patriottico, potenziali dispensatori di morte per i figli dell'ebreo parigino) stavano colpendo obiettivi in Francia a tutte le ore del giorno e della notte. Appena il giorno prima circa mille bombardieri pesanti Fortress e Liberator di stanza in Inghilterra avevano sganciato il loro carico su obiettivi nel territorio della stessa Germania. Altre centinaia di bombardieri e caccia (tra cui i nuovi Typhoon, armati di micidiali lanciarazzi) avevano attaccato ponti ferroviari, aeroporti e aerei nemici, oltre che stazioni di ricezione radio di importanza vitale per il sistema di allerta tedesco, progettato al fine di prevenire le invasioni nella Francia settentrionale. Dalla costa inglese si potevano avvistare chiaramente i razzi con paracadute e i lampi delle bombe che scoppiavano su Boulogne e altre cittadine che punteggiavano la sponda francese della Manica. I bombardieri pesanti americani, partiti dalle loro basi in Italia, avevano gravemente danneggiato gli impianti petroliferi e le raffinerie controllati dai tedeschi a Ploieşti, in Romania, e avevano effettuato incursioni contro le linee ferroviarie e gli aeroporti lungo la costa mediterranea della Francia meridionale. I giornali riferivano di interi impianti di smistamento ferroviario completamente polverizzati. Il caos nei trasporti stava provocando gravi interruzioni nella produzione dell'energia elettrica: l'erogazione dell'elettricità per uso domestico veniva sospesa dalle sette e mezzo del mattino alle otto e mezzo di sera, e a Parigi varie stazioni della metropolitana erano state chiuse e tre linee erano state completamente soppresse, mentre i ripetuti allarmi per gli attacchi aerei sulla capitale provocavano regolarmente la totale interruzione dei trasporti. L'"invasione aerea" dell'Europa, secondo il *Times* di Londra, era già a buon punto. Dato che la liberazione era senza dubbio imminente, secondo le fonti della Resistenza francese i combattenti del maquis erano impazienti di fare la loro parte. Tuttavia intendevano combattere da liberatori, non volevano essere annoverati fra quanti attendevano passivamente di essere liberati.

I tedeschi erano in ritirata in tutta Europa. In Oriente l'Armata rossa, mettendo a frutto le grandi vittorie di Stalingrado e Kursk dell'anno precedente, continuava ad avanzare verso ovest, puntando dritto al cuore della Germania, e aveva appena riconquistato la Crimea e respinto la Wehrmacht fuori dall'Ucraina. In Italia gli Alleati avevano finalmente sbloccato un'amara e sanguinosa situazione di stallo. Benché i loro sbarchi in Sicilia nel 1943 avessero contribuito a rovesciare Mussolini, il fedele alleato di Hitler, i successivi combattimenti lungo la penisola avevano avuto esiti disastrosi. Napoli era in mano agli Alleati ormai da mesi, ma Roma rimaneva occupata dai tedeschi e le forze del generale Alexander, impantanate sulla linea Gustav, strenuamente difesa da Hitler, erano riuscite ad avanzare di poco più di cento chilometri in otto mesi: un tentativo di sbarcare ad Anzio per poi avvicinarsi con un "balzo" a Roma si era risolto in un'impasse. Da febbraio l'avanzata degli eserciti alleati veniva ostacolata dalla grande abbazia fortificata di Montecassino, che bloccava la principale strada di accesso alla capitale italiana in direzione nord.

Appena due settimane prima, tuttavia, l'ostacolo era stato finalmente superato: il 18 maggio le forze alleate, guidate da truppe francesi e polacche, erano riuscite a conquistare Montecassino, e una settimana dopo avevano ripreso l'avanzata verso Roma. Contemporaneamente le forze americane erano riuscite a sbloccare la testa di ponte di Anzio, a una cinquantina di chilometri dalla capitale. Da allora le avanguardie delle truppe alleate si erano spinte fino a una ventina di chilometri da Roma. Le prime pagine dei giornali erano dominate dalle notizie che giungevano dal fronte italiano: ogni giorno recavano l'annuncio di una nuova ritirata tedesca in Italia, mentre le esauste divisioni di Hitler ripiegavano sulle loro incerte linee di difesa sui colli Albani. In tutti i Balcani, sulle montagne di Grecia, Iugoslavia e Albania, le formazioni della guerriglia partigiana bersagliavano il nemico con attacchi continui e tenevano in scacco migliaia di soldati tedeschi. Finalmente, dopo quattro lunghi anni, gli eserciti di Hitler battevano in ritirata.

Notizie altrettanto incoraggianti provenivano anche dagli altri fronti. In Asia l'impero giapponese si stava contraendo a vista d'occhio. Qui il vento di guerra era mutato già verso la metà del 1942 con la grande battaglia delle Midway, e gli americani, guidati dal focoso generale Douglas MacArthur, continuavano la loro avanzata passando da un'isola all'altra e puntando alle Filippine, a Taiwan e infine allo stesso Giappone. Negli ultimi tempi il ritmo dei loro progressi aveva subito un'accelerazione. Le isole Salomone erano già cadute e in aprile erano cominciati gli sbarchi in Nuova Guinea. Il giorno prima, il 27 maggio, i soldati americani avevano preso il piccolo avamposto insulare di Biak, una postazione chiave per le forze giapponesi al largo della costa settentrionale della Nuova Guinea, i cui campi d'aviazione fornivano un ulteriore trampolino di lancio per l'inarrestabile avanzata di MacArthur. Nel subcontinente indiano i giapponesi mantenevano ancora il controllo della Birmania, ma nelle città di Kohima e Imphāl la caparbia resistenza delle forze guidate dai britannici e al comando del generale William Slim stava vanificando i loro sforzi volti a invadere anche l'India nel disperato tentativo di turbare l'equilibrio strategico degli Alleati.

In Europa tutti sapevano che presto dalla Gran Bretagna sarebbe partita una massiccia invasione alleata del continente. Le isole britanniche erano ormai praticamente isolate dal mondo esterno: chiunque entrasse o uscisse dal paese veniva sottoposto a controlli minuziosi. Per ordine di Churchill, le misure di sicurezza per tutelare il D-Day dovevano essere "elevate, ampie e congrue". Così, per esempio, in febbraio i viaggi dei civili fra la Gran Bretagna e l'Irlanda erano stati sospesi per ovviare alle fughe di informazioni attraverso l'ambasciata tedesca a Dublino. Tutta la posta in arrivo e in partenza dalle isole britanniche doveva passare il vaglio della censura, e appena un mese prima, nonostante le vigorose proteste suscitate dal provvedimento, il bando era stato esteso alle comunicazioni diplomatiche dei governi stranieri, fatta eccezione per gli Stati Uniti e l'Unione Sovietica. Da aprile buona parte della costa meridionale dell'Inghilterra era stata preclusa a tutti i visitatori, e lo stesso valeva per una fascia costiera su entrambi i lati del Firth of Forth in Scozia. Gli alberghi che si trovavano all'esterno di quella zona facevano grande pubblicità a tale circostanza per loro fortunata; per esempio l'Hotel Spread Eagle di Midhurst, nel Sussex, "porta verso le Dune del Sud", proclamava fieramente sul *Times* di non essere "all'interno della zona preclusa".

Eppure altrove la vita continuava quasi come se la guerra fosse stata già vinta. In fin dei conti, quello era un fine settimana lungo, e alla stazione ferroviaria di Paddington si formarono code interminabili a causa del gran numero di persone che volevano lasciare Londra alla volta delle località di vacanza a ovest: centinaia di passeggeri sarebbero arrivati ad attendere fino a sei ore. Il giorno prima, per esempio, la gente aveva cominciato a mettersi in coda alle otto meno un quarto del mattino per prendere il treno del pomeriggio per il Galles meridionale. Quando il treno giunse finalmente alla stazione la folla cominciò a premere per salire sulle carrozze e la polizia incontrò non poche difficoltà a controllarla. I bimbi più piccoli venivano passati sopra le teste della gente e affidati alle cure delle portabagagli finché le madri non riuscivano a passare. Molti bambini si smarrirono. Quel mattino i giornali avevano annunciato ulteriori restrizioni ai viaggi in treno: il numero di biglietti a tariffa agevolata concessi alle mogli dei soldati in servizio sarebbe stato limitato a due o tre, a seconda del ruolo svolto dai rispettivi mariti. Tali misure sarebbero entrate in vigore nel giro di tre giorni, il 1° giugno.

Non c'era dunque da meravigliarsi che qualcuno avesse i nervi a fior di pelle. Il caldo stava logorando un po' tutti. La domenica di Pentecoste fu la giornata più calda dell'anno fino a quel momento, con quattordici ore di insolazione sullo stretto di Dover: il termometro aveva raggiunto il valore record di trentaquattro gradi al sole e ventisei all'ombra. Lo scricciolo Veronica Owen che giocava a tennis, o Walter Schwender, il soldato tedesco che scriveva a casa, non erano gli unici ad avvertire il bisogno di una bibita refrigerante. Il fine settimana aveva consentito a una folla di trentamila spettatori di assistere a una vittoria della nazionale australiana di cricket contro il "Resto del mondo" nella partita tenutasi al Lord's, un campo di cricket di Londra. In realtà la squadra sfidante era una compagine raccogliticcia di giocatori perlopiù inglesi che, a causa dell'età o per altre ragioni, non prestavano servizio nelle forze armate; era il caso dei leggendari battitori Wally Hammond e Len Hutton. A Nottingham migliaia di persone avevano assistito a una partita di baseball disputata nello stadio di Notts County in cui si erano affrontate due squadre dell'82ª divisione aviotrasportata statunitense: i Diavoli Rossi avevano battuto le Pantere 18 a 0.

Gli spettatori affollavano i cinema del West End impazienti di vedere le ultime novità, come per esempio *Tampico*, in cui il "duro" Edward G. Robinson interpretava il capitano di una petroliera silurata roso dal sospetto che la sua ragazza fosse l'agente nemico che l'aveva attirato nell'agguato di un U-Boot. Un altro film di successo era *Il ponte di San Luis Rey*, ispirato al best seller di Thornton Wilder che indagava il ruolo del destino nella fine di cinque persone che trovano la morte nel crollo di un ponte di corda in Perú. "Per le platee di oggi, che non ne possono più di sentire notizie sulla guerra" osservava la recensione di *Variety Review* "questo film costituirà un gradito svago." Sulle scene londinesi John Gielgud impersonava il protagonista di *Amleto*, mentre al teatro Playhouse si davano le ultime repliche di *Our Town* di Thornton Wilder: una commedia sulla vita in una piccola città americana con molti soldati statunitensi fra gli interpreti. Se solo se ne fossero potute prorogare le repliche, scrisse in una lettera al *Times* l'attrice Sybil Thorndike, si sarebbe dato un contributo inestimabile alla mutua comprensione fra la Gran Bretagna e gli Stati Uniti.

C'era persino un compleanno da festeggiare. Il dottor Eduard Benes, primo ministro cecoslovacco all'epoca del patto di Monaco che nel 1938 aveva consegnato ampia parte del suo paese a Hitler, e in quel momento leader dei cecoslovacchi in esilio, era una delle decine di personalità europee di spicco che avevano trovato riparo a Londra. Il piccolo villaggio ceco di Lidice era assurto a simbolo internazionale della brutalità nazista quando, nel 1942, tutta la sua popolazione maschile venne trucidata, mentre le donne e i bambini furono deportati in Germania e le case distrutte come atto di ritorsione per l'assassinio, compiuto dai partigiani cechi, di Reinhard Heydrich, vicecomandante delle SS e brutale governatore del "protettorato" ceco. Benes compiva sessant'anni. "Mi rallegra" scriveva Churchill "pensare che in un simile frangente [di crisi per l'umanità] il popolo cecoslovacco, unito e risoluto sotto la sua guida, nonostante le lunghe e terribili sofferenze, è pronto a svolgere la sua parte al nostro fianco, in stretta collaborazione con i nostri alleati a ovest e a est, per portare a termine il definitivo rovesciamento della tirannia tedesca..."

Anche per Churchill quello era un fine settimana di vacanza. Come al solito, insieme a sua moglie Clementine aveva lasciato Londra per Chequers, nel Buckinghamshire, la residenza di campagna dei premier inglesi sita a un'ottantina di chilometri a nord della capitale. Un paio di giorni in quella dimora in legno e muratura scolorita dalle intemperie gli davano modo di sottrarsi per un po' alle continue e pressanti incombenze che doveva affrontare a Londra, oltre a offrirgli l'opportunità di occuparsi brevemente di questioni familiari urgenti. Il pensiero che lo assillava durante quel fine settimana era la sorte del suo unico figlio maschio, Randolph.

Il giornalista e deputato trentatreenne, che aveva ereditato dal padre l'inestinguibile sete di azione e avventura, aveva combattuto in Nordafrica e partecipato a un'audace incursione delle SAS dietro le linee nemiche a Bengasi e agli sbarchi alleati a Salerno. Poi si era paracadutato in Bosnia per lavorare al fianco del leader partigiano, il maresciallo Tito, nel suo rifugio di montagna nei pressi del villaggio di Drvar. "Il suo studio è tutto tappezzato di seta di paracadute e ricorda più il *nid d'amour* di un cortigiano epicureo che l'ufficio di un capo guerrigliero" aveva riferito Randolph al padre, fornendogli un punto di vista interessante su quell'uomo le cui forze erano impegnate a combattere i tedeschi e simultaneamente a fronteggiare una sanguinosa guerra civile contro i cetnici, i suoi avversari monarchici decisi a strappargli il controllo della Iugoslavia.

Ma la quotidianità della guerriglia era dura e Randolph ne condivideva tutti i disagi con i compagni. "Non si lamenta mai del freddo, della fame, della sete, dei piedi doloranti o delle pallottole dei tedeschi" aveva scritto un osservatore "e ha scatenato un putiferio solo quando il barbiere dei partigiani ha preteso di radergli la barba senza acqua calda."

Churchill era costantemente preoccupato per il figlio. "Esprima il mio affetto a Randolph, se dovesse entrare nella sua sfera" aveva telegrafato a Tito tre giorni prima. Quello stesso giorno suo figlio aveva visto la morte in faccia ed era sopravvissuto per un soffio: alcuni paracadutisti tedeschi, spalleggiati da bombardieri Stuka, avevano sferrato un attacco contro il quartier generale di Tito, sperando di fare prigionieri il leader partigiano e Randolph, ma dopo un accanito combattimento i partigiani e il giovane Churchill erano riusciti a sfuggire alla cattura e si erano dileguati fra le montagne. Il primo ministro era stato informato dell'attacco quasi subito grazie alle intercettazioni inglesi dei messaggi radio tedeschi, opportunamente decifrati.

Quel giorno era il compleanno di Randolph, e Churchill si mise al suo tavolo per scrivergli una lettera. "Naturalmente seguiamo con una certa ansia la notizia dell'attacco al quartier generale di Tito" ammetteva. "Ma oggi ci è giunta notizia che gli unni aviotrasportati sono stati liquidati." Dopo aver augurato buona fortuna al figlio e averlo rassicurato che era sempre nei loro pensieri, il primo ministro proseguiva: "Anche qui di tanto in tanto godiamo di qualche giornata meravigliosa: tutto splende della prima gloria dell'estate. La guerra è spietata e terribile, ma in queste aiuole baciate dal sole e in mezzo a queste distese di ranuncoli è difficile evocarne gli orrori". Poi dava qualche notizia sul figlioletto di tre anni di Randolph, Winston junior, che aveva contratto il morbillo. "Mi vergogno ad ammetterlo, ma gli ho raccontato che è tutta colpa dei tedeschi" celiava; "tuttavia farò del mio meglio per cancellare in lui questa impressione quanto prima."

Anche mentre si dedicava alla stesura di questa missiva Churchill era allarmato dai resoconti che gli giungevano dalla Francia circa le devastazioni materiali e le perdite di vite umane provocate dalla campagna di bombardamenti alleati che era stata concepita per fiaccare i tedeschi prima del D-Day. Per giorni aveva litigato furiosamente a proposito di quelle incursioni con il maresciallo dell'aria Arthur Tedder, vicecomandante delle forze di invasione. Churchill aveva chiesto se erano veramente necessarie. Quante vittime civili innocenti avevano provocato? Non ci si doveva aspettare che causassero gravi ritorsioni contro gli Alleati quando questi fossero sbarcati in Francia? Aveva scritto uno stringato messaggio al segretario agli Esteri, Anthony Eden, che condivideva le sue preoccupazioni. "Ne parleremo domani. Si stanno facendo cose terribili."

Quei fine settimana a Chequers, che pure offrivano a Churchill l'opportunità di lasciare Londra, non erano mai dedicati esclusivamente alla famiglia: gli fornivano anzi l'occasione per accogliere ospiti ufficiali giunti dall'estero, politici stranieri, comandanti delle forze alleate in licenza e altri amici, vecchi compagni e colleghi che era lieto di avere accanto a sé. Fra gli ospiti presenti quel fine settimana c'era il generale Ira Eaker, comandante delle forze aeree alleate nel Mediterraneo, che si incaricò di portare quantomeno fino al Cairo la lettera del primo ministro indirizzata a Randolph.

C'era anche Averell Harriman, avvenente magnate americano delle ferrovie riconvertitosi in diplomatico. Quell'amico di famiglia intimo e fidato era già invischiato in un'appassionata tresca con la nuora del primo ministro, Pamela, moglie di Randolph. Dopo aver esercitato per lungo tempo il potere dietro le quinte a Washington, Harriman era diventato ambasciatore del presidente Roosevelt a Mosca e stava appunto rientrando nella capitale statunitense per riferirgli di un recente colloquio con Stalin. Quello che Harriman avrebbe detto a Roosevelt indusse il primo ministro a scrivere personalmente al leader sovietico. Questi aveva sollecitato l'apertura di un secondo fronte angloamericano in Francia sin dai tempi dell'attacco sferrato da Hitler contro il suo paese nel 1941, e di recente era stato sommariamente ragguagliato sull'impresa. Ma Churchill teneva molto a rassicurarlo, e così gli scrisse che in Gran Bretagna tutti gli sforzi erano concentrati sull'Operazione Overlord (come veniva chiamata l'invasione del continente che si stava preparando), il cui primo obiettivo era conquistare una posizione stabile in Francia. Per garantire il successo dell'attacco del D-Day si sarebbe fatto e rischiato tutto ciò che era umanamente possibile.

Churchill inviò un messaggio anche all'altro suo principale alleato, Roosevelt. Per qualche tempo si era parlato di un vertice tra i due a Bermuda, ma da ultimo Roosevelt aveva annullato l'incontro per ragioni di salute. Churchill, senza perdersi d'animo, lo esortava a venire a Londra dopo il D-Day. Fino ad allora il presidente non aveva mai fatto visita alla Gran Bretagna durante la guerra. Il primo ministro gli scriveva, con quel tono giocoso che adottava spesso di fronte alla resistenza di Roosevelt: "Il dottor Churchill la informa che un viaggio per mare su una delle vostre nuove e grandi corazzate le arrecherà infinito beneficio". Ma neppure questo appello sortì il risultato che lo scrivente si riprometteva: quell'anno negli Stati Uniti si sarebbero svolte le elezioni, e visto che in taluni ambienti continuavano a serpeggiare sentimenti antibritannici Roosevelt decise che, per il bene della sua politica, per il momento avrebbe fatto meglio a tenersi alla larga da Londra.

Quanto ai rischi che Overlord presentava, Churchill ne era fin troppo consapevole. Sapeva bene, per amara esperienza personale, tutto ciò che poteva andare storto nel corso di uno sbarco anfibio su una costa nemica. La sua carriera politica, ancora agli inizi all'epoca della Prima guerra mondiale, era stata quasi stroncata a causa del ruolo che aveva svolto nella pianificazione dell'impresa dei Dardanelli, sciaguratamente sfociata nel massacro dei contingenti che avevano tentato di sbarcare in Turchia. Anche l'incursione su Dieppe, nell'estate del 1942, gli aveva dolorosamente ricordato quei rischi: migliaia di soldati, perlopiù canadesi, erano stati uccisi o fatti prigionieri durante quell'abborracciato tentativo di conquistare il porto francese sulla Manica, e la strage aveva lasciato atterriti tutti coloro che erano stati coinvolti nell'impresa. Ora Churchill, fermamente deciso a ridurre al minimo i pericoli e ad anticipare ogni possibile sorpresa, esaminava con attenzione febbrile qualunque sia pur minuscolo frammento di ogni informazione segreta che giungeva sulla sua scrivania.

La sua fonte principale era Ultra, ovvero, come preferiva chiamarla, Boniface,* un nome inventato fin dall'inizio della guerra per suggerire l'esistenza di una spia che agiva a livelli molto alti all'interno del governo tedesco; in realtà, si trattava delle informazioni segrete raccolte dai decrittatori di Bletchley Park (l'ultrasegreto centro di decrittazione situato non lontano da Chequers), desunte dalle intercettazioni di messaggi radio tedeschi di primaria rilevanza strategica della cui indecifrabilità il nemico era erroneamente e disastrosamente convinto. Churchill riceveva ogni giorno un fascicolo di rapporti di questo tipo, chiusi in una cassetta di colore beige di cui solo lui e il massimo dirigente dei servizi segreti possedevano la chiave. Quest'ultimo era Sir Stewart Menzies, altrimenti noto a Whitehall semplicemente come C (dall'iniziale di Sir Mansfield Cumming, suo predecessore a capo del Secret Intelligence Service, SIS). Quel giorno, persino a Chequers e di domenica, C gli aveva inviato venti "messaggi speciali" (un eufemismo usato per tenere celata la loro fonte riservatissima). Se i tedeschi avessero avuto sentore di quanto gravemente era stata compromessa la segretezza dei loro codici e cifrari li avrebbero sostituiti subito, e all'improvviso gli Alleati si sarebbero ritrovati al buio. Così, invece, Churchill aveva talvolta la sensazione di osservare le strategie militari del nemico come se le stesse guardando dalla finestra.

Quel giorno scorse le intercettazioni in cerca di qualche segno che i tedeschi erano venuti a conoscenza di particolari autentici a

* "Bonifacio"; in inglese la parola significa anche "oste". [N.d.T.]

proposito dell'invasione imminente, oppure, in alternativa, che avevano abboccato alle esche dell'accorto piano di depistaggio concepito per metterli fuori strada. Ciò che lesse lo rassicurò. Le notizie particolarmente incoraggianti erano due. Una, inviata all'Alto comando tedesco dal feldmaresciallo von Rundstedt, rivelava che gli attacchi aerei contro obiettivi nella Francia settentrionale stavano efficacemente dissimulando il luogo nel quale in effetti si sarebbe verificata l'invasione. Le incursioni, riferiva infatti von Rundstedt, erano "prive di alcuno scopo riconoscibile verso cui si rivolga lo sforzo principale": in altre parole, non fornivano alcun indizio sul luogo in cui sarebbero potuti avvenire gli sbarchi. Un'altra intercettazione, risalente al 27 maggio, cioè al giorno precedente, si spingeva ancora oltre. Era un messaggio tedesco che rilevava come gli Alleati avessero preso di mira con i loro bombardamenti i ponti sulla Senna, ed evidenziava probabili intenzioni nemiche contro un'area non compresa nella zona di invasione. Churchill spuntò i rapporti e li ripose nella cassetta chiusa a chiave, che sarebbe stata restituita al capo dei servizi informativi il mattino seguente.

Mentre era impegnato nella lettura di quei documenti Churchill aveva piena consapevolezza anche di altre circostanze. I lanci di rifornimenti alla Resistenza francese in maggio erano stati progettati in modo da mettere fuori strada i tedeschi. Alcuni giorni prima Lord Selborne, il ministro responsabile dello Special Operations Executive (SOE), l'organismo segreto che Churchill aveva istituito nel luglio del 1940 per organizzare le azioni di guerra dietro le linee nemiche, gli aveva fornito alcune cifre. Il rapporto tra i rifornimenti assicurati all'area di invasione vera e propria e quelli destinati alla regione circonvicina, non inclusa nei piani degli Alleati, era stato fissato a uno a tre, anche se ciò significava inviare velivoli sulle zone meglio difese della Francia: se i tedeschi tenevano sotto osservazione i voli avrebbero potuto ricavarne conclusioni errate sull'area prescelta per l'invasione.

Il segreto del D-Day, concluse dunque Churchill, sembrava intatto, e il piano di depistaggio funzionava; di tutto ciò, comunque, non poteva avere la certezza.

Mentre Churchill si crogiolava al sole a Chequers Adolf Hitler si godeva la tersa aria di montagna delle Alpi bavaresi nel suo rifugio privato sul Berghof, nella regione dell'Obersalzberg, dove sin dagli anni venti era solito ritirarsi vuoi per riposare, vuoi per riorganizzare le idee in vista di un'importante mossa politica, vuoi ancora per preparare i suoi discorsi per i congressi annuali del Partito nazista a Norimberga.

Fu al Berghof che, pochi giorni prima di sferrare l'attacco alla Polonia con cui avrebbe fatto scoppiare la Seconda guerra mondiale, rivelò i propri intenti bellici ai capi della Wehrmacht. «La nostra forza sta nella nostra velocità e brutalità» li aveva avvertiti. «Gengis Khan mandò a morte molte donne e bambini, deliberatamente e con gioia. La storia vede in lui il fondatore di uno stato. Quel che la debole civiltà occidentale dice di me non ha importanza. Io ho dato l'ordine (e farò fucilare chiunque esprima anche una sola parola di critica); lo scopo della guerra non è raggiungere limiti precisi, bensì la distruzione fisica del nemico. Perciò ho radunato le mie formazioni Totenkopf...»

Nel salone della residenza al Berghof, che era stata ampliata a partire da un modesto villino, c'era un'enorme finestra panoramica che offriva magnifiche vedute su Berchtesgaden, Salisburgo e il monte Untersberg. Lì sotto, secondo la leggenda, riposava ancora l'imperatore Carlo Magno, che un giorno si sarebbe risvegliato per rinverdire i fasti dell'impero tedesco. «Vedete laggiù l'Untersberg» era solito dire Hitler ai suoi ospiti. «Non è un caso che abbia stabilito la mia residenza proprio qui di fronte.»

Quell'inverno si era trasferito lì temporaneamente, mentre la sua "Tana del Lupo", il massiccio quartier generale di cemento celato nelle foreste presso Rastenburg, nella Prussia orientale, veniva irrobustita per resistere agli attacchi aerei. Stormi di bombardieri pesanti alleati martellavano ormai regolarmente Berlino e altri obiettivi ancora più a est, e il vecchio palazzo reale nel cuore della capitale del Reich era appena stato centrato da una bomba che aveva distrutto la famosa Sala dei cavalieri e la Sala del trono, nonché la cappella in cui era stato battezzato Federico il Grande. Ma lassù, in mezzo alle Alpi bavaresi, Hitler era ben distante da quelle cupe realtà, nonché dalle notizie riguardo ai progressi dell'Armata rossa che giungevano incessanti dal fronte orientale.

Nell'aria rarefatta del Berghof la vita sembrava normale e rassicurante. Hitler si alzava tardi, si occupava subito di questioni ufficiali e poi nel pomeriggio si ritirava per un pranzo intimo con ospiti e amici. Mangiavano nella sala da pranzo rivestita di pannelli di larice, su sedie foderate di marocchino rosso vivo, con semplici stoviglie di porcellana e posate d'argento che recavano il suo monogramma personale. Di solito intorno alla tavola sedeva una ventina di persone; invariabilmente, alla sinistra di Hitler prendeva posto la sua amante

Eva Braun. A servire in tavola erano le SS della sua guardia del corpo personale, che indossavano grembiuli bianchi e pantaloni neri e recitavano la parte dei camerieri. Dopo il pasto tutti facevano una passeggiata attraverso il bosco di pini fino alla Casa del tè, uno dei posti preferiti di Hitler, da cui si godevano splendide vedute sulla vallata, per prendere caffè e dolci. La sera, accanto al caminetto acceso nel salone sontuosamente tappezzato, era solito ascoltare registrazioni delle opere di Wagner e conversare fino a tarda notte di argomenti che spaziavano dai suoi primi giorni di lotte a Monaco al suo piano per plasmare il mondo. Dormiva in una stanza da letto freddissima, seguiva una dieta vegetariana e non beveva alcol. Ogni giorno il suo medico personale, il dottor Theodor Morell, gli prescriveva delle pillole per il numero sempre maggiore di acciacchi da cui era afflitto. Il Führer dimostrava più dei suoi cinquantaquattro anni: aveva il viso profondamente segnato, spesso l'occhio destro gli si chiudeva, il suo incedere era ormai claudicante.

Ciò nonostante, o forse proprio per questo, restava determinato e caparbio nel perseguimento dei suoi obiettivi ultimi. Solo due giorni prima aveva incontrato nel vicino Hotel Platterhof un gruppo di alti ufficiali e generali. Con un discorso raggelante, con il quale aveva dimostrato di non aver perso nulla del suo fanatismo, li aveva avvertiti in termini molto chiari che il loro destino era legato alle sorti del nazionalsocialismo e che solo quest'ultimo offriva i princìpi che avrebbero potuto salvare la Germania: la supremazia, l'intolleranza, il rifiuto di scendere a compromessi con le forze che minacciavano la sopravvivenza della nazione. Aveva parlato apertamente della Soluzione finale. Avrebbe potuto praticarla in maniera più umana? «Signori» aveva detto rispondendo alla propria domanda «siamo in lotta per la vita o per la morte [...] Da me non aspettatevi altro che la ferma difesa dell'interesse nazionale.» Rammentò loro che nell'istante in cui erano riuniti l'eliminazione degli ebrei d'Ungheria stava procedendo a tutto vapore: questa misura era stata consentita, sottolineò, solo dal fatto che le truppe tedesche erano entrate in Ungheria quella primavera.

Quanto all'invasione in Occidente, oscillava capricciosamente fra l'idea di accoglierla come un'opportunità per sbaragliare gli Alleati e il dubbio se si sarebbe mai verificata quell'estate. In ogni caso, era certo della vittoria: se gli Alleati fossero sbarcati, affermava, sarebbero andati incontro a un disastro e non avrebbero mai più osato l'impresa; se invece non l'avessero fatto e i loro palesi preparativi si fossero rivelati nulla più che una gigantesca messinscena, disponeva di armi segrete, come la bomba volante e un nuovo aviogetto, con cui li avrebbe messi fuori combattimento. Londra, profetizzava, sarebbe stata ridotta a "un cumulo di macerie". Questo, sempre che gli Alleati non avessero cominciato a litigare fra loro, perché la storia insegna che gli alleati fanno sempre così in capo a cinque anni; in quel caso sarebbe scoppiato il grande conflitto fra Est e Ovest e la Germania sarebbe stata salva. Il tempo, ne era sicuro, giocava a favore del Terzo Reich.

Eppure di quando in quando la realtà riusciva a emergere e Hitler si trovava costretto a pensare all'urgente questione che von Rundstedt e soprattutto il feldmaresciallo Erwin Rommel, comandante del gruppo di armate B dell'esercito, che includeva la XV e la XVII Armata ed era dislocato lungo un fronte che si estendeva dall'Olanda alla Loira, sulla costa atlantica francese, avrebbero dovuto affrontare. Se l'invasione alleata avesse avuto luogo, dove era più verosimile che avvenisse?

Al pari della maggior parte dell'Alto comando tedesco, Hitler aveva da tempo abbracciato l'ipotesi che l'invasione sarebbe avvenuta in qualche località nei pressi del punto più stretto della Manica, a nord della Senna. In effetti tale ipotesi era implicita nella Direttiva 51, l'ordine che aveva inviato all'Alto comando nel novembre del 1943 e che da allora aveva costituito il fondamento teorico di tutta la difesa tedesca. Eppure qualche mese dopo, nell'aprile del 1944, lo stesso Hitler aveva improvvisamente cominciato a parlare della Normandia e della Bretagna, nella Francia nordoccidentale, come di possibili obiettivi del nemico, e aveva chiesto che quella parte del fronte venisse rinforzata. Non c'era alcun motivo evidente per questo mutamento di vedute. Forse era giunto alla conclusione che gli Alleati, forti della loro schiacciante superiorità navale, non avrebbero avuto alcuna necessità impellente di impadronirsi di uno dei porti principali fin dalle prime fasi dell'invasione; questo, viceversa, era stato uno dei molti fattori che avevano incoraggiato i tedeschi a puntare la loro attenzione sul tratto orientale della costa, che comprendeva porti come Calais, Le Havre e Boulogne. Ma può darsi che avessero contribuito in tal senso anche i rapporti degli agenti che si erano infiltrati nella Resistenza francese e avevano ottenuto alcuni successi notevoli: nessuno sapeva mai quali fonti arcane alimentassero la fervida immaginazione di Hitler.

Inoltre Hitler era caparbiamente fedele a un'idea che per lungo tempo lo aveva ossessionato, cioè che gli Alleati potessero colpire anche la Norvegia, non come principale area di invasione, bensì forse con uno sbarco significativo o un'incursione, ma comunque solo per creare un diversivo. Gli innumerevoli fiordi della costa norvegese offrivano un'opportunità di riparo importante per gli U-Boot e il paese, nel suo insieme, era utile per sorvegliare il fianco settentrionale della Germania. Per questa ragione insisté perché rimanesse di stanza lì una cospicua forza di occupazione. I più velati accenni di resistenza o spionaggio dovevano essere repressi con ferocia.

A ogni modo, ai fini del D-Day sarebbe stata importante, più che la reazione di Hitler, quella del suo comandante sul campo, Rommel.

Il castello di La Roche-Guyon si erge sull'altura che sovrasta un'ansa della Senna a una sessantina di chilometri a nordovest di Parigi, non lontano dai giardini di Giverny, resi celebri dai dipinti di Claude Monet. Già roccaforte normanna (le rovine del castello dominano ancora la collina), era stato per molto tempo la residenza avita dei duchi di La Rochefoucauld; nel Settecento un discendente della casata aveva scritto un celebre libro di massime, e il suo ritratto occupava un posto d'onore nella sala d'armi del castello.

Poco dopo che Hitler gli aveva assegnato l'incarico di sventare l'invasione, nel gennaio del 1944, Rommel aveva eletto il castello suo quartier generale, pur consentendo al duca e alla sua famiglia di continuare a risiedere nei rispettivi appartamenti privati e mantenendo ottimi rapporti con loro; per alloggiare gli ufficiali e le truppe si scavarono gallerie nelle profondità del costone roccioso. La stanza di Rommel si affacciava su un roseto e il suo studio era ornato di arazzi e arredato con una scrivania rinascimentale intarsiata. Oltre a essersi procurato alcuni bassotti tedeschi che gli tenevano compagnia, Rommel aveva adottato un cane di grossa taglia di nome Ajax che lo seguiva nelle sue battute di caccia alla lepre. Dopo cena, al termine di una dura giornata di lavoro, era solito fare una passeggiata serale nel parco con il suo capo di stato maggiore, il generale di corpo d'armata Hans Speidel, e con il suo consigliere navale, il viceammiraglio Friedrich von Ruge. Il punto del parco che preferiva si trovava sotto due grandi cedri: di lì poteva spaziare con lo sguardo sulla pacifica valle della Senna e sul cielo al tramonto. Rommel apprezzava la Francia: la sua cucina, i suoi vini, la sua gente, il suo paesaggio. Eppure era un paese occupato e nemmeno lui poteva ignorare questa circostanza. "Quanto odio c'è contro di noi!" aveva annotato nel suo diario.

Il cinquantunenne feldmaresciallo era stato comandante delle truppe di Hitler in Nordafrica, dove si era guadagnato il soprannome me di Volpe del deserto. Uomo austero e tenace, aveva trascorso i cinque mesi precedenti lavorando in modo frenetico per predisporre le difese della vasta area dell'Europa occidentale sottoposta al suo comando. «La guerra sarà vinta o persa sulle spiagge» dichiarò un giorno, mentre stava contemplando una spiaggia deserta. «Abbiamo una sola opportunità di fermare il nemico: quando è ancora in acqua.»

Così la linea di costa della Francia occidentale era ora ornata, sia sopra sia sotto i segni dei livelli dell'alta marea, da una sconcertante moltitudine di ostacoli antinvasione. Fra questi vi erano i "cancelli belgi", grandi telai di ferro e acciaio alti quattro metri, muniti di supporti per ancorarli in modo che non venissero portati via dalle maree, che venivano collocati in acqua a circa trecento metri dalla linea dell'alta marea. Poi c'erano i "porcospini cechi", triangoli di legno o acciaio alti fra un metro e un metro e mezzo, irti di mine e di granate, che venivano collocati in modo da essere sommersi dall'alta marea. E ancora, coni di cemento alti un metro e venti, tetraedri avvolti nel filo spinato e pali di legno appuntiti e muniti di festoni di mine. Dietro le spiagge c'erano barriere anticarro, grandi reticolati di filo spinato e quattro milioni di mine. Lungo la costa, a intervalli regolari, erano disposti fortini, capisaldi per i cannoni, complicati sistemi di camminamenti, nidi di mitragliatrici, edifici fortificati, casematte per l'artiglieria pesante. Questo complesso di fortificazioni aveva ricevuto il nome altisonante di Vallo Atlantico.

Rommel si era impegnato fino all'esaurimento per coordinare e supervisionare l'enorme quantità di lavoro richiesta dall'edificazione di tutte queste difese, oltre che per ottenere rinforzi dai suoi superiori.

Quel giorno però aveva deciso di approfittare della giornata soleggiata per riposarsi un po'. Prese posto alla guida della sua Horch, la potente automobile riservata ai membri dello stato maggiore, e guidò fino alla non lontana foresta di Choisy, dove fece visita al marchese di Choisy, un fragile vecchietto filonazista il cui figlio combatteva nell'esercito tedesco contro i bolscevichi sul fronte orientale. Quella sera, dopo essere tornato a La Roche-Guyon, rimase alzato fino a tardi a conversare sulla guerra con i Rochefoucauld. Anche loro avevano puntato tutto su una vittoria tedesca e potevano solo sperare che il loro ospite sarebbe riuscito a respingere qualsiasi tentativo di invasione, ma tutto lasciava pensare che non ci fossero molte speranze. Di recente, per esempio, erano stati costretti per la prima volta a rifugiarsi nelle gallerie scavate sotto la residenza, mentre stormi di aerei alleati in missione di bombardamento volavano sopra di loro alla volta di Parigi.

Al di là della Manica l'omologo di Rommel era impegnato a custodire scrupolosamente il segreto del D-Day. Il generale Dwight D. Eisenhower era stato nominato comandante supremo di tutte le forze di invasione alleate lo stesso giorno in cui Hitler aveva conferito a Rommel l'incarico di respingere l'invasione nemica, il 15 gennaio. Roosevelt aveva chiesto personalmente ad Eisenhower di svolgere quel compito durante un loro incontro a Tunisi, dove il presidente si era fermato tornando in patria da Teheran, sede della prima grande conferenza alleata del periodo bellico, a cui aveva partecipato insieme a Churchill e Stalin. Dato che Roosevelt preferiva parlare di liberazione più che di invasione, Eisenhower si conformava a questo principio quando redigeva i suoi bollettini destinati alla diffusione pubblica: conscio dell'importanza dei mezzi di comunicazione, sapeva che la battaglia per l'opinione pubblica era di importanza vitale nella condotta di guerra moderna. Così, spese gran parte di quella mattina nella registrazione del messaggio che sarebbe stato diffuso nelle prime ore del D-Day.

Ad aiutarlo c'era il magnate delle comunicazioni William S. Paley, presidente della più potente rete radiofonica d'America, la Columbia Broadcasting System (CBS), per la quale lavoravano divi come i giornalisti William L. Shirer, Eric Sevareid, Howard K. Smith e il leggendario Ed Murrow, i cui reportage sul blitz su Londra nei giorni bui dell'inverno 1940-1941, letti con voce arrochita, avevano tanto contribuito a persuadere l'opinione pubblica dell'America neutrale a seguire il cammino della Gran Bretagna. Eisenhower aveva incontrato Paley per la prima volta all'Hotel Dorchester di Londra; gli era stato presentato dal suo aiutante navale, Harry Butcher, che a sua volta, in passato, aveva collaborato con la CBS. I due uomini si erano capiti subito e Eisenhower aveva fornito a Paley un'automobile, un autista e un generoso rifornimento di benzina razionata per consentirgli di viaggiare liberamente in tutta l'Inghilterra. Nel giugno del 1944 Paley, che ormai vestiva un'uniforme da colonnello, era responsabile delle radiocomunicazioni del quartier generale di Eisenhower. Occupava anche una lussuosa suite al Claridge's (che veniva chiamato familiarmente "Piccola America" perché era molto apprezzato dagli ufficiali statunitensi), sfoggiava una piastrina di riconoscimento d'oro di Cartier e intrecciava relazioni con Pamela Churchill, moglie di Randolph, e Edwina Mountbatten, moglie del supremo comandante britannico nell'Asia sudorientale.

«Le trasmissioni radio sono un'arma di guerra proprio come i cannoni e le pallottole» proclamava Paley. Quel mattino aveva assistito Eisenhower nella preparazione della sua importantissima trasmissione per il D-Day. Quando ebbero finito, il nastro fu accuratamente riposto in una cassaforte.

Terminato il lavoro di quella giornata il comandante supremo si concesse un po' di riposo nel giardino della sua abitazione temporanea in Inghilterra, Telegraph Cottage, una modesta casa con due stanze da letto a Kingston, appena fuori Londra. Eisenhower l'aveva scelta per potersi allontanare fisicamente dalla capitale e dalle distrazioni dei visitatori indesiderati. Quando lavorava, lo faceva a lungo e intensamente. Al pari di Rommel, dormiva poco, si alzava presto tutti i giorni, molto prima dei membri del suo stato maggiore, e si era guadagnato i gradi nel deserto, come comandante delle forze alleate in Nordafrica. I due uomini avevano quasi la stessa età, potevano contare su matrimoni forti e solidi, scrivevano regolarmente alle proprie mogli e avevano entrambi un figlio. Rommel aveva cominciato nella Luftwaffe come cannoniere dell'antiaerea. Eisenhower era stato cadetto all'accademia di West Point.

Il giardino era infiammato dalla fioritura dei rododendri, dei papaveri e delle rose. Come Churchill, anche Eisenhower si dilettava di pittura, e così prese una matita e provò ad abbozzare il grande pino che si levava in mezzo al giardino; tuttavia, insoddisfatto del risultato, ci scrisse sopra "sciocchezze". La sua voglia di disegnare, osserva Harry Butcher, era un'ulteriore prova della noia e dell'impazienza prodotte dal lungo periodo di attesa. I titoli dei giornali domenicali non erano sufficienti a distrarlo: le promesse di un'imminente liberazione di Roma non facevano che rimarcare la stasi nel settore che ricadeva sotto la sua responsabilità.

Più si aspettava, più aumentava il pericolo che il segreto trapelasse. Eisenhower ne era ben consapevole; d'altra parte, con due milioni e mezzo di soldati pronti a entrare in azione, non poteva essere altrimenti. Così, per essere sicuro che tutti recepissero l'avvertimento aveva punito severamente ogni possibile fuga di notizie. Una delle misure più clamorose aveva colpito il generale di divisione Henry Miller, responsabile per la logistica della 9ª forza aeronautica statunitense. In occasione di un ricevimento al Claridge's questi aveva disinvoltamente parlato dei problemi che stava incontrando con i rifornimenti, aggiungendo tuttavia che tali inconvenienti sarebbero stati superati dopo il D-Day, cioè, come aveva rivelato, prima del 15 giugno. Appena Eisenhower fu messo al corrente dell'episodio lo degradò al rango di colonnello e lo fece rimpatriare. Tutte le disperate implorazioni rivolte da Miller al vecchio compagno di West Point si dimostrarono inutili: nonostante il suo ampio sorriso Eisenhower era un uomo irremovibile.

Quella sera, poco prima delle nove, il giovane insegnante francese di Caen, città ormai spenta nel coprifuoco notturno, si accingeva a portare a termine un ultimo incarico. André Heintz non nutriva simpatia per i tedeschi. I suoi nonni avevano lasciato la nativa Alsazia senza rimpianti dopo che la Germania aveva annesso la regione in seguito alla guerra franco-prussiana del 1870-1871. In seguito, all'epoca della Prima guerra mondiale suo padre era stato cacciato dalla propria casa in Borgogna, nella Francia orientale, dalle truppe tedesche. L'umiliazione che la nuova occupazione da parte del nemico nazionale rappresentava per la sua famiglia era veramente troppo per André, e lui era fermamente deciso a fare tutto ciò che poteva per porre fine a quella situazione.

Chiese ai genitori il permesso di allontanarsi e scomparve nella cantina della casa di famiglia. Da uno scaffale carico di scatolette ne scelse una che, stando all'etichetta, doveva contenere spinaci e tolse il coperchio: all'interno era nascosta una piccola radio a galena. In precedenza si era portato di sotto una cuffia, raccolta da una scatola nascosta in soffitta. Collegò l'apparecchio all'impianto elettrico della casa e constatò che la ricezione era buona. Alle nove udì la voce chiaramente riconoscibile dell'annunciatore della BBC. Le buone notizie che riferiva sulla guerra, in particolare quelle sull'imminente caduta di Roma, scaldavano il cuore.

Ma in realtà André si era messo in ascolto per sentire qualcos'altro. All'inizio di maggio una donna era venuta alla sua scuola mentre stava facendo lezione, e lui aveva sceso le scale di corsa per andarle incontro. Quella gli aveva bisbigliato nell'orecchio sei brevi messaggi, chiedendogli di ripeterli finché non li avesse imparati a memoria: erano i messaggi d'azione che sarebbero stati diffusi dalla BBC dopo l'annuncio del D-Day, e il compito di André era allertare i membri del suo gruppo non appena li avesse captati. Questo era appunto ciò che stava aspettando di ascoltare. Quella sera, come ogni sera dopo la visita della donna, aveva sentito molti altri messaggi destinati a vari agenti che operavano dietro le linee nemiche. Non era stato trasmesso nessuno di quelli che aveva imparato a memoria. Anche per lui la vita era divenuta una questione di pazienza e di attesa.

Più tardi, quella notte, Sonia d'Artois atterrò pesantemente in quel fossato francese nel quale si procurò una brutta storta alla spalla. Il documento di identità falso che aveva con sé era intestato a una certa Suzanne Bonvie, residente a Cannes. Aveva vent'anni ed era il secondo agente segreto donna più giovane mai inviato in Francia dalla Gran Bretagna. Ammaccata e scossa, si unì nell'oscurità agli altri due agenti che si erano lanciati con lei, entrambi uomini, e insieme perlustrarono il campo alla ricerca delle casse che erano state lanciate prima di loro. Dopo un po' rinunciarono e i partigiani li condussero a una fattoria vicina. Fu più che felice di buttare giù un bicchiere di *calva*, il brandy di mele locale, e poi di cadere esausta e addormentarsi profondamente in un letto confortevole.

Nel frattempo Peter Moen giaceva sulla cuccetta della sua cella, immerso in un sonno agitato. Glenn Dickin e Bill Tucker si erano sistemati per la notte nelle rispettive tende insieme ai loro commilitoni. Anche Veronica Owen, nella stanza affollata che condivideva con una decina di altre persone in una villa requisita alla periferia di Portsmouth, era immersa nel sonno. Nella sua soffitta soffocante Albert Grunberg era oppresso dal caldo. Sydney Hudson cercava di recuperare qualche ora di sonno prima di inforcare la bicicletta e raggiungere Sonia alla fattoria. Walter Schwender dormiva sodo dopo la giornata trascorsa sulla spiaggia. E quella notte la stazione dell'Abwehr di Madrid trasmise a Berlino quattro messaggi, numerati dall'862 all'865, che contenevano le informazioni raccolte dall'agente Arabel sui movimenti di truppe in Gran Bretagna. Sullo stretto di Dover temporali e scrosci di pioggia leggera resero l'aria ancora più limpida.

2
Non può mancare molto
Lunedì 29 maggio

Il caldo non dava tregua. Nello stretto di Dover alle nove del mattino il termometro toccò i 35 gradi, alle cinque del pomeriggio salì a 37. Era il lunedì di Pentecoste più caldo che fosse stato registrato da anni in tutta l'Inghilterra meridionale: a Regent Street, a Londra, la temperatura era di quasi 33 gradi all'ombra, il record degli ultimi quarant'anni. Un insolito temporale spazzò il Nord del paese e nello Yorkshire tre persone affogarono a causa di un'inondazione improvvisa.

A Londra l'atmosfera era ancora quella di un periodo di vacanza. All'ingresso del campo di cricket Lord's si formò una coda di migliaia di persone che volevano assistere all'incontro fra Inghilterra e Australia. Quando finalmente i cancelli vennero chiusi, subito dopo mezzogiorno, centinaia di spettatori delusi si trovarono sul lato sbagliato dei cancelletti girevoli. L'Inghilterra vinse la partita a dieci minuti dalla conclusione. A Regent's Park la compagnia dei Bankside Player diede una rappresentazione all'aria aperta del *Racconto d'inverno* di Shakespeare di fronte a un folto pubblico. Migliaia di persone trascorsero la giornata a Ascot, che avevano raggiunto in bicicletta, a cavallo, in calesse o a piedi per assistere alle corse dei cavalli. Lo zoo di Chessington era affollatissimo. La gente si era agghindata per la festa. Gli uomini indossavano abiti di lino d'anteguerra, le donne sfoggiavano i loro vestiti più leggeri e vivaci. Era una giornata per i bambini, le persone di mezza età e gli anziani. Spiccavano per la loro assenza ventenni e trentenni, fatta eccezione per i pochissimi uomini e donne in uniforme che si godevano un fine settimana di licenza. Pareva un prodigio. I militari avevano abbandonato Londra alla spicciolata. «C'è una gran calma» osservò il proprietario di un pub rivolgendosi a uno dei tanti corrispondenti di guerra che stavano affluendo nella capitale. «Non può mancare molto ormai.»

Milioni di uomini e donne che indossavano le uniformi della marina, dell'esercito e dell'aviazione alleate non attendevano che di entrare in azione. Nel D-Day centotrentaduemila soldati sarebbero sbarcati all'assalto del continente e nel corso del mese successivo sarebbero stati seguiti da centinaia di migliaia di altri. La maggior parte di loro avrebbe raggiunto la Francia attraversando il mare con appositi mezzi da sbarco scortati da centinaia di navi da guerra. Questa operazione, che sarebbe stata la fase d'assalto in Normandia dell'Operazione Overlord e avrebbe rivestito un'importanza cruciale per il suo successo, era stata denominata in codice Neptune, e di fatto si sarebbe protratta fino al 30 giugno 1944. Gli ordini, stampati da speciali tipografie nella massima segretezza, formavano un volume spesso quasi otto centimetri e riempivano un migliaio di pagine. Il responsabile dell'impresa era l'ammiraglio Sir Bertram Ramsay, un veterano sessantunenne che aveva avuto il battesimo del mare come guardiamarina ai tempi della regina Vittoria, quando l'impero britannico e la Royal Navy esercitavano la supremazia sui mari. L'artefice dell'eroica evacuazione dell'esercito britannico dalla Francia a Dunkerque nel 1940 aveva altresì comandato le forze navali inglesi durante l'invasione della Sicilia nel luglio del 1943.

Ramsay, che era soprannominato Bertie, aveva molta più grinta di quanta ne facesse intuire la sua corporatura minuta. Aveva nel sangue la passione di combattere per il re e la patria. Scozzese della contea di frontiera del Berwickshire, era il figlio più giovane del generale di brigata William Alexander Ramsay, che aveva comandato il 4° ussari e aveva avuto il giovane Winston Churchill fra i suoi subalterni. Entrambi i fratelli di Bertie prestavano servizio nelle forze armate, ed entrambe le sorelle avevano sposato dei militari. Da parte sua, lui aveva preso in moglie Helen Margaret Menzies, figlia di un colonnello dell'esercito. Ramsay si era sposato tardi e ora lui e la moglie avevano due figli piccoli, David e Charles. Come per la maggior parte dei soldati in guerra, scrivere a casa gli dava sollievo e le lettere quasi giornaliere costituivano una terapia gradita e un'occasione di relax.

Durante la Prima guerra mondiale Ramsay era stato imbarcato sulla più grande corazzata della marina, la *Dreadnought*, e successivamente aveva comandato un cacciatorpediniere operativo nella

Manica. L'evacuazione di Dunkerque gli aveva procurato encomi solenni e il cavalierato. Da quel perfezionista impeccabilmente azzimato che era, si attendeva in ogni occasione i massimi standard, sia dai propri ufficiali sia dall'equipaggio. A volte, ricorda uno di loro, "portava con sé un sentore di aceto". Tuttavia era corretto e gentile, e nelle situazioni critiche riusciva sempre a comunicare sicurezza e calma. Non dimenticava mai un nome e non esitava a mettersi da parte perché venissero riconosciuti i meriti e il sincero impegno dei suoi collaboratori, sia quelli di rango elevato sia quelli subordinati: in questo modo se ne era guadagnato la fiducia e il rispetto. "Era un uomo buono oltre che un ottimo capo" ricorda uno degli scriccioli che facevano parte del suo staff: "sempre equilibrato, calmo e concentrato, ma il suo maggior pregio era il modo in cui indirizzava il gruppo dei propri collaboratori, e la tolleranza e la gentilezza con cui lo faceva. Non ho mai incontrato nessuno come lui."

Ramsay era uno dei tre comandanti supremi alleati alle immediate dipendenze di Eisenhower, e come i suoi pari grado era sempre sottoposto a una pressione formidabile. Quando si trovava a casa sua, in Scozia, aveva modo di rilassarsi con l'equitazione, la caccia alla volpe, il golf e la pesca; inoltre era un appassionato giocatore di polo. Ma al quartier generale a Portsmouth le sue opportunità di svago erano limitate, così quel pomeriggio aveva aderito con entusiasmo alla proposta di una partita di cricket contro una squadra di scriccioli. Nonostante la temperatura torrida, l'erba non tagliata e la porta sbilenca, era riuscito a contribuire con sedici corse alla vittoria della sua squadra, conquistata in cinque turni. Quella partita gli aveva procurato una gradita distrazione dalle schiaccianti responsabilità che gravavano sulle sue spalle ed era stata il suo modo per dimostrare agli scriccioli quanto teneva a che facessero parte del suo gruppo di lavoro. Veronica Owen, lo scricciolo appassionato di cricket, ne sarebbe stata entusiasta.

Ma Veronica quel giorno aveva un turno di guardia non lontano di lì, a Fort Southwick, nel quartier generale delle comunicazioni di Ramsay. Il Centro sotterraneo operativo multifunzionale, scavato in profondità nei giacimenti gessosi sul retro della collina di Portsdown, una grande scarpata poco distante da Portsmouth, era entrato in azione per la prima volta durante l'incursione su Dieppe, nell'agosto del 1942. Veronica doveva scendere centosessantasei gradini per raggiungere le tre gallerie parallele rivestite di acciaio e mattoni, una trentina di metri sotto la superficie, in un dedalo di passaggi e corridoi in cui erano assiepati gli uffici, le mense e i dormitori che venivano utilizzati per garantire il funzionamento del centro ventiquattro ore su ventiquattro. Una delle sue colleghe rammenta che era un'esperienza sconcertante

> scendere le interminabili rampe di scale inoltrandosi in quelle oscure profondità sotterranee e poi imbattersi in quell'enorme apparato organizzativo rischiarato da una luce tenue che tentava di emulare lo splendore del sole al di sopra di noi, mentre all'intorno si spandevano il brusio e il fervore dell'attività, animata dall'urgenza dell'impegno bellico. La prova più ardua, tuttavia, era risalire in superficie alla fine del turno di guardia. Rampa dopo rampa, le scale continuavano senza che se ne intravedesse la fine, tanto che, soprattutto quando eravamo stanche, ci parevano insormontabili. Per due o tre volte, durante quel tragitto, ci trovavamo a sostare ansimanti, appoggiandoci a un muro, e molto spesso ci capitava di essere superate da un comandante dai capelli grigi che saliva i gradini a due a due.

Sulla collina soprastante si trovavano i resti del primo Fort Southwick, anch'esso eretto in vista di un'invasione. L'unica differenza era che allora, verso la metà dell'Ottocento, l'edificio era stato costruito in previsione di un attacco francese che aveva suscitato i timori della nazione: il primo ministro Palmerston aveva dunque dato ordine che la costa meridionale dell'Inghilterra venisse munita di una catena di fortificazioni. Ma poi la minaccia non si era concretizzata, e quelle opere di difesa erano state derisoriamente ribattezzate "le follie di Palmerston".

La maggioranza delle persone che lavoravano in quelle gallerie a prova di bomba rientrava nella categoria degli scriccioli: telegrafiste, cartografe, telefoniste, codificatrici e portaordini. C'era uno sparuto gruppo di marinai e ufficiali segnalatori della marina, oltre ad alcuni ufficiali degli scriccioli di grado superiore. Durante i turni più tranquilli veniva loro consentito di riposare un po' nei letti a castello e venivano loro fornite delle coperte. C'era anche un piccolo servizio mensa che offriva minestra calda e sandwich con carne di manzo sotto sale. A Veronica non piaceva il modo in cui i bordi di questi ultimi si arricciavano verso l'alto dopo una breve permanenza in quell'aria secca e ventilata. A volte, quando c'era più da fare, alcuni scriccioli venivano convocati per lavorare nel Reparto mappatura insieme al fior fiore degli ufficiali, dal comandante in capo in giù.

La sua giornata era cominciata a Heathfield, un grande edificio alla periferia di Fareham requisito dalla Royal Navy per dare alloggio a un centinaio di scriccioli da dove le giovani venivano portate in pullman fino a Fort Southwick e ritorno. La proprietaria, un'anziana signora, continuava a vivere nella residenza. Di tanto in tanto passava davanti a Veronica e le elargiva un sorriso buono e tollerante, ma per il resto era così discreta che le ospiti consideravano il luogo alla stregua di casa propria. C'erano un grande soggiorno al pianterreno, una sala da pranzo con lunghe tavolate e una cucina. Nella maggior parte dei casi dormivano stipate in sei o otto per stanza, su letti a castello, ma Veronica era più fortunata di molte altre: era alloggiata in una delle quattro camere doppie nella dependance del giardiniere, dotata di un suo bagno. Alla fine, tuttavia, anche in quella piccola oasi il numero di ospiti aumentò, vi vennero sistemati alcuni letti a castello e la mancanza di uno spazio personale provocò spesso crisi di nervosismo.

Fuori dall'orario di servizio Veronica trascorreva molto tempo rammendando calze e capi di vestiario: da quando era entrata nella marina non riceveva più i buoni per gli abiti civili, perciò doveva occuparsi di quelli che possedeva già prima. In compenso il vitto era abbondante, le uova fresche anziché in polvere, pane e sigarette non mancavano mai. A Fareham c'erano due cinema, che Veronica frequentava una o due volte alla settimana, per poi passare alla locale sala da tè prima di iniziare il turno. Visitava regolarmente la libreria per curiosare tra le novità, oppure si fermava all'Associazione delle giovani cristiane per leggere. Ogni mese si metteva in fila per ricevere un pacchetto di assorbenti che, secondo quanto si diceva, venivano offerti agli scriccioli dalla regina in persona.

Quel mattino, dopo colazione, Veronica aveva inforcato la bicicletta e percorso i due chilometri che la separavano dalla storica cittadina di Titchfield, sul fiume Meon, un affluente del Solent. Aveva stretto amicizia con il reverendo Frank, vicario di Titchfield, e sua moglie, la signora Spurway, e in primavera le era capitato spesso di fare quella breve gita in bicicletta per trascorrere le serate a casa loro, presso la vecchia chiesa di calcare e selce di St. Peter's.

Titchfield, con le sue case di epoca elisabettiana di legno e muratura e quelle in stile giorgiano di mattoni rossi, rappresentava un microcosmo della storia inglese e incarnava l'Inghilterra tradizionale tanto spesso evocata da Churchill nei suoi discorsi del tempo di guerra. La prima chiesa costruita dagli anglosassoni era sorta qui, e nel 1086 anche i normanni avevano registrato nel *Domesday Book* la presenza di un piccolo insediamento proprio in questo luogo. Nel XIII secolo vi era poi stata eretta un'abbazia, fondata dai canonici bianchi, nella quale Carlo I si era rifugiato prima di essere arrestato all'epoca della Guerra civile inglese. Uno dei mecenati di William Shakespeare, il terzo conte di Southampton, l'aveva acquistata dopo lo scioglimento della comunità durante la Riforma, e il drammaturgo, secondo una leggenda locale, vi aveva soggiornato. Il presbiterio e la cappella meridionale della chiesa di St. Peter's erano rivestiti di targhe commemorative dedicate a ufficiali della marina, governatori di colonie e soldati che avevano servito il proprio paese. Ogni visita a Titchfield offriva a Veronica una lezione di storia inglese e un variegato campionario di eroi e patrioti che avevano combattuto valorosamente e avevano dato la vita per l'impero britannico.

Ma l'episodio più significativo, alla luce dell'epico dramma in cui Veronica stava recitando la sua parte, si era svolto quando il re Enrico V aveva fatto sosta all'abbazia di Titchfield nel corso dei preparativi per raccogliere la sua grande flotta di milleseicento navi nel Solent in vista dell'invasione della Francia e della storica vittoria di Agincourt del 1415. Anche il successo di Enrico V era dipeso dal fatto che aveva tratto in inganno il nemico riguardo al luogo in cui sarebbe avvenuto lo sbarco: la fortuna lo aveva assistito ed era riuscito a cogliere gli avversari di sorpresa e a espugnare la grande fortezza di Harfleur, il maggiore porto della Normandia. Tutti gli scolari conoscevano a memoria il travolgente appello che Enrico V rivolge alle truppe quando le incita nel momento culminante dell'assedio, o quantomeno le parole con cui Shakespeare lo aveva immaginato in uno dei suoi drammi più apprezzati. "Ancora una volta alla breccia, cari amici, ancora una volta" cominciava il memorabile discorso, che si concludeva con questa grandiosa perorazione al soldato semplice inglese, da cui sarebbe dipesa la vittoria:

And you, good yeomen,
Whose limbs were made in England, show us here
The mettle of your pasture; let us swear
That you are worth your breeding – which I doubt not,
For there is none of you so mean and base
That hath not noble lustre in your eyes.
I see you stand like greyhounds in the slips,
Straining upon the start. The game's afoot.

Follow your spirit, and upon this charge
*Cry, 'Go for Harry! England and Saint George!'**

Proprio allora, mentre la flotta del XX secolo si stava radunando nel Solent e i suoi comandanti facevano ancora una volta affidamento sul fattore sorpresa e sul coraggio degli uomini comuni che avrebbero guadato le ultime decine di metri verso riva affrontando il fuoco spietato del nemico, nelle sale di posa di Denham si lavorava freneticamente per apportare gli ultimi ritocchi alla versione cinematografica di quel dramma, che sarebbe stato diretto e interpretato dal più brillante attore giovane del momento, Lawrence Olivier. La sua presentazione, un mese dopo il D-Day, richiamò un foltissimo pubblico nelle sale di tutto il paese.

Veronica trascorse la mattinata aiutando a tagliare i sandwich, a preparare i rinfreschi e ad apparecchiare i tavoli per una festa che si sarebbe svolta quel pomeriggio, poi se ne andò per il suo turno di servizio. Il lavoro era frenetico: segno di un'intensificata attività navale sia nel Solent, sia nei dintorni, sia nella Manica. Sentendosi forse ancora infiammata dall'entusiasmo per la visita a Titchfield, Veronica tenne una breve ma eloquente orazione alle sue compagne, deplorando che la maggior parte di loro non comprendesse davvero l'importanza del lavoro che svolgevano. L'amministrazione si faceva un punto d'onore di convincere ognuna di loro che la sua mansione, per quanto umile potesse sembrare, era di vitale importanza per vincere la guerra. Evidentemente Veronica si era lasciata travolgere dal suo entusiasmo giovanile, perché prima della fine del turno sulla lavagna comparve un avviso che chiedeva di mantenere il silenzio durante le operazioni.

Senza lasciarsi scoraggiare Veronica tornò al suo alloggio, dove trovò un pacchetto inviatole dal fratello gemello. Anche Hugh era nella Royal Navy: era imbarcato come guardiamarina sull'incrocia-

* "E voi, valorosi fanti, / le cui membra son state formate in Inghilterra, mostrateci qui / la tempra del suolo che vi ha allevato; fateci giurare / che siete degni della vostra stirpe. E non ne dubito; / perché non c'è nessuno di voi, per quanto umile e infimo, / che non abbia negli occhi un nobile fuoco. / Vedo che, come levrieri al guinzaglio, smaniate / di partire. La selvaggina è stremata: / seguite il vostro istinto; e nella carica / lanciate il grido: 'Dio per Arrigo, l'Inghilterra e San Giorgio!'" (W. Shakespeare, *Enrico V*, trad. it. di V. Gabrieli, in *Drammi storici*, Mondadori, Milano 1979, vol. I, pag. 901). [N.d.T.]

tore britannico *Aurora*, che operava nel Mediterraneo, e quando faceva scalo in qualche porto acquistava per lei cose che non avrebbe potuto trovare o permettersi in Inghilterra. Veronica apprezzava in modo particolare le calze di seta che di quando in quando le inviava. Ora Hugh si trovava ad Alessandria in attesa del completamento dei lavori di riparazione della sua nave, che aveva urtato una mina. Il fatto di avere un fratello, perdipiù gemello, che correva simili rischi in alto mare la spronava a impegnarsi maggiormente nell'esecuzione dei propri compiti.

L'Operazione Neptune, in cui anche Veronica Owen faceva la sua parte, era entrata nella fase del conto alla rovescia. Glenn Dickin era uno delle decine di migliaia di soldati di fanteria che la flotta avrebbe traghettato verso le spiagge del D-Day.

L'accampamento 7 nell'area di raduno C di Southampton era adiacente al pascolo demaniale di Hiltingbury, nei pressi del borgo di Chandler's Ford, poco a nord della cittadina. Quello di Glenn era solo uno dei ventidue accampamenti consimili presenti nell'area (che a quel punto era gremita da un totale di cinquantamila soldati e settemila mezzi di trasporto): ognuno di essi, punteggiato da tende di forma piramidale, era diviso in due formazioni, a loro volta ripartite in "villaggi" di dieci unità, e in ogni tenda dormivano dieci militari di leva; sottufficiali e ufficiali avevano sistemazioni più confortevoli. Gli accampamenti erano in gran parte autosufficienti: ognuno aveva cucine, latrine, docce, spacci e aree di svago. Le reti mimetiche tese sopra gli alberi contribuivano a occultarli alla vista di eventuali aerei tedeschi, benché la Luftwaffe avesse ormai perso la battaglia per i cieli della Gran Bretagna e i voli di ricognizione fossero praticamente cessati.

Quell'estate Lady Diana Cooper, il cui marito, Duff, era l'ambasciatore britannico ad Algeri presso il movimento France Libre del generale De Gaulle, si concesse una vacanza durante la quale percorse in automobile l'Inghilterra meridionale. "Chiunque ne veda [uno]" notava a proposito degli accampamenti "porterà impressa per sempre nella memoria la formidabile concentrazione di acciaio, una mole esposta a un cielo miracolosamente sgombro di nemici." I campi erano circondati da recinti di filo spinato e controllati dalla polizia militare americana. Delle faccende interne si occupavano le unità dell'esercito britannico. Ai pali del telegrafo lungo le strade perimetrali erano stati affissi avvisi che recitavano: "Non soffermarsi. I civili non devono parlare con il personale dell'esercito".

Quel giorno Glenn aveva deciso di non scrivere a casa. In aprile la truppa aveva ricevuto l'ordine di non impostare le lettere nelle buche civili: la corrispondenza veniva aperta per essere censurata negli uffici della posta militare. Glenn controllava regolarmente la posta dei suoi uomini del 1° battaglione dei Fucilieri di Regina, uno dei numerosi reggimenti scelti della 3ª divisione di fanteria canadese. Il comandante di divisione, generale Keller, aveva visitato Hiltingbury appena un mese prima, al seguito del re Giorgio VI e del comandante delle forze canadesi in Gran Bretagna, il generale Harry Crerar.

Solo due settimane prima Eisenhower in persona si era presentato per far loro un discorso di incoraggiamento. Quando l'ebbe terminato gli uomini ruppero le righe e si affollarono intorno alla sua jeep. «Com'è la pappa?» domandò scherzando; era un modo per rompere il ghiaccio che aveva utilizzato moltissime volte in precedenza facendo visita alle truppe americane. Ma aveva scordato che i canadesi, quando parlavano del rancio, lo chiamavano "verme", e così per un attimo si era trovato di fronte gli sguardi attoniti del pubblico in soggezione al suo cospetto, finché non aveva spiegato che cosa intendesse. Quei ragazzi delle praterie erano pur sempre nordamericani, anche se non erano yankee. Oltre ai Fucilieri di Regina, a Hiltingbury erano di stanza anche altri reggimenti canadesi, come i Cameron di Ottawa, i Fucilieri di Winnipeg, i Canadesi scozzesi della Columbia Britannica e il reggimento franco-canadese del Québec De La Chaudière.

Prima dell'ingresso in guerra degli Stati Uniti, avvenuto nel dicembre del 1941 a seguito dell'attacco a Pearl Harbor, il Canada era stato il principale alleato della Gran Bretagna e oltre centomila suoi militari avevano attraversato l'Atlantico per raggiungere l'Europa: fino a poco tempo prima i canadesi di stanza sul continente erano stati molto più numerosi degli americani. Migliaia di canadesi volavano con gli equipaggi dell'aviazione americana e la 1ª divisione di fanteria canadese si stava battendo valorosamente in Italia; nell'Atlantico settentrionale, poi, la marina canadese stava svolgendo un ruolo vitale nella protezione dei convogli e nell'affondamento degli U-Boot. I canadesi tenevano molto a fare la loro parte nella liberazione dell'Europa, ma avevano anche fondati motivi per temere la prospettiva del D-Day. Nell'agosto del 1942, infatti, la 2ª divisione di fanteria canadese era stata la punta di lancia dell'incursione alleata sul porto di Dieppe, con terribili conseguenze. Dei quasi cinquemila uomini che avevano preso parte all'azione, solo duemila avevano fatto ritorno: gli altri erano stati uccisi, feriti o presi prigionieri nel corso delle primissime ore dell'assalto. Era una perdita paragonabile, per proporzioni, alla prima giornata della battaglia della Somme del 1916.

Dieppe non era stato soltanto un fallimento sotto il profilo operativo: per il Canada era stato anche una catastrofe nazionale, le cui ombre gravavano ancora sulle truppe che si preparavano al D-Day. Sulle spiagge dello sbarco vi sarebbe stata una replica di quel massacro? Oppure quella sarebbe stata l'occasione del riscatto? Decisi a vendicare i loro commilitoni, alcuni soldati canadesi che avrebbero preso parte al D-Day si erano tagliati i capelli in stile moicano e portavano fucili da caccia infilati negli stivali. Ma da quella sconfitta era derivato almeno qualcosa di buono: l'inconfutabile conclusione che, se si voleva la riuscita dello sbarco, si sarebbe dovuto spazzare via o paralizzare il nemico con lo schiacciante fuoco di sostegno di un bombardamento navale da distanza ravvicinata, di incursioni dell'aviazione e dei carri armati sulle spiagge. Tutto ciò era stato contemplato nei piani; complessivamente, si prevedeva che sulle spiagge francesi sarebbero sbarcate le truppe canadesi di quattordici reggimenti di fanteria e sei di artiglieria.

Le riunioni di coordinamento organizzativo erano già a buon punto. Gli ufficiali di grado più elevato erano stati messi al corrente dei segretissimi piani per il D-Day quattro giorni prima, e il giorno precedente il comandante del plotone di Dickin, Frank Peters, un ventottenne sposato di North Battleford, nel Saskatchewan, era stato informato di tutto ciò che doveva sapere sull'operazione. Ma la segretezza rimaneva essenziale, ora più che mai: in luogo delle vere denominazioni degli obiettivi erano stati forniti nomi in codice. Solo in seguito, dopo essere salpato, Dickin avrebbe conosciuto i nomi delle spiagge su cui sarebbe sbarcato e dei villaggi che avrebbe liberato.

Mentre la campagna di bombardamento alleata contro gli obiettivi tedeschi in Francia si intensificava, neppure la stampa e la radio tedesche, benché rigorosamente controllate, riuscivano a ignorare la sensazione di agitazione crescente. L'invasione era l'argomento del giorno, non soltanto per l'intenso bersagliamento degli obiettivi in Francia: per la prima volta anche alcuni settori della costa tedesca del mare del Nord erano stati preclusi ai civili e la regione intorno a Brema era stata definita area "a rischio di invasione". Prima di allora i nazisti non avevano mai ammesso che la loro stessa patria fosse in pericolo.

Al Berghof Hitler trascorse un'altra giornata tranquilla, fece la sua passeggiata quotidiana fino alla Casa del tè, si godé l'aria fresca e pranzò con Eva Braun. Di recente, in occasione di una visita nell'Obersalzberg, uno dei suoi comandanti di campo aveva trovato il Führer calmo e libero da preoccupazioni. "Non ci si può sottrarre alla sensazione" osservava il feldmaresciallo von Richthofen, giunto lì in visita dal fronte italiano, "di trovarsi di fronte a un uomo che persegue ciecamente la propria missione, che procede senza esitare sul cammino che gli è stato predestinato, senza nutrire il minimo dubbio sulla sua giustezza e sull'esito finale." Il capo della propaganda di Hitler, dottor Joseph Goebbels, comunicava un messaggio di analogo tenore ai rappresentanti degli organi di informazione e ai commentatori degli eventi bellici. In tutta la Germania i quotidiani esprimevano un giudizio unanime: Hitler e il suo Alto comando avevano previsto ogni circostanza e mantenevano il totale controllo della situazione, perciò i tedeschi non avevano nulla da temere per il futuro. Un corrispondente si spingeva addirittura a sostenere che il ripiegamento in Italia era dovuto solo all'esigenza di risparmiare le truppe: la mossa, lungi dall'essere una ritirata, aveva astutamente vanificato la speranza degli Alleati che l'Alto comando venisse costretto a fare ricorso alle proprie riserve strategiche. Un altro giornale proclamava che i carri armati tedeschi avrebbero rapidamente respinto gli sbarchi in Francia. Le divisioni corazzate venivano deliberatamente tenute lontano dalla costa, in modo da opporsi alle truppe aviotrasportate che avessero cercato di chiudere in una tenaglia i tedeschi affrontandoli sia dal mare che da terra. Il pericolo maggiore era l'aviazione alleata. Eppure, a differenza di quanto era accaduto nelle sterminate pianure russe, sosteneva l'articolista, la campagna francese offriva opportunità di mimetizzare e occultare le difese antiaeree tedesche e i carri armati interrati si sarebbero occupati di respingere il nemico.

Il servizio stampa del Partito nazista non nascondeva il proprio disprezzo per le forze aeree alleate. Le offensive aeree britanniche e americane non erano altro che "accessi di rabbia militare", proclamava, i quali non avevano nulla a che fare con un'invasione imminente. Gli assalti alle "greggi nel Meclemburgo, ai covoni in Pomerania, ai ciclisti in Sassonia e ai pastori in Uckermark sono spiacevoli per quanti ne sono oggetto" commentava sarcastico "ma non hanno nulla a che vedere con la lotta per decidere l'esito di questa guerra". In effetti Eisenhower, non lanciando l'invasione nel fine settimana precedente, aveva chiaramente "perso l'autobus": ci sarebbe voluto un altro mese prima che si verificasse una combinazione altrettanto favorevole di condizioni meteorologiche, della luna e delle maree. Evidentemente il generale nemico non aveva ultimato i suoi preparativi; tuttavia, che li anticipasse o li rimandasse, avrebbe comunque finito per ritrovarsi imprigionato nella rete tedesca. Tutta questa enfasi propagandistica rifletteva le concezioni personali del Führer. Lo stesso si poteva dire di un altro tema ricorrente, cioè le armi segrete ancora in serbo. "Sappiamo una cosa" annunciava oscuramente un quotidiano di Stoccarda. "Abbiamo da parte alcune cose che, impiegate al momento giusto, cambieranno clamorosamente il corso della guerra." Nei giorni seguenti i visitatori del Berghof avrebbero sentito molte volte ancora minacce di questo genere.

«Instancabile combattente per la causa del Führer e del Reich.» Era questo il giudizio con cui von Rundstedt riassumeva la sua opinione su Rommel: un complimento a doppio taglio, privo com'era di elogi per qualsiasi risultato concreto. In un'altra occasione, esprimendosi con maggiore franchezza, il comandante in capo delle forze tedesche in Occidente definì il proprio subordinato «un cucciolo disobbediente, non certo una volpe». I rapporti fra i due erano tesi, il che costituiva un premessa potenzialmente catastrofica in vista dell'invasione alleata. Von Rundstedt era infastidito dal fatto che quell'ufficiale così giovane fosse stato messo a capo delle difese che avrebbero dovuto impedire l'invasione e aveva scarsa fiducia nella capacità del Vallo Atlantico di Rommel (e di Hitler) di fungere da scudo difensivo; la sua funzione era puramente immaginaria, di questo era convinto.

I due si erano trovati in disaccordo anche sulla questione del modo migliore di schierare le divisioni corazzate. Rommel voleva che i carri armati venissero posizionati immediatamente a ridosso delle spiagge su cui sarebbero sbarcati gli Alleati, perché sapeva che proprio lì, nelle primissime ore, si sarebbe deciso l'esito della battaglia. «Credi a me, Lang» aveva detto al suo aiutante di campo, con un'espressione citata molte volte in seguito, un giorno che si erano soffermati a guardare una spiaggia deserta, «le prime ventiquattro ore dell'invasione saranno decisive... Tanto per gli Alleati quanto per la Germania, quello sarà il giorno più lungo.» Von Rundstedt, viceversa, era convinto che si dovessero tenere i carri armati di riserva, ben lontano dalla costa, in modo da colpire con forza ed efficacia solo quando fosse risultata chiara la posizione precisa dell'attacco. La controversia fu risolta da Hitler, che impose un compromesso: Rommel ottenne tre divisioni corazzate da schierare dove voleva e immediatamente collocò la 21ª, che in Africa era stata la sua preferita, in prossimità di Caen; le altre quattro presenti in Francia sarebbero rimaste sotto il controllo dell'Alto comando, per essere schierate da Hitler stesso come avrebbe ritenuto opportuno. Rommel, insomma, non poteva nemmeno disporre di tutte le forze presenti nel settore di cui era responsabile.

Ciò nonostante nutriva ancora fiducia in Hitler e se la prendeva invece con i suoi consiglieri. Il giorno prima, durante l'escursione domenicale a Choisy, aveva dato sfogo a tutta la sua rabbia contro il maresciallo del Reich Hermann Göring, successore designato del Führer, per la profonda inettitudine dimostrata dalla Luftwaffe nello sventare gli attacchi aerei alleati. Le persone che circondavano Hitler, aveva confidato a Lang, non riuscivano a essere schiette con lui; in altre parole, se il Führer fosse stato informato in modo adeguato la situazione sarebbe stata diversa, vale a dire migliore. Era un modo di vedere ingenuo, ma Rommel era un tattico militare, non un politico, e altrettanto ingenuamente faceva proprie anche tutte le opinioni di Hitler sulla grande crociata che Francia e Germania avrebbero dovuto intraprendere contro il bolscevismo, per non parlare della propaganda di Goebbels sulla Gran Bretagna. Appena un mese prima aveva confidato al figlio Manfred che sull'altra sponda della Manica il morale era basso perché c'era uno sciopero dopo l'altro. "Gli slogan 'Abbasso Churchill e gli ebrei!' e 'Vogliamo la pace!' risuonano sempre più vigorosi: sono brutti presagi per un'offensiva così rischiosa."

Di una cosa però Rommel era convinto: l'invasione, se e quando fosse iniziata, sarebbe partita da una posizione a nord della Senna, sul tratto di costa più vicino all'Inghilterra. Si mostrava scettico nei confronti di qualunque ipotesi secondo cui l'obiettivo sarebbe potuto essere la Normandia. Il suo ufficiale incaricato dei servizi informativi, il colonnello Anton Staubwasser, che doveva essere un esperto sulla Gran Bretagna, non disponeva di proprie fonti indipendenti. Per Günther Blumentritt, capo di stato maggiore di von Rundstedt, la costa meridionale inglese era "una sfinge impenetrabile". Quanto al capo di stato maggiore di Rommel, Speidel, era attivamente coinvolto in un complotto contro Hitler: alle spalle di Rommel, era solito riferirsi al Führer chiamandolo «quello stronzo al Berghof».

Non ci si deve dunque stupire che l'esausto e frustrato Rommel si svagasse scrivendo ogni giorno alla moglie Lucie, che sapeva nella loro casa a Herrlingen, nei pressi di Ulm. I suoi pensieri, come quelli di tanti altri che si trovavano al fronte in quel lunedì festivo, andavano alla famiglia, soprattutto da quando aveva appena ricevuto notizie di pesanti bombardamenti su Stoccarda, capitale del Baden-Württemberg: troppo vicino a casa perché potesse sentirsi tranquillo. Quel giorno scrisse alla moglie dei bombardamenti alleati che avevano colpito tutta la Francia e avevano provocato la morte di tremila civili. Ne sentiva la mancanza. Aveva addirittura pensato di farle una visita a sorpresa in occasione del suo compleanno: la sua veloce Horch nera avrebbe potuto portarlo a casa nel giro di poche ore. Si sarebbe fermato a Parigi per prenderle qualcosa di carino. La signora Rommel avrebbe compiuto cinquant'anni la settimana seguente, martedì 6 giugno.

Walter Schwender non aveva una simile opportunità di andarsene a casa: per tutti i soldati sotto il comando di Rommel le licenze erano sospese fin da aprile. La sua base si trovava fuori Nantes, un porto industriale sulla Loira che contava quasi duecentomila abitanti il cui profilo era caratterizzato dalle gru e dai derrick degli scali e dei cantieri navali. *Nantes la grise* veniva chiamata: la grigia Nantes, sia per l'etica del tenace impegno lavorativo sia per le nuvole bige dell'Atlantico che la sorvolavano di continuo. Dopotutto, quella era la città in cui nel 1598 il re Enrico IV aveva emanato il famoso editto con cui assicurava tolleranza nei confronti dei protestanti, e un certo austero spirito presbiteriano rimaneva come sospeso nell'aria. Grazie a una base operaia ampia e sindacalizzata, i socialisti e comunisti erano saldamente radicati nella città, che i tedeschi avevano occupato nel giugno del 1940. I primi segni di resistenza erano emersi quasi subito: erano stati fatti esplodere trentacinque camion carichi di pneumatici. Il presunto colpevole venne fucilato. Ma solo oltre un anno più tardi, il 20 ottobre 1941, gli occupanti mostrarono veramente di che cosa erano capaci. Il comandante della città, il colonnello Karl Hötz, era appena uscito dal Café du Nord per dirigersi verso il proprio ufficio quando fu colpito a morte per strada da due giovani partigiani comunisti. Furono presi in ostaggio alcuni civili e successivamente, per ordine di Hitler, quarantotto di loro vennero fucilati: il più giovane era un ragazzo di diciassette anni e mezzo. Poi, a cominciare dal 1942, aveva avuto inizio la deportazione degli ebrei di Nantes e della regione circostante; cinquecento di loro non avrebbero mai fatto ritorno a casa. L'anno seguente quarantadue esponenti della Resistenza cittadina vennero fucilati a seguito di un processo in cui erano stati condannati come "banditi". A quel punto era evidente che fra la popolazione civile e gli occupanti, coadiuvati da un pugno di fanatici collaborazionisti francesi, si era spalancato un abisso. A tutte le sventure della città si erano poi aggiunte, a partire dal settembre del 1943, le devastanti incursioni aeree americane sul porto, che erano costate la vita a circa milleduecento civili. Migliaia di persone avevano lasciato Nantes e preso la strada della campagna per cercare un rifugio.

Non era dunque sorprendente che i tedeschi mantenessero a Nantes una guarnigione nutrita, che di recente Rommel aveva visitato due volte per esaminarne le difese: come tutti, sapeva che due anni prima la sua omologa più a valle lungo il fiume, nel porto di Saint Nazaire, era stata presa di mira da un'ardita e micidiale incursione delle squadre d'assalto alleate. Lì, al riparo di enormi bacini di carenaggio in cemento armato, erano custodite decine di letali U-Boot, una minaccia costante per la linea transatlantica che assicurava rifornimenti vitali alla Gran Bretagna.

Ma nulla di questo scenario cupo sembrava coinvolgere lo spensierato giovane Walter. Dato che il giorno prima aveva battuto a macchina la sua lettera a casa, quel lunedì non c'era bisogno che ne scrivesse un'altra, così se ne andò alla spiaggia per una nuotata. Aveva sempre amato l'aria aperta e gli sport, soprattutto il ciclismo: era una delle cose che gli erano veramente piaciute della Hitlerjugend. Anche il fratello Karl, più anziano di lui di due anni, ne aveva fatto parte. A Walter interessava anche il volo, e non appena aveva lasciato la scuola, all'età allora abituale, cioè quattordici anni, era diventato apprendista montatore in un'azienda che costruiva hangar. Prima di essere trasferito a Nantes aveva prestato servizio a La Rochelle, un'altra cittadina portuale più a sud lungo la costa atlantica francese. Era contento di trovarsi vicino a Nantes e al mare. La vita era piacevole, c'erano cibo e vino buono in abbondanza, si potevano fare belle nuotate e la città non era sempre grigia, come aveva dimostrato il fine settimana di Pentecoste. Certo non quel giorno: il sole picchiava duro e la guerra sembrava davvero lontana.

Diversamente da Hitler, Churchill non si sentiva affatto calmo e rilassato: i titoli dei quotidiani, che esaltavano i massicci attacchi aerei contro obiettivi in Francia, non facevano che accrescere le sue preoccupazioni. I bombardamenti stavano arrecando morte e sventura a troppi civili, e il primo ministro temeva di alienarsi il favore dell'opinione pubblica francese, che gli era così necessario per il successo dell'invasione. Dettò un altro appunto al maresciallo dell'aria Tedder: "State accumulando un enorme carico di odio" lo avvertì. Altri, comunque, e non solo fra i militari, non erano d'accordo con lui. In Francia alcuni cardinali avevano lanciato un pubblico appello affinché venissero risparmiati i civili, ma le alte gerarchie della Chiesa cattolica in Gran Bretagna, in una replica trasmessa dalla BBC, ribadivano con foga che l'imminente liberazione della Francia richiedeva che venissero compromesse il più possibile le comunicazioni tedesche. L'imbarazzante connivenza delle gerarchie cattoliche francesi con il regime di Vichy non era certo un segreto.

La cassetta beige chiusa a chiave, contenente le ultime intercettazioni di Ultra, reclamava nuovamente l'attenzione di Churchill. Quel giorno C gli aveva inviato un primo blocco di tredici documenti, a cui in seguito si sarebbero aggiunti altri tre invii analoghi. Otto erano intercettazioni militari, uno era un riassunto sulla situazione navale e quattro erano dispacci diplomatici. Come sempre, il primo ministro li esaminò minuziosamente prima di scarabocchiarci sopra le proprie iniziali e apporvi la data in calce per indicare che li aveva letti. Gli esperti di Bletchley Park avevano violato i codici diplomatici di varie nazioni, il che significava che Churchill aveva modo di leggere i rapporti inviati in patria dai diplomatici che si trovavano in diversi paesi del mondo.

Il raccolto di quel giorno era relativamente modesto. Di recente il primo ministro aveva espresso pubbliche critiche sulla neutralità della Turchia e della Spagna. Per lungo tempo aveva sperato di indurre la Turchia a entrare in guerra a fianco degli Alleati, ma, pur criticando la sua politica di "esagerata cautela", ne aveva anche elogiato la recente decisione di bloccare ogni esportazione di cromo verso il Terzo Reich. Quanto alla Spagna, che si trovava sotto la dittatura di estrema destra del generale Francisco Franco, risultato vincitore sui repubblicani nel corso della recente e sanguinosa Guerra civile, Churchill aveva fatto del suo meglio per prendere atto della sua posizione amichevole e antinterventista in occasione degli sbarchi in Nordafrica nel 1942. Elogiare Franco e il suo regime fascista era come sventolare un drappo rosso di fronte ai democratici di tutti i paesi, sicché le osservazioni di Churchill avevano suscitato un diluvio di proteste. Ora poteva leggere i rapporti sulle opinioni che aveva espresso: il ministro brasiliano ad Ankara ne scriveva ai superiori a Rio de Janeiro, il rappresentante di France Libre a Madrid faceva rapporto al suo ufficio ad Algeri. Siglò anche il testo di un telegramma di un diplomatico di France Libre che informava Algeri sulle manovre dietro le quinte che coinvolgevano il re di Iugoslavia e il suo governo in esilio. Infine, a fugare ogni dubbio, lesse il rapporto dell'ambasciatore giapponese a Berlino che riferiva ai superiori dei gravi danni provocati dai bombardamenti alleati agli edifici governativi tedeschi. Alcuni dispacci militari confermavano i danni subiti anche altrove a causa dei bombardamenti: nel porto italiano di Genova e in altri porti e città nei pressi delle coste francesi del Mediterraneo come Marsiglia, Nîmes, Avignone e Montpellier. Queste notizie fornivano utili conferme dei resoconti redatti dai piloti dopo le loro missioni e dell'attento scrutinio degli organi di stampa locali.

Quello che Churchill sperava veramente di cogliere nel materiale fornito da Ultra, tuttavia, erano indizi relativi alla localizzazione dell'area prevista per l'invasione. Che cosa stavano pensando i tedeschi, quali misure stavano adottando? Uno dei documenti contenuti nella cassetta accennava alla questione. Si trattava di un ordine, piuttosto ingarbugliato e in parte incompleto, emanato da von Rundstedt a tutte le unità sotto il suo comando, in cui ribadiva che, una volta iniziati gli scontri, ci si sarebbe dovuti adoperare per mantenere i ranghi al completo, a qualsiasi costo. "L'esperienza ha dimostrato" spiegava "che di solito i ranghi atti al combattimento si riducono molto rapidamente nel corso di scontri su vasta scala, fino ad arrivare a un rapporto vistosamente sproporzionato rispetto alla consistenza intatta o crescente delle truppe di rimpiazzo."

Certo era utile poter leggere così nei pensieri di von Rundstedt, ma rapporti come questo, provenienti direttamente dal quartier generale tedesco in Francia, erano rari. Quel giorno, come al solito, la maggior parte delle intercettazioni contenute nella cassetta di Churchill riferiva informazioni che provenivano dall'Italia o dal Mediterraneo. Non era un fatto sorprendente. Il lavoro di Bletchley Park, infatti, consisteva nel decifrare messaggi radio, ma in Francia i tedeschi si avvalevano perlopiù delle linee di comunicazione terrestri, né si sarebbero risolti a fare affidamento alle trasmissioni radio, la cui segretezza era pericolosamente vulnerabile, almeno fino al momento in cui fosse scoppiata la battaglia. In Italia, invece, erano costretti a farlo perché i genieri non avevano avuto il tempo per posare linee di comunicazione terrestri: le loro posizioni venivano conquistate fin troppo rapidamente nel corso della precipitosa ritirata, e ciò spiegava il gran numero di intercettazioni provenienti da quel fronte. Per gli Alleati era molto più difficile, se non impossibile, intercettare le linee terrestri. Il fatto che la cassetta di Churchill gettasse luce solo parzialmente e in maniera frammentaria su ciò che era più impaziente di sapere, dunque, non sorprende, e fra l'altro contraddice l'opinione ampiamente diffusa secondo cui Ultra avrebbe fornito agli Alleati una fonte di informazioni pressoché inesauribile: alla vigilia dell'invasione il primo ministro doveva limitarsi a formulare congetture, cercando di scorgere un barlume nell'oscurità e sperando che i tedeschi sarebbero stati colti di sorpresa.

Ma che cos'altro si poteva fare per penetrare la cortina di segretezza che circondava i preparativi di Rommel, visto che Ultra offriva una messe così magra? Una risposta possibile era rappresentata dal fattore umano, vale a dire dalle spie: persone giuste inviate nei siti chiave sarebbero state in grado di fornire materiale di importanza cruciale.

A Caen l'ondata di caldo continuava. Quel lunedì André Heintz inforcò nuovamente la bicicletta per raggiungere il padre all'appezzamento di terra di famiglia e aiutarlo nei lavori agricoli. Era il momento di piantare la lattuga. Una delle biciclette si era rotta e il padre l'aveva pazientemente aggiustata: ormai era praticamente l'unico modo per circolare, data la grande scarsità di carburante. Poi, dopo cena, André scese nello scantinato, come faceva sempre, per ascoltare con la sua radio a galena il notiziario della BBC delle otto e mezzo. I genitori sapevano che lo ascoltava, perché comunicava loro le notizie, ma erano all'oscuro dei suoi rapporti con la Resistenza e dei messaggi in codice.

Quantomeno, lui pensava che lo fossero. Non li aveva informati al riguardo, ma sospettava che la madre potesse immaginare qualcosa. Non molto tempo prima, infatti, era giunto a casa loro un corriere che portava con sé alcune carte di identità in bianco di cui lui avrebbe dovuto occuparsi. André, tuttavia, non era ancora rientrato, e il corriere non poteva aspettare: stava facendo buio, fra poco i tedeschi avrebbero srotolato il filo spinato intorno al loro quartier generale e solo i residenti disponevano del lasciapassare per superare lo sbarramento. Perciò il corriere si tolse le scarpe e le calze, ne estrasse i documenti e li consegnò alla madre di André dicendole di nasconderli. Lei aveva infilato quel materiale compromettente all'interno del pianoforte verticale in soggiorno e quando il figlio era rincasato glielo aveva consegnato senza proferire parola. André dubitava persino che ne avesse parlato al padre: rimanere all'oscuro di simili questioni poteva fare la differenza tra la vita e la morte.

Quella notte il giovane insegnante ascoltò di nuovo, benché invano, i messaggi d'azione della BBC, in attesa delle parole che si era impresso così scrupolosamente nella memoria.

Eisenhower si trovava ancora a Telegraph Cottage, il suo prezioso rifugio: lì aveva modo di concentrarsi completamente sul compito che lo attendeva. Il suo ampio sorriso, i suoi modi gioviali e l'umore scherzoso nascondevano una volontà di ferro e un immenso autocontrollo. Roosevelt lo aveva scelto come comandante supremo delle forze alleate e Churchill si era trovato d'accordo, perché aveva brillantemente dimostrato le proprie capacità quando aveva guidato la coalizione delle forze angloamericane negli sbarchi in Nordafrica e in Italia. Per diventare un capo aveva lavorato in modo duro e coscienzioso. "Via via che la pressione monta e la tensione cresce" aveva confessato a sua moglie Mamie "tutti cominciano a mostrare le debolezze del loro temperamento. Al comandante tocca celare le proprie: soprattutto deve dissimulare dubbi, paure e incertezze."

Ma la tensione stava cominciando a manifestarsi. Fumava quaranta sigarette Camel al giorno, accusava un grave affaticamento della vista e aveva cominciato ad avvertire un tinnito nelle orecchie. Aveva la sensazione di vivere su una rete di fili ad alta tensione, come riferiva alla moglie. Anche per lui scrivere a casa era una gradita forma di terapia. Aveva chiesto la mano di Mamie Doud il giorno di San Valentino del 1916, quando era di stanza a Fort Sam Houston, nel Texas, e si erano sposati quello stesso anno. Nei venticinque anni seguenti lei lo aveva sempre accompagnato fedelmente in tutti i luoghi negli Stati Uniti e oltreoceano in cui era stato assegnato, fra cui Parigi, la zona del canale di Panama e le Filippine; durante la Seconda guerra mondiale era però rimasta a Washington, al Waldman Park Hotel, da dove contribuiva allo sforzo bellico partecipando a varie iniziative di beneficenza e persino lavorando come cameriera al Soldiers, Sailors, and Marines' Club.

In assenza della moglie Eisenhower si rilassava giocando a bridge, tirando qualche colpo sui campi da golf o giocando con il suo terrier scozzese, di nome Telek (un'abbreviazione di "Telegraph Cottage"). «Non si può parlare di guerra con un cane» diceva «e di tanto in tanto mi piace parlare con qualcuno o qualcosa che ignori il significato di quella parola.» Lì poteva anche tornare ai cibi che gli erano familiari: bistecca, pollo fritto, costine di maiale, fagioli in casseruola e polenta.

Finché non fosse stato costretto a trasferirsi nel suo quartier generale avanzato a Southwick House, nei pressi di Fort Southwick, poteva rimanersene lì; si sarebbe mosso solo quando avesse dovuto, più a ridosso della data dell'invasione. Aveva definito personalmente quella data fin dalla metà di maggio, dopo accurati calcoli sulle migliori configurazioni delle maree e della luna. Si trattava di calcoli complessi e impegnativi. Gli sbarchi sarebbero avvenuti con la bassa marea, per fare in modo che gli ostacoli di Rommel emergessero sopra il pelo dell'acqua e potessero essere distrutti. Ma alla bassa marea avrebbe dovuto far seguito almeno un'ora di luce, per consentire ai bombardieri e alle batterie navali di indebolire le difese tedesche; tuttavia, sarebbe dovuto essere abbastanza presto per permettere l'arrivo di una seconda bassa marea prima dell'oscurità, e quindi lo sbarco di una seconda ondata di truppe. Quanto all'offensiva aviotrasportata, che doveva avvenire diverse ore prima degli sbarchi dal mare, occorreva una luna piena che sorgesse tardi. Il mare, poi, doveva essere ragionevolmente calmo per i mezzi da sbarco e le navi della scorta navale. Inoltre occorreva una buona visibilità: l'ideale sarebbe stata una brezza dal mare che soffiasse il fumo negli occhi ai difensori. Due di queste condizioni, cioè la bassa marea e la luna piena, potevano essere previste in modo affidabile e all'inizio di giugno si sarebbero verificate il 4, il 5, il 6 e il 7. La data ideale su cui ci si era accordati era il 5. Ma spettava al destino stabilire se le condizioni meteorologiche si sarebbero dimostrate favorevoli.

Solo un pugno di persone fidate conosceva il segreto della data e del luogo degli sbarchi: solo loro avevano ricevuto i documenti che circolavano all'interno dello SHAEF (il quartier generale dell'Alto comando del corpo di spedizione alleato) con la speciale stampigliatura che li classificava a un livello di segretezza superiore perfino al top secret, vale a dire con il timbro "Bigot" ("Fanatico"). Solo i "fanatizzati" erano informati sul segreto del D-Day, tutti gli altri dovevano limitarsi a tirare a indovinare.

L'origine del termine era piuttosto bizzarra: era stato ottenuto leggendo a ritroso le lettere del timbro "To Gib" ("A Gib"), che veniva apposto sui documenti usati dagli ufficiali alleati che erano stati inviati a Gibilterra prima degli sbarchi in Nordafrica. I documenti "fanatici", fra cui le carte degli approdi dello sbarco, meticolosamente preparate, erano stati compilati nella massima segretezza da addetti che avevano superato speciali esami di controllo e venivano tenuti sotto stretta sorveglianza. «Sei fanatizzato?» era una domanda che quanti si trovavano ai margini del segreto del D-Day si sentivano rivolgere spesso. Se scambiavano la domanda per una battuta era chiaro che non lo erano, e allora calava bruscamente la cortina della segretezza.

Eisenhower (Ike per la cerchia dei suoi collaboratori) era pienamente consapevole che la segretezza (da cui dipendeva il fattore sorpresa riguardo al momento e al luogo dell'invasione) rivestiva un'importanza cruciale per il successo del D-Day. Per questa ragione un appunto ricevuto il giorno precedente da Churchill lo aveva allarmato: riguardava l'abolizione del divieto delle comunicazioni diplomatiche delle potenze straniere in Gran Bretagna. Lo scopo di quella misura era stato bloccare qualsiasi fuga di informazioni potesse fornire ai tedeschi, deliberatamente o inavvertitamente, qualche indizio riguardo ai piani alleati, ma le ambasciate a Londra esercitavano pressioni perché il divieto venisse abolito il prima possibile dopo il D-Day. Anthony Eden aveva chiesto a Churchill di interpellare Eisenhower al riguardo per ottenere il suo consenso.

Ma quell'idea era del tutto incompatibile con il piano di depistaggio scrupolosamente elaborato per garantire il successo di Overlord. Fortitude, questo il suo nome in codice, non aveva semplicemente lo scopo di trarre in inganno i tedeschi riguardo al momento e al luogo in cui sarebbe stato sferrato l'attacco: aveva altresì l'importantissimo obiettivo di indurli a credere che gli sbarchi alleati avrebbero costituito semplicemente un preludio dei veri sbarchi, che si sarebbero verificati in seguito e altrove. Ciò implicava che il depistaggio di Fortitude avrebbe dovuto proseguire anche per diversi giorni dopo lo sbarco del D-Day, al fine di persuadere Hitler e il suo Alto comando che erano ancora in corso i preparativi per l'apertura di un secondo e più poderoso attacco su un settore diverso del loro fronte. Se il divieto delle comunicazioni diplomatiche fosse stato fatto cadere troppo presto, consentendo alle ambasciate straniere di inviare fuori dal paese informazioni non censurate, si sarebbe potuto mettere a repentaglio l'intero piano.

Il capo di stato maggiore di Eisenhower era il generale Walter Bedell Smith, un uomo con la faccia da mastino che era con lui fin dal 1942. Era soprannominato Beetle, ed era la persona sulla quale Ike sapeva di poter fare affidamento, con cui si confidava e a cui delegava le faccende più ingrate. Su richiesta del capo il generale stese dunque la bozza di una risposta a Churchill. Eisenhower la scorse con attenzione e poi diede la sua approvazione: con quella missiva respingeva, in modo cortese ma fermo, la richiesta del primo ministro, come pure la proposta di compromesso formulata da Eden, cioè che si trovasse un accordo per abolire il divieto sette giorni dopo il D-Day. "Una delle mie preoccupazioni principali è stata far credere al nemico che il nostro assalto avverrà su un fronte più ampio di quello reale e che il primo attacco non sia altro che il preliminare della battaglia principale" ribadiva la lettera. "Sono estremamente riluttante a cedere il vantaggio che abbiamo conquistato fino a questo punto...” Avrebbe preferito, proseguiva rivolgendosi a Churchill, che non venisse definita alcuna data per l’abolizione del divieto, quantomeno non prima che si potesse vedere quale piega avrebbero preso gli eventi. Quando Eisenhower piantava i talloni in quel modo era inamovibile anche per Churchill. E vista la piega che presero gli eventi, il divieto fu abolito solo quindici giorni dopo il D-Day.

Ingannare il nemico è uno stratagemma vecchio quanto la guerra stessa. «Si traggono maggiori benefici da una pelle di volpe che da un mantello di leone» era solito dire il re di Prussia Federico il Grande. Ma prima della Seconda guerra mondiale solo di rado l’inganno fu impiegato con risultati così prodigiosi. Il piano complessivo di depistaggio sulla strategia alleata nel 1944 veniva chiamato Bodyguard, ma le due parti principali relative al D-Day erano denominate in codice Fortitude North e Fortitude South.

Fortitude South era concepito con l’intento di ingannare i tedeschi riguardo al vero sito degli sbarchi in Francia, e in particolar modo per far credere che sarebbero avvenuti nel passo di Calais, il punto di minore ampiezza della Manica, che corrisponde sul lato inglese allo stretto di Dover. Questa era una scelta logica, anzi, secondo la maggior parte dei comandanti nazisti e, particolare cruciale, secondo von Rundstedt, era la scelta logica, perché non solo comportava la traversata per mare più breve, ma consentiva il tragitto terrestre più diretto verso la Ruhr, regione di importanza vitale per l’industria tedesca, e offriva la prospettiva di impadronirsi rapidamente di porti quali Boulogne, Dunkerque e Calais per farvi approdare i rinforzi. L’aviazione alleata, inoltre, avrebbe potuto compiere missioni a breve distanza dalle basi nell’Inghilterra meridionale, e gli Alleati sarebbero giunti rapidamente ai siti missilistici delle V-1 di Hitler. Per tali ragioni proprio in questa zona era stata predisposta la massima concentrazione di truppe tedesche in Francia. Anche dopo che fu iniziato l’attacco in Normandia, con Fortitude South si continuò a cercare di persuadere Hitler che quella era solo una finta e che il vero obiettivo alleato rimaneva il passo di Calais.

Fortitude North, invece, aveva lo scopo di persuadere i tedeschi che la Norvegia sarebbe stata l’obiettivo di importanti attacchi con scopi diversivi dopo l’inizio dell’invasione principale dell’Europa, in modo da indurli a mantenervi dislocate truppe che altrimenti avrebbero potuto schierare come rinforzi in Francia. Questo stratagemma faceva leva sulla notoria ossessione personale di Hitler per la

Norvegia, che aveva sempre definito la "zona del destino", mantenendovi di stanza un enorme contingente di circa duecentomila uomini. Grazie a Fortitude North, all'inizio di maggio questo contingente venne messo in stato di allerta, e verso la metà del mese ricevette il rinforzo di una divisione di prima classe. Tutte le attività di Resistenza in Norvegia furono brutalmente represse.

Gli Alleati misero ingegnosamente in atto una moltitudine di tecniche per trarre in inganno il nemico. Nell'ambito di una campagna coordinata con grande cura, volta a creare nelle menti dei tedeschi un'immagine del tutto fuorviante della disposizione delle truppe e delle intenzioni degli Alleati, vennero abilmente impiegati falsi messaggi radio militari, finti aerei, carri armati, fabbriche e depositi di carburante, stratagemmi di disinformazione abilmente inseriti nei quotidiani e voci propalate oltreoceano da diplomatici e agenti segreti britannici. Gli agenti britannici in Svezia diffondevano notizie sull'imminenza di un presunto attacco alla Norvegia e arrivarono al punto di intervenire sul mercato borsistico per dare maggiore credibilità a questa falsa pista. Nei pressi di Dover gli studi cinematografici Shepperton costruirono enormi depositi di carburante fasulli, completi di oleodotti, banchine, rimesse per i camion e difese antiaeree. Il complesso, progettato dall'intraprendente architetto Basil Spence, fu onorato da una visita ufficiale del re Giorgio VI, del generale Montgomery e di Eisenhower, e venne sparsa la voce che sarebbe stato il terminal di un enorme oleodotto sotto la Manica per rifornire di carburante le forze armate che sarebbero sbarcate nei pressi di Calais.

Il contingente che avrebbe dovuto minacciare il passo di Calais apparteneva al First United States Army Group (FUSAG). Il FUSAG, composto di formazioni reali e fittizie, era ufficialmente sottoposto al comando del generale George S. Patton, il "vecchio sangue e fegato", uno dei generali americani più pittoreschi e spacconi, reso celebre dalle sue imprese in Sicilia. In realtà Patton era al comando di truppe americane destinate a combattere in Europa anche diverso tempo dopo il D-Day. Il suo ipotetico esercito, di base nell'Essex e nel Suffolk, aveva il proprio quartier generale a Chelmsford. Patton non aveva pudore di comparire sulle pagine dei quotidiani, dove la sua presenza sarebbe stata ampiamente notata dai servizi informativi del nemico. Molti tedeschi pensavano che fosse il miglior comandante alleato del conflitto e potevano benissimo ipotizzare che gli fosse stato assegnato l'incarico più impegnativo per il D-Day.

Fino a quel momento tutto sembrava indicare ad Eisenhower che il piano di depistaggio stava funzionando. Era intimamente convinto che qualsiasi modifica, come quella appena proposta da Churchill, avrebbe rischiato di comprometterne il successo.

Un fattore cruciale per le misure di depistaggio in vista del D-Day era il lavoro degli agenti che facevano il doppio gioco: spie che operavano in Gran Bretagna o in altri paesi alleati sulle quali i tedeschi pensavano di poter esercitare il loro controllo, ma che in effetti lavoravano per gli Alleati. Dato che disponevano di informazioni accuratamente selezionate da fornire ai nazisti, in parte vere ma perlopiù false, le spie contribuivano a dare credibilità all'ingannevole quadro dell'invasione divulgato dai pianificatori del depistaggio. Gli agenti facevano capo alla sezione B.1A dei servizi segreti britannici, o MI5, guidata da un comitato di esperti di Whitehall chiamato Double Cross Committee ("Comitato della doppia croce). Poiché parte del nome del comitato poteva essere scritta anche con la sigla "XX", che significa "venti" in numerali romani, il gruppo era noto altresì come Comitato dei Venti. Lavorava in stretta collaborazione con gli esperti di guerra psicologica del quartier generale di Eisenhower, e sia quest'ultimo sia Churchill venivano tenuti costantemente al corrente del suo operato.

Fra gli agenti che facevano il doppio gioco per il Double Cross Committee il più importante era un uomo designato con il nome in codice Garbo: era lui a disseminare le notizie false che avrebbero convinto i tedeschi a non attribuire importanza al primo tentativo di sbarco. Per due anni i nazisti avevano continuato a considerarlo una fonte attendibile, e c'erano tutte le ragioni per ritenere che se ne fidassero. Se gli Alleati avessero giocato bene le loro carte Garbo avrebbe fatto in modo che i tedeschi continuassero a brancolare nel buio anche dopo lo sbarco.

Nel suo nascondiglio al sesto piano del palazzo in rue des Écoles Albert Grunberg trascorse la giornata come al solito: leggendo i giornali, dedicandosi allo studio di saggi di filosofia o gustandosi un romanzo di un narratore popolare come Jules Verne. A intervalli regolari si metteva in ascolto con la sua piccola radio. Ormai gli occupanti dei tre appartamenti adiacenti al sesto piano erano stati informati della sua presenza dalla portinaia, Madame Oudard, ed erano silenziosamente divenuti suoi complici. Monsieur Bon, della porta accanto, aveva praticato un forellino nel muro della sua cucina per infilarvi un cavo elettrico con cui fornire a Grunberg la corrente per leggere e far funzionare la radio che quello, per prudenza, ascoltava con le cuffie. Non sapeva nulla dei vicini dei piani superiori, mentre al quinto piano abitavano alcuni sospetti collaborazionisti. Durante le lunghe ore del giorno Grunberg si distraeva ascoltando musica e radiodrammi, mentre per aggiornarsi sulle novità ascoltava i notiziari. Il giorno prima aveva ascoltato un messaggio a reti unificate del maresciallo Pétain, anziano capo del governo di Vichy, il quale aveva avvertito che stavano per arrivare giorni bui, ma la Francia doveva rendersi conto che i tedeschi proteggevano l'Europa dal bolscevismo; gli appelli a sostenere la Resistenza, aveva affermato, non provenivano da voci genuinamente francesi: darvi retta significava sprofondare il paese nel disordine.

Grunberg continuava a non avere notizie sulla sorte dei figli, Robert, di venticinque anni, e Roger, di diciotto. Detestava Pétain e tutto ciò che rappresentava: poteva nutrire solo disprezzo per il vincitore di Verdun che aveva firmato l'armistizio con Hitler, e lo chiamava "il capo dei traditori". Inoltre sospettava che il regime accogliesse con soddisfazione le perdite civili provocate dai bombardamenti alleati, poiché gli offrivano l'opportunità di condannare la barbarie degli angloamericani e ricompattare la propria base di consensi nel paese, che andava indebolendosi.

Soprattutto, Albert era vittima in prima persona dell'accanito antisemitismo di Vichy: in fin dei conti, era stata la polizia di Pétain, e non quella di Hitler, a venirlo a cercare in quel fatidico mattino di settembre di quasi due anni prima, suonando alla porta alle otto e cinque minuti, quando non aveva ancora finito di bere il caffè, e pretendendo con maniere brutali di vedere i suoi documenti di identità e di sapere se era ebreo. «Sì» aveva risposto «ma mia moglie e i miei figli sono francesi.» Non faceva nessuna differenza. «Prenda qualche coperta, due paia di scarpe e di calze e ci segua» aveva risposto in modo sgarbato uno dei poliziotti prima che il coraggio gli mettesse le ali ai piedi e riuscisse a passare davanti a loro, scendendo a balzi due piani di scale per raggiungere il portone, correre lungo la via fino al numero 8 e salire ormai senza più fiato fino al piccolo rifugio in cui era rimasto nascosto da allora. Quella stanzetta era stata occupata dalla figlia adolescente di Madame Oudard, Lucienne, che tutti conoscevano come Lulu, e aveva un letto ampio e comodo. In precedenza, prima che Robert se ne andasse per raggiungere il fratello Roger a Chambéry, padre e figlio avevano già dormito lì qualche volta, anziché a casa, temendo che la polizia venisse a cercarli nella notte.

All'epoca dell'armistizio, nel giugno del 1940, in Francia c'erano oltre trecentomila ebrei. Quasi immediatamente il regime di Vichy aveva avviato una campagna di emarginazione e persecuzione nei loro confronti: prima avevano dovuto registrarsi presso le autorità, poi erano stati privati delle loro attività ed erano stati espulsi dai ranghi professionali e dalle università, infine avevano cominciato a sparire, e nel 1942 oltre quarantamila erano stati deportati nei campi di sterminio, ad Auschwitz e altrove. Nella primavera del 1944 le SS avevano praticamente assunto il controllo della caccia agli ebrei in Francia, esonerando da tale compito le autorità di Vichy, ma nelle loro attività erano coadiuvate da volontari della Milice, un corpo paramilitare francese fondato dall'ardente filonazista e veterano della Prima guerra mondiale Joseph Darnand. Gli uomini della Milice erano i nemici più pericolosi degli ebrei in Francia, dato che era praticamente impossibile ingannarli ed erano animati da una ferocia e da un fanatismo degni di autentici cacciatori di streghe.

Via via che il D-Day si avvicinava le SS andavano intensificando le proprie attività, e nei primi quattro mesi dell'anno erano stati arrestati più ebrei che in qualsiasi altro analogo periodo precedente. Ormai i rastrellamenti venivano effettuati nelle case di riposo, negli ospedali, nelle prigioni e negli orfanotrofi, senza tener conto di cittadinanza o passaporto. In precedenza erano state operate distinzioni fra gli ebrei di cittadinanza francese e quelli di altre nazionalità, oppure fra quelli che avevano combattuto per la Francia nella Prima guerra mondiale e quelli che non lo avevano fatto, o, ancora, fra convertiti ed ebrei per nascita, ma a quel punto le SS davano la caccia a qualunque ebreo.

Grunberg sapeva che non sarebbe mai stato al sicuro finché gli Alleati non avessero liberato la città, i tedeschi non fossero stati cacciati e il governo di Vichy rovesciato. Quel giorno, poi, un'altra preoccupazione gli rammentava l'inesorabile accanimento della persecuzione antisemita. Sin da quando si era nascosto le autorità francesi avevano tentato di confiscare la sua attività, e solo gli strenui sforzi di sua moglie lo avevano impedito. Marguerite era stata aiutata da un amico provvisto di qualche competenza legale. "Un homme brave" aveva scritto Albert nel suo diario. Un giorno, quando fosse tornato un uomo libero, avrebbe voluto ringraziarlo.

Peter Moen, rinchiuso ventiquattro ore su ventiquattro nella sua cella a Oslo, non aveva modo di sapere che cosa stesse accadendo nel mondo esterno se non attraverso le voci che occasionalmente trapelavano fin dentro la prigione. Non era ottimista: "Non faccio conto che la guerra finisca quest'anno" aveva annotato in marzo. "Il ritmo non è abbastanza spedito." Aveva quarantatré anni. In tempo di pace era impiegato come contabile alla Idun, una compagnia che si occupava di assicurazioni sulla vita. Dopo l'arresto era rimasto confinato in isolamento per settantacinque giorni e aveva pensato varie volte al suicidio. Poi, in aprile, era stato trasferito nella cella D-35 insieme ad altri due prigionieri, entrambi sulla ventina: uno faceva il marinaio, l'altro il giardiniere e lo scalpellino. Temendo di non potersi fidare di loro, per un po' aveva smesso di scrivere il suo diario; poi, poco a poco, li aveva messi alla prova, finché non si era convinto che avrebbero serbato il suo segreto. Aveva ricominciato a graffiare i suoi appunti sulla carta igienica solo dieci giorni prima.

Era il centosedicesimo giorno della sua reclusione. Quella cella rappresentava un miglioramento rispetto alla precedente, perché si trovava al terzo piano della prigione e perciò la luce solare riusciva a penetrarvi ed era sempre decentemente illuminata. La cella di isolamento, invece, era al pianterreno: lì la luce non dissipava mai l'oscurità e le pareti erano sudice. Comunque, tutto era relativo e la situazione rimaneva sgradevole: non poteva inviare né ricevere corrispondenza, lavare o rammendarsi gli indumenti, leggere o fumare. Un bugliolo nell'angolo serviva da gabinetto per tutti e tre i prigionieri, e da quando la temperatura estiva aveva cominciato a farsi più calda il recipiente emanava un fetore insopportabile, soprattutto nelle ore notturne.

Moen stava ancora rimuginando sulle ingiustizie del sistema carcerario. Il brutale ceffone che si era buscato in faccia dalla guardia il giorno prima gli bruciava ancora, e soffriva anche per le piccole umiliazioni che gli venivano inflitte con sadismo dal capo delle guardie, un uomo sgradevole che aveva soprannominato Donnerwetter ("Tempesta"). Sapendo quanto Moen avrebbe desiderato un po' di tabacco, si prendeva la soddisfazione di soffiargli del fumo in faccia ogni volta che lo incontrava. Perfino le guardie più miti sentivano di dover recitare il ruolo dei duri. Quando uno dei prigionieri aveva chiesto del tabacco, la guardia gli aveva detto che gli sarebbe piaciuto dargliene, ma non osava farlo perché (e qui fece il gesto di strapparsi tutti i bottoni della giacca dell'uniforme) si sarebbe ritrovato *ganz nackt*, completamente nudo. Quel giorno Moen e i suoi compagni di cella erano stati accusati, senza alcun motivo (a differenza del giorno precedente) di aver giocato a carte. Perfino le guardie, che si trovavano sul gradino più basso della gerarchia carceraria, dovevano trovare qualcuno su cui scaricare la paura e il risentimento: i prigionieri, che non potevano difendersi.

"Veramente spregevole" annotò Moen sulla ruvida carta igienica grigio-brunastra. Poi arrotolò il foglietto e lo infilò nel pozzetto di ventilazione. Quella notte, come ogni altra notte, lui e i compagni di cella avrebbero riappeso la tenda di oscuramento con tutti i suoi tasselli a posto. Alle otto di sera, come prescriveva il regolamento, erano a letto.

Quel mattino di buon'ora, varie centinaia di chilometri più a sud dietro le linee nemiche, l'agente del SOE Sydney Hudson inforcò la sua bicicletta e si diresse verso il rifugio segreto in cui venivano temporaneamente ospitati gli agenti che si erano lanciati la notte prima, nei pressi della cittadina di La Flèche, poco a sudovest di Le Mans. Il capo del comitato di accoglienza gli aveva riferito che parte delle casse e dei colli che erano stati lanciati nella stessa occasione era andata perduta e alcuni oggetti erano stati raccolti dai tedeschi. Ma le armi e gli esplosivi, oltre a uno dei tre agenti, erano stati messi al sicuro in una fattoria vicina. Gli altri due si trovavano nella stanza lì accanto. Hudson spalancò la porta. Li riconobbe subito entrambi.

Hudson era un veterano del SOE alla sua seconda missione in Francia. Nel corso della prima, anch'essa denominata in codice Headmaster, era stato ben presto arrestato dalla polizia di Vichy nei pressi di Clermont-Ferrand e condannato a cinque anni di lavori forzati. Aveva trascorso quindici mesi in prigione, perlopiù in isolamento, prima di riuscire a scappare nel corso di un'evasione in massa; poi aveva valicato i Pirenei, attraversato la Spagna e raggiunto Gibilterra, e finalmente era rientrato in Gran Bretagna. Il suo nome in codice ufficiale era Albin: era il capo del circuito Headmaster, la sua missione consisteva nel costruire una rete di attivisti della Resistenza e procurarsi armi per equipaggiarli. Quando il D-Day fosse giunto, Hudson e il suo circuito avrebbero dovuto sabotare le linee telefoniche e telegrafiche, le strade e i collegamenti ferroviari che si irradiavano da Le Mans, uno dei principali centri delle comunicazioni tedesche e sede del quartier generale della VII Armata, comandata dal generale Friedrich Dollman. Headmaster era solo uno delle decine di circuiti del SOE che avevano l'incarico di seminare lo scompiglio dietro le linee nemiche dopo lo sbarco delle truppe di invasione. Per esempio in Normandia, a nord di Headmaster, a completa insaputa di Hudson, operava il circuito Scientist, e si stavano allestendo piani analoghi sotto la guida di un ufficiale di nome Claude de Baissac, nativo delle Mauritius, che fra i suoi assistenti aveva sua sorella Lise: l'intento era sempre quello di procurare i massimi fastidi possibili ai tedeschi, sia in concomitanza del D-Day sia nei giorni successivi. Altrove, in tutta la Francia centrale e meridionale, si stavano predisponendo altri piani per creare confusione nelle ore decisive e nei giorni critici che sarebbero seguiti agli sbarchi.

Hudson e il suo operatore radio, George Jones, si erano paracadutati poco più a sud di lì la domenica di Pasqua. Anche Jones era alla sua seconda missione in Francia. In occasione della prima, cui aveva partecipato con Hudson, lui e il capo del gruppo, Brian Rafferty, erano inizialmente riusciti a sfuggire alla sorte di Hudson, e nei cinque mesi seguenti Jones si era mantenuto in stretto contatto radio con Londra, ponendo le basi di un'importante rete della Resistenza nella regione del Massiccio Centrale. Era riuscito in questa impresa nonostante un grave incidente stradale in cui si era fratturato il cranio e una gamba e aveva perso l'uso dell'occhio destro. Poi anche lui e Rafferty erano caduti nelle mani della Gestapo, e il suo compagno era stato torturato e messo a morte. Jones era stato brutalmente picchiato, ma aveva compiuto una clamorosa evasione dal carcere di Vichy saltando da una finestra. Come era prevedibile, non si era dimostrato particolarmente entusiasta di tornare in Francia, ma quando Hudson gli aveva chiesto se voleva essere di nuovo il suo operatore radio aveva risposto: «Sì, purché mi procuri sigarette in abbondanza». Era un accanito fumatore di Gauloises e aveva una passione per i cavalli. Aveva anche ragioni personali e familiari per tornare in Francia: suo padre era detenuto nel famigerato campo di Drancy, fuori Parigi, e Jones era convinto che, in qualche modo, dopo lo sbarco alleato sarebbe riuscito a salvarlo.

Nel corso delle due settimane precedenti Hudson e Jones avevano allacciato contatti, trovato una base segreta e individuato alloggi sicuri, stabilito un collegamento radio con la Gran Bretagna e raccolto i lanci di rifornimenti paracadutati. Il primo di questi, che aveva procurato loro mitra Sten ed esplosivi a sufficienza per un piccolo esercito, era stato annunciato da un messaggio in codice trasmesso sulle frequenze della BBC: "L'oncle Bob mange la crème" ("Zio Bob mangia la panna"). Il messaggio era molto più calzante di quanto probabilmente immaginassero a Londra: nella residenza signorile che costituiva la sua base operativa ogni mattina a colazione Hudson faceva scorpacciate di burro e formaggio.

Delle due persone che gli stavano davanti, l'uomo l'aveva visto l'ultima volta a Gibilterra: era un tipo dalla corporatura robusta sui vent'anni, e allora faceva parte del gruppo con cui era riuscito a evadere. Sempre pronto all'avventura, e dotato di un coraggio che rasentava l'incoscienza, era originario dell'Alsazia e si chiamava Raymond Glaesner. Il SOE gli aveva assegnato il nome in codice di Alcide, ma tutti lo conoscevano con il suo soprannome, Kiki. Grazie alle sue origini alsaziane era un bilingue perfetto e parlava altrettanto bene il francese e il tedesco. Il suo destino in quella guerra era stato determinato da uno di quegli episodi apparentemente trascurabili che pure possono cambiare il corso di un'esistenza. Impaziente di entrare in azione, Glaesner era indeciso sul da farsi, finché un giorno, mentre passeggiava nella sua cittadina natale, era stato villanamente spinto giù dal marciapiede da un tedesco. Allora si era ribellato colpendo l'uomo in faccia ed era corso via più forte che poteva. Poi si era unito alla Resistenza, salvo essere fatto prigioniero in una delle enormi retate del 1943; era stato in quel frangente che aveva attirato l'attenzione di Hudson.

Insieme a Glaesner c'era la donna promessa a Hudson da Baker Street. Riconobbe immediatamente la bionda ventenne dagli occhi color nocciola e dalla figura tornita: si erano incontrati qualche settimana prima al 32 di Weymouth Street, l'ostello in cui soggiornavano gli agenti del Reparto francese del SOE in attesa di essere inviati in missione, ed era rimasto colpito dal suo bell'aspetto. In seguito le loro strade si erano separate, ma da allora gli era rimasta impressa nella mente.

Sonia d'Artois parlava scorrevolmente il francese e l'inglese. Pur avendo genitori britannici (suo padre era un caposquadriglia della RAF, sua madre una scozzese di Aberdeen) era cresciuta nel Sud della Francia, a Cagnes-sur-Mer, e aveva frequentato la scuola nella vicina Saint Paul-de-Vence. Allo scoppio della guerra aveva fatto ritorno in Gran Bretagna e si era arruolata nel corpo delle Ausiliarie dell'aeronautica. Non appena indossata l'uniforme aveva chiesto che le venisse assegnato un compito in cui avrebbe potuto mettere a frutto le proprie competenze linguistiche, e poiché cercava l'avventura aveva accettato con entusiasmo la proposta di entrare nel SOE. Il suo nome in codice era Blanche.

Hudson aveva cominciato ad avvertire la sensazione che i suoi progressi nel dipartimento della Sarthe, dove si trovava a operare, andassero a rilento. In gran parte attribuiva tale stato di cose al fatto che l'anno precedente un importante circuito del SOE era stato smantellato, consegnando centinaia di partigiani nelle mani della Gestapo. Quella catastrofe aveva avuto ripercussioni in tutte le zone della Francia, compresa la Sarthe, sicché le potenziali reclute erano ancora troppo impaurite. Inoltre, la vita era comoda e c'era cibo in abbondanza. Aveva bisogno di tutti i collaboratori che poteva trovare ed era entusiasta di poter contare sull'aiuto di Blanche.

Il soldato semplice di prima classe Bill Tucker era rimasto nel suo campo di addestramento alla periferia di Quorn, nel Leicestershire, fin da quando era giunto lì da una base fuori Belfast in una nevosa giornata di febbraio. Il giorno prima tutti i contatti del suo campo con l'esterno erano stati interrotti. Mentre sorgeva l'alba, il suo reggimento, il 505° di fanti paracadutisti dell'82ª divisione aviotrasportata, stava lasciando il campo e saliva sui camion in attesa fuori del cancello. Era il momento di dire addio alla locanda White Horse e al pub Bull's Head, alla birra tiepida e alle partite a freccette, ai tumultuosi fine settimana a Leicester o a Loughborough e alla cordialità delle cameriere.

Indossava l'uniforme al completo e portava con sé tutto l'equipaggiamento. Ma il distintivo sulla spalla che identificava la sua divisione, con le caratteristiche "AA" bianche sullo sfondo rosso e blu sormontate dall'arco della parola *Airborne* ("Aviotrasportata") era stato coperto: nessuno doveva sapere che si stavano spostando. Eppure era corsa la voce, e la gente del luogo se ne stava davanti alle case o sbirciava dalle finestre: li guardavano partire, agitavano le braccia in segno di saluto e auguravano loro buona fortuna.

Qualche giorno prima il generale Matthew Ridgway, il comandante dell'82ª, aveva fatto loro un discorso di incoraggiamento. Ridgway, bello come un divo di Hollywood, era un eroe per Tucker: un soldato tutto d'un pezzo, figlio di un colonnello, che aveva seguito le orme del padre diplomandosi a West Point e intraprendendo una carriera sfavillante nell'esercito statunitense. Pretendeva molto dai suoi sottoposti, ma dava ancora di più: in Sicilia, per esempio, aveva comandato le sue truppe combattendo in prima linea, balzando all'assalto con i propri uomini e dimostrando un coraggio quasi temerario. «C'è una strada giusta, una sbagliata e poi c'è Ridgway» era ormai una battuta. Uno dei suoi subordinati aveva detto che il generale era duro come la pietra focaia. Il suo carisma scioglieva rapidamente la corazza di spietato cinismo che i giovani soldati della sua divisione erano soliti ostentare. Per Tucker era come un padre; pensava che non potesse sbagliare.

Mentre ascoltava Ridgway parlare con il suo spiccato accento newyorkese Tucker scarabocchiava qualche appunto. «Prenderete parte a un'azione formidabile che segnerà la storia dell'umanità» disse Ridgway ai suoi uomini. E proseguì:

> Forse ora non ve ne rendete conto, ma ve ne accorgerete in futuro. Sarete fra i primissimi soldati a sbarcare nella più imponente invasione della storia. Alcuni di voi moriranno, ma le vostre azioni saranno ricordate con riconoscenza. Coloro che vivranno serberanno memoria per tutta la vita della parte che avete avuto in questa impresa necessaria, nobile e storica. Da parte mia vi assicuro che sarete dalla parte dei vincitori. Tutto ciò che posso chiedervi è fare del vostro meglio, io farò lo stesso. Che Dio sia con ciascuno di voi.

Ridgway era un cultore di Rudyard Kipling. Tucker sentì crescere la propria baldanza. L'82ª era nota anche come l'"americanissima", perché quando era stata formata comprendeva soldati di tutti gli stati dell'Unione. La sua grande rivale, la 101ª aviotrasportata, era la divisione delle cosiddette "Aquile Urlanti". Insieme formavano l'élite delle forze armate statunitensi, e i loro effettivi erano riconoscibili dagli stivali da paracadutista alti fino a metà polpaccio e dall'ambito distintivo d'argento a forma di paracadute che esibivano sul petto. Ma l'82ª aveva l'onore di essere la più vecchia delle due: la prima divisione aviotrasportata nella storia dell'esercito statunitense. Nel suo ambito spiccava il 505° reggimento di fanti paracadutisti: fiero della sua indipendenza, il corpo più tenace e meglio addestrato di tutti.

Il colonnello James Gavin, detto James lo Smilzo, che ne aveva il comando, era valoroso e risoluto quanto Ridgway. Non solo: con i suoi trentasette anni, sarebbe diventato il più giovane generale dell'esercito statunitense dai tempi della Guerra civile. Al pari di Tucker, questo figlio di immigrati irlandesi indigenti nato a Brooklyn aveva contribuito fin da piccolo al bilancio familiare vendendo giornali per strada prima di arruolarsi nell'esercito all'età di diciotto anni. Tutti i suoi uomini erano volontari, lieti di guadagnarsi i cinquanta dollari di indennità di lancio mensili e di avere tre pasti giornalieri assicurati. La maggioranza di loro proveniva "dal posto sbagliato". Molti erano figli di agricoltori del Sud, "calciasterco a piedi nudi" per i quali alzarsi alle cinque e mezzo significava godersi un'ora di sonno in più al mattino. La loro età media era di ventiquattro anni. Ognuno di loro, si diceva, era un duplicato di Gavin. Lo spirito virile era ugualmente condiviso dagli ufficiali e dai soldati. Per mostrare quanto erano duri, spesso dopo un paio di bicchieri al bar o in sala da ballo saltavano giù dalla terrazza o sgusciavano dalla finestra di una toilette al secondo piano.

Quando partirono con il convoglio di camion coperti il morale era alto. Dopo l'arruolamento, nel 1942, Tucker aveva trascorso gran parte del suo tempo a farsi sballottare da un luogo all'altro. Aveva attraversato l'Atlantico, pigiato insieme ad altri dodicimila uomini, nella stiva di un transatlantico che recava l'altisonante nome *George Washington* e faceva parte di un convoglio di settanta unità. La nave era così affollata che dovevano dormire a turno: una notte sul ponte, quella successiva in cuccetta. Per ricevere uno qualsiasi dei pasti bisognava mettersi in fila per due ore. In capo a un paio di giorni la stiva era così maleodorante di cibo e sudore stantio che Tucker aveva preso l'abitudine di trascorrere le notti sul ponte, a scrutare il baffo spumeggiante prodotto dalla nave, sperando di scorgere pesci fosforescenti. In origine la nave era stata un transatlantico tedesco, la *Bismarck*, poi era stata ceduta agli Stati Uniti come parte delle riparazioni dei danni di guerra all'indomani del primo conflitto mondiale. Ora trasportava americani che pensavano di essere lì per dare una batosta micidiale alla Germania. Dopo essere sbarcato a Casablanca Tucker aveva dovuto affrontare un viaggio di oltre seicento chilometri per ferrovia, nella torrida calura marocchina, su un carro merci di quelli chiamati "40 e 8" perché erano fatti per trasportare quaranta persone oppure otto cavalli. Non c'era spazio per dormire, muoversi né per fare nient'altro. I servizi igienici erano all'esterno, accessibili solo quando il convoglio faceva sosta in mezzo al deserto.

Dopo queste esperienze il trasferimento da Quorn era stato quasi un viaggio di lusso. Finalmente Tucker era giunto in quella che sarebbe stata la sua destinazione finale in Inghilterra prima del D-Day: un grande hangar nell'enorme base aeronautica statunitense di Cottesmore, nel Rutland, la più piccola contea d'Inghilterra. Le brande erano comode e il cibo era buono e abbondante, come per tutti i soldati destinati a partecipare all'invasione. A separarli dal mondo provvedevano filo spinato e polizia militare. Gli altri membri del personale della base non erano autorizzati ad avvicinarli, mentre a loro era stato espressamente vietato di parlare con i cuochi. Tucker si chiedeva perché. Si sentiva un recluso. Né a lui né ad alcuno dei suoi compagni era stato detto dove sarebbero stati mandati. Non potevano fare altro che ipotesi. Olanda? Francia? Iugoslavia? Bill aveva sempre amato fantasticare. Fra l'altro, sin da quando era bambino gli era sempre piaciuta l'idea di un posto in particolare. Perciò decise per la Norvegia.

A Madrid Karl Kühlenthal, l'ufficiale dell'Abwehr, era compiaciuto, perché il suo agente Arabel aveva appena ottenuto un impiego al ministero dell'Informazione a Londra, dove si preparava la propaganda per i paesi europei occupati dai nazisti. Arabel ora stava studiando le direttive inglesi e americane per la propaganda elaborata in vista degli sbarchi in Nordafrica e per la campagna d'Italia. Secondo lui, era evidente che queste linee guida erano state tracciate per ingannare i tedeschi, e da ciò si poteva trarre una lezione: se dopo uno sbarco alleato in Europa fosse stata impartita una direttiva del ministero che proibiva qualsiasi congettura su un secondo sbarco, si poteva stare certi che quest'ultimo sarebbe avvenuto.

Arabel aveva riferito a Kühlenthal che cinque giorni prima gli era stata fatta firmare la legge sui segreti ufficiali: un segno sicuro del fatto che avrebbe avuto accesso a informazioni preziose. Quel lunedì di Pentecoste aveva inviato a Kühlenthal un messaggio radio per informarlo delle sue ricerche sulle direttive precedenti, corredandole di un'ampia descrizione del Political Warfare Executive (PWE), l'organismo incaricato di gestire tutta la propaganda all'estero sulla base delle direttive del Gabinetto di guerra, del ministero degli Esteri e dello SHAEF. Kühlenthal aveva valide ragioni per essere compiaciuto: finalmente aveva un uomo in grado seguire gli eventi dall'interno.

Di recente Arabel aveva dimostrato di avere un altro asso nella manica. Già nel 1942 aveva riferito di essere finalmente riuscito a reclutare un uomo che chiamava "Agente 4". Questi era nato a Gibilterra e aveva cominciato a detestare gli inglesi quando era stato evacuato, insieme al resto della popolazione civile, dalla sua casa presso la Rocca. Viveva in Gran Bretagna e aveva un impiego come cameriere nella NAAFI in una base sotterranea segreta allestita nelle famose grotte di Chislehurst, nel Kent. All'inizio di maggio aveva preso contatto con Arabel chiedendogli di incontrarlo alla stazione ferroviaria di Winchester. Lì gli aveva riferito di essere appena stato trasferito in un nuovo campo militare nello Hampshire, che ospitava la 3ª divisione di fanteria canadese; alle truppe, disse, erano appena stati distribuiti razioni fredde per due giorni e giubbotti salvagente. Era ovvio, secondo l'Agente 4, che l'invasione era imminente.

L'ipotesi pareva confermata da un altro particolare: i soldati avevano ricevuto anche i sacchetti per il vomito. I superiori di Kühlenthal a Berlino rimasero così colpiti da questo rapporto che lo trasmisero immediatamente al vertice, cioè niente meno che a Hitler in persona. Era un altro indizio positivo del fatto che le fonti dell'Abwehr meritavano la massima fiducia da parte dell'Alto comando tedesco.

Arabel aveva chiesto all'Agente 4 il nome del campo nello Hampshire. A questa domanda gli era stato risposto: Hiltingbury. Proprio il campo in cui Glenn Dickin e i Fucilieri di Regina attendevano gli ordini in vista dell'invasione.

3
Dateci dentro sulla spiaggia!
Martedì 30 maggio

«In Italia l'avanzata degli Alleati procede a tutta velocità: ora sono a soli trenta chilometri da Roma. Ancora nessuna notizia dei ragazzi.» Albert Grunberg, nell'aria pesante della sua stanzetta, si crucciava in preda alla preoccupazione. Dal giorno del bombardamento non erano più giunte a sua moglie né lettere né telefonate, neppure un telegramma da Chambéry, e lui già immaginava il peggio. La cara Madame Oudard non aveva contribuito a tirarlo su di morale sciogliendosi in lacrime quando aveva saputo la notizia. Sarebbe stato paradossale se i suoi figli fossero rimasti uccisi proprio in quel luogo che avevano considerato un rifugio sicuro e, come se ciò non bastasse, per mano degli Alleati anziché degli odiati boche.

Non che il mondo novecentesco offrisse molti ripari. Aveva creduto che la Francia fosse sicura quando vi era giunto dalla Romania, orfano quattordicenne, alla vigilia della Prima guerra mondiale: era stato felice di lasciarsi alle spalle le ondate di antisemitismo che regolarmente spazzavano l'instabile regione balcanica. Si era sistemato, aveva sposato una francese, avviato una fortunata attività come parrucchiere e allevato due figli, Robert e Roger. D'un tratto, nel 1940, con l'avvento dei tedeschi e del servile regime di Vichy, anche quel suo nuovo mondo era crollato. Dove ci si poteva sentire al sicuro ormai?

Il vuoto di notizie dei suoi figli era stato un colpo terribile, che lo lasciò come paralizzato. Fino a quel momento aveva tentato di prepararsi psicologicamente al giorno in cui avrebbe potuto tornare a passeggiare insieme a loro senza timore, percorrere rue des Écoles alla luce del sole, godersi l'aria aperta, levare educatamente il cappello e salutare i vicini. Madame Oudard aveva notato il mutamento in aprile, accorgendosi che aveva ricominciato a portare la cravatta. A volte indossava addirittura il cappello quando lei andava a salutarlo in una delle sue brevi visite clandestine. Sembrava quasi che stesse per uscire e andare a comprare il giornale: una figura dignitosa dai capelli neri pettinati con cura, dai baffi spuntati con precisione e dagli occhialini rotondi posati sulla punta del naso. Possibile che tutto ciò non avesse futuro? Che la sua liberazione personale risultasse alla fine vana? Si sarebbe ritrovato a passeggiare lungo le vie soleggiate solo per esibire una luttuosa fascia nera? Sempre che, naturalmente, qualcuno non lo denunciasse prima. Per quella eventualità Madame Oudard aveva previsto un secondo nascondiglio di emergenza in una minuscola credenza al primo piano dell'edificio. Nel frattempo non poteva che aspettare, sperare e pazientare.

Sull'altra sponda della Manica, Veronica Owen si stava godendo una mattinata priva di impegni. Si era stesa fuori, al sole, per dedicarsi alla lettura dell'epistolario di Lawrence d'Arabia, che trattava soprattutto della redazione del suo classico volume di memorie, *I sette pilastri della saggezza*, e del periodo immediatamente successivo alla Prima guerra mondiale, quando collaborava con Winston Churchill, allora ministro della Guerra e dell'aviazione. "Diventa sempre più avvincente" annotò nel suo diario. Sul far della sera arrivò a Heathfield l'autobus che la portò a Fort Southwick per il turno di notte; durava fino alle quattro del mattino: una notte lunga, che però risultò piacevolmente tranquilla. L'ammiraglio Ramsay riscontrò nell'attività navale un analogo periodo di temporanea tranquillità e colse finalmente l'occasione per ringraziare la sessantina di scriccioli presenti a Southwick House per il lavoro impegnativo che svolgevano. "Mancano solo pochi giorni e ne sono riconoscente" scrisse nel suo diario.

Le scelte di Veronica in fatto di letture rivelavano un animo avventuroso e irrequieto. La guerra l'aveva già cambiata. All'epoca di Dunkerque e della caduta della Francia aveva quindici anni e frequentava Sherborne, un collegio femminile tipicamente irreggimentato. Di lì a poco, al pari di migliaia di altri scolari britannici, fu evacuata a Toronto, in Canada. All'inizio cercò di ribellarsi: «È come scappare!» esclamò sdegnata; ma suo padre le fece osservare che in tal caso sui convogli transatlantici vi sarebbe stata una bocca in meno da sfamare. Così, insieme ad altre trenta ragazze di Sherborne, entrò a Branksome Hall, una scuola femminile della città canadese.

La traversata atlantica le piacque moltissimo. Aveva sempre desiderato viaggiare per mare: anche quando era agitato sentirsi completamente circondata dall'immensa distesa delle onde dell'oceano le procurava un'ebbrezza piacevole. In Canada fu sopraffatta da un caloroso benvenuto: latte e biscotti a Montreal, il vagone letto con cui proseguì fino a Toronto, la gentilezza della famiglia che la accolse in casa, le molte novità, dai Mounty* con le loro uniformi rosse al fatto di usare la parola *gas* anziché *petrol* per dire "benzina", dalle automobili con la guida a sinistra ai cereali, le arance e le ciambelle con il miele a colazione. In Canada c'erano meno routine e disciplina, più libertà e un'ospitalità più aperta, maggiore franchezza nel modo di esprimersi. In Inghilterra i momenti di relax consistevano in passeggiate in campagna e letture, a Toronto si andava al cinema o a mangiare al ristorante o a fare acquisti, e la sera si poteva rimanere fuori fino a tardi. La famiglia che la ospitava aveva addirittura un cuoco cinese: le pietanze che preparava le sembravano squisite. Pure, Veronica avvertiva il bisogno di fare qualcosa di concreto per contribuire allo sforzo bellico, perciò nel suo tempo libero lavorava occasionalmente per la Croce Rossa. Così, quando due anni dopo, a diciassette anni e mezzo (l'età a cui era consentito diventare uno scricciolo), tornò in Gran Bretagna ormai giovane donna, i suoi genitori la trovarono molto più adulta di quanto si sarebbero aspettati.

In Canada aveva giocato a essere più inglese degli inglesi. Per esempio, usava spesso espressioni tipicamente britanniche come *actually* ("in effetti"), *jolly good* ("buonissimo") e *awfully* ("terribilmente"): erano piccoli gesti simbolici per dimostrare la sua solidarietà con la Gran Bretagna sofferente per la guerra. Trovarsi lontana da casa aveva esaltato il suo patriottismo. «L'Inghilterra è il paese più magnifico, bello e amabile del mondo» assicurava con entusiasmo ai suoi poco dopo essere tornata. Si iscrisse presto a un corso di trasmissione di messaggi navali in codice sulla *Cabbala*, l'unità della marina britannica ormeggiata a Lowton St. Mary, nei pressi di Warrington, nel Lancashire, che ospitava un centro di addestramento e aveva un nome quanto mai appropriato: i cabalisti, infatti, erano studiosi medievali che attribuivano grande importanza ai numeri e trascorrevano la loro vita dedicandosi alla decifrazione dei passi della Bibbia in cui ravvisavano un significato simbolico. Veronica si era fatta un'idea dell'importanza che le radiocomunicazioni potevano

* I celebri poliziotti a cavallo canadesi. [N.d.T.]

assumere per la marina già durante la sua traversata atlantica, ben prima di sottoporsi all'addestramento.

Indubbiamente quelle esperienze potevano spiegare la foga con cui, il giorno precedente, aveva parlato alle sue colleghe dell'importanza vitale dei messaggi in codice. A Branksome Hall le era stato affidato il ruolo di capogruppo delle ragazze di Sherborne e non si era mai veramente liberata di quella sensazione di responsabilità. «Prova ancora!» raccomandava accigliata quando vedeva che una collega del suo turno non riusciva a completare rapidamente una decodifica; oppure: «Che cosa hai fatto finora? Giocato? Prova un po' a prenderlo con le belle maniere!». Le sue amiche, quando non la chiamavano Vron, a volte la prendevano in giro definendola "rompiscatole numero uno".

Sonia d'Artois era più anziana di Veronica solamente di un anno, ma la sua indole già la spingeva verso il lato rischioso delle cose. Per il momento si trovava ancora al sicuro nella stessa casa in cui si erano rifugiati dopo essere stati paracadutati in Francia. Aveva al suo attivo il normale periodo di addestramento cui venivano sottoposti tutti gli agenti del SOE. Dopo un corso introduttivo di cinque giorni in una casa nella campagna inglese requisita allo scopo, durante il quale gli istruttori scartavano le persone inadatte e sottoponevano gli altri a una batteria di test psicologici e di personalità, era stata svegliata nel cuore della notte per verificare se avrebbe parlato spontaneamente in inglese o in francese: una specie di preparazione a un'eventuale retata da parte della Gestapo o della Milice. Avevano valutato la sua capacità di osservazione, chiedendole improvvisamente quanti quadri erano appesi alla parete lungo le scale e che cosa raffiguravano. Uno psicologo le aveva mostrato alcune macchie di inchiostro e aveva osservato come le interpretava. Sonia aveva definito quella fase dell'addestramento "il manicomio". Poi era stata trasferita in una località isolata fra le montagne scozzesi per irrobustirsi dal punto di vista fisico: le avevano insegnato come leggere una carta, come uccidere una sentinella senza fare rumore usando un coltello a doppio filo o semplicemente con un colpo di taglio della mano aperta, come montare e smontare mitragliette Sten e armi di ogni tipo e nazionalità, comprese quelle tedesche, dato che spesso la Resistenza francese doveva far uso di armi sottratte al nemico.

La cosa che le era piaciuta di più era imparare a usare gli esplosivi: come fabbricarli, che tipo di ingredienti si potevano trovare facilmente in Francia, quale quantità usarne per far saltare una linea ferroviaria o un ponte; quali erano i punti migliori per piazzare una carica in modo da provocare il massimo danno possibile; che tipo di detonatore impiegare e come regolare il timer in modo da avere abbastanza tempo per scappare; insomma, tutti i dettagli che potevano risultare decisivi per determinare un successo o un fallimento. Questo era appunto ciò che le era piaciuto di più, malgrado tutti i rischi che comportava, tanto che aveva deciso di far diventare gli esplosivi la sua specialità. In seguito alla "scuola di perfezionamento" del SOE nell'estesa tenuta di Beaulieu, nella New Forest, le era stato insegnato con grande cura come badare alla propria sicurezza personale: come scoprire se era pedinata, i trucchi per seminare un inseguitore, come reagire di fronte alle domande e sotto interrogatorio, che cosa cercare di fare se veniva torturata (resistere per almeno quarantotto ore, per dare agli altri la possibilità di dileguarsi). Poi aveva fatto un po' di pratica di lanci con il paracadute.

L'addestramento si era concluso con un'esercitazione a Manchester, dove le era stato chiesto di prendere in affitto una stanza fingendosi una giovane vedova con un figlio piccolo. Per rendere più credibile la messinscena Sonia aveva usato la foto di un bambino che in realtà era il suo fratello minore Michael. Una sera, rincasando, trovò la camera messa a soqquadro e il materasso lacerato da qualcuno che cercava documenti compromettenti o codici segreti. Fu arrestata e interrogata da uomini che le fecero credere di essere tedeschi e minacciarono di torturarla. L'esercitazione fu dura e realistica, ma lei non cedette e infine le venne affidata una missione.

Ora si trovava di fronte alla sua prima prova dal vero. L'inizio era stato piuttosto deprimente: la cassa piena di indumenti che aveva intenzione di indossare era atterrata su una strada ed era stata raccolta da un convoglio tedesco, così ora il nemico sapeva già di dover cercare una donna. Si sforzò di non pensare troppo ai metodi di tortura di cui le avevano parlato a Beaulieu e di tenere presente ciò che le era stato insegnato, vale a dire che la migliore misura di segretezza era sapere il meno possibile riguardo al lavoro di altri agenti o di altri gruppi della Resistenza: non avrebbe mai potuto rivelare ciò che ignorava. Intanto, però, doveva trovare il modo per liberarsi degli abiti che aveva addosso, innanzitutto perché erano maledettamente caldi, e poi perché avrebbero potuto essere un indizio rivelatore per un tedesco sospettoso o per qualsiasi collaborazionista, e in giro ce n'erano molti.

Sydney Hudson ebbe un'idea. Gli era capitato di conoscere alcuni uomini d'affari di Le Mans, uno dei quali gestiva un piccolo negozio di abbigliamento: avrebbe chiesto aiuto a loro. Nel frattempo decisero di rimanere nascosti ancora per un giorno o due, finché i tedeschi non avessero rinunciato a cercarli; poi si sarebbero diretti verso la base-rifugio di Hudson e avrebbero cominciato a lavorare ai piani per il D-Day.

Bill Tucker stava trascorrendo il suo primo giorno di quarantena dietro un reticolato nel campo d'aviazione di Cottesmore. Metà del suo reggimento era stata inviata a Spanhoe, un'aviosuperficie militare temporanea a sedici chilometri di distanza, e ogni contatto fra i due campi era rigorosamente vietato, fatta eccezione per i due sacerdoti, uno protestante e uno cattolico, che con l'avvicinarsi del gran giorno apparivano più affaccendati del solito. Sulle piste erano parcheggiati settanta C-47, i bimotori DC3 della Douglas trasformati per uso bellico che avrebbero trasportato gli uomini a destinazione. Gli aerei, dipinti con un motivo mimetico cachi, recavano su ciascuna ala tre ampie bande bianche, il segno di riconoscimento alleato per il D-Day. Ciascun velivolo avrebbe portato un "grappolo" di diciotto uomini. In totale, nei due campi d'aviazione si stavano apprestando a partire circa duemila effettivi dell'82ª divisione aviotrasportata.

Tucker trascorse la maggior parte della giornata occupandosi del suo equipaggiamento: verificò che non mancasse nulla e che ogni cosa fosse in ordine e diede una mano a preparare i colli di provviste che sarebbero stati lanciati insieme a lui. La sua mansione specifica era far funzionare una LMG 42, una mitragliatrice leggera provvista di treppiede separato. Dopo il lancio sarebbe stato uno dei due uomini necessari per manovrare l'arma: uno doveva portare il treppiede e le munizioni, raccolte in una bandoliera posata intorno al collo, l'altro doveva portare la canna. Quando fossero stati stanchi si sarebbero scambiati il carico. Complessivamente l'arma pesava circa tredici chili e mezzo, e in previsione del lancio veniva imballata in uno speciale fagotto assicurato sotto la fusoliera del C-47.

C'erano paracadute di molti colori. Quello principale di Tucker era cachi, quello di riserva, che veniva portato sul davanti, bianco. Un paracadute rosso significava munizioni; il colore blu indicava i medicinali; i paracadute gialli erano quelli per i viveri. I colori facilitavano l'identificazione sul luogo di atterraggio, e dopo un lancio i campi visti dall'alto sembravano punteggiati di grandi fiori colorati.

La velocità di riconoscimento era essenziale nei primi attimi confusi della battaglia.

L'elenco del materiale che Tucker aveva in dotazione per il lancio era formidabile. Innanzitutto c'erano la tuta da lancio, l'uniforme verde oliva, l'elmetto mimetico, il paracadute principale, il paracadute di riserva, gli stivali, i guanti e il giubbotto salvagente per aviatori, chiamato "Mae West". Poi venivano il fucile automatico Browning, una rivoltella Colt 45, coltelli per liberarsi dell'imbrago al momento dell'atterraggio e per il combattimento corpo a corpo, vari caricatori di munizioni, una borraccia di alluminio rivestita di stoffa, una dotazione di pronto soccorso comprendente alcune siringhe di morfina, una maschera antigas, razioni di viveri per tre giorni, diverse bombe a mano infilate nelle due tasche oblique sul petto e in quelle rinforzate sui fianchi, una coperta, un ricambio di calze e di biancheria e alcune stecche di sigarette. Il carico pesava quasi due volte Tucker, ma in compenso garantiva che nelle prime ore successive all'atterraggio sarebbe stato praticamente autosufficiente: a differenza dei soldati della fanteria regolare, i paracadutisti erano privi di qualsiasi rifornimento immediato e dovevano portare con sé tutto ciò che potevano. Questo era anche il vero rischio, perché il nemico poteva essere ben trincerato e pronto a fare fuoco con l'artiglieria pesante; i paracadutisti dovevano essere preparati a tutto e ne erano consapevoli.

Dopo aver terminato le verifiche per quel giorno Tucker trascorse una serata tranquilla, mentre gli altri membri della 1ª compagnia giocavano a pallavolo oppure si concedevano una partita a dadi o a carte puntando somme ingenti. Rovistando in una cassa della Croce Rossa in fondo a un hangar Bill vi trovò un libro della scrittrice americana Betty Smith intitolato *Un albero cresce a Brooklyn* e decise di leggerlo per ingannare l'attesa. In patria il volume era stato un best seller. La vicenda immaginaria di una ragazza tedesco-irlandese indigente che cresceva nel crogiuolo di etnie durante la Prima guerra mondiale raccontava un'esperienza di coraggio, di sopravvivenza e di irriducibile voglia di vivere. Tucker trovò il libro splendido, ed esso impegnò il suo tempo libero finché giunse il momento di partire. Non aveva ancora la minima idea di dove era diretto né di quando sarebbe partito.

Eppure, proprio mentre Tucker stava controllando l'equipaggiamento, la possibilità di cancellare la missione dell'82ª divisione aviotrasportata prevista per il D-Day costituiva l'oggetto di un'animata discussione.

Dwight Eisenhower trascorse la mattinata al quartier generale dello SHAEF a Bushy Park, appena fuori Kingston. Il complesso di baracche Nissen, tende e improvvisati edifici di mattoni, allestito in tutta fretta, era denominato in codice Widewing. L'ufficio di Ike aveva il tetto di lamiera, un pavimento di linoleum screpolato, la vernice scrostata, solai di cemento e un'illuminazione incerta prodotta da tubi al neon: appartato com'era in un angolo del complesso, sembrava sottolineare la solitudine del comandante supremo delle forze alleate. A volte i visitatori sorprendevano Eisenhower nell'atto di colpire un'immaginaria pallina da golf sul pavimento del suo ufficio per alleviare la tensione.

Quello era stato uno dei giorni più difficili quanto a decisioni da prendere in completa solitudine, perché proprio all'avvicinarsi della data fatidica uno dei suoi collaboratori più stretti aveva messo in discussione una parte fondamentale del piano per il D-Day. Il vicemaresciallo dell'aviazione Trafford Leigh-Mallory, responsabile britannico della tattica aeronautica, aveva ricevuto alcuni rapporti allarmanti riguardo a movimenti di truppe tedesche nell'area prevista per l'invasione: Rommel aveva fatto trasferire la sua 91ª divisione di fanteria in una posizione spiacevolmente vicina al sito in cui doveva essere paracadutata l'82ª aviotrasportata. Ike aveva già espresso la sua approvazione circa uno spostamento più a ovest del sito di lancio, ma Leigh-Mallory continuava a sentirsi inquieto. Il giorno precedente, nel corso di una burrascosa riunione a Widewing che Eisenhower aveva lasciato gestire al suo vicecomandante, Leigh-Mallory aveva avvertito della possibilità di un disastro e poi aveva telefonato personalmente ad Ike per esprimere con enfasi ancora maggiore le sue preoccupazioni. «Lo metta per iscritto» gli aveva risposto Eisenhower.

A mezzogiorno fu consegnata a Bushy Park la lettera in cui Leigh-Mallory ribadiva che i lanci dei paracadutisti dell'82ª e della 101ª aviotrasportata previsti per il D-Day dovevano essere cancellati: se ciò non fosse avvenuto, Leigh-Mallory paventava perdite spaventosamente elevate fra i paracadutisti, un "massacro gratuito" che non sarebbe stato di alcuna utilità per la battaglia. I C-47, rammentava ad Eisenhower, erano privi di armamento e avrebbero dovuto sorvolare con la luna piena un territorio controllato dai tedeschi e disseminato di cannoni antiaerei. Metà dei paracadutisti sarebbero morti prima ancora di toccare il suolo. Dopo aver letto il messaggio di Leigh-Mallory Eisenhower trascorse il pomeriggio rinchiuso a Telegraph Cottage per riflettere sulla questione.

"Sarebbe difficile immaginare un problema più tormentoso" ammise in seguito. Se Leigh-Mallory aveva ragione, Eisenhower avrebbe avuto per sempre sulla coscienza il sacrificio "stupido e cieco" di migliaia di giovani soldati americani. D'altra parte, se avesse cancellato i lanci avrebbe messo a repentaglio tutti i piani accuratamente predisposti per il D-Day, concepiti in modo da assumere il controllo dell'estremità occidentale della testa di sbarco, assicurando così quel fianco mentre la fanteria avrebbe dovuto aprirsi la strada combattendo e opponendo una barriera all'arrivo dei rinforzi tedeschi. Cancellare il lancio dei paracadutisti significava rinunciare a tutti gli sbarchi, dunque non c'era altro da fare che correre il rischio. Fra l'altro, sospettava che le obiezioni di Leigh-Mallory derivassero almeno in parte dal desiderio di coprirsi le spalle in caso di gravi perdite americane. L'ultima cosa di cui Eisenhower aveva bisogno a quel punto era che un membro della squadra cominciasse a vacillare. Quella sera chiamò Leigh-Mallory al telefono per dirgli che i lanci sarebbero avvenuti e poi scrisse una lettera formale con la quale confermava la decisione. Il tono era conciso e rude e rammentava al subordinato la necessità di tenere alto il morale delle truppe anziché deprimerlo con previsioni pessimistiche: avevano di fronte un compito impegnativo, ma dovevano mantenere la grinta. Così, alla fine, il sergente Bill Tucker sarebbe salito a bordo del suo C-47.

Qualche tempo prima, quello stesso mese, Ike aveva scritto con tono sconsolato a George C. Marshall, il capo di stato maggiore dell'esercito statunitense a Washington: "A volte credo di sentire un po' la nostalgia di casa; a me sono negati i comuni svaghi del teatro e di altri luoghi pubblici". Giocare da solo a golf nel suo ufficio non bastava ad allentare la tensione: aveva bisogno della famiglia accanto a sé. Perciò Marshall aveva immediatamente accolto la richiesta di permettere a John, l'unico figlio di Ike, di raggiungere il padre al quartier generale. Eisenhower era impaziente di vederlo. John stava per diplomarsi a West Point e Ike aveva acconsentito a inviare un messaggio personale che sarebbe stato letto alla classe dei diplomandi in occasione del gran giorno, martedì 6 giugno.

Quella notte prima di coricarsi scrisse alcune lettere personali ad amici con cui era in contatto negli Stati Uniti e indirizzò anche una missiva ai capi degli stati maggiori riuniti a Washington, sottolineando l'importanza vitale della segretezza nei giorni a venire. I tedeschi dovevano continuare a sottovalutare il numero degli uomini a sua disposizione: ciò avrebbe fatto sì che tenessero di riserva una parte delle loro truppe, pensando di doverle poi impegnare contro gli sbarchi che sarebbero seguiti. Inoltre, il nemico non doveva nutrire alcun sospetto riguardo al piano degli Alleati di utilizzare approdi artificiali anziché i porti francesi per portare a riva i rifornimenti, perché altrimenti si rischiava che indovinassero dove sarebbero avvenuti gli sbarchi. Mentre il D-Day si avvicinava, le misure di depistaggio e la segretezza continuavano a mantenere la priorità più elevata.

Il Regno Unito era ormai un gigantesco accampamento militare, tenuto sotto strettissima sorveglianza come quelli in cui erano rinchiusi Glenn Dickin e Bill Tucker: nessuna notizia che potesse rivelare il benché minimo indizio sulla natura e la tempistica dei piani alleati doveva trapelare nel mondo esterno. Non erano solo i diplomatici a subire le conseguenze di questo stato di cose: era praticamente impossibile entrare e uscire dal paese, e i pochi a cui veniva concessa una deroga dovevano sottoporsi a controlli scrupolosi. La corrispondenza con l'oltreatlantico passava al vaglio di una censura severa, le telefonate e i telegrammi internazionali erano tenuti attentamente sotto controllo. I reparti di sicurezza delle forze armate punivano con durezza i militari che evadevano o cercavano di sgattaiolare dai campi senza autorizzazione, sia che fossero mossi dalla disperata voglia di uno spuntino e una birra o di incontrare una ragazza, sia che intendessero disertare.

Naturalmente l'MI5, il servizio di sicurezza britannico, era più in allerta che mai. "Una sola lingua sciolta può far colare a picco molte navi" avvertiva un manifesto di propaganda affisso nelle fabbriche di tutto il paese. Quando un sindacalista divulgò, del tutto in buona fede, alcune indicazioni su una particolare apparecchiatura per le forze navali che sarebbe stata impiegata nel D-Day e sulla quale stava lavorando, l'MI5 provvide immediatamente ad arrestarlo e interrogarlo. Era esattamente il genere di episodio che Eisenhower aveva in mente quando aveva messo in allerta Washington. Dalla sua condotta non era seguito alcun danno e l'uomo fu scagionato da ogni accusa di tradimento, ma il caso era potenzialmente così grave che venne incluso nel consueto rapporto mensile che l'MI5 inviava direttamente a Churchill. L'invio di tali rapporti era stato introdotto l'anno precedente per iniziativa di Duff Cooper, che all'epoca era responsabile di tutto l'apparato di sicurezza. Legato al primo ministro da amicizia personale, in occasione di un fine settimana trascorso a Chequers destò la sua curiosità riferendogli i particolari del doppio gioco praticato dall'MI5 ai danni dei tedeschi e poi gli chiese se poteva essere interessato a ricevere un rapporto mensile. Churchill aveva accettato la proposta di Cooper e questi ne aveva parlato con il capo dell'MI5, Sir David Petrie. Cooper aveva sottolineato come questi documenti dovevano essere stringati e "riguardare solamente episodi di eccezionale interesse", rilevando d'altronde che avrebbero assolto alla duplice funzione di tenere informato Churchill e fornire agli ufficiali dell'MI5 la corroborante dimostrazione che il loro operato veniva apprezzato ad altissimo livello. Da allora il primo ministro aveva continuato a leggere avidamente i rapporti mensili e nell'ultimo periodo li esaminava con più attenzione che mai, in cerca di qualsiasi indizio di eventuali rischi per il D-Day.

Churchill era ormai rientrato a Londra. La capitale aveva ripreso a lavorare dopo il ponte festivo e la vita sembrava tornata a una rassicurante normalità. Il *Times* riferiva di un focolaio di afta epizootica negli allevamenti dello Yorkshire, di un aumento dei casi di divorzio, di una vendita di libri in una casa di campagna messa all'asta e pubblicava i soliti annunci economici riguardanti bambinaie, automobili usate ed enteroclismi. C'era anche un articolo nel quale si passavano in rassegna i pregi e i difetti di conigli, oche, capre impastoiate e galline quali surrogati per rasare le aiuole in mancanza di carburante per i tagliaerba. Un pezzo sull'avifauna dei boschi proponeva un interrogativo inquietante: "Scarsità di luì piccoli quest'anno?".

Churchill aveva questioni più importanti di cui occuparsi. Per il mondo esterno il suo indirizzo nella capitale era il numero 10 di Downing Street, ma in realtà il primo ministro trascorreva gran parte del suo tempo seppellito nell'enorme bunker sotterraneo noto come "la Dipendenza", nascosto ad appena un centinaio di metri di distanza sotto l'edificio del Tesoro in Great George Street. Protetto dalle bombe da cinque metri di cemento armato, quel labirinto di stanze e corridoi di ventiquattromila metri quadrati comprendeva alloggi per Churchill e sua moglie oltre che uffici e dormitori per i suoi principali consiglieri militari. Anche lì c'era una sala delle riunioni per i comitati chiave, come quello dei servizi informativi, quello dei capi di stato maggiore e il Gabinetto di guerra.

Alle sei e mezzo di quella sera Churchill prese parte a una seduta ordinaria del Gabinetto di guerra, una cerchia selezionata di membri del governo. I consiglieri militari lavoravano sodo già da un pezzo. In mattinata i capi di stato maggiore e il Joint Intelligence Committee (JIC) avevano svolto lunghe discussioni e il segretariato di Gabinetto ne aveva ricavato un voluminoso rapporto sulle misure adottate per tutelare la segretezza di Overlord, la maggior parte delle quali riguardava le restrizioni sui viaggi e sulle comunicazioni imposte già due mesi addietro.

Con l'approssimarsi del D-Day l'umore del primo ministro si era fatto bizzoso e impaziente. Il primo lotto di intercettazioni di Ultra inviatogli quel giorno da C era costituito soprattutto da frenetici messaggi della Wehrmacht provenienti dal fronte italiano che riferivano l'incalzante avanzare delle forze angloamericane alla volta di Roma e la situazione sempre più disperata che le truppe tedesche dovevano affrontare, mentre le strade e i collegamenti ferroviari venivano interrotti dai bombardamenti. Eppure quei rapporti, anziché tranquillizzare Churchill, lo mettevano in agitazione. Sir Alan Brooke, che era il capo dello stato maggiore generale imperiale e dunque il più alto ufficiale britannico, rivoluzionò l'ordine del giorno del Gabinetto di guerra per riferire dei grandi progressi delle forze del generale Alexander in Italia, ma Churchill, anziché reagire con elogi, chiese un "colpaccio", vale a dire l'immediata presa di Roma; per Brooke, che era altrettanto teso per gli avvenimenti in vista e intratteneva con il primo ministro un intenso rapporto di amore e odio, era veramente troppo, e così perse le staffe.

L'umore di Churchill non migliorò nemmeno quando passarono a discutere di una questione ancora irrisolta, cioè i bombardamenti contro obiettivi nemici in Francia. Le intercettazioni ricevute quel martedì lo avevano irritato anche a questo riguardo, dato che un messaggio proveniente dal quartier generale di von Rundstedt fuori Parigi e indirizzato all'Alto comando a Berlino forniva dettagli su un'incursione effettuata da mille bombardieri alleati appena cinque giorni prima. Il primo ministro e Tedder stavano ancora litigando sulla questione. Benché Churchill trovasse alleati non meno preoccupati di lui fra i suoi colleghi politici, essi stessi erano costretti a riconoscere che si sarebbe dovuto attendere un rapporto ufficiale dello SHAEF.

Quello era appunto il problema di Churchill, che forniva la spiegazione della sua petulanza, più acuta del solito: ormai gli eventi bellici sfuggivano al suo controllo diretto. Si trovava ridotto al ruolo di uno spettatore remoto del fronte dei combattimenti in Italia, e poteva aspettarsi poco più di un posto di prima fila in platea per assistere al dramma di Overlord che stava cominciando a dipanarsi: il direttore d'orchestra era Ike e l'ouverture era già cominciata. Appariva degno di nota, per esempio, che nella sua riunione di quel mercoledì alla Dipendenza il JIC non avesse potuto inserire nell'ordine del giorno le ultime notizie relative al D-Day, perché la questione era ormai in mano agli esperti di Bushy Park.

Trovarsi fra il pubblico anziché sul palcoscenico in vista di grandi eventi storici era una situazione che non era mai andata a genio a Churchill, il quale non riusciva a tollerarla soprattutto in quel momento in cui la posta in gioco era così alta; i suoi improvvisi accessi di collera, dunque, erano ormai frequenti. Solo due settimane prima, nel corso della grande riunione finale di aggiornamento su Overlord, durata cinque ore e tenutasi alla St. Paul's School a Kensington in presenza di re Giorgio VI e degli alti papaveri alleati, Churchill era comparso con il suo sigaro in mano, ma in veste di spettatore anziché di protagonista. La riunione era stata aperta da Eisenhower; poi il generale Bernard Montgomery, il leggendario Monty di El-Alamein che verso la fine del 1942 aveva dato una lezione ai soldati di Rommel nel deserto nordafricano e ora doveva assumere il comando delle truppe di terra in Francia, aveva parlato loro della strategia che aveva pianificato per il momento in cui gli uomini sarebbero sbarcati sulle spiagge. Churchill si era limitato a porre qualche domanda e alla fine, non senza riluttanza, aveva riferito ad Eisenhower di sentirsi sempre più "caldamente partecipe" di quel progetto. Eisenhower era lieto che lui partecipasse, ma era evidente che il comando non spettava al primo ministro.

Tuttavia, Churchill poteva pur sempre manovrare alcuni fili politici. La situazione minacciava di prendere una piega incontrollabile: si stavano addensando nubi di burrasca, non solo sul fronte militare, e il primo ministro era consapevole che potevano compromettere l'impresa.

Era trascorso esattamente un anno da quando la figura alta e sgraziata del generale Charles De Gaulle era scesa dall'aereo che lo aveva condotto dall'esilio londinese a uno squallido campo d'aviazione militare fuori Algeri. De Gaulle aveva eletto la capitale algerina (allora considerata parte integrante della Francia metropolitana) quartier generale di quello che *de facto* era il governo provvisorio della Francia: un governo ombra che, quando fosse venuto il momento della liberazione, avrebbe nuovamente issato il tricolore su Parigi. Il generale era riuscito a mettere fuori gioco i suoi rivali dando vita, in Algeria, a un contingente di combattenti forte di circa quattrocentomila uomini e si era conquistato la fedeltà dei gruppi della Resistenza attivi sul suolo francese. I giorni disperati del giugno del 1940, quando aveva lanciato un appello solitario e apparentemente infruttuoso da Londra sulle frequenze della BBC rivolgendosi ai compatrioti affinché continuassero la lotta contro Hitler, sembravano un lontano ricordo. Ormai era pronto a tornare trionfalmente in patria e ad assumere l'indiscusso ruolo di guida del suo paese.

Ad Algeri aveva trovato una sistemazione confortevole a Les Oliviers, una spaziosa villa su tre piani che dominava la cittadina mediterranea inondata dal sole. Aveva al suo fianco i familiari più stretti: la moglie Yvonne, nativa di quella Calais che, trovandosi ad appena una trentina di chilometri da Dover, veniva regolarmente martoriata dai bombardamenti alleati; Anna, la loro figlia minore, una sedicenne affetta dalla sindrome di Down, teneramente amata da entrambi i genitori; e l'altra figlia, Elizabeth, una giovane vivace laureata a Oxford che seguiva gli orientamenti della stampa straniera per conto del governo del padre. Solo il figlio maschio, Philippe, era assente: prestava servizio nelle forze marittime di France Libre. Benché la villa disponesse di uno studio confortevole, De Gaulle lavorava a casa solo di rado: aveva un ufficio a Les Glycines, una villa più piccola e più vicina alla città, soffocante per quanto era piccolo e ingombro di macchine da scrivere e letti da campo.

Fu a Les Glycines che il pomeriggio di appena tre giorni prima accolse l'ambasciatore britannico in missione ufficiale. Duff Cooper, beneducato ex ministro dell'Informazione di Churchill nonché ideatore dei rapporti mensili dell'MI5 al primo ministro, era un francofilo entusiasta e un amico di France Libre. Da alcune settimane fra Algeri e Londra era in sospeso una questione di grande importanza: quale sarebbe stato il ruolo di De Gaulle nel D-Day? Il leader di France Libre non era stato coinvolto in alcun modo nella pianificazione dell'invasione ed era tuttora all'oscuro della data e del luogo previsti. Era opportuno informarlo in anticipo, e, se sì, quando? Inoltre, che cosa sarebbe accaduto quando le forze alleate avessero cominciato a liberare il territorio francese? Il governo provvisorio di De Gaulle si sarebbe limitato a entrare in carica oppure sarebbero stati gli Alleati ad assumere il controllo del paese per mezzo di un'amministrazione militare provvista di leggi e di valuta temporanea? A moltissimi le risposte a tali interrogativi sembravano semplici: come leader naturale della nazionale francese, De Gaulle doveva essere informato del D-Day e gli doveva essere consentito di governare il paese via via che esso veniva liberato dalla dominazione tedesca. "O noi o il caos": questa era la posizione di Algeri.

Eppure a Churchill e Roosevelt la questione appariva tutt'altro che semplice. Il presidente americano, in particolare, nutriva un'avversione profonda nei confronti di De Gaulle e sembrava irremovibile riguardo al fatto che nella Francia liberata si sarebbe dovuto instaurare un governo militare. La sua posizione scaturiva in parte da un dubbio giurisdizionale sulla legittimità del generale e in parte dai pareri di alcuni consiglieri alla Casa Bianca che in passato avevano intessuto stretti rapporti con Vichy, ma dipendeva soprattutto da un antagonismo personale. De Gaulle era altezzoso, arrogante, esigente, difficile: era convinto che essere un leader significasse essere altero. "La mia indole mi ha ammonito e l'esperienza mi ha insegnato che quando si è al vertice si possono serbare tempo ed energie solo dimorando alle altezze più remote" aveva scritto. Era anche una questione di orgoglio. La Francia, già grande potenza, era stata umiliata dall'armistizio del 1940, e il leader di France Libre si riprometteva che se fosse riuscito a ripristinarne la grandezza non si sarebbe mai lasciato umiliare né avrebbe mai mendicato, neppure (anzi men che meno) quando si fosse trovato a dipendere in modo tanto significativo dall'aiuto americano e inglese. A Roosevelt, politico gioviale tutto manate sulle spalle, questo atteggiamento pareva incomprensibile e offensivo.

L'ostinazione e l'intransigenza di De Gaulle avevano fatto quasi ammattire Churchill, che in alcune occasioni era stato sul punto di rompere con lui. Eppure, nel profondo del cuore il primo ministro britannico rispettava il valore con cui il generale aveva continuato a combattere nel 1940 e non se la sentiva di lasciarlo semplicemente in disparte. Così ora Churchill si trovava stretto fra Roosevelt e De Gaulle. Aveva tergiversato per settimane. Da ultimo, però, aveva acconsentito a invitare De Gaulle a Londra e aveva ordinato a Duff Cooper di dare la notizia al leader francese. Tuttavia l'ambasciatore britannico l'aveva trovato in preda a uno dei suoi esplosivi malumori. "Speravo che ne sarebbe stato compiaciuto" osservò. "Ma era intrattabile e scontroso come al solito; protestava esacerbato per l'intenzione del governo americano di mettere in circolazione il franco di occupazione quando le truppe alleate avessero posto piede in Francia."

Quando si riunì il Gabinetto di guerra De Gaulle era ancora ad Algeri a ribollire d'ira. Churchill non aveva ancora menzionato una data per l'invito, ma a quel punto disse ai colleghi che intendeva fissarlo per l'alba del D-Day stesso: dato che De Gaulle avrebbe avuto bisogno di un preavviso di quarantotto ore prima di partire e di ventiquattro per raggiungere la Gran Bretagna, sarebbe giunto a Londra tre giorni dopo il D-Day, cioè quando, promise Churchill, avrebbe potuto essere messo pienamente al corrente della situazione. Ciò avrebbe sventato ogni rischio che il segreto del D-Day venisse compromesso da France Libre, il cui apparato di sicurezza aveva sempre creato preoccupazioni agli Alleati.

L'idea di Churchill, però, fu risolutamente respinta sia dal segretario agli Esteri Sir Anthony Eden sia dal capo del Partito laburista e vicepremier Clement Attlee. L'opinione pubblica e il parlamento, infatti, erano molto favorevoli a De Gaulle. Non più tardi di quella mattina il *Times* aveva reso noto che il primo squadrone di bombardieri pesanti francesi costituitosi in Gran Bretagna stava contribuendo all'operato delle forze alleate con le proprie incursioni su obiettivi nella Francia occupata; inoltre aveva pubblicato una fotografia che raffigurava De Gaulle mentre stringeva la mano ai piloti in occasione di una recente visita a uno squadrone francese che aveva base in Italia, e accennava con riprovazione alle "remore derivanti dall'incertezza e dall'incomprensione" che compromettevano i rapporti con Algeri. Eden e Attlee temevano che la proposta di Churchill avrebbe ulteriormente esacerbato il risentimento francese e reso ancora più difficili le relazioni con De Gaulle. Eden proponeva dunque di farlo arrivare a Londra prima del D-Day: in tal modo non avrebbe perso le staffe quando avesse saputo degli sbarchi né avrebbe potuto diffondere comunicati incendiari da Algeri. Dopo un'accalorata discussione Churchill cedette, ma non prima di aver pattuito che i capi di stato maggiore avrebbero dovuto esprimersi sui rischi che ciò comportava per la segretezza. La questione dunque fu semplicemente rinviata, non risolta. Ad Algeri De Gaulle attendeva impaziente e sempre sul punto di esplodere, mentre il suo arrivo a Londra si profilava come una mina vagante per i piani di invasione.

Più tardi, nel corso di quella serata, Churchill, che si trovava sempre nel suo bunker sotterraneo, esaminò il secondo e il terzo lotto di intercettazioni di Ultra che aveva ricevuto da C. Se da un lato si evidenziava un confortante stato di caos delle forze della Wehrmacht in Italia, che oltretutto dovevano fare i conti con una grave scarsità di carburante, dall'altro un dispaccio diplomatico rivelava una grave spaccatura nel governo iugoslavo in esilio nei riguardi degli sforzi di Churchill per mediare un compromesso fra il re Pietro e il capo comunista, il maresciallo Tito: la Iugoslavia era pericolosamente vicina a una vera e propria guerra civile, funesto presagio del tumulto politico che di lì a poco avrebbe investito i Balcani. Ma De Gaulle rimaneva il problema di gran lunga più serio.

André Heintz aveva puntato sul generale De Gaulle fin dall'inizio. La sua decisione nasceva da personali sentimenti di fedeltà e dal patriottismo viscerale che aveva una forte tradizione nella sua famiglia. All'età di quindici anni aveva trascorso cinque mesi presso una famiglia di Bristol per imparare l'inglese, secondo l'accordo stipulato da suo padre, insegnante di materie classiche, con un collega della scuola secondaria di quella città. Lì lo avevano preso in giro per il suo cognome, affibbiandogli il nomignolo di 57, derivato da una famosa linea di cibi in scatola. Per questa ragione, tanto tempo dopo, chiamava segretamente la sua piccola radio a galena "58". Era rimasto in contatto con gli amici di Bristol e provava vergogna per il fatto che, con l'armistizio firmato da Pétain nel 1940, la Francia aveva abbandonato l'alleato britannico. Poiché viveva in prossimità della costa della Normandia, aveva assistito ai preparativi dei tedeschi in vista dell'invasione della Gran Bretagna nell'estate del 1940, ma non ne era rimasto impressionato: molte delle unità erano austriache e quindi formate da uomini che non avevano mai visto il mare e ne erano terrorizzati, e il suo intuito gli diceva che non ce l'avrebbero mai fatta e che la Gran Bretagna avrebbe resistito. Spesso gli riaffiorava alla memoria l'emozionante musica della banda del corpo degli allievi ufficiali della scuola di Bristol, e ciò rafforzava la sua decisione di mostrarsi degno della stima degli amici inglesi.

André era stato introdotto alle attività della Resistenza nell'autunno del 1940, quando un canadese che insegnava all'Università di Caen lo aveva presentato a una sua connazionale, una certa Mademoiselle Arnaud. Questa aiutava i militari alleati evasi dalla prigionia o sfuggiti all'arresto e collaborava con un cappellano polacco, padre Makulec, che prestava conforto spirituale agli operai suoi connazionali immigrati in Normandia. Tali conoscenze, oltre ai contatti con studenti universitari polacchi rifugiati, avevano indotto André a collaborare con la rete organizzativa clandestina franco-polacca costituita dal sacerdote. Makulec detestava i tedeschi, tanto che una volta, in presenza della madre di André, disse: «Sai, André, se non vogliamo trovarci nuovamente in guerra con i tedeschi entro i prossimi vent'anni, ciascuno di noi deve uccidere tre di loro prima della fine del conflitto». La madre, sbigottita, aveva proibito ad André di continuare a frequentare il prete, ma lui aveva disobbedito. Makulec era stato contattato da agenti segreti polacchi in Francia che collaboravano con gli inglesi e durante il blitz su Londra del 1940 gli era stato chiesto di fornire informazioni sui campi d'aviazione usati dalla Luftwaffe e sui siti in cui venivano nascosti i bombardieri tedeschi. Una delle prime missioni di André per la Resistenza lo aveva condotto a una fattoria nei pressi del campo d'aviazione di Carpiquet, poco fuori Caen. Il fattore aveva una domestica polacca che, insieme ad André, era riuscita a carpire alcune informazioni utili sugli aerei e sui loro obiettivi dagli aviatori tedeschi che venivano lì per procurarsi uova e latte.

André aveva imparato anche a essere versatile. La rete di Makulec, infatti, era stata smantellata nel 1941 e così, poco tempo dopo, André si unì all'Organisation civile et militaire (OCM). Questa era stata decimata a sua volta dagli arresti nel 1943, e quindi lui entrò in collegamento con un'altra consimile, Libération Nord, assumendo lo pseudonimo di Théophile. Nel suo liceo aveva formato anche un piccolo gruppo di insegnanti e assistenti, denominato Saint-Jo, che si occupava di far circolare giornali clandestini.

Quel giorno faceva di nuovo molto caldo. Sui quotidiani del mattino non si parlava che delle città francesi bombardate. Vi fu un temporale di tuoni cui in serata fece seguito un po' di pioggia. Per tutta la giornata gli allarmi aerei avevano tenuto la città con il fiato sospeso.

André sapeva che la sua famiglia era più vulnerabile della maggior parte delle altre: il quartier generale in fondo alla loro via era frequentato dal generale Richter, l'ufficiale responsabile della difesa della costa vicina. André aveva procurato al suo contatto, che incontrava più o meno ogni settimana alla stazione dove arrivava il treno dei pendolari da Ouistreham, le coordinate topografiche precise dell'edificio, che in seguito erano state trasmesse a Londra. Un giorno, congetturava, gli Alleati avrebbero preso di mira il quartier generale, e lui poteva solo sperare che facessero centro. Ma tenne segreto ciò che aveva fatto: non osò rivelarlo né ai genitori né alla sorella.

Aveva ben presenti i rischi che correva lavorando per la Resistenza. Fino al mese precedente incontrava il suo contatto principale nella chiesa di Saint-Sauveur: era un collega insegnante, Alexis Lelièvre, nome di battaglia Yvon. Avevano scelto la chiesa perché vi si poteva accedere da tre vie differenti, cosicché ognuno poteva usare un ingresso diverso. L'orario migliore era quello del mattutino delle sei e mezzo, prima che entrambi andassero al lavoro e la Gestapo fosse tornata in circolazione; inginocchiati uno a fianco dell'altro, si scambiavano sommessamente i loro messaggi: Yvon poneva le domande e André forniva le risposte, perlopiù riguardanti osservazioni delle truppe e dei mezzi tedeschi effettuate andandosene in giro per la città in bicicletta.

Di recente, durante una cena in famiglia, il padre lo aveva interrogato sulle novità del giorno. Prima che André potesse rispondere era intervenuta la sorella, annunciando che le sue lezioni erano state cancellate. «Perché mai?» aveva domandato il padre. «Perché la Gestapo ha arrestato il nostro insegnante.» André si sentì impallidire fino a farsi bianco come la tovaglia e la gola gli si serrò: sapeva che quell'insegnante era Yvon, il suo contatto. Quella mattina, appunto, Yvon non si era fatto vivo per il solito incontro. Avevano deciso che qualora uno dei due non si fosse presentato a un appuntamento l'altro non lo avrebbe aspettato per più di un quarto d'ora, ma André aveva fatto ciò che non avrebbe dovuto: aveva passeggiato intorno alla chiesa alla ricerca del suo contatto più a lungo del tempo prestabilito. Poi era tornato a casa.

Cercando disperatamente di comportarsi in modo normale, aveva continuato a mangiare. Quella notte, però, dormì vestito di tutto punto sul pavimento accanto al letto, casomai avesse dovuto darsi precipitosamente alla fuga. Non rivide più Yvon: da allora aveva avuto a che fare solo con l'uomo che arrivava in treno da Ouistreham.

Rommel era frustrato. Lasciò la sua residenza di La Roche-Guyon alle sei e venti del mattino, alla testa di un convoglio di automobili di assistenza, per effettuare un ennesimo giro di ispezione delle difese del suo Vallo Atlantico. Avrebbe assistito a una dimostrazione del funzionamento di un lanciarazzi multiplo e di cannoni fumogeni a Riva-Bella, una località balneare sulla costa normanna nei pressi di Ouistreham. Riva-Bella era un caposaldo importante, alla foce del canale dell'Orne che collegava Caen al mare. Lì era stato fortificato un ex padiglione di caccia, la spiaggia era stata disseminata fino alla battigia di ostacoli e mine e ogni cento metri erano stati piazzati bunker muniti di cannoni affiancati da campi minati e trincee. Un bunker in cemento armato di cinque piani, alto una quindicina di metri, si stagliava sul profilo della costa e mediante un potente telemetro teneva sotto controllo le vie marittime di accesso al golfo della Senna, una quarantina di chilometri più a est.

Il tragitto fino alla costa offrì al feldmaresciallo l'evidente conferma dei danni catastrofici provocati dai bombardieri alleati. Rommel era accompagnato dagli ufficiali più alti in grado fra quelli sottoposti al suo comando: il generale Dollman, comandante della VII Armata, la cui area di competenza comprendeva la costa dalla Normandia fino alla foce della Loira; il generale Hans von Salmuth, incaricato della XV Armata, che avrebbe dovuto proteggere la costa della Manica a est e a nord della Normandia fino all'Olanda, cioè la zona che, secondo Rommel, costituiva l'obiettivo più verosimile dell'invasione; l'ammiraglio Theodor Krancke, capo del Gruppo navale ovest, che aveva il suo quartier generale a Parigi; il viceammiraglio Friedrich von Ruge, consigliere navale personale di Rommel; e il generale Erich Marcks, comandante dell'LXXXIV Corpo d'armata. Quella mattina attraversarono in automobile Mantes e poterono vedere le macerie fumanti lasciate dai bombardamenti notturni sull'isoletta in mezzo alla Senna che collegava i due ponti della città. Dopo il pranzo (approntato in una cucina da campo, secondo lo stile frugale tipico di Rommel) il tragitto di ritorno subì ripetute interruzioni a causa degli allarmi aerei. Un'ora dopo che ebbero attraversato il fiume i ponti di Mantes erano ormai inutilizzabili.

Entro la fine della giornata tutti i ponti sulla Senna tra Elbeuf e Parigi erano stati ridotti in macerie. Duemila aerei americani, tra cui Typhoon, Thunderbolt e Mustang, effettuarono incursioni sulla Francia settentrionale e sul Belgio, bersagliando non solo i ponti sulla Senna ma anche linee ferroviarie, fabbriche di aerei, impianti radio e campi d'aviazione e incontrando scarsa resistenza da parte della Luftwaffe. Per tutta la giornata il sole era tornato a splendere in un limpido cielo azzurro, assicurando ai bombardieri alleati una visibilità perfetta. Le ali e la fusoliera di questi micidiali velivoli si riscaldavano raggiungendo temperature insopportabili: i piloti si toglievano gli indumenti di dosso e volavano pressoché nudi, ma il calore all'interno della carlinga arrostiva loro la pelle, e quando gli aerei tornavano ad atterrare in Inghilterra i tecnici delle basi dovevano gettare secchiate di acqua sugli apparecchi per raffreddarli prima di poter cominciare a lavorarci. I bombardieri strategici a lungo raggio d'azione stavano colpendo duramente anche le città e le fabbriche dell'interno della Germania e dell'Europa centrale. "Le forze aeree alleate" scrisse quel giorno un corrispondente del *Times* "stanno tracciando sulla mappa dell'Europa, a un prezzo che non va sottovalutato, le linee che faranno da cornice al quadro della grande campagna di liberazione. L'invasione dell'Europa [...] è gia in pieno svolgimento, anche se non è ancora iniziata la sua occupazione. Il nemico, perlomeno, non può farsi illusioni riguardo alla parte che in questo grande piano spetta alle forze aeree."

Sicuramente Rommel aveva modo di vedere da sé che cosa ciò significasse. La dimostrazione dei lanciarazzi a Riva-Bella, infatti, era stata un successo e aveva suscitato grande impressione in chi vi aveva assistito, ma l'impatto micidiale delle bombe alleate e l'evidente incapacità della Luftwaffe di opporvisi erano di gran lunga più notevoli: quella notte, quando finalmente rientrò a La Roche-Guyon,

Rommel subì l'umiliazione di dover attraversare la Senna con un traghetto.

Al Berghof Hitler accolse un visitatore che ormai era divenuto suo ospite regolare a mezzogiorno: il suo medico personale, dottor Theodor Morell. A Berlino quel paffuto personaggio aveva diretto una clinica alla moda per le malattie della pelle e le malattie veneree e Hitler, dopo essere stato curato da lui per un eczema, aveva sviluppato una fiducia cieca nelle sue terapie anticonvenzionali e nelle sue medicine brevettate. Se l'avesse voluto il medico avrebbe potuto alloggiare in uno degli chalet dei dintorni, come tanti altri accoliti di Hitler, ma preferiva rimanere diverse centinaia di metri più in basso, appartato nel comfort di un albergo di Berchtesgaden, alla larga dalle nebbie che spesso calavano sui sentieri boschivi del Berghof e dalle cortine fumogene che venivano prodotte ormai di consueto per celare i rilievi del paesaggio ai bombardieri alleati.

Hitler soffriva ancora di insonnia, spossatezza e tremori alla gamba sinistra. Morell gli somministrava già da marzo una sua terapia multivitaminica brevettata, il Vitamultinforte, oltre a praticargli iniezioni endovenose di glucosio e iodio e intramuscolari dell'ormone sessuale maschile Testoviran, ricavato da testicoli di toro. Secondo gli esperti, l'effetto cumulato di tutti questi farmaci era che la personalità di Hitler andava soggetta a repentini cambiamenti: gli occhi gli lampeggiavano minacciosamente, il suo eloquio si faceva smodato e i suoi sbalzi d'umore erano più violenti del consueto. Hitler, inoltre, forniva regolarmente a Morell campioni di feci perché li sottoponesse ad analisi. Una settimana prima il medico aveva fatto al paziente un elettrocardiogramma che era risultato soddisfacente.

Morell teneva un diario in cui si riferiva a Hitler designandolo semplicemente come il "paziente A"; conservava schede di ciascuno dei suoi pazienti, sulle quali annotava ciò che aveva loro somministrato. Riguardo al paziente A quel giorno scrisse due semplici parole: "Doppio glucosio"; era quello che dava a Hitler per fornirgli un supplemento di calorie e per rafforzare il suo cuore. Evidentemente, il Führer doveva sentirsi più affaticato del solito.

Aveva abbastanza preoccupazioni per sentirsi esausto. A parte l'invasione alleata e la caduta di Roma, ormai imminenti, stava ancora cercando di riaversi dall'ultima umiliazione inflittagli dall'Armata rossa sul fronte orientale: la caduta di Sebastopoli. Dopo due giorni di carneficina sotto i colpi delle forze di Stalin Hitler aveva ordinato con riluttanza l'evacuazione della fortezza, ma nel corso delle cinque settimane della battaglia per la Crimea migliaia di soldati tedeschi erano stati fatti prigionieri e oltre settantamila erano morti.

Furioso per il fiasco dei suoi capi militari in Crimea, Hitler si era scontrato con Göring e lo stato maggiore dell'aeronautica a proposito del nuovo caccia a reazione, il Messerschmitt ME-262, che insieme alla bomba volante V-1 era una delle "armi segrete" per la vittoria della guerra di cui il Führer aveva ripetutamente parlato e che intendeva impiegare contro gli Alleati. Si trattava di un rivoluzionario aviogetto a due motori che raggiungeva una velocità superiore a ottocento chilometri orari, e quindi di gran lunga superiore a quella di qualsiasi aereo alleato. Era stato progettato come caccia, ma Hitler, da ostinato autodidatta quale era, sognava di trasformarlo in un bombardiere ad alta velocità capace di arrestare le forze di invasione alleate. Aveva impartito ordini in questo senso ma, nelle labirintiche oscurità dei giochi di potere e della burocrazia del Terzo Reich, i suoi desideri erano stati ignorati. Una settimana prima, mentre stava in piedi di fronte alla sua finestra panoramica, era stato colto da un accesso di rabbia e aveva ordinato bruscamente che le sue disposizioni venissero eseguite all'istante. Il giorno dopo Göring era salito al Berghof recando l'annuncio che ciò avrebbe comportato una completa riprogettazione del velivolo, la quale avrebbe richiesto almeno cinque mesi. Se Hitler contava sull'ME-262 per arrestare l'invasione sul nascere, gli Alleati avrebbero dovuto fargli la cortesia di tenere in sospeso l'invasione ancora per un pezzo.

Insieme alla deplorevole incapacità della Luftwaffe di prevenire le incursioni sulle città tedesche, la degradante confessione di Göring sull'ME-262 provocò l'adozione immediata di un espediente disperato. Al "terrore dall'aria" si sarebbe risposto con la "giustizia del popolo": gli equipaggi degli aerei alleati abbattuti sarebbero stati uccisi senza che i responsabili venissero puniti. Questa misura, nelle speranze di Hitler, doveva servire a raggiungere due risultati a un tempo: avrebbe fornito uno sfogo alla rabbia della popolazione per le incursioni aeree e assestato un duro colpo al morale degli aviatori nemici. Già il mese precedente Goebbels aveva approvato tale prassi, ma fino ad allora la popolazione tedesca aveva dimostrato scarsa propensione a adottarla.

Così quel giorno il segretario di Hitler, Martin Bormann, inviò a tutti i Gauleiter, cioè i governatori dei distretti del Reich, una circolare segreta intitolata "La giustizia esercitata dal popolo contro gli assassini angloamericani", nella quale asseriva che nelle settimane precedenti aerei alleati in volo a bassa quota avevano ripetutamente compiuto manovre d'attacco contro i bambini nelle vie, le donne e i loro figli nei campi, gli agricoltori al lavoro e le vetture civili sulle strade. Inoltre, scriveva, in diversi casi gli aviatori erano stati costretti a effettuare atterraggi di emergenza o a mettersi in salvo lanciandosi con il paracadute e in seguito erano stati linciati dalla gente inferocita. "Non sono stati istruiti procedimenti di polizia o di giustizia penale contro i cittadini coinvolti" concludeva Bormann: la sua era una chiara istigazione all'omicidio. Il messaggio era stato trasmesso, solamente per via orale, ai leader nazisti locali.

Fuori Nantes, Walter Schwender era ancora di buon umore e si godeva il caldo e le nuotate ogni volta che se ne presentava l'occasione. Di recente non aveva più ricevuto lettere dalla sua famiglia e aveva la sensazione di essere rimasto indietro con le notizie: la posta impiegava un paio di settimane per arrivare a destinazione e quando la riceveva sapeva che era stata sottoposta alla censura perché portava un timbro speciale. Tutta la corrispondenza fra i soldati e le famiglie veniva esaminata con attenzione e talvolta Walter provava una piccola soddisfazione quasi puerile nel constatare quanto riusciva a far passare. Per esempio nel 1942, quando era stato inviato per la prima volta in Francia, aveva sottolineato alcuni caratteri in una delle sue lettere a casa in modo che se ne potesse ricavare la parola "Isoudun", vale a dire Issoudun, la cittadina nella Francia centrale in cui aveva prestato servizio prima di essere trasferito sulla costa atlantica.

Anche sua madre correva qualche rischio. Solo una settimana prima aveva ricevuto una sua lettera che lo aveva indotto a risponderle: "Saranno rimasti stupiti nel constatare che razza di cose hai scritto sulle SS. Ma avevi perfettamente ragione".

Le critiche che si levavano contro le SS in tutta la Germania stavano preoccupando seriamente la polizia segreta nazista incaricata di passare al vaglio la corrispondenza privata. Le lettere inviate a casa dai soldati al fronte, che riferivano di situazioni sconvolgenti e gravi perdite, specialmente sul fronte orientale, stavano inducendo le famiglie a scoraggiare i figli dal presentarsi come volontari per le Waffen SS di Himmler. Le SS, che in origine avrebbero dovuto essere truppe d'assalto da impiegare sul fronte interno, si erano evolute in un potente corpo di combattimento, provvisto di divisioni completamente equipaggiate che rivaleggiavano con quelle dell'esercito. Oltre a mostrate doti formidabili in battaglia, si distinguevano per lo spietato fanatismo delle loro convinzioni ideologiche ed erano inestricabilmente implicate nelle nefandezze criminali perpetrate ai danni degli ebrei e di altri civili. Nel mondo spietato e crudele del fronte orientale, scrive uno storico, "le formazioni delle SS imperversavano nelle steppe, nelle paludi e nelle foreste russe, eroi e vittime a un tempo di uno spaventoso capitolo della storia degli errori e delle allucinazioni dell'umanità".

La famiglia di Walter era fin troppo consapevole del prezzo che ciò comportava. Karl, suo fratello maggiore, si era arruolato volontario nelle SS, forse rimanendo impressionato dalla propaganda a cui entrambi erano stati esposti nel periodo trascorso nella Hitlerjugend. Il Führer aveva dichiarato di voler forgiare una gioventù di fronte alla quale il mondo avrebbe tremato. "Voglio una gioventù violenta, dominatrice, senza paura. La gioventù deve essere tutto questo. Deve sopportare il dolore [...] Nei suoi occhi deve rifulgere nuovamente il libero, splendido animale da preda. Voglio che la mia gioventù sia forte e bella. In questo modo posso creare il nuovo." La Hitlerjugend sarebbe stata un vivaio di addestramento per il partito. "Pensa tedesco, agisci tedesco": questo era lo slogan con cui venivano abbindolati.

Karl, comunque, era molto attratto anche dalle possibilità di carriera offerte dalle divise nere di Himmler. Per un po' aveva lavorato in una farmacia, poi aveva deciso di diventare cineoperatore (possedeva alcune cognizioni di fotografia) e di arruolarsi nelle SS, sperando di entrare a far parte del Reparto propaganda. Si era però ritrovato al fronte, membro della Leibstandarte SS Adolf Hitler, il più memorabile contingente della storia militare nazista: originariamente costituito per diventare la guardia del corpo personale del Führer, in seguito era stato tramutato in una divisione d'élite delle Waffen SS e nel 1943 era stato riequipaggiato come unità delle forze corazzate.

"Dio è lotta e la lotta è il nostro sangue ed è per questo che siamo nati" recitava uno dei canti della Hitlerjugend. E questo era anche il motivo per cui morivano. All'inizio del 1943 Karl era stato precettato per prestare servizio sui carri armati che cercavano di rompere l'accerchiamento dell'Armata rossa a Kharkov, in Ucraina. Il generale Paul Hausser, al comando del 2° SS Panzer Korps, aveva disperatamente cercato di ottenere l'autorizzazione di Hitler a ritirare le proprie truppe prima che venissero massacrate. Sebbene il Führer avesse rifiutato, come faceva sempre in casi del genere, Hausser aveva disobbedito e il 15 febbraio era riuscito a sfuggire alla trappola sovietica, ma per Karl era troppo tardi: il giorno precedente era rimasto ucciso da una granata che aveva colpito il suo carro armato, raggiungendo i milioni di giovani tedeschi morti per servire i deliri maniacali di Hitler. Aveva vent'anni. Non c'era da meravigliarsi che nelle sue lettere avesse messo in guardia il fratello dall'entrare a far parte delle SS. "Il mio amato Karl, ucciso in azione il 14 febbraio 1943" aveva scritto Walter sul retro della fotografia che ora portava sempre con sé. Tuttavia, al sicuro dietro il Vallo Atlantico e confidando ancora ingenuamente nelle promesse naziste, si sentiva molto lontano dai pericoli che avevano travolto il fratello.

Alle sei e venti di quel mattino, mentre Rommel e il suo convoglio erano in partenza per la costa della Normandia, nella cella D-35 Peter Moen e i suoi compagni prigionieri della Gestapo erano svegli e vestiti, pronti per l'ispezione delle guardie. Peter aveva alle spalle un'altra notte di sonno agitato. La prigione si trovava al 19 di Mollergaten, l'ex commissariato principale di Oslo, che era stato requisito dai tedeschi; la polizia, però, utilizzava ancora i garage sul retro, così le vetture andavano e venivano tutta la notte, rumoreggiando con i loro motori a legna, mentre gli autisti urlavano, ridevano e imballavano i motori. La sola cosa che poteva offrire sollievo era tapparsi le orecchie con l'ovatta, ma neanche questa misura serviva a molto.

L'ossessione di Hitler per la Norvegia aveva trasformato il paese in un gigantesco campo militare, e la campagna di depistaggio Fortitude North non aveva fatto che acuire la vigilanza tedesca. Inoltre gli aerei alleati trovavano spesso prede succulente al largo della costa norvegese: proprio quella mattina il *Times* di Londra aveva descritto quel braccio di mare come una delle "zone più pescose" frequentate dal Comando costiero della RAF. La Germania, infatti, aveva disperato bisogno dei minerali ferrosi della Svezia e del nichel della Finlandia, che dovevano essere trasportati per mare, mentre all'enorme guarnigione tedesca bisognava far arrivare costantemente rifornimenti e munizioni, e l'intenso traffico marittimo che ne seguiva offriva alla RAF numerose e gradite opportunità di colpire con siluri, bombe e razzi.

Le truppe tedesche avevano invaso la Norvegia e occupato Oslo nell'aprile del 1940, un mese prima dell'assalto in grande stile della Wehrmacht contro i Paesi Bassi e la Francia. La piccola nazione scandinava aveva conquistato la piena indipendenza dalla Svezia solo nel 1905 ed era animata da un fiero patriottismo. Eppure, per colmo d'ironia, aveva dato i natali a Vidkun Quisling, un personaggio il cui nome sarebbe divenuto sinonimo di tradimento e collaborazionismo: amareggiato ex ufficiale dell'esercito e fondatore del Partito nazista norvegese, il Nasjonal Samling (NS), aveva infatti stretto un accordo con Hitler e preteso che la Norvegia si arrendesse ai tedeschi. Il re Haakon VII e il suo governo, opponendo un risoluto diniego, avevano preso la strada dell'esilio in Gran Bretagna, come migliaia di altri loro compatrioti. Hitler nominò un Reichskommissar per governare il paese, vi fece insediare un contingente di oltre duecentomila uomini, cercò di trasformare la costa norvegese in una fortezza imprendibile e sguinzagliò la Gestapo.

La Resistenza stava acquistando un seguito sempre più ampio. In assenza di una stampa libera, e dato che tutti gli apparecchi radiofonici privati erano stati dichiarati illegali, i giornali clandestini divennero presto l'unica fonte di notizie e informazioni. Inizialmente si trattava di semplici fogli ciclostilati o bollettini riprodotti con stampi fissi il cui intento era diffondere notizie captate clandestinamente dalla BBC e trasmettere le istruzioni del governo in esilio a Londra su come proseguire la lotta in patria; poco a poco, tuttavia, tali iniziative erano cresciute, diventando più complesse: se ne stampavano migliaia di copie in tipografie illegali e le si distribuiva in tutto il paese per mezzo di una rete di corrieri. Ben presto il *London Nyatt* era divenuto l'organo di informazione clandestino più importante, ma ve n'erano a centinaia. Dopo l'ottobre del 1942 chiunque fosse coinvolto nelle attività della stampa clandestina rischiava la pena di morte.

Per due anni e mezzo Peter Moen era stato uno dei caporedattori del *London Nyatt*; poi, verso l'inizio del 1944, aveva assunto l'incarico di gestire tutti i giornali clandestini del paese. Aveva da poco iniziato quel lavoro quando improvvisamente la Gestapo compì una retata nel corso della quale furono arrestati lui e centinaia di altri che lavoravano nella stampa clandestina: un segno chiarissimo della determinazione di Hitler a mantenere saldamente sotto controllo la Norvegia, che pure continuava ad avere un ruolo nei piani degli Alleati. In aprile, infatti, il SOE aveva emesso una direttiva riguardante la Danimarca e la Norvegia nel quadro di Fortitude North. Ai gruppi della Resistenza non sarebbe stato chiesto di agire solo per scopi di depistaggio, per evitare che ciò provocasse rappresaglie o ulteriori atti di repressione della Gestapo; viceversa, il traffico radio con le cellule della Resistenza sarebbe stato intensificato e sarebbero stati paracadutati rifornimenti fasulli per trarre in inganno i nemici e far loro credere che fossero in corso preparativi in vista di un assalto imminente alla Norvegia meridionale. Questa campagna di depistaggio sarebbe dovuta durare il più a lungo possibile, anche dopo il D-Day.

Per Peter Moen e gli altri reclusi del 19 di Mollergaten tutto ciò non implicava una pronta liberazione, bensì la funesta prospettiva di essere utilizzati come ostaggi dai tedeschi in vista dei futuri rovesci della fortuna. "Temo esecuzioni in massa" aveva confidato Moen al suo diario qualche settimana prima. "Siamo testimoni pericolosi."

Più o meno nello stesso momento in cui a Oslo Moen veniva sottoposto all'ispezione delle guardie, al campo di Hiltingbury Glenn Dickin e gli altri soldati del suo plotone venivano iniziati al segreto del D-Day.

Dopo colazione Glenn fu fatto entrare nella speciale sala per le riunioni informative, una grande baracca prefabbricata Nissen con le finestre coperte di pesanti tendaggi circondata da reticolati di filo spinato e costantemente sorvegliata da guardie armate. All'interno, illuminato da abbaglianti lampade elettriche, c'era un grande plastico di circa un metro quadrato circondato da scalinate di legno che arrivavano fin quasi al soffitto. Una gigantesca carta geografica affissa al muro raffigurava la linea di costa, le città e i fiumi. Anche allora, tuttavia, i particolari essenziali rimasero rigorosamente segreti: tutti i riferimenti sulla mappa erano indicati con nomi in codice.

Glenn prese posto su uno dei sedili. Ora finalmente veniva a sapere che la sua destinazione era la Francia e che il suo plotone sarebbe stato uno dei primi a sbarcare, esattamente cinque minuti dopo l'"ora H", cioè l'istante all'alba del D-Day in cui avrebbero dovuto cominciare tutti i movimenti previsti dai voluminosi e particolareggiati manuali del briefing. Sentì parlare della spiaggia, della consistenza della sabbia, degli ostacoli sommersi, della distanza che avrebbe dovuto coprire correndo sotto il fuoco nemico per raggiungere un luogo sicuro, della posizione dei campi minati e del terreno paludoso. Gli parlarono del piccolo abitato costiero con le sue postazioni di cannoni fissi e di mitragliatrici, le sue casematte, le strade e gli stretti sentieri che dalla spiaggia conducevano in paese e lo attraversavano, delle case fortificate, delle caserme e della consistenza della popolazione. Il nome in codice del paese era Alba; il piccolo settore di spiaggia interessato era denominato Nan Green. Tutti sentirono più di quel che avrebbero voluto sapere sulle truppe tedesche in attesa, sulla potenza di fuoco di cui disponevano, sul fatto che le loro mitragliatrici potevano sparare dall'alto, lungo la spiaggia e attraverso le dune sabbiose. Glenn seppe finalmente come sarebbe stato traghettato oltre la Manica e che cosa avrebbe fatto il resto del battaglione al suo fianco. Guardò intensamente l'ingrandimento delle fotografie aeree in bianco e nero risalenti tuttalpiù a pochi giorni prima e mise tutto il suo impegno per visualizzare e imprimersi nella memoria ogni particolare. E poi sentì ripetere, innumerevoli volte, le parole: «Dateci dentro sulla spiaggia! Dateci dentro! E correte come furie!».

Finita la riunione l'ufficiale al comando del reggimento, il colonnello Foster Matheson, parlò ai suoi uomini. Ascoltandolo Glenn si rese conto, una volta di più, di essere in buone mani. In tempo di pace Matheson, un quarantenne alto e prestante, faceva il ragioniere in un'azienda di Prince Albert, nel Saskatchewan, ed era un affidabile padre di tre figli nonché un valoroso elemento della Guardia nazionale locale. Parlava in modo affabile ma risoluto ed era stato al comando degli uomini quasi fin dall'inizio; li conosceva uno per uno e loro riponevano fiducia in lui. Parlò con decisione e in modo metodico della missione che li attendeva, poi augurò a tutti buona fortuna.

Gli uomini si sentirono sollevati, perché finalmente avevano a disposizione qualche informazione concreta e sapevano a che cosa andavano incontro. L'attesa era stata opprimente, divenendo ogni giorno più intollerabile, ed erano subentrate apatia e depressione. La loro esistenza sembrava come sospesa: al di là del filo spinato la vita normale continuava, ma per gli uomini del campo aveva perduto qualsiasi significato e non esisteva nulla che potesse sostituirla, tranne la consapevolezza che il fato aveva prescelto ciascuno di loro, anche se non era chiaro per che cosa. Un corrispondente di guerra, chiuso in un campo di transito vicino a quello di Glenn, colse bene il clima che regnava fra gli uomini. "Era qualcosa che ti faceva camminare, parlare, mangiare sempre di malavoglia [...] Solo aspettare, aspettare finché non fosse giunto il tuo turno" scrisse. "Non c'era modo di valutare lo spazio bianco che avevi di fronte. Non era la paura a opprimerti, bensì la solitudine. Una sensazione di implacabile impotenza. Eri senza identità: un numero proiettato in uno spazio privo di riferimenti, in mezzo a milioni di altri."

Tuttavia, quando furono iniziati a quel segreto gli uomini dei Fucilieri di Regina ebbero la possibilità di vedere con quanta cura e con quale ricchezza di dettagli era stata pianificata l'invasione. Era profondamente rassicurante sentire dei massicci bombardamenti dal cielo e dal mare che avrebbero fiaccato le difese tedesche molto prima che loro raggiungessero la spiaggia. Inoltre, ai loro fianchi sarebbero sbarcati altri contingenti di truppe per sostenerli. Altri uomini sarebbero stati paracadutati, altri ancora sarebbero atterrati con alianti per aiutare a sgombrare il cammino. Non erano più al buio né soli, e ciò li confortava.

Era rassicurante anche lo spirito di cameratismo nei plotoni e nel reggimento. Provenivano tutti dal Saskatchewan e avevano in comune luoghi di origine e amicizie. Uno dei più vecchi amici di Glenn, Gordon Brown, si trovava anche lui a Hiltingbury. Erano stati dirimpettai nella stessa via a Manor, avevano frequentato la medesima scuola, insieme si erano arruolati e insieme avevano seguito il corso per allievi ufficiali a Victoria, e nel 1941, quando Gordon aveva sposato Jean, a Glenn era stato affidato il ruolo di maestro di cerimonie delle nozze. Poi, nel giugno del 1942, avevano attraversato l'Atlantico e si erano rincontrati nelle cabine riservate agli ufficiali di una nave per il trasporto delle truppe; il convoglio di cui faceva parte navigava abbastanza velocemente da sfuggire agli attacchi degli U-Boot. Quello era stato il mese peggiore della guerra in fatto di affondamenti provocati dai sommergibili tedeschi. In pieno oceano la loro nave aveva sorpassato un convoglio molto più lento, composto da un centinaio di mercantili, e in seguito erano venuti a sapere che moltissime di quelle navi non erano riuscite a raggiungere la Gran Bretagna. In Inghilerra i due amici avevano dovuto sopportare insieme quei due anni di attesa e di interminabili esercitazioni di sbarco.

Hiltingbury non era casa, ma, data la situazione, era il posto che vi somigliava di più.

All'Hotel Park Lane di Londra un altro corrispondente di guerra, anche lui canadese, era in attesa di ordini per unirsi a Glenn Dickin e agli altri soldati pronti ad attraversare la Manica. Alle nove del mattino squillò il telefono. La voce all'altro apparecchio disse: «Si presenti a rapporto questo pomeriggio alle 16.30 con tutto l'equipaggiamento da campo». In seguito, a bordo della sua jeep che sfrecciava verso Southampton, si sentì sollevato ed euforico, felice di essere finalmente partito. Eppure, volgendo lo sguardo sulla campagna inglese verde e lussureggiante che gli passava accanto, ebbe improvvisamente la sensazione di andarsene da casa. L'Inghilterra era stata un buon posto per i canadesi, pensò.

Quella stessa sera a Madrid Karl Kühlenthal, l'infaticabile ufficiale dell'Abwehr, trasmise a Berlino altre succulente informazioni raccolte da Arabel, il suo agente in Gran Bretagna, sull'ammassamento di truppe alleate nell'Inghilterra meridionale. La prepotente ambizione di Kühlenthal scaturiva in parte dal bisogno di mettersi in luce con i superiori, che in passato l'avevano considerato con profondo sospetto perché nelle sue vene scorreva sangue ebraico. Quell'impedimento imbarazzante era stato superato solo in virtù della sua condizione di protetto dell'ammiraglio Canaris, il quale gli aveva procurato una speciale dispensa che ne certificava l'identità ariana. Da allora Kühlenthal aveva assistito Arabel in Gran Bretagna, dimostrando notevole abilità nella gestione di quell'agente dalla personalità così stravagante e umorale.

Kühlenthal non aveva motivo di dubitare che Arabel stesse fornendo materiale di prima qualità. Quella sera, per esempio, stava inoltrando il rapporto su due nuovi campi d'aviazione americani nei pressi di Ipswich, sulle cui piste erano visibili fino a settanta bombardieri Liberator, e sui considerevoli indizi di un importante ammassamento di forze nella stessa regione dell'East Anglia sotto forma di carri armati, blindati e movimenti di truppe che lasciavano presumere l'arrivo della 28ª divisione della fanteria statunitense. Questi dati provenivano da uno dei subagenti di Arabel, un gallese reclutato nel 1942 che agiva con il nome in codice di Dagobert e a sua volta manovrava autonomamente diversi subagenti. Uno di questi aveva riferito anche di un gran numero di attendamenti nascosti nelle foreste del Kent, che ospitavano truppe della 59ª divisione della fanteria statunitense. "Avvistate in questa zona centinaia di vetture con il contrassegno americano..." annunciò il rapporto del subagente prima che la trasmissione fosse stata disturbata e successivamente persa sulle frequenze radio. Tali informazioni erano di rilevanza enorme; poco a poco Berlino stava componendo i tasselli del rompicapo che avrebbe rivelato il quadro complessivo del piano di invasione di Eisenhower.

Ma un particolare potenzialmente ancora più promettente era costituito da un'altra informazione che Kühlenthal aveva inoltrato quella sera. Arabel aveva ormai assunto il suo nuovo incarico a Londra e stava fornendo informazioni riservate sul PWE e sul suo lavoro di propaganda per Eisenhower e lo SHAEF. "Attualmente" riferiva Arabel "non è stata emanata alcuna direttiva riguardo a operazioni future [...] Spero che gli organismi tedeschi competenti saranno in grado, basandosi sulle informazioni da me fornite, di riconoscere le vere intenzioni degli Alleati, che si celano dietro la propaganda ufficiale britannica." Lo stimato agente di Kühlenthal aggiungeva: "Sono certo che in breve tempo, sulla scorta di tutto questo e dei rapporti dei miei agenti, si potranno ricostruire le principali operazioni degli Alleati". Evidentemente Arabel aveva le potenzialità per scardinare il segreto del D-Day.

Così, almeno, credevano Kühlenthal e i suoi superiori a Berlino. Tuttavia Arabel, mentre li abbagliava con le informazioni raccolte in Gran Bretagna, li distoglieva dal fatto che lui lavorava agli ordini non di un solo ufficiale dei servizi segreti, bensì di due. I tedeschi ritenevano che Kühlenthal lo tenesse sotto controllo, ma in verità la persona che manovrava i fili di Arabel era un ufficiale del controspionaggio britannico.

Arabel, infatti, altri non era che l'agente del doppio gioco britannico, nome in codice Garbo: la figura chiave della campagna di depistaggio Fortitude South che Eisenhower era ansioso di proteggere, come aveva scritto a Washington quello stesso giorno. Mentre procedeva il conto alla rovescia per il D-Day, Garbo stava per regalare agli Alleati un vantaggio straordinario.

La vicenda di Garbo era iniziata tre anni prima, quando una donna si era presentata al consolato britannico di Madrid dichiarando di conoscere qualcuno che era ansioso di lavorare per gli inglesi recandosi in Germania o in Italia per svolgere missioni di spionaggio. "Atti spontanei" del genere sono profondamente sospetti, dato che spesso vengono architettati dai servizi segreti nemici, perciò l'offerta venne perentoriamente respinta. Diversi mesi più tardi l'ambasciata statunitense a Lisbona fu oggetto di un analogo contatto da parte della stessa donna, la quale finì per confessare che l'aspirante volontario era suo marito. Nel marzo del 1942 questi fu finalmente intervistato da un ufficiale dei servizi britannici a Lisbona; poco tempo dopo venne imbarcato clandestinamente su una nave e portato a Gibilterra, da dove un idrovolante lo condusse a Plymouth, nel Devon, per ulteriori interrogatori.

L'Inghilterra gli fece un'enorme impressione. "Quando arrivai" ricorda "il paese stava per presentare il suo volto più splendido: le giornate si allungavano e il sole, il poco sole che c'è in quel periodo dell'anno, faceva capolino nel cielo annuvolato, gratificandoci con il suo calore e la sua gentilezza." Dopo l'atterraggio gli vennero incontro due uomini. Uno si presentò come signor Grey, ma non sapeva lo spagnolo, l'altro parlava la sua lingua come un compatriota e da quel momento in poi avrebbe stretto un improbabile ma straordinario sodalizio con Garbo, che sarebbe divenuto un ottimo agente del doppio gioco. C'erano voluti tempo e molto impegno per renderlo credibile presso i tedeschi, ma i frutti delle loro fatiche erano ormai pronti per essere raccolti.

Nel frattempo la grande armata di invasione era pronta a iniziare la sua epica traversata. Due settimane prima Eisenhower aveva fissato il D-Day per lunedì 5 giugno; l'ora H era prevista poco prima dell'alba, e dunque mancavano solo sei giorni. Ancora una volta faceva caldo nello stretto di Dover: nel primo pomeriggio il termometro aveva raggiunto i trentatré gradi. Spirava una brezza fresca e c'era stato un leggero calo della pressione, ma nulla lasciava presagire un mutamento della situazione di cielo sereno e mare calmo. Nella notte un attacco sferrato da novantacinque bombardieri pesanti della RAF aveva praticamente distrutto un radar e una stazione di controllo radio tedeschi nei pressi di Cherbourg. La neutralizzazione del più importante quartier generale del servizio tedesco di rilevazione delle trasmissioni nell'Europa nordoccidentale completava un'offensiva iniziata tre settimane prima, volta a mettere fuori uso il sistema di allerta precoce contro l'invasione allestito dai tedeschi. Insieme alla devastazione arrecata agli aeroporti della Luftwaffe nei pressi delle spiagge normanne, questa operazione assestava un colpo rovinoso alle difese tedesche.

4

Le voci corrono

Mercoledì 31 maggio

Le navi di blocco iniziarono lentamente a salpare dai porti scozzesi e fecero rotta verso la Manica, dove sarebbero state colate a picco al largo della costa francese in modo da formare frangiflutti protettivi di fronte alle spiagge. Sulla costa occidentale della Gran Bretagna iniziavano anche i primi imbarchi di truppe; la loro traversata alla volta dell'invasione sarebbe stata la più lunga. L'Operazione Neptune era cominciata.

Nelle profondità delle gallerie sotto Portsdown Hill Veronica Owen era impegnata in un turno di notte. Era l'1.35. Mancavano ancora due ore e così, per combattere l'irresistibile voglia di dormire, Veronica allungò la mano verso la stilografica. "Miei tesorissimi tesori" esordì, accingendosi ad aggiornare i genitori sulle proprie letture di Lawrence d'Arabia e sul suo progetto di andare al cinema a Fareham per vedere *Madame Curie* nel seguito di quella giornata, nonché a informarli di un bisticcio con la sua compagna di camera a seguito del quale nelle due settimane precedenti non si erano parlate. Finalmente si erano rappacificate, ma le ostilità erano ricominciate già quella sera, durante il turno che facevano insieme: si trattava di stabilire chi avrebbe dormito in questa o quella cuccetta. "Tutto molto complicato e sciocco" ammise.

Negli affollati dormitori degli scriccioli lo stress si faceva sentire sempre più. Lo stesso si poteva dire di quell'indefinibile tensione che a Fort Southwick preannunciava eventi importanti. "Se non ricevete mie lettere per diverso tempo" scrisse "non preoccupatevi: non state a pensare che sia all'estero o per mare o malata... Qui le voci corrono e non pensavo neanche che potesse accadere... Ma adesso, sapete, oh sapete!" Durante il corso di addestramento Veronica era stata preparata bene in fatto di segretezza; gli attori professionisti che prestavano servizio nella marina, per esempio, venivano utilizzati per mostrare attraverso messinscene con quanta facilità la sbadataggine può indurre a tradire un segreto. Dall'inizio del mese la corrispondenza degli scriccioli veniva sottoposta al vaglio della censura e affrancata come "posta marittima". Le ispezioni erano casuali e la maggior parte delle lettere di Veronica era giunta incolume a destinazione, ma quella fu letta e timbrata appunto per indicare che era stata letta; naturalmente il censore aveva ritenuto che fosse innocua, eppure essa comunicò ai suoi genitori un'allusione al fatto che stava per accadere qualcosa di molto importante.

Veronica era una subordinata. Il suo compito consisteva nel codificare e decodificare i messaggi trasmessi tra le navi in mare, o tra le unità e la terraferma. Qualsiasi messaggio richiedesse la segretezza veniva classificato in una delle seguenti cinque categorie, in ordine di importanza crescente: "riservato", "confidenziale", "segreto", "segretissimo", "segretissimo con vincolo del silenzio". Il lavoro sui messaggi classificati nella categoria "riservato" veniva svolto dai subordinati; tutti gli altri, codificati mediante sistemi di cifratura superiore, venivano trattati dagli ufficiali e comportavano l'impiego di macchine decodificanti. Veronica invece, per svolgere le sue mansioni sul materiale riservato, non aveva bisogno di altro che pagine di codice, una matita e una mente sveglia. Era brava: la sua scheda di servizio le attribuiva una valutazione "molto buona" quanto a carattere e "superiore alla media" per il lavoro svolto.

Veronica e i suoi familiari sapevano meglio degli altri che occorrevano discrezione e attenzione, e non solo per via del fatto che anche suo fratello maggiore vestiva l'uniforme: entrambi i genitori, infatti, erano attivamente impegnati su diversi fronti di battaglia. Il comandante J.H. Owen era un sommergibilista in pensione che aveva combattuto nella Prima guerra mondiale e in quel momento stava redigendo rapporti di battaglia all'Ammiragliato: Veronica aveva scelto di entrare a far parte del Reparto codici e messaggi proprio per via dei contatti del padre. La madre invece dirigeva la sezione della Croce Rossa di Londra e si occupava della ricerca di prigionieri di guerra della Royal Navy e della marina mercantile britannica; prima della guerra aveva lavorato per l'MI5. Aveva fatto lo stesso durante la Prima guerra mondiale e se ne era andata solo quando, nel 1940, i cacciatori di spie si erano trasferiti fuori da Londra a Blenheim Palace, nell'Oxfordshire, per sfuggire al blitz. In quella fase i genitori di Veronica, che avevano ceduto la loro casa di famiglia nello Hertfordshire, abitavano in un affollato albergo nel quartiere di Bayswater a Londra; di fatto la loro attuale sistemazione si era dimostrata poco più di un luogo nel quale andare a dormire: gli Owen erano in guerra.

Anche gli Schwender erano in guerra. A Nantes faceva ancora un caldo opprimente e Walter, in pantaloncini da bagno, era di ritorno dalla spiaggia. Fu felice di apprendere, da una lettera che la madre gli aveva inviato otto giorni prima, che due dei tre pacchi spediti dalla Francia, contenenti sigarette e altri generi di cui non aveva bisogno, erano finalmente giunti a destinazione. Scarabocchiò in fretta una decina di righe di risposta su un foglio di carta millimetrata che aveva arraffato tra i rifornimenti per l'ufficio. "Non sappiamo più che cosa fare" lamentava "per via del caldo." La madre, invece, si lamentava del freddo che faceva a casa loro.

"A casa loro" voleva dire Altstadt, nei pressi della frontiera con la Francia: un villaggio di poche centinaia di persone a una trentina di chilometri da Saarbrücken, capitale del Saarland. Secondo le disposizioni del trattato di Versailles, nel 1919 le miniere di carbone a cielo aperto e le fornaci del Saarland erano state cedute alla Francia a titolo di riparazioni dei danni di guerra, mentre il controllo politico del Land era stato rimesso alla Lega delle Nazioni. Nonostante Altstadt fosse un villaggio rurale e molti abitanti fossero coltivatori diretti o allevatori di pollame, la maggioranza della popolazione lavorava nelle miniere o nelle fonderie dei dintorni. La casa in cui era nato Walter, nel marzo del 1924, era una tipica costruzione contadina, con tanto di porcilaia e stalla nel cortile. Quando lui aveva undici anni era stato indetto un referendum per la restituzione del Saarland alla Germania; le strade erano state addobbate con bandiere tedesche e al grande ippocastano del giardino di casa Schwender era stato appeso un vessillo con la svastica nazista. Il novanta percento della popolazione aveva votato a favore del ritorno alla Germania e la decisione era stata presa nella frenesia di un'esultanza nazionalista che aveva percorso tutto il Terzo Reich. Questi erano gli avvenimenti che avevano fatto da sfondo all'educazione politica del giovane Walter.

C'erano altre cose che ricordava del suo paese natale. L'acqua, per esempio: così buona e fresca, così diversa dal liquido salmastro che usciva dai rubinetti a Nantes.

L'acqua di Altstadt aveva un sapore migliore anche di quella roba ferruginosa che usciva gorgogliando dalle condutture nel luogo in cui allora vivevano i suoi genitori, i quali si erano temporaneamente trasferiti più a est dopo che Wilhelm, il padre, aveva cambiato lavoro. Schwender padre era un commerciante di materiali edili. Come piccolo esercente, prima dell'ascesa al potere di Hitler costituiva un'eccezione ad Altstadt, dove la maggioranza degli operai votava per il Partito comunista, che nel villaggio era la formazione politica più forte; Schwender padre, invece, era stato membro del Partito nazista fin dall'inizio, cioè molto prima che la tessera diventasse utile per ottenere un impiego, e ora lavorava per I.G. Farben, la più grande azienda chimica del mondo, la cui produzione di combustibili sintetici e gomma si integrava bene nella visione hitleriana dell'autonomia economica della Germania. Nel 1933, l'anno in cui il Führer aveva preso il potere, l'azienda era il maggiore contribuente delle casse del partito.

Nel 1940, anticipando la guerra con l'Unione Sovietica, la I.G. Farben, coadiuvata dalle SS, aveva cominciato a costruire in gran segreto uno nuovo stabilimento per la produzione di gomma sintetica e metanolo. Attratta da generose esenzioni fiscali, dall'abbondanza di materie prime e dalla prospettiva di impiegare manodopera a basso costo, l'azienda aveva scelto una località nei pressi di un campo di concentramento per prigionieri politici per quello che alla fine sarebbe diventato il suo progetto più importante, con un capitale di investimento di quasi un milione di Reichsmark. A quel progetto era stato assegnato appunto Wilhelm Schwender, che in seguito aveva invitato sua moglie Ella a raggiungerlo, insieme alla famiglia. Vivevano in una casetta fuori dal perimetro della fabbrica, nei pressi della ferrovia. Walter lo sapeva bene, perché era lì che si recava in occasione delle sue rare licenze. Perciò sapeva anche che l'acqua di quel posto aveva un sapore di ruggine.

La regione in cui abitavano ora i suoi genitori si chiamava Slesia superiore, l'ex parte tedesca della Polonia che era stata annessa da Hitler. I polacchi chiamavano quella località Oświęcim, ma Walter la conosceva con il suo nome tedesco: Auschwitz.

«Vedrai che in un modo o nell'altro ti daranno una croce» assicurava una battuta che circolava nella Resistenza francese, che proseguiva: «O su una medaglia o su una lapide». André Heintz se l'era cavata per un pelo in occasione dell'arresto del suo contatto a Caen. Fortunatamente Yvon non aveva aperto bocca nemmeno sotto le torture della Gestapo, ma non si poteva mai sapere, né si era mai sicuri di chi fidarsi. Il pianeta clandestino era imperniato su un asse di tradimento oltre che di cameratismo.

Quel giorno André si trovava al liceo, dove insegnava inglese, mentre suo padre era uscito in bicicletta alla volta del loro campo per piantare pomodori. Migliaia di francesi abili che avrebbero potuto lavorare nei campi e nelle fabbriche erano assegnati al lavoro obbligatorio in Germania, e André sarebbe potuto essere uno di loro. Nel giugno del 1943, infatti, era stato convocato per partecipare alla costruzione di una diga nei pressi di Francoforte sull'Oder, ma non aveva risposto alla chiamata: datosi alla macchia, si era rifugiato in una fattoria nei pressi della casa della nonna nella penisola di Cherbourg, dove aveva dato una mano con la fienagione e con la raccolta delle mele da sidro. Sei mesi più tardi, grazie all'intervento di un amico all'Ufficio del lavoro di Caen che con un sotterfugio aveva inserito la sua scheda tra quelle degli uomini "inabili al lavoro", fece ritorno a casa, si procurò una tessera annonaria valida e riprese a insegnare.

La primavera aveva portato alla Normandia, e a Caen in particolare, una miseria ancora maggiore. La regione era ricca di prodotti caseari e l'esportazione di latte e formaggi, specialmente a Parigi, era fonte di profitti assicurati, ma i recenti bombardamenti delle linee ferroviarie da parte degli Alleati avevano tagliato fuori il possibile sbocco di mercato della capitale, e intanto migliaia di vacche non venivano più munte. Tutta la carne e il latte disponibili venivano requisiti dai tedeschi, che perlopiù li destinavano agli approvvigionamenti dei duecentomila soldati di stanza in Normandia. Il mercato nero prosperava e i prezzi erano saliti alle stelle. In tutta la Francia la situazione del razionamento degli alimenti continuava a peggiorare. Gli abiti della gente apparivano sempre più frusti, le scarpe consunte, le code per il cibo si allungavano e i profittatori della borsa nera prosperavano. Per le strade non si vedevano praticamente più automobili, ma in compenso c'era un intenso traffico di biciclette e di mezzi trainati da cavalli, che avevano ripreso a circolare. I treni erano rari e affollati e nella regione di Parigi e dintorni, oltre che un po' in tutto il settentrione francese, arrivavano in ritardo, sempre che arrivassero. La gente improvvisava, si arrangiava, tirava avanti. Tubercolosi e poliomielite erano in aumento. La Resistenza continuava a guadagnare terreno, ed entro il 1944 venne sottoposta alla direzione degli Alleati a Londra. De Gaulle aveva creato le Forces françaises de l'intérieur (FFI), agli ordini del generale Henri Koenig, eroico comandante delle prime forze libere francesi che avevano combattuto al fianco dei britannici in Nordafrica. Koenig, che aveva base a Londra, partecipava ora con il quartier generale di Eisenhower al coordinamento dell'azione dietro le linee nemiche, ai cui fini la Francia era stata divisa in aree di resistenza; quella della Normandia era indicata con la lettera M.

La rete informativa più efficiente attiva in Normandia aveva il nome in codice Century. Finanziata dal SIS, noto altresì come MI6, faceva capo a un ufficiale di France Libre a Londra chiamato in codice colonnello Rémy o semplicemente Rémy, ed era diretta da un commerciante di cemento di Caen. Grazie al brillante contributo organizzativo dell'ingegnere responsabile delle strade e dei ponti della regione, Century finì per annoverare un totale di oltre millecinquecento agenti. Molti di questi potevano legittimamente accedere a uffici governativi e disporre di lasciapassare ufficiali; in tal modo ebbero svariate occasioni per raccogliere un'enorme quantità di informazioni di valore inestimabile sulla situazione in Normandia. Il colpo più spettacolare della rete si dovette al coraggio e alla prontezza di spirito di un imbianchino e decoratore quarantenne. Mentre stava lavorando sugli interni di un ufficio tedesco a Caen, questi scorse su una scrivania una pila di disegni segretissimi del Vallo Atlantico; nascosto frettolosamente il materiale dietro uno specchio, in seguito riuscì a tornare sul posto e a trafugarlo. Alla fine i disegni presero la strada di Londra nascosti in una scatola di biscotti *crêpes dentelles*, una specialità bretone, a bordo di una malandata nave per la pesca degli astici che faceva rotta da Pont-Aven fino ai banchi di pesca al largo di Lorient, dove incontrò una piccola unità britannica per le operazioni speciali che faceva parte della flottiglia segreta di imbarcazioni gestita dall'MI6 nella Manica. Da quel momento in poi Londra aveva inviato un fiume di richieste di informazioni specifiche. In stretta collaborazione con Century operava l'OCM, che reclutava i suoi informatori perlopiù tra i professionisti e gli impiegati della pubblica amministrazione; tuttavia l'Abwehr e la Gestapo avevano inesorabilmente stretto il loro accerchiamento intorno ai suoi attivisti, cosicché nel maggio del 1944 nella maggioranza dei casi i capi dell'OCM erano agli arresti, morti o latitanti.

La costituzione delle FFI accelerò i tempi operativi della Resistenza e indusse i tedeschi a intensificare gli sforzi per annientarla. A fianco dei nazisti operava un ristretto numero di micidiali fiancheggiatori francesi, i quali spesso riuscivano a infiltrarsi nelle reti clandestine. Ne seguivano inevitabilmente arresti, condanne a morte e deportazioni. Le contromisure dei tedeschi potevano essere brutali.

Nel 1942, per esempio, secondo il modello già sperimentato a Nantes, ottanta ostaggi furono deportati dalla Normandia ad Auschwitz come rappresaglia per il sabotaggio di un treno di militari tedeschi. In seguito l'operato di un infiltrato tedesco noto come Raoul de Normandie portò alla scoperta e alla distruzione della maggior parte dei depositi segreti di armi dei partigiani.

A coronamento di tutto ciò quello stesso mercoledì, quando mancavano solo sei giorni al D-Day, la Gestapo arrestò il luogotenente militare del generale Koenig in Normandia, e il capo della Resistenza della regione dovette darsi immediatamente alla latitanza. Il movimento fu spazzato da una nuova ondata di paura, insicurezza e sospetto. L'organizzazione clandestina era stata decapitata, a tutti gli effetti pratici, proprio alla vigilia del D-Day.

André Heintz aveva avuto sentore di questi sviluppi, ma per sua fortuna era abbastanza isolato da non subirne le conseguenze. Ignorava perfino che gli uomini per cui lavorava fossero membri dell'OCM: meno ne sapeva più sarebbero stati al sicuro, sia loro sia lui. André, inoltre, badava a non fare mai domande: gli bastava sapere che stava lavorando per De Gaulle con l'obiettivo di liberare la Francia.

André non sapeva nemmeno che proprio quel giorno Eisenhower aveva cambiato idea circa il modo di impiegare la Resistenza francese in occasione del D-Day. Fino ad allora si era pensato di far intervenire i gruppi della Resistenza uno a uno e regione per regione; quel giorno, invece, si decise di comunicare simultaneamente a tutti i gruppi, mediante la BBC, i messaggi per dare il segnale di entrare in azione. Un motivo di questa svolta risiedeva nel fondato timore che i francesi impazienti di partecipare alla lotta fossero talmente numerosi che un appello scaglionato non avrebbe potuto funzionare, e che l'offensiva della Resistenza sarebbe comunque divampata spontaneamente nel momento stesso dello sbarco degli Alleati. Un'altra ragione era che si voleva sottoporre i tedeschi alla massima pressione fin dall'inizio, in modo da ritardare l'intervento dei rinforzi diretti verso la testa di ponte. Tuttavia, la motivazione più decisiva era che solo una sollevazione collettiva avrebbe lasciato gli occupanti nel dubbio circa il vero sito principale degli sbarchi. In altre parole, l'appello a una sollevazione generale della Resistenza francese era di importanza fondamentale per sostenere il piano di depistaggio, che a questo punto Eisenhower considerava essenziale per la riuscita dell'intera impresa.

Dopo alcune notti trascorse nel suo primo rifugio sicuro, Sonia passò la maggior parte della giornata percorrendo in bicicletta tranquille strade secondarie di campagna insieme a Sydney Hudson per raggiungere la base di quest'ultimo al Château de Bordeaux, a una ventina di chilometri di distanza. Era una zona pianeggiante e agevolmente percorribile; lei, tuttavia, indossava ancora gli indumenti che aveva usato per il lancio con il paracadute e li trovava fastidiosamente caldi. Inoltre, la spalla che si era storta al momento di toccare il suolo le doleva ancora molto. Perciò si fermavano spesso a riposare all'ombra. Il tragitto era faticoso, ma Sonia si era temprata nel corso di marce di addestramento spossanti fra le impervie montagne e vallate scozzesi.

Questo, naturalmente, non era l'unico lascito del suo corso di addestramento al SOE. Il primo giorno che era giunta a Wanborough Manor, l'imponente residenza inglese in cui aveva luogo la prima selezione delle reclute, era stata fatta entrare nel salotto insieme a una trentina di altre persone. Ciascuno portava appeso al collo un numero. «Chi scegliereste per trascorrere insieme una licenza di quarantotto ore a Londra?» aveva domandato l'istruttore. Sonia aveva già adocchiato un uomo dai capelli scuri, vestito con un'uniforme elegante, e scrisse il suo numero. L'attrazione fu reciproca, visto che lui aveva scritto il numero di Sonia. Più tardi, in Scozia, l'uomo sarebbe stato il capo della sua squadra.

Franco-canadese del Québec, Guy d'Artois aveva sette anni più di Sonia e aveva compiuto l'addestramento preliminare a Camp X, la scuola di preparazione del SOE in Canada dove i potenziali agenti provenienti dalle Americhe venivano esaminati per valutarne l'idoneità. Guy e Sonia erano accomunati da un debole per gli esplosivi. La mattina, dopo essersi alzati presto, venivano regolarmente inviati in missione con una carta geografica e l'incarico di far saltare un ponte a qualche chilometro di distanza, al di là delle montagne. Sonia, alle prese con una carta geografica, era persa, ma Guy era un esperto e ben presto formarono una piccola squadra speciale. Così lui iniziò a darle lezioni private di orientamento in una stanza appartata provvista di un bel caminetto e al loro ritorno a Londra si sposarono, circostanza che creò un discreto scompiglio nel SOE. Il colonnello Maurice Buckmaster, capo del Reparto francese, aveva cercato di dissuadere Sonia, ma vedendo la sua espressione risoluta aveva rinunciato.

Dopo l'animato ricevimento di nozze, tenutosi al Royal Air Force Club di Piccadilly, Buckmaster aveva dato agli sposi una notizia sconvolgente: Sonia e Guy avevano preso parte alla riunione preparatoria per una missione cui dovevano partecipare insieme, ma dato che erano marito e moglie ciò non era più consentito, e su questo punto aveva il dovere di imporsi, perché se fossero stati catturati e la Gestapo fosse venuta a sapere che erano sposati, uno dei due avrebbe potuto essere torturato in presenza dell'altro. «Be', quand'è così non ci vado proprio» aveva ribattuto d'impeto Sonia. Ben presto, però, aveva cambiato idea. Accompagnando Guy all'aereo che avrebbe dovuto portarlo in missione come istruttore artificiere di un circuito del SOE nei pressi di Mâcon, nella Francia orientale, incontrò Buckmaster sulla pista di decollo. «Mi dispiace Tony» le aveva detto usando il soprannome con cui la chiamavano gli amici. «In ogni caso fammi sapere se c'è qualcosa che posso fare.» E lei subito lo aveva pregato: «Sì: mi faccia assegnare una missione prima possibile».

Così si era ritrovata ad attraversare la campagna francese insieme a Hudson, con indosso i suoi logori vecchi scarponi da sci. Si domandava che cosa stesse facendo in quel momento Guy.

Come se non bastasse, era in preda all'inquietudine. La prima volta che aveva incontrato Sydney Hudson a Londra si era sentita enormemente attratta da lui, ma poi aveva saputo che era sposato. Poi era toccato a lei sposarsi con Guy. Eppure i suoi sentimenti nei confronti di Hudson non erano cambiati. Nessuno le aveva detto che sarebbe stata inviata a raggiungerlo in Francia: tutto ciò che sapeva prima del lancio era il suo nome in codice, Albin. Quando se lo era visto comparire davanti nella fattoria era rimasta sbalordita. "Dio mio, e adesso che cosa faccio?" si era domandata. Non riusciva ancora a trovare la risposta.

A Oslo era cominciata una nuova, pericolosa fase della resistenza alla dominazione nazista. Dieci giorni prima i tedeschi avevano emanato un ordine in base al quale tutti i norvegesi di età compresa fra i ventuno e i ventitré anni si sarebbero dovuti presentare per il lavoro obbligatorio, ma i giovani che avevano rifiutato di farlo erano così numerosi che la scadenza era stata rinviata. Il termine ultimo era trascorso proprio il giorno precedente. Quella notte in città i sabotatori avevano fatto saltare un grande stabilimento che produceva trasformatori, generatori e altre apparecchiature elettriche, e in tutto il paese avevano avuto luogo piccoli attentati il cui obiettivo privilegiato erano spesso gli uffici del lavoro. Circolavano voci secondo cui presto i nazisti avrebbero costretto tutti i norvegesi a rispondere per iscritto alla domanda: "Lei è favorevole a consegnare la Norvegia al bolscevismo?". Questo tema era oggetto di attenzione sempre maggiore da parte degli organi di stampa controllati dai nazisti in tutta Europa, e numerosi emuli di Quisling tenevano discorsi sull'argomento un po' ovunque nel paese.

Peter Moen, a cui era vietato l'accesso a radio e quotidiani, rimaneva all'oscuro di tutto ciò. Fuori della sua cella le giornate di fine maggio si allungavano sensibilmente, mentre la parabola del sole si appiattiva e il suo corso finiva per soffermarsi sopra l'orizzonte fin quasi a mezzanotte. Nel giro di due o tre ore il suo ardore avrebbe pian piano cominciato a riprendere vigore, fugando l'oscurità, inondando il paesaggio con la sua pallida luce nordica e restituendo animazione alla città fuori delle finestre della cella. Tuttavia, a causa del rigoroso coprifuoco, Moen e la sua cella restavano immersi in una penombra deprimente. Ormai la sua routine quotidiana si riduceva ai discorsi con i compagni di cella oppure al tentativo di ritagliarsi una piccola nicchia di spazio personale per isolarsi, venendo a patti con la propria sorte e aggiornando il suo diario.

Quel giorno si limitò a delineare i contorni della sua vita quotidiana, lamentandosi della rumorosità della cella e osservando che l'unico momento in cui sentiva aria fresca sul viso erano i quindici minuti settimanali in cui veniva loro consentito di sgranchirsi le membra in una piccola "cella d'aria", un angusto cortile recintato sul retro della prigione. Una volta ogni due o tre settimane veniva loro consentito di fare un bagno, una volta la settimana il capo gli veniva rasato dal barbiere della prigione. L'uomo era un norvegese che lavorava anche in altre carceri, e Moen non perdeva occasione per cercare di cavargli di bocca notizie del mondo esterno, ma quello, temendo di perdere il suo incarico privilegiato, teneva le labbra ostinatamente sigillate. A volte prometteva di procurargli un pezzo di pane supplementare o un po' di tabacco, ma non aveva mai mantenuto la parola. Ormai Moen lo considerava malvagio quasi quanto un collaborazionista attivo.

Spesso sembrava che la sua vita reale fosse saldamente ancorata al passato. In quel periodo si svegliava ogni giorno alle sei e mezzo, pranzava a mezzogiorno, cenava alle cinque e mezzo e si coricava alle otto di sera. Non esisteva un altro mondo.

A Londra, invece, lo sguardo era ostinatamente rivolto al futuro. Non si trattava solo dell'inesorabile avanzata alleata alla volta di Roma, né delle aspettative sempre maggiori suscitate dall'invasione imminente, che dominavano i titoli di apertura dei giornali. Gli orizzonti si estendevano ben più in là, e la pace stessa era divenuta argomento di elucubrazioni ininterrotte. Gli annunci pubblicitari sul *Times* rispecchiavano le speranze per il futuro. Uno di questi prometteva che, non appena fossero stati aboliti i controlli imposti dalla guerra, le compagnie britanniche avrebbero nuovamente dimostrato alla collettività il valore impareggiabile dei trasporti pubblici gestiti da imprese a capitale privato. La Roche Vitamins, da parte sua, affermava che la produzione di tonnellate di vitamine in tempo di guerra stava spianando la strada a un futuro di salute migliore per tutti, mentre la Hornby proponeva ottimisticamente trenini giocattolo per una nuova generazione di bambini. Le recenti meditazioni del presidente Roosevelt sulla forma che avrebbe assunto l'organizzazione delle Nazioni Unite nel dopoguerra venivano ampiamente riproposte e i particolari del Piano Bombay per lo sviluppo nazionale schiudevano nuovi orizzonti per l'India.

Perfino la scansione della vita quotidiana appariva abbastanza normale da far immaginare un futuro senza guerra. Nel Leicestershire la Gunby Hall veniva ceduta al National Trust. Il Wells' Ballett del Sadler metteva in scena *Il lago dei cigni.* L'Amalgamated Engineering Union celebrava il giubileo d'argento, nella fiduciosa speranza che altre nove associazioni avrebbero aderito al suo consorzio. Di recente alcuni prigionieri di guerra in Germania erano stati rimpatriati nel quadro di scambi organizzati dalla Croce Rossa. La Rhodesia del Sud annunciava piani di sviluppo che promettevano "un grande futuro per l'immigrazione". Anche la Borsa andava bene: i titoli industriali si mantenevano forti, specialmente quelli dei comparti tessile e automobilistico, che stavano già rivelando i piani di espansione per il dopoguerra; e se la cavava bene anche Wall Street, dove transazioni vivaci avevano preceduto una solida chiusura del mercato. La British Portland Clement aveva aumentato il suo dividendo e la City di Londra aveva reagito positivamente al Libro bianco sulla politica dell'occupazione nel dopoguerra. Le buffe espressioni di due scimmie di nome Jack e Jill sembravano anch'esse preannunciare il ritorno di tempi più spensierati. Erano scappate a Pentecoste da uno spettacolo sul selvaggio West tenuto a Hampstead Heath e si erano rifugiate su un grande faggio a sei metri di altezza. Da quel momento i loro custodi le attendevano seduti lì sotto, accanto a una grande gabbia, sempre meno speranzosi. La sera prima, approfittando dell'oscuramento, i due animali erano scesi dal loro rifugio arboreo, avevano raccolto i biscotti e il latte e si erano nuovamente arrampicati al sicuro. Nel frattempo la compagnia che metteva in scena lo spettacolo aveva lasciato la città. Una folla si era radunata per osservare divertita Jack e Jill.

Anche i Churchill erano una famiglia in guerra. Oltre a Randolph, anche altri figli di Churchill erano coinvolti nello sforzo bellico, e lo stesso valeva per sua moglie. “Il mio successo più brillante” aveva scritto Churchill “è stato convincere mia moglie a sposarmi.” Il matrimonio con Clementine Hozier, che ormai risaliva a trentacinque anni prima, gli aveva assicurato un forte appiglio emotivo nel corso della sua carriera politica, spesso tempestosa, e gli aveva dato quattro figli adulti, tra cui Randolph.

La primogenita, Diana, era sposata con Duncan Sandys, deputato e presidente del comitato del Gabinetto di guerra che si occupava della difesa dai missili V-X di Hitler. La stessa Diana era una responsabile della protezione antiaerea. Sarah, la terza figlia, era un'attrice di ventinove anni che aveva girato il suo primo film, *He Found a Star*, nel 1940, e dal 1941 lavorava per conto della RAF come analista delle foto dei ricognitori, dando il suo contributo alla costruzione del quadro informativo che aveva una rilevanza così vitale per il D-Day. Mary, la figlia più giovane, che aveva ventuno anni, era ufficiale delle ausiliarie di una batteria antiaerea pesante a Hyde Park. “Mi piaceva moltissimo stare a guardarla impartire ordini mentre le altre ragazze manovravano gli strumenti e i soldati giravano freneticamente le manovelle per regolare l'alzo e il brandeggio dell'arma verso il cielo” rammenta suo nipote, Winston Churchill junior.

Quanto a Clementine, la matriarca, era dotata di una personalità straordinaria e non temeva di esprimere il proprio punto di vista a suo marito, richiamandolo occasionalmente all'ordine quando lo stress e l'irrequietezza lo rendevano insopportabile. Oltre al gravoso carico di impegni ufficiali, si dedicava alle attività della Croce Rossa, della YWCA e della British War Relief Society of America, che in precedenza aveva contribuito a organizzare il programma di beneficenza chiamato “Panieri per la Gran Bretagna”. Aveva fondato anche il Churchill Club, la cui sede era adiacente all'abbazia di Westminster, dove membri delle forze armate statunitensi e canadesi, sia uomini sia donne, potevano incontrare i loro omologhi britannici in occasione di riunioni conviviali e concerti. Era a conoscenza di tutti i segreti di Churchill, compreso quello del D-Day.

Quel mercoledì l'agenda politica del primo ministro era imperniata sulle problematiche del dopoguerra, ma aveva cominciato la giornata impartendo istruzioni al generale Alexander affinché sfruttasse al massimo l'imminente presa di Roma. Quello sarebbe stato un evento "enorme, di portata mondiale", lo aveva avvertito Churchill, ribadendo che non bisognava "minimizzarlo. Spero che le truppe britanniche e quelle americane entreranno simultaneamente in città". Sistemato questo argomento, rivolse la sua attenzione a varie difficili questioni internazionali.

La più ardua era quella relativa alla Polonia. La Gran Bretagna aveva mosso guerra a Hitler in seguito all'invasione nazista del paese, avvenuta nel 1939; migliaia di soldati polacchi combattevano a fianco delle forze alleate, mentre l'esercito clandestino in territorio polacco era pronto a scatenare un'insurrezione. Il problema era che la Gran Bretagna aveva anche un altro, più potente alleato, l'Unione Sovietica, il vicino orientale della Polonia, e i rapporti fra i due paesi erano esacerbati da secoli di odio e sospetto; l'esistenza stessa della Polonia in quanto nazione indipendente era stata sancita dalla Prima guerra mondiale ed era stata ottenuta in gran parte a scapito della Russia. Dopo il patto nazi-sovietico del 1939 Stalin si era impadronito nuovamente della maggior parte della Polonia orientale e in seguito il KGB, la polizia segreta sovietica, decisa a spezzare la spina dorsale della Resistenza nazionale polacca, aveva fatto assassinare migliaia di ufficiali dell'esercito seppellendoli in una fossa comune nascosta a Katyn. Ora Stalin, malgrado l'ostinata opposizione dei polacchi, pretendeva per il dopoguerra una nuova frontiera tra i due paesi, oltre all'instaurazione di un governo meglio disposto nei confronti di Mosca, e in un clima di ostilità crescente verso gli esuli a Londra di recente aveva formato un governo ombra filocomunista nelle regioni della Polonia già strappate ai tedeschi. Il futuro del paese per il quale la Gran Bretagna aveva affrontato il conflitto cinque anni prima si stava ora profilando come una delle questioni più spinose che gli Alleati avrebbero dovuto risolvere.

Churchill era preso fra l'incudine e il martello: ammirava e rispettava i polacchi per il loro valore e la loro tenacia, ma aveva ancora più bisogno dell'Armata rossa per sconfiggere Hitler; specialmente in quel frangente, con l'avvicinarsi del D-Day, non aveva alcun interesse a creare attriti con Mosca. Quel giorno pranzò con Stanislas Mikołajczyk, primo ministro polacco; in seguito li raggiunse il conte Edward Raczynski, ambasciatore polacco a Londra. "Fu il primo dei nostri incontri in cui cominciai a domandarmi se Churchill non fosse sovraffaticato" rammenta Raczynski. Lo statista britannico chiese agli ospiti di mettere da parte la loro ostilità nei confronti dei sovietici e disse che non potevano attendersi che i soldati inglesi e americani rischiassero le proprie vite per loro, dal momento che insistevano a voler creare una spaccatura tra l'Occidente e Mosca. Sarebbe stato meglio, proseguì Churchill, per prima cosa vincere la guerra e poi tutelare gli interessi polacchi in sede di Nazioni Unite.

Anche il futuro dei Balcani gli stava dando alcuni grattacapi; anche lì, l'avanzata dell'Armata rossa costituiva una fonte di preoccupazione. Bulgaria, Romania e Grecia sarebbero tutte cadute sotto la falce e il martello? Churchill sperava di no. E se si fosse proposto a Stalin un accordo sulle sfere di influenza, in base al quale i russi si sarebbero presi la Romania, lasciando per contropartita la Grecia al campo occidentale? Provò a dipingere questo accordo come un espediente provvisorio, valido solo per il periodo di guerra, ma a nessuno poteva sfuggire che preludeva a una sistemazione definitiva per l'epoca di pace. Esplicitò la sua idea in un telegramma contrassegnato dalla dicitura "personale e segretissimo" e lo inviò quel mattino stesso a Roosevelt a Washington.

Come se la configurazione del mondo postbellico non gli avesse già dato abbastanza preoccupazioni, quella sera alle sei doveva presiedere un Gabinetto di guerra il cui ordine del giorno sarebbe stato appunto appesantito da spinose questioni del medesimo tenore. Dopo un lungo e acceso dibattito in merito a un accordo sul petrolio con gli Stati Uniti, da ultimo Churchill dovette riconoscere che il Regno Unito doveva assumere una linea più ferma con Washington per tutelare i propri interessi. Vennero poi affrontate la questione del controllo della navigazione nel dopoguerra e quella dello status che sarebbe stato riconosciuto alle colonie della Malesia e del Borneo dopo la loro liberazione dai giapponesi.

Churchill si volse al tema del D-Day solo verso la fine della riunione. Uno dei punti da esaminare era la richiesta di Eisenhower di mantenere la censura sulle comunicazioni diplomatiche anche diverso tempo dopo gli sbarchi, l'altra questione era che cosa fare con De Gaulle. La discussione fu misericordiosamente concisa. Churchill, infatti, aveva già accolto il punto di vista di Eisenhower riguardo al depistaggio, e quindi le comunicazioni diplomatiche sarebbero rimaste sospese fino a sette giorni dopo il D-Day, fatto salvo un riesame. Inoltre il primo ministro aveva deciso di invitare De Gaulle a Londra subito. I capi di stato maggiore erano ancora caparbiamente avversi a questa idea, ma Eden era un patrocinatore dotato di risorse potenti e ora Churchill lo sosteneva; così, non appena la riunione del Gabinetto fu conclusa inviò un telegramma di invito ad Algeri.

Churchill giocava tenendo sempre un asso nella manica, perché la maggior parte dei membri del suo Gabinetto di guerra non riceveva le intercettazioni di Ultra né sapeva della sua esistenza. Quel giorno la sua mano era anche più interessante del solito. Un elemento, in particolare, contribuiva a spiegare come mai fosse finalmente pervenuto a prendere una decisione sulla richiesta di Eisenhower.

Come al solito, le intercettazioni erano ricche di rapporti incoraggianti dal fronte italiano. Il generale Eberhard von Mackensen, comandante della XIV Armata tedesca in Italia, lamentava che i suoi uomini avevano ricevuto una "brutta batosta" e avvertiva i superiori che il morale si stava rapidamente deteriorando, soprattutto tra i sottufficiali e la truppa. Ciò induceva Churchill a sperare che Roma sarebbe caduta anche prima del previsto.

A ogni modo, il primo ministro serbava un asso nella manica: un altro documento nella cassetta di C, e non un dispaccio militare, bensì una "copertina blu", come venivano chiamate le intercettazioni diplomatiche. Si trattava di un'ulteriore conferma dei grandi successi conseguiti nella forzatura dei codici giapponesi. Questo era oro puro.

Il barone Hiroshi Oshima era l'ambasciatore giapponese a Berlino. Quattro giorni prima aveva fatto visita al Berghof e per due ore era rimasto ad ascoltare il punto di vista di Hitler sullo scenario militare. Poi era tornato a Berlino e di lì aveva inviato a Tokyo un telegramma suddiviso in sette parti in cui riferiva quanto aveva sentito. I decrittatori alleati avevano recuperato ampi stralci del lungo messaggio, anche se una sua parte era andata perduta. Non aveva importanza: ciò che Churchill lesse quella sera nel bunker di Whitehall lo rassicurò su un punto che recentemente aveva destato grande ansia sia in lui sia nei suoi capi di stato maggiore.

Secondo Oshima, Hitler era convinto che al momento in Inghilterra vi fossero ottanta divisioni pronte all'invasione. Era una stima errata per eccesso del cinquanta percento, e una buona notizia per Churchill: significava che i tedeschi si aspettavano sicuramente più offensive di quelle che gli Alleati stavano in effetti progettando. Hitler era poi passato a dipingere uno scenario che presentava una confortante rassomiglianza con l'immagine delineata dalla campagna di depistaggio. "Dopo aver eseguito operazioni diversive in Norvegia e Danimarca, nonché sulla coste mediterranea e atlantica meridionale della Francia" riferiva Oshima a proposito di quanto gli aveva detto il Führer "formeranno una testa di ponte in Normandia o Bretagna e, a seconda degli sviluppi della situazione, passeranno ad aprire un secondo fronte vero e proprio sulla Manica."

Il riferimento di Hitler a una testa di ponte alleata in Normandia era solo l'ultimo di una serie di rapporti allarmanti sul fatto che il segreto del D-Day poteva essere trapelato. Già nella prima metà di maggio Churchill si era vivamente preoccupato quando i decrittatori di Bletchley Park avevano intercettato e decifrato un messaggio della Luftwaffe, secondo le cui previsioni, formulate sulla base dei bombardamenti contro la Francia, il principale sbarco alleato sarebbe avvenuto tra Le Havre e Cherbourg, vale a dire sostanzialmente in Normandia. Ciò aveva molto innervosito il primo ministro, che aveva iniziato a incalzare sia C sia i capi di stato maggiore per ottenere ulteriori rapporti che potessero rassicurarlo. Ma tutto ciò che essi avevano potuto fare era stato ripetergli che non esistevano dati tali da lasciar supporre che l'Alto comando tedesco o lo stesso von Rundstedt a Parigi condividessero il punto di vista della Luftwaffe. Sicché Churchill aveva ribadito che si doveva fare tutto il possibile per confondere il nemico.

L'ansia di Churchill e dei suoi capi di stato maggiore si era aggravata nel corso delle ultime due settimane, perché i servizi informativi avevano rivelato che i tedeschi stavano rafforzando il fronte della Normandia mediante il trasferimento della 21ª divisione corazzata a Caen e avevano ammassato truppe di terra nella penisola del Cotentin. Solamente due giorni prima, lunedì 29 maggio, il JIC era giunto alla conclusione che i tedeschi consideravano la regione di Le Havre-Cherbourg il "punto di attacco probabile, forse anzi quello principale".

Ciò considerato, quindi, il rapporto di Oshima che conteneva l'accenno di Hitler a una testa di ponte in Normandia o Bretagna forniva motivi di allarme, e di conseguenza era stato inoltrato ai comandanti del D-Day e a Churchill con la massima priorità. Ma dopo attenta riflessione, e alla luce di un'analisi più accurata, esso offriva anche ragioni importanti per sentirsi rassicurati, perché dimostrava che Hitler stava semplicemente tirando a indovinare tra Normandia e Bretagna, salvo poi optare decisamente per il passo di Calais come punto focale della vera invasione. Ciò evidenziava l'importanza di Fortitude South e spiegava come mai Churchill avesse accolto la richiesta di Eisenhower: il perdurare del divieto delle comunicazioni dopo il D-Day avrebbe incoraggiato Hitler a credere che stesse per arrivare un secondo attacco e quindi a rifiutare di dirottare le sue truppe verso la vera testa di ponte in Normandia. Di questo Churchill era ormai sicuro: la potenza incantatrice di Fortitude South era all'opera e i suoi influssi raggiungevano addirittura il Berghof.

Anche Eisenhower era al corrente delle osservazioni formulate da Hitler al Berghof. Il comandante supremo alleato stava trascorrendo l'ultima giornata a Bushy Park prima di trasferirsi nella sua base avanzata nei pressi di Portsmouth e inviò un messaggio radio a Washington sottolineando ancora una volta la necessità vitale di osservare il massimo segreto sulla costruzione dei "gelsi": enormi strutture di cemento cave (alcune lunghe fino a sessanta metri) che dovevano essere rimorchiate oltre la Manica e affondate al largo delle poco profonde spiagge di Normandia per creare approdi artificiali a cui avrebbero potuto ormeggiare le navi alleate. I gelsi sarebbero stati collegati alle spiagge da pontili. Se i tedeschi avessero avuto il minimo sentore dell'esistenza di tali brillanti invenzioni, si sarebbero resi conto che la prima ondata di invasione sarebbe stata anche l'unica.

Eisenhower aveva sempre represso duramente tutte le infrazioni delle misure di segretezza, soprattutto quelle riguardanti le sue operazioni. Già in aprile non aveva mostrato alcuna misericordia quando il generale di divisione Henry Miller era stato sul punto di rivelare la data del D-Day, e un episodio analogo si era verificato verso l'inizio di maggio, quando un ufficiale della marina statunitense ubriaco aveva parlato troppo liberamente dei piani degli Alleati: Ike li aveva rispediti entrambi a casa. Le misure di sicurezza servivano anche a difendersi da minacce rivolte alla sua incolumità personale. Quel giorno Eisenhower era venuto a sapere che il controspionaggio alleato aveva scoperto che i tedeschi stavano tentando di localizzare il suo quartier generale; per questa ragione il suo stato maggiore era pronto a reagire nell'eventualità di un attacco dei paracadutisti tedeschi.

Eppure, anche in quel frangente Eisenhower trovava il tempo per riflettere su come sarebbe stato il mondo dopo la fine del conflitto. Un vecchio amico con cui era in affari gli aveva scritto dagli Stati Uniti riferendogli i suoi progetti per il dopoguerra nel campo delle costruzioni edilizie. "Penso che tu abbia assolutamente ragione" gli aveva risposto Ike "a prendere in considerazione i grandi problemi cui dovremo far fronte dopo che l'aspetto militare sarà stato completamente sistemato." Scrisse anche al fratello Milton riguardo a una proposta di girare un film sulla sua vita per il quale i produttori offrivano un minimo di centocinquantamila dollari. Ike non intendeva accettare personalmente quel denaro, ma, scriveva, se Milton fosse riuscito a stipulare un accordo in modo che la somma fosse andata a beneficio di un'istituzione con finalità educative la cosa avrebbe potuto interessarlo. Eisenhower aveva idee molto chiare su quello che un film del genere avrebbe dovuto mettere in luce: scrisse al fratello che avrebbe dovuto sottolineare lo "spirito di iniziativa, l'impegno e la tenacia" della famiglia americana media. La pellicola doveva far emergere come valori positivi l'individualismo e non il collettivismo o l'irreggimentazione. Al fine di promuovere il riconoscimento del ruolo avuto dalla Gran Bretagna nella sua nomina a comandante supremo alleato, nonché la rinascita e la cooperazione del dopoguerra, il ricavato del film avrebbe dovuto finanziare borse di studio destinate a giovani americani che intendevano seguire corsi post laurea nelle università inglesi.

Alla vigilia del D-Day lo sguardo di Eisenhower era già risolutamente rivolto verso la pace e l'alleanza angloamericana che si profilava nel futuro.

"Per favore venga con i suoi collaboratori il prima possibile e nel massimo segreto. Le do la mia personale assicurazione che ciò è negli interessi della Francia. Le invio il mio [aereo] York personale." Mentre il messaggio di Churchill volava sulle onde dell'etere verso Algeri, Charles De Gaulle non aveva ancora motivo di ritenersi soddisfatto. Sentiva che doveva esserci una trappola: Roosevelt e Churchill non avevano ancora riconosciuto il suo Comité français de Libération nationale (CFLN) come legittimo, ancorché provvisorio, governo della Francia, e temeva che se avesse preso quell'aereo per Londra avrebbe dovuto subire pressioni per pronunciare un discorso a favore di Overlord senza ottenere tale riconoscimento. Così Eisenhower sarebbe stato libero di imporre un regime militare, mettendo fuori gioco l'organizzazione di De Gaulle. Il generale rimaneva fieramente avverso a questa prospettiva.

Dopotutto, la Francia non era un paese nemico. Certo, il governo di Pétain a Vichy era ormai poco più di un fantoccio in mano ai nazisti, ma il popolo francese aveva dimostrato sempre più chiaramente la propria ostilità nei confronti dell'invasore e stava pagando un prezzo altissimo. Ormai le razioni ufficiali degli alimenti erano scese a mille calorie al giorno; un milione e mezzo di prigionieri francesi continuava a languire nei campi tedeschi; decine di migliaia di operai francesi erano state deportate nel Reich per il lavoro obbligatorio.

Eppure, nonostante la repressione, la tortura, le deportazioni e la morte, la Francia era visibilmente impaziente di unirsi alle truppe dei liberatori.

La Resistenza, per De Gaulle, non era un concetto astratto: lui e i suoi familiari stavano soffrendo in prima persona l'oppressione nazista, come milioni di altri loro connazionali. Il suo fratello maggiore, Xavier, era ricercato dalla Gestapo, e la moglie di Xavier, Geneviève, era internata in un campo di concentramento. Quando i tedeschi erano entrati a Parigi lei era ancora una studentessa e aveva abbandonato tutto per unirsi alla Resistenza, svolgendo mansioni di corriere e di redattrice di fogli di informazione; era stata tradita e consegnata alla Gestapo e aveva trascorso sei mesi in prigione a Fresnes, a sud di Parigi, prima di essere deportata a Ravensbrück nel gennaio del 1944. Anche Marie-Agnès, sorella di De Gaulle, era stata arrestata e aveva trascorso un anno a Fresnes prima di essere trasferita in Germania. Nel frattempo suo marito pativa gli stenti di Buchenwald, un altro dei campi di concentramento di Hitler. Anche Pierre, l'altro fratello del generale, era stato arrestato ed era rinchiuso a Schloss Eisenberg, un campo di internamento nei pressi di Brux, nei Sudeti; sua moglie e i loro cinque bambini erano scappati oltre i Pirenei raggiungendo a piedi la Spagna ed erano riusciti a mettersi in salvo in Marocco. Infine Jacques, il fratello più giovane, paralitico a causa della poliomielite, era passato clandestinamente in Svizzera. Anche quella, dunque, era una famiglia in guerra. Quando De Gaulle parlava del valore della Resistenza francese e della liberazione nazionale, parlava per esperienza e dal profondo del cuore. Non aveva intenzione di mandare tutto all'aria per fare un favore a Churchill. Perciò rimase ad Algeri, a riflettere sulla sua prossima mossa.

Alle 20.35 di quella sera una radiotrasmittente segreta di Crespigny Road, a Hendon, cominciò a inviare il suo messaggio serale all'Abwehr a Madrid. "Un chilometro e mezzo a sudovest di Butley, su ambedue i lati della strada diretta a Woodbridge ci sono un grande accampamento di genieri e un parco automezzi della 6ª divisione statunitense. Molte tende piantate in zona aperta sono facilmente avvistabili dal cielo" esordiva. Nel corso delle tre ore che seguirono vennero inviati molti messaggi di analogo tenore.

Queste informazioni erano per la maggior parte false: la 6ª divisione statunitense non si trovava affatto nei pressi della cittadina di Woodbridge, nell'East Anglia. Garbo stava delineando una mappa ingannevole dell'ordine di battaglia degli Alleati in Gran Bretagna: dando a intendere che fosse in corso un grande ammassamento di forze nell'Inghilterra sudorientale, non faceva che confermare la convinzione di Hitler secondo cui gli Alleati avrebbero lanciato la loro invasione oltremanica nel punto più stretto del canale, l'area di Dover-Calais. A Zossen, nella foresta di pini fuori Berlino dove l'Alto comando tedesco aveva allestito il suo quartier generale al riparo dei bunker, gli analisti avevano già ricomposto i frammenti di una mappa sulla quale comparivano le posizioni stimate di ogni unità alleata di cui si conoscesse l'esistenza. Ne emergeva un quadro d'insieme che evidenziava una densa concentrazione di forze nell'Inghilterra sudorientale, dimostrando così quanto si sbagliavano. Questo risultato era dovuto in gran parte al lavoro di Garbo.

Il vero nome di Garbo era Juan Pujol. Figlio di un facoltoso uomo d'affari e della sua elegante moglie andalusa, Mercedes García, era nato a Barcellona nel 1912. Allo scoppio della Guerra civile spagnola aveva ventiquattro anni e dirigeva un allevamento di pollame poco a nord della città; preso dal turbine dei disordini, ne divenne suo malgrado partecipe, ma era ben deciso a sopravvivere. Arruolato nell'esercito repubblicano, in seguito disertò per unirsi ai nazionalisti del generale Franco e, grazie a numerosi sotterfugi e a un'astuzia innata, riuscì a non sparare un solo proiettile fino alla conclusione del conflitto, tre anni dopo. La Spagna era ridotta in macerie e lo scoppio della Seconda guerra mondiale, di lì a pochi mesi, non fece che incupire le più buie prospettive. "Vedevo già un'altra catastrofe all'orizzonte" disse Pujol "e pensai più di una volta di lasciare la Spagna, dove tra vincitori e vinti erano maturati odio e sete di vendetta."

Pujol, ormai sposato, dedicò le proprie energie all'impresa di trovare una via di fuga verso la libertà. Un modo di uscire dalla Spagna sembrava essere quello di offrire i propri servigi come agente segreto alla Gran Bretagna. Quella decisione lo portò a imboccare un tormentato cammino che fu contrassegnato, come notò un osservatore, "da una torbida atmosfera di menzogne e raggiri".

Dato che l'iniziale presa di contatto della moglie con gli inglesi fu un fallimento, Pujol contattò l'Abwehr a Madrid e si offrì di collaborare con i tedeschi. Si trattava di uno stratagemma: se l'avessero accettato, sarebbe tornato dagli inglesi munito delle credenziali di chi è in grado di mettere nel sacco il nemico. Funzionò: ricorrendo a menzogne e mezze verità, e grazie all'abilità che lo aveva aiutato a sopravvivere alla Guerra civile ed era ormai una seconda natura,

Pujol convinse Karl Kühlenthal che avrebbe potuto avvalersi di utili contatti con il servizio segreto spagnolo, sfruttando i quali avrebbe trovato un modo per entrare in Gran Bretagna. Qui, promise, avrebbe lavorato per i tedeschi. Kühlenthal lo sottopose a un corso accelerato sugli inchiostri simpatici, lo fornì di questionari, gli procurò contante e indirizzi sicuri a cui avrebbe potuto inviare i suoi rapporti e gli diede il nome in codice Arabel.

Così equipaggiato Pujol partì con la moglie alla volta di Lisbona, da dove inviò un messaggio in cui asseriva di trovarsi già in Gran Bretagna. Nei mesi successivi produsse vari rapporti che spacciò come testimonianze oculari della vita nel Regno Unito; in realtà ricavava la maggior parte delle informazioni dai libri che consultava alla biblioteca pubblica di Lisbona, integrandole con materiale tratto dai cinegiornali, dai quotidiani e dalle riviste e arricchendo il tutto con la sua fervida immaginazione. Capitava che si lasciasse prendere la mano, specialmente quando scriveva dei costumi di un paese che non aveva mai visto e di cui ignorava la lingua. Una volta, dando a credere di scrivere da Glasgow, osservò che "vi sono uomini che farebbero qualsiasi cosa per un litro di vino rosso", affermazione che avrebbe molto stupito un abitante di quella città. Cominciò anche a inventarsi un esercito di subagenti fittizi.

Dopo aver raccolto un cospicuo repertorio di tali relazioni, cui allegava le repliche di congratulazioni di Kühlenthal, lui e sua moglie provarono per la seconda volta ad avvicinare gli inglesi per tramite dell'ambasciata americana.

Gli ufficiali dei servizi segreti britannici cominciavano a essere un po' preoccupati da questo Arabel: avevano intercettato i messaggi di Kühlenthal a Berlino ed erano rimasti sconcertati dal suo presunto agente in Gran Bretagna. Alcuni rapporti di Arabel apparivano fondati e plausibili, specialmente quello in cui riferì della partenza di un convoglio da Liverpool. Era mai possibile che, nonostante tutti gli sforzi dell'MI5, vi fosse veramente un agente segreto tedesco in circolazione nel paese?

Finalmente, all'inizio del 1942 tutto si chiarì: Arabel e l'uomo che offriva i propri servigi a Lisbona erano la stessa persona. Fu allora che i servizi segreti britannici lo portarono a Plymouth con un idrovolante e decisero di mettere a frutto il suo straordinario talento per il doppio gioco. In un secondo momento fecero venire anche la moglie e assegnarono alla coppia una casa a Hendon.

Il curriculum di Pujol in fatto di depistaggio era già così brillante che non vi furono troppe difficoltà a trovargli un nome in codice:

quello della più grande attrice vivente, l'enigmatica diva del cinema di Hollywood Greta Garbo.

Al campo di Hiltingbury Glenn Dickin si era ormai affidato alla gigantesca macchina bellica che si occupava di far uscire dagli accampamenti di transito tutti gli uomini e i veicoli destinati all'armata di invasione e di trasferirli sulla costa inglese, imbarcandoli sulle navi che li avrebbero portati oltre la Manica e assegnandoli ai giusti mezzi da sbarco che dovevano condurli a destinazione proprio nel punto della spiaggia francese segnato sulle carte. Era come una gigantesca agenzia di viaggio: ogni dettaglio era stato pianificato in modo meticoloso per portare il passeggero alla sua giusta destinazione.

Gordon Brown, il migliore amico di Glenn, si trovava ora nel pieno di quel meccanismo. A Hiltingbury la priorità era far partire tutti i mezzi del reggimento, già accuratamente predisposti in maniera da risultare a perfetta tenuta d'acqua. Nei dodici mesi precedenti Gordon era stato l'ufficiale addetto ai trasporti responsabile di circa una settantina di autisti e altrettanti equipaggi di mezzi armati con fucili mitragliatori Bren, cannoni anticarro, jeep, autocarri e portamortai, nonché della motocicletta Norton assegnatagli per le sue mansioni ufficiali. Lui e Glenn si erano arruolati volontari nel lontano 1940 e per Glenn, che aveva quattro anni di meno, Gordon era come un fratello maggiore.

Entrambi venivano da Manor, un piccolo insediamento di trecento abitanti nella parte sudorientale del Saskatchewan, una regione agricola dolcemente ondulata della grande pianura nordamericana che si estende dal Texas fino all'Alberta. "Qui" proclamava una guida per i viaggiatori che percorrevano l'autostrada 13 dopo aver oltrepassato il confine di Manitoba "il nostro automobilista sente che sta entrando nel paese di Dio. Di fronte a lui, a nordovest, vede aprirsi un'enorme prateria coltivata [...] che sale gradualmente fino alle sommità boscose delle Moose Mountains che contornano l'orizzonte a una quarantina di chilometri di distanza." Il clima di Manor era caratterizzato da escursioni termiche estreme: d'inverno la temperatura poteva scendere fino ai quaranta gradi sotto zero e la neve, accumulata dal blizzard che spirava senza incontrare ostacoli sulla pianura priva di alberi, spesso copriva il terreno fino all'inizio di maggio. Poi, nel giro di poche settimane, il termometro saliva irresistibilmente fino ai quaranta gradi, facendo crescere alte verso il cielo le spighe di grano, segale e orzo, che si stendevano a perdita d'occhio: i campi apparivano come uno sconfinato mare giallo ondeggiante, interrotto solamente da qualche silos.

I primi coloni insediatisi stabilmente a Manor vi erano arrivati negli anni ottanta dell'Ottocento, ed erano stati seguiti dalla Canadian Pacific Railway, giunta lì appena vent'anni prima della nascita di Glenn. Manor era una tipica cittadina autosufficiente delle praterie, con le sue strade alberate, la sua scuola in mattoni, pochi negozi di ferramenta e drogherie, la banca, il negozio di alimentari, l'ufficio postale e l'officina del fabbro. La linea di comunicazione fondamentale era la ferrovia. Il treno passeggeri, che si fermava a Manor due volte al giorno, diretto a est verso Manitoba e l'Ontario e le grandi città di Winnipeg, Toronto e Montreal, e verso ovest, passando per le Montagne Rocciose, alla volta della Columbia Britannica e di Vancouver, portava anche la posta, il latte, il pollame e altri rifornimenti. La corrente elettrica era ancora solo sporadica: veniva erogata da un generatore di proprietà privata e tolta a mezzanotte, tranne nei casi in cui si organizzavano feste danzanti, quando era disponibile fino alle due del mattino. L'acqua potabile proveniva dai pozzi, il più importante dei quali si trovava nella strada principale del villaggio. Non c'era un sistema di fognature: ogni abitazione disponeva di un gabinetto separato, abbondantemente rifornito di vecchie copie dei cataloghi di acquisti per corrispondenza della Eaton o della Simpson.

Il grosso dei Fucilieri di Regina proveniva da piccole comunità agricole come Manor: erano giovanotti spavaldi, svelti con la pistola e con il coltello, abituati alla caccia e alla vita all'aria aperta, usi alla fatica fisica e alle condizioni di vita difficili. Per questo il reggimento si era guadagnato il nomignolo "i John", da "contadino John", il beffardo appellativo con cui li designavano i cittadini che essi avevano orgogliosamente fatto proprio. Pochi erano veramente istruiti, dato che perlopiù avevano lasciato la scuola nella prima adolescenza. L'età media era sui ventitré anni. Non mancava una piccola quota di meticci, di ascendenza in parte indiana e in parte europea.

L'esistenza degli uomini era scandita dai ritmi del ciclo della semina e del raccolto. La famiglia di Glenn possedeva alcune vacche da latte e tutte le mattine, prima di andare a scuola, lui faceva il giro per consegnarlo ai clienti. Giovane robusto, alto quasi un metro e ottanta, era un valido atleta e un ottimo giocatore di hockey. All'età di sedici anni, insieme all'amico Dutchy Doerr, per dodici mesi aveva gestito la pista di pattinaggio locale; quando non praticava l'hockey giocava a curling oppure a biliardo. Era un tipo equilibrato e tranquillo, di buon umore, apprezzato da tutti. Era sempre stato il primo della classe.

A Manor, come in molti altri villaggi della prateria, i valori conservatori della famiglia dettavano legge. Ogni domenica, dai pulpiti delle chiese, specialmente quello della Chiesa unita del Canada (formata da un amalgama di presbiteriani, metodisti e congregazionalisti), echeggiavano le prediche sui mali dell'alcol. Da adolescente Glenn era stato testimone di tre referendum locali per decidere se consentire all'albergo del posto di aprire una birreria. L'albergo aveva vinto la consultazione, ma si era stabilito che gli avventori non dovevano essere visibili dalla strada e in nessun caso dovevano stare in piedi o camminare reggendo in mano i boccali. In questo modo si tenevano a bada i comportamenti turbolenti e il disordine. Glenn non era abbastanza grande per bere, ma suo padre era un po' troppo affezionato alla bottiglia e lui aveva le sue opinioni in tema di alcol. Apprendere che alla mensa degli ufficiali venivano serviti alcolici lo aveva sorpreso, e ancora più sconvolgente era stata la scoperta, avvenuta quando lui e Gordon si erano trovati in viaggio tra le Montagne Rocciose alla volta del centro addestramento ufficiali di Gordon Head, poco fuori Victoria, nella Columbia Britannica, che alcuni dei loro compagni sul treno avevano con sé bottiglie di whisky.

Da allora, tuttavia, era diventato un po' meno rigido, e lui e Gordon avevano imparato ad apprezzare una birra o due dopo una giornata di duro addestramento. Ma la vera rivelazione era avvenuta quando avevano scoperto i pub inglesi, che servivano ogni sorta di liquore e in cui uomini e donne potevano entrare e bere pressoché a ogni ora del giorno. Poco a poco Glenn aveva imparato che una serata al pub poteva mitigare gli accessi di noia e di nostalgia di casa. Ciò avrebbe reso ancora più difficili i giorni a venire, nei quali sarebbe stato nelle grinfie del Controllo movimento. Tutti i pub erano vietati.

A Parigi Albert Grunberg ebbe una giornata tormentosa. L'assenza di notizie di Robert e Roger stava diventando sempre più allarmante. Dalle province non arrivava più posta a Parigi e le comunicazioni telefoniche erano quasi inesistenti. Ciò nonostante Madame Oudard aveva bussato leggermente alla porta per portargli il quotidiano del mattino, nel quale aveva trovato, sotto i titoli di testa, notizie particolareggiate circa il bombardamento di Chambéry. Erano peggiori di quanto Albert avesse immaginato: trecento persone erano morte e oltre seicento ferite. "Sono in preda alla disperazione" scrisse. "Quando ho letto questo sono impallidito e ho sentito che ogni facoltà razionale mi abbandonava." Cercò disperatamente di distrarsi tenendosi impegnato con qualche attività da svolgere nella sua stanzetta, ma non giovava a nulla. La sua mente continuava a turbinare in circolo, e a un certo punto gli sembrò di impazzire.

Questa situazione era già abbastanza brutta. A peggiorarla ulteriormente c'era suo fratello, Sami.

I due ragazzi avevano lasciato la Romania insieme, si erano stabiliti a Parigi e avevano condotto le loro nuove vite fianco a fianco. Sami, di dieci anni più anziano, era l'angelo custode, la figura paterna che lo guidava intellettualmente, curando che avesse una buona preparazione professionale, aiutandolo dal punto di vista finanziario e addirittura insegnandogli a suonare il banjo, perché ogni vita ha bisogno di un po' di musica. Che lo volesse oppure no, Sami era sempre lì.

Solo che ora, giunti alla mezza età, il rapporto si sarebbe dovuto capovolgere. Sami non era mai diventato veramente adulto e conduceva un'esistenza piuttosto sfrenata e anticonvenzionale. Negli ultimi tempi aveva vissuto con una ragazza e i suoi genitori. O almeno, quello era il suo domicilio ufficiale nell'agosto del 1941, quando la polizia aveva bussato alle cinque e mezzo del mattino per buttarlo giù dal letto, come altri tremila ebrei parigini, e condurlo a Drancy, il famigerato campo di detenzione alla periferia della città dove erano stati reclusi prima di essere deportati nei campi dell'Est.

Sami aveva avuto più fortuna della maggior parte degli ebrei arrestati, perché dopo otto mesi di detenzione era stato rilasciato, e negli ultimi dieci mesi si era seppellito in quello stanzino insieme al fratello. A salvarlo aveva contribuito la sua condizione di veterano della guerra 1914-1918, in cui aveva combattuto con l'uniforme francese: una piccola concessione di Vichy nei confronti degli ebrei che avevano servito la Francia. Quell'esperienza, tuttavia, gli aveva lasciato brutte cicatrici sia fisiche che psichiche: aveva perso quasi quaranta chili di peso ed era stato sul punto di morire.

Ora il fratello stava facendo impazzire Albert. Stare in due in una stanzetta e condividere lo stesso letto era già abbastanza brutto, tanto più che Sami russava pesantemente e Albert non riusciva mai a farsi una notte di buon sonno. Il fatto è che si stavano dando sempre più sui nervi a vicenda: incompatibili per carattere, ormai si parlavano solo quando erano costretti a farlo, ciò che evitava molti litigi. "Ci vogliamo bene" aveva scritto Albert "ma riusciamo a malapena a sopportarci." Quel giorno la situazione era peggiore del solito. Albert, spinto dalla disperazione a esprimere la sua ansia per la sorte dei figli, aveva riferito a Sami le notizie non appena quest'ultimo si era alzato dal letto, il che quella mattina era avvenuto relativamente presto per lui, cioè alle nove e mezzo. Sami però aveva reagito come faceva spesso e aveva cercato di proteggere il fratello minore parlandogli di una cosa completamente diversa. Albert, esasperato, si era chiuso nel mutismo fino al primo pomeriggio. "I miei pensieri più tetri non se ne vanno neppure per un secondo" aveva scritto, in preda allo sconforto, quella notte. "È spaventoso."

Quel mattino Erwin Rommel era partito molto presto e di gran carriera da La Roche-Guyon a bordo della sua Horch per andare a ispezionare i danni lungo la Senna. Davanti agli occhi gli si era presentato un lugubre scenario di travature spezzate, rotaie contorte e arcate distrutte. In maggio gli aerei alleati che volavano notte e giorno senza interruzione avevano compiuto circa sessantacinquemila missioni, polverizzando i ponti non solo sulla Senna ma anche più a nord, sui fiumi Mosa e Schelda. Ciò non faceva che confermare a Rommel quel che da tempo pensava sulla potenza dell'aeronautica. Se il nemico poteva ridurre così i ponti, quale sarebbe stata la devastazione che avrebbe seminato sui carri armati quando questi ultimi si fossero mossi per fronteggiare gli Alleati che avanzavano dalle spiagge? Per questa ragione aveva insistito con tanta veemenza perché venissero schierati fin dall'inizio nelle immediate vicinanze della costa e saldamente interrati in modo da poter rivolgere la loro potenza di fuoco contro gli invasori nelle prime ore critiche. Aveva dovuto accettare un compromesso, ma perlomeno era riuscito a posizionare nei pressi di Caen una delle tre divisioni che era riuscito a strappare a Hitler, la 21ª. Il recente pesante bombardamento della Senna non faceva che corroborare la sua opinione secondo cui gli Alleati sarebbero sbarcati sulle spiagge del settore della XV Armata, da Le Havre verso nord su su fino a Calais e addirittura oltre.

Eppure, attribuire troppa importanza alle divisioni meccanizzate dei Panzer poteva presentare una panoramica fuorviante delle forze tedesche in Normandia. Rommel era al comando di un esercito decisamente obsoleto, specialmente a paragone con le forze alleate. Gli uomini con esperienza di battaglia scarseggiavano e la maggioranza degli ufficiali, di carriera o nominati sul campo, era formata da uomini anziani e di seconda scelta. Prevalevano le truppe a cavallo e appiedate. I pezzi di artiglieria pesante continuavano a essere trainati da cavalli, i soldati si muovevano a piedi o in bicicletta e i rifornimenti arrivavano soprattutto per ferrovia anziché su gomma. Già allora, comunque, c'era penuria di cavalli. Quanto ai carri armati e agli altri veicoli a motore, il loro funzionamento dipendeva dalla disponibilità di ampie scorte di carburante che gli Alleati si stavano prendendo cura di eliminare bombardando giacimenti petroliferi e raffinerie in Romania, con un'azione i cui risultati cominciavano a farsi sentire. Rommel, famoso per i suoi attacchi fulminei e aggressivi nel deserto, era ora responsabile di un contingente in gran parte statico e doveva impegnarsi nella difesa della linea di costa. I suoi giri di ispezione costanti e instancabili contrastavano in maniera rivelatrice con la grave immobilità degli uomini che comandava.

Proprio mentre stava ispezionando i danni prodotti dall'incursione del giorno prima i bombardieri Marauder della 9ª forza aeronautica statunitense colpirono altri tre ponti. Quando ebbero terminato, il ponte della ferrovia a Rouen era semisommerso dall'acqua.

Al campo d'aviazione di Cottesmore il paracadutista Bill Tucker continuava il noioso lavoro di verifica del suo equipaggiamento. Era parte di quell'enorme contingente di tre milioni di soldati americani che, passando per la Gran Bretagna durante la Seconda guerra mondiale, avevano di fatto trasformato l'isola in un paese occupato.

«Troppo interessati al sesso, troppo pagati, troppo pasciuti e... semplicemente troppi tutti qui» era una famosa battuta sui militari americani in Gran Bretagna che aveva preso piede tra la popolazione. Di tanto in tanto l'attrito si sfogava in una rissa, e di conseguenza a livello ufficiale si facevano considerevoli sforzi per spiegare gli americani agli inglesi e viceversa. La nota antropologa statunitense Margaret Mead, famosa per il suo saggio sull'adolescenza femminile e il comportamento sessuale, *Adolescenza in Samoa*, aveva cercato di contribuire a migliorare i rapporti. "Gli americani" spiegava sulla rivista *Army Talk* "si devono adeguare al ritmo dei rapporti personali in Gran Bretagna, cioè non correre troppo all'inizio; le ragazze inglesi [...] devono imparare che se gli americani corrono molto all'inizio [...] poi vanno più piano degli inglesi e assaporano ogni passo del conoscersi." L'addetto stampa di Eisenhower esaltava i meriti dei pub inglesi nell'abbattimento delle barriere culturali. "In un pub, la cosiddetta 'riservatezza' inglese sparisce completamente" osservava. "Davanti a un bicchiere di birra si possono formare molta vera amicizia e comprensione genuina." Era qualcosa che Bill Tucker sapeva per esperienza. Personalmente aveva incontrato solo buona volontà e atteggiamenti amichevoli: era stato invitato nelle case della gente e aveva trascorso intere serate davanti a un bicchiere di birra a chiacchierare con un paracadutista inglese con cui aveva stretto amicizia. Ammirava gli inglesi. "Si sentiva un certo spirito" ricorda "un particolare calore: mi facevano sentire a casa." Quando lasciò la cittadina aveva addirittura cominciato a sentirsi più a casa lì che a Boston.

Ike, nella sua qualità di comandante supremo, era fermamente deciso a mettere bene in evidenza la solidarietà di tutte le forze sotto il suo controllo. Il D-Day non era solo un'operazione combinata tra forze di terra, di mare e dell'aria, come veniva efficacemente esemplificato dal ruolo di Tucker, un paracadutista che dipendeva dall'aviazione per il trasporto diretto sul campo di battaglia, anche se di fatto avrebbe combattuto a terra; era anche un'impresa multinazionale e, soprattutto, un'iniziativa congiunta degli angloamericani. Il *Times* di quel giorno riportava una dichiarazione rilasciata dallo SHAEF. Sotto il titolo "La stella dell'invasione" riferiva che tutti i veicoli di servizio appartenenti alle forze impiegate, qualunque fosse la loro nazionalità, avrebbero dovuto esporre in bella evidenza una grande stella bianca a cinque punte, simbolo ed esempio dell'integrazione dei contingenti nazionali. "Tutte le truppe e gli equipaggiamenti, non importa quale sia la loro origine" proseguiva "sono privi di nazionalità sotto il comando del generale Eisenhower."

Quel giorno si era verificato anche un altro evento che aveva messo in rilievo il tema dell'unità angloamericana. Il giorno prima era stato celebrato il Memorial Day, l'equivalente americano del giorno dell'armistizio o della rimembranza: un'occasione per onorare i caduti dei precedenti conflitti. Si erano tenute cerimonie in tutta la Gran Bretagna. Un evento in particolare spiccava rispetto agli altri. A Madingley, un villaggio nei dintorni di Cambridge, di recente era stato aperto un grande cimitero di guerra per le migliaia di americani, in maggioranza aviatori, che stavano morendo nel corso della massiccia offensiva aerea in Europa. In quel periodo avevano base in Gran Bretagna due enormi contingenti aeronautici americani: la 9ª forza aeronautica tattica, che colpiva obiettivi direttamente connessi alle imminenti operazioni del D-Day e impiegava come arma privilegiata il B-26 Marauder, un bombardiere bimotore a forma di sigaro dalle ali corte chiamato "la prostituta volante" perché era privo di visibili mezzi di sostentamento; e l'8ª forza aeronautica, che disponeva dei B-17 Flying Fortress e dei B-24 Liberator, grandiosi quadrimotori impiegati per il bombardamento pesante di obiettivi strategici quali fabbriche e raffinerie nell'entroterra del Reich. Le loro basi erano perlopiù situate nell'Inghilterra centrale o orientale e Cambridge era la principale città nell'Est della regione. Dal cimitero, in cui sarebbero stati sepolti quasi quattromila caduti, si poteva scorgere, a ventisei chilometri di distanza oltre la pianura paludosa, il campanile della cattedrale di Ely, che per molti aviatori esausti aveva rappresentato un gradito punto di riferimento al ritorno da una missione in Europa.

Ma il contributo americano alla liberazione veniva riconosciuto anche in toni più lieti. Il *Times* pubblicava resoconti di partite di baseball in tutto il paese, riportava i risultati di entrambi i campionati di baseball statunitensi, la National League e l'American League, e suonava la grancassa in vista di una partita che si sarebbe tenuta a Wembley, il santuario del calcio inglese. La Croce Rossa americana, poi, aveva allestito i cosiddetti "rifugi delle ciambelle", più apprezzati delle tavole calde nazionali che servivano i tradizionali sandwich e le classiche torte inglesi. Una mostra di oggetti caratteristici della vecchia America a Wigan suscitava un animato dibattito sui presunti discendenti inglesi di Pocahontas, la leggendaria figlia del capo indiano Powhatan, che aveva salvato la vita del capitano John Smith, la quale era andata in moglie al colono della Virginia John Rolfe ed era morta a Gravesend dopo averlo accompagnato in Inghilterra insieme al figlio nel 1616. C'era poi la rubrica radiofonica *American Commentary* di Alistair Cooke, divenuta ormai un riferimento fisso nei programmi della BBC.

Alle sette e mezzo di quella mattina a Plymouth due americani scesero dal vagone letto del treno proveniente da Londra e salirono a bordo di una lancia della marina che salpò a grande velocità verso l'incrociatore pesante statunitense *Augusta*, dove fecero colazione con l'ammiraglio Kirk, comandante della Squadra navale occidentale del D-Day. Dopo un giro del porto, ormai affollato di unità navali di ogni genere pronte per l'invasione, salirono a bordo del cacciatorpediniere statunitense *David* e iniziarono la navigazione verso il mare aperto.

Il più anziano dei due, un sessantenne atletico e dalla chioma argentata, era il colonnello William Donovan, capo dell'Office of Strategic Services (OSS). Donovan, che era stato assegnato a quell'incarico dal presidente Roosevelt nel 1942, si era mostrato all'altezza del soprannome Indomito Bill affibbiatogli per le imprese che aveva compiuto durante la Prima guerra mondiale, infrangendo praticamente tutte le regole, non tenendo in alcun conto gli interessi costituiti di Washington e accaparrandosi i migliori talenti disponibili per fare dell'OSS l'equivalente e il rivale dei servizi segreti britannici, del PWE e del SOE messi insieme. In quel momento per lui la massima priorità era inviare in Francia agenti che dessero una mano nell'attuazione del D-Day.

Nel 1942 Donovan aveva raggiunto un accordo con il SOE sul rifornimento e il sostegno da assicurare ai movimenti della Resistenza in Europa, e alcuni dei suoi agenti della prima ora erano stati addestrati a Camp X, gestito dai britannici in Canada. Ma i capi dei servizi segreti inglesi, le cui ben consolidate reti organizzative erano già allestite, avevano opposto resistenza all'attuazione dei piani con cui Donovan intendeva realizzare reti americane indipendenti. Le relazioni privilegiate angloamericane, che pure fiorivano così vivacemente in tempo di guerra, avevano i loro limiti, e in materia di servizi segreti i britannici, forti della loro esperienza e temprati da tante battaglie, erano propensi ad assegnare agli statunitensi ruoli decisamente marginali. "Risulta sempre più penosamente chiaro che il SIS sta esercitando il proprio potere e la propria influenza per impedire l'affermazione [dei servizi informativi dell'OSS] in quanto organizzazione segreta equivalente, indipendente e coordinata" osservava un esasperato ufficiale dell'OSS a Londra. Sir Stewart Menzies, capo del SIS, aveva ribadito che gli statunitensi avrebbero dovuto fornire solamente un apporto parziale alle operazioni congiunte, e Donovan era stato costretto ad accettare; al di fuori dei rapporti ufficiali, tuttavia, considerava l'OSS la prima pietra di quella che nel dopoguerra sarebbe divenuta la CIA, l'agenzia informativa centrale americana indipendente.

L'uomo che accompagnava Donovan era David Bruce, direttore delle operazioni europee dell'OSS. Quarantaquattrenne, proveniva da una famiglia patrizia della Virginia; era un uomo alto e dai modi cortesi ed era sposato con Ailsa, figlia del multimilionario Andrew Mellon. Nei due anni precedenti aveva lavorato al numero 70 di Grosvenor Street, un palazzo anonimo ma intensamente sorvegliato. In quel momento l'edificio era affollato da agenti operativi dei servizi, scaltri anche se talora privi di esperienza; uno di questi giovani ufficiali era William J. Casey, che in seguito sarebbe divenuto il potente capo della CIA. "La Londra in cui vivevamo e lavoravamo" avrebbe ricordato "dava la sensazione di una città stretta d'assedio. L'atmosfera di provvisorietà che la permeava trovava un corrispettivo negli edifici scalcinati e non ridipinti, nella preponderanza di uniformi di ogni tipo e foggia, nella scarsità di veicoli a motore e in un senso stranamente commisto di trascuratezza, devastazione e impegno."

Bruce, anglofilo dichiarato, era stato anche membro della cosiddetta "Stanza", un gruppo di "quasi servizi segreti" del periodo prebellico fondato da facoltosi newyorkesi che veniva consultato spesso da Roosevelt. Le levigate maniere patrizie di Bruce erano state collaudate a fondo nelle guerre di quartiere con i militari statunitensi, nelle trattative con i capi dei servizi segreti dei governi europei in esilio e nell'allacciamento di relazioni con i circospetti britannici. Da ultimo lui e Menzies avevano faticosamente elaborato un progetto angloamericano congiunto, designato con il nome in codice Sussex. In Francia sarebbero state paracadutate squadre composte ciascuna da due agenti francesi, un osservatore e un operatore radio; il loro compito sarebbe stato raccogliere e fornire informazioni, in particolar modo sulle retrovie più che sulle aree in cui avrebbe avuto luogo l'invasione, che potessero rivestire interesse per il quartier generale di Eisenhower e quindi risultassero utili allo svolgimento delle operazioni. Lo SHAEF aveva debitamente fornito una lista delle priorità: centri di comunicazione dei tedeschi per gli spostamenti dalla e alla fascia costiera; nodi ferroviari in Francia e dal Belgio alla Francia; principali parchi di automezzi; principali attraversamenti della Senna e della Loira; principali quartieri generali tedeschi; principali campi d'aviazione e centri di rimessaggio dell'aeronautica tedesca. A differenza del circuito Headmaster cui partecipava Sydney Hudson e delle missioni di altre squadre del SOE, lo scopo di Sussex non consisteva nell'intraprendere azioni di sabotaggio o intervenire direttamente; i suoi agenti dovevano semmai rimanere defilati, osservare senza farsi notare e riferire.

Il Progetto Sussex era un altro segno dell'altissima priorità assegnata al D-Day dai servizi informativi alleati. In Francia esistevano già reti organizzative di agenti del SIS, molte delle quali avevano raccolto informazioni di primissima qualità in vista del D-Day. Tuttavia si temeva che il rafforzamento delle misure di sicurezza tedesche potesse finire per immobilizzarle, tagliarle fuori dai loro canali di comunicazione oppure esporle a infiltrazioni e allo smantellamento proprio nel momento in cui ve ne sarebbe stato il massimo bisogno. Sovrapporre gli agenti di Sussex al sistema esistente era un'ulteriore precauzione. Per raddoppiare la sicurezza si decise di tenere questi gruppi completamente isolati da quelli già esistenti in Francia nonché dalla Resistenza, in modo da prevenire l'eventualità che questi avessero subito infiltrazioni o fossero stati compromessi in altro modo. Dati i recenti successi dell'Abwehr, questa strategia stava cominciando a dare i suoi frutti. Metà dei gruppi di Sussex sarebbe stata sotto il controllo del SIS e si sarebbe occupata di aree che dovevano essere liberate dagli inglesi, gli altri sarebbero stati sotto il comando dell'OSS.

Nelle ultime settimane gli uomini di Bruce si erano impegnati freneticamente nell'addestramento degli agenti di Sussex e nel farli arrivare sul posto. Ormai ce n'erano già tredici al lavoro in varie località designate dallo SHAEF: gli ultimi tre erano stati fatti paracadutare appena quarantotto ore prima, e proprio quel giorno erano stati inviati messaggi radio agli agenti sul posto per chiedere loro di cominciare a inviare i loro rapporti informativi. C'erano alcune domande specifiche, ribadiva lo SHAEF, a cui si doveva rispondere entro sabato 3 giugno.

Il primo agente americano di Sussex, un francese di ventitré anni indicato con il nome in codice Plainchant A, era stato fatto paracadutare nella località che per l'OSS era in testa all'elenco delle priorità, vale a dire a Le Mans, nelle immediate vicinanze dei luoghi in cui Sydney Hudson e Sonia d'Artois si stavano impegnando duramente per compiere le loro azioni di sabotaggio. L'uomo era giunto provvisto di una pistola automatica calibro 45 e tre caricatori di munizioni, bombe a mano, carte geografiche, equipaggiamento per le segnalazioni, pillole di veleno con le quali suicidarsi in caso di cattura e un apparecchio Klaxon, ossia un sistema per le comunicazioni radio vocali da terra a un aereo. Appena dieci giorni prima il suo operatore radio aveva finalmente allacciato il primo contatto radio con la Gran Bretagna.

In quel momento critico per il D-Day ci si sarebbe potuti aspettare che Bruce rimanesse a Londra. Ma l'Indomito Bill, fedele al suo carattere, voleva essere personalmente in azione nel D-Day e si era recato in aereo nella capitale pochi giorni prima. Fatto ancora più caratteristico, aveva sfidato gli ordini in senso contrario ordinando a Bruce di accompagnarlo e di tenere un diario. Anche questo andava contro le regole. Lo scopo per cui erano venuti a Plymouth era appunto trovarsi in prima fila per lo spettacolo del D-Day: volevano accompagnare la Squadra navale occidentale a Utah Beach, il più occidentale dei cinque siti di sbarco alleati sulla costa normanna, e assistere alla battaglia dal largo. Bruce aveva già iniziato il suo diario. Una delle prime cose che osservò era che il capitano della *Davis* non aveva ancora partecipato ad alcuna riunione informativa in vista del

D-Day né aveva ricevuto i codici per le comunicazioni, dato che era arrivato appena quattro giorni prima insieme a un convoglio che aveva scortato attraverso l'Atlantico. Aveva l'impressione che tutto venisse fatto con troppo ritardo.

A Portsmouth l'ammiraglio Ramsay stava aggiornando il suo diario. Il rapporto del servizio meteorologico dell'Ammiragliato per i giorni a venire non era del tutto soddisfacente, osservava "anche se il nostro principale motivo di apprensione non è lo stato del mare bensì la nuvolosità". Ma la situazione non era abbastanza seria da meritare più di una frase. Nel primo pomeriggio un temporale proveniente da Boulogne si era spostato verso il centro della Manica e aveva fatto scendere la temperatura. Più tardi un altro temporale, di gran lunga più intenso, si era protratto fino a sera, riversando pioggia abbondante. Alle cinque del pomeriggio la temperatura nello stretto di Dover era scesa a tredici gradi e quella notte il tempo rimase sereno anche se fresco. L'ondata di calore che aveva soffocato l'Europa occidentale negli ultimi cinque giorni era finalmente terminata. In compenso, non vi era stata alcuna interruzione dei bombardamenti: quella notte lungo le coste sudorientali dell'Inghilterra gli edifici furono scossi dalle esplosioni che si susseguivano al di là della Manica mentre i bombardieri pesanti della RAF tornavano a riversare il loro carico micidiale sulle difese costiere tedesche.

5
L'ora del combattimento si avvicina
Giovedì 1° giugno

Il *Times* di Londra ricordava i motivi per cui la liberazione dell'Europa restava una battaglia che bisognava combattere. Gli articoli sulla "guerra oltre il Vallo" riferivano invariabilmente vicende di sofferenza e barbarie. "In Norvegia" scriveva un anonimo corrispondente "i plotoni d'esecuzione lavorano molto [...] I norvegesi oppongono una fiera resistenza, non sempre passiva, alla recente mobilitazione della forza lavoro." I nazisti, spiegava, si rendevano conto che quella lotta era solo un assaggio di ciò che sarebbe accaduto quando i patrioti di tutta l'Europa si fossero messi in contatto con le forze di invasione, e quindi dovevano cercare di schiacciare la Resistenza subito. Perciò era di importanza vitale che il movimento clandestino scegliesse con cura il momento per entrare in azione: i tedeschi avevano già propalato falsi resoconti di sbarchi per indurre i partigiani a uscire allo scoperto, ma solo l'Alto comando alleato avrebbe dato il segnale quando fosse venuto il momento di agire. Nel frattempo i combattenti nell'ombra avrebbero continuato a sabotare ferrovie, distruggere centrali elettriche, ostacolare la produzione bellica nelle fabbriche e nei cantieri navali. "Imprese del genere richiedono grandissimo coraggio" rilevava con entusiasmo il corrispondente "perciò gli uomini e le donne che li eseguono meritano il plauso del mondo libero. Ne pagano le conseguenze di persona, con prontezza e sprezzo del pericolo. La barbarie con cui vengono puniti non scoraggia dall'azione, ma anzi incita a un'ulteriore resistenza."

Le notizie provenienti dalla Grecia offrivano una vivida conferma di questo messaggio. Dopo aver riunito alcuni sospetti in un villaggio nei pressi del monte Olimpo, alcuni militari tedeschi si erano fermati sulla riva di un torrente per prendere il sole e fare una nuotata, e lì erano stati ferocemente attaccati da partigiani armati di pistole e coltelli. Alla fine dello scontro centocinquanta soldati erano rimasti a terra, mentre le loro armi e munizioni erano sparite insieme ai partigiani, dileguatisi fra le montagne. Episodi del genere erano ormai frequenti nei Balcani occupati e costringevano le truppe tedesche a fronteggiare una guerra di logoramento spietata e ininterrotta, cui contribuiva generosamente l'apporto di agenti, armi e oro fornito dal SOE e da altri emissari alleati.

A Caen, André Heintz si infilò la cuffia della sua radio a galena. Quella mattina il quotidiano locale dava ampio spazio agli agricoltori che si lamentavano della siccità, anche se in effetti era caduta un po' di pioggia, quanto mai bene accetta. Ouistreham era stata bombardata, sebbene in modo non molto grave; certo non come Rouen, da dove arrivavano resoconti secondo cui oltre mille civili erano rimasti uccisi nelle incursioni alleate.

Stavano per scoccare le 21.15. André si sintonizzò sulla BBC, domandandosi se il messaggio di avvertimento sarebbe arrivato quella sera. Ormai aveva ripetuto il rituale abbastanza a lungo perché l'operazione divenisse quasi noiosa, ma sapeva che quando avesse sentito le parole fatidiche tutto quello che aveva passato fino ad allora sarebbe svanito e la scarica di adrenalina sarebbe stata tanto potente quanto l'eccitazione che aveva provato pochi mesi prima nel corso di un'altra missione svolta per la Resistenza.

Sulla scogliera di Longues, che sorgeva sulla costa normanna poco a est del porto di pesca di Port-en-Bessin, vicino a Bayeux, i tedeschi avevano costruito un'imponente batteria, equipaggiata con quattro enormi cannoni della portata di venti chilometri. I pezzi di artiglieria erano nascosti sotto una rete mimetica e quindi non potevano essere avvistati dall'alto, ma l'agricoltore proprietario del terreno aveva misurato con la massima cura la distanza fra le casematte, il bordo della scogliera e il posto di comando e di avvistamento. Poi aveva ripetuto le misurazioni al suo nipotino cieco di nove anni fino a fargliele imparare perfettamente a memoria. In seguito il ragazzino, che aveva ottenuto un lasciapassare accampando la scusa che doveva recarsi in visita da uno zio, si era fatto dare un passaggio fino a Caen e aveva fornito i dati a un amico di André, un attivista della Resistenza di nome Jean Guérin, esperto di cartografia e crittografia. Questi, dopo aver composto il messaggio, lo aveva firmato "Alain Chartier", il nome del poeta normanno del XV secolo che aveva scritto *La belle Dame sans merci*, titolo che John Keats avrebbe preso a prestito quasi quattro secoli dopo per una memorabile poesia. Il messaggio era stato poi inviato via radio in Gran Bretagna. Guérin aveva chiesto ad André di rimanere in ascolto di qualsiasi segnale potesse confermarne la ricezione, e qualche giorno dopo con la sua radio a galena lui aveva captato le parole "Alain Chartier, poète bas-normand, est né à Bayeux" ("Il poeta normanno Alain Chartier nacque a Bayeux"). Era stato elettrizzante sapere che Londra aveva ricevuto e apprezzato il frutto del loro lavoro. Quella era una buona notizia anche per l'operatore radio, perché significava che non avrebbe dovuto effettuare una seconda trasmissione: da quando i tedeschi avevano aperto una caccia spietata alle radiotrasmittenti illegali, numerosi operatori erano stati arrestati mentre inviavano per la seconda volta un messaggio che per qualche motivo era andato disperso durante la prima trasmissione. In effetti i tedeschi avevano intercettato il messaggio e in seguito nella zona erano stati avvistati almeno sei camion muniti di radiogoniometri, sicché la Resistenza era stata costretta a sospendere tutte le comunicazioni per quasi tre settimane.

André regolò meglio la cuffia e ascoltò con attenzione la fievole litania di messaggi personali che arrivavano sulle onde radio: "Messieurs, faites vos jeux" ("Signori, fate il vostro gioco"), "La sirène a les cheveux décolorés" ("La sirena ha i capelli ossigenati"), "L'électricité date du vingtième siècle" ("L'elettricità risale al XX secolo"). Nulla che lo riguardasse. Poi altri: "L'espoir brûle toujours" ("La speranza arde sempre"), "Le chameau est poilu" ("Il cammello è peloso"), "La lune est pleine d'élephants verts" ("La luna è piena di elefanti verdi").

E poi, d'un tratto, eccole. Erano proprio le poche parole che si era impresso in tutta fretta nella memoria durante un furtivo incontro a scuola pochi giorni prima.

Stava facendo una delle sue lezioni quando era entrato un bidello, avvertendolo che una certa Madame Bergeot aveva urgente bisogno di parlargli. Si era subito insospettito: Bergeot era il vero nome dell'uomo che aveva sostituito lo sventurato Yvon nel ruolo di suo principale contatto, ma per motivi di sicurezza si era sempre presentato come Courtois. Che fosse una trappola della Gestapo? Forse quella donna era una specie di agente provocatore? Si affrettò a uscire per scendere all'ingresso, lasciando la scolaresca a scatenarsi. Facendo l'ingenuo, prese la donna per il braccio e la condusse sulla via, come se non volesse essere visto insieme a lei nella scuola; in realtà voleva scoprire se ci fosse un'automobile della Gestapo in agguato lì fuori.

Diede un'occhiata in giro e, non avendo notato nulla di sospetto, la condusse nuovamente dentro, dove quella gli bisbigliò disperatamente nell'orecchio alcune frasi che gli ordinò di imprimersi nella mente. Gli disse le parole che avrebbero indicato l'avvicinarsi del momento dell'invasione, il messaggio che gli avrebbe dato un preavviso di ventiquattro ore e i versi che avrebbero specificato i vari tipi di sabotaggio da intraprendere: contro la ferrovia, contro le linee telefoniche o in vista dell'azione di guerriglia.

L'ultima frase che memorizzò era il messaggio in codice per avvertire del rinvio dell'invasione: "Les enfants s'ennuyent dans le jardin" ("I bambini si annoiano nel giardino"). A quel punto André sentì trambusto al piano di sopra e si ricordò dei suoi allievi, che a loro volta stavano manifestando una certa noia. Ringraziò frettolosamente Madame Bergeot, salì su per le scale e tornò ai suoi doveri, ma troppo tardi: il preside, messo in allarme dal rumore, era già sul posto. André riuscì a inventare una scusa per giustificare l'assenza solo facendo appello a tutto il suo ingegno, e fortunatamente il preside decise di non approfondire troppo la questione, ma lui non avrebbe mai dimenticato quella frase. In seguito, secondo quanto gli era stato indicato, inviò a tutti i membri del suo gruppo cartoline degli arazzi di Bayeux sul retro delle quali aveva scritto due sole parole: "Bons baisers" ("Tanti baci"): era l'avvertimento a tenersi pronti per l'azione.

Così, quella sera non aveva avuto problemi a riconoscere le parole "L'heure du combat viendra" ("L'ora del combattimento si avvicina"): era il messaggio di allerta generale per il Reparto M1 della Resistenza francese, il suo reparto, quello della Normandia, che avvertiva di tenersi pronti per ogni tipo di azione. Poteva attendersi l'invasione in qualsiasi momento di quel mese. Ora il suo compito era avvertire tutti i suoi contatti di rimanere in attesa e tenersi pronti.

André Heintz non era il solo ad ascoltare la BBC quella sera. Oltre ai suoi compagni della Resistenza e agli agenti britannici sparsi su tutto il territorio francese, in quel momento era in ascolto anche uno snello ufficiale dai capelli scuri dell'Abwehr, Oskar Reile.

Reile, un ex ispettore di polizia di Danzica, si era fatto le ossa nel controspionaggio in Renania, all'epoca in cui si doveva preparare la strada alla rioccupazione della regione da parte di Hitler, avvenuta nel 1936. Nel 1944 comandava la terza sezione dell'Abwehr, appunto quella del controspionaggio, a Parigi. Il suo quartier generale all'Hôtel Lutetia, sulla Rive Gauche, non era distante dal nascondiglio di Albert Grunberg. Aveva trascorso mesi a dare la caccia alle cellule della Resistenza e alle reti del SOE e a reclutare informatori, e nell'ottobre del 1943 era riuscito a mettere a segno un colpo fortunato: dopo essersi a infiltrato in un circuito del SOE, era venuto a conoscenza non solo del sistema di codice aperto impiegato dalla BBC in generale, ma in particolare di un certo messaggio di avvertimento. Si trattava di una versione lievemente modificata della prima strofa di *Chanson d'automne*, un famoso sonetto del poeta simbolista dell'Ottocento Paul Verlaine:

Les sanglots lourds
Des violons
De l'automne
Bercent mon cœur
D'une langueur
*monotone.**

La prima parte di questa strofa, fino alla parola *automne* compresa, significava che l'invasione sarebbe avvenuta entro il prossimo mese. La seconda parte avrebbe avvertito i circuiti clandestini che gli sbarchi sarebbero avvenuti nelle ventiquattro ore seguenti.

In realtà questo codice poetico era destinato a un solo circuito del SOE, quello chiamato in codice Ventriloquist, che operava a sud della Loira ed era diretto da Philippe de Vomécourt, l'agente con cui Sydney Hudson si sarebbe dovuto mettere in contatto in occasione del suo primo lancio, per poi dirigersi a nord verso il dipartimento della Sarthe. Inoltre il messaggio era specificamente riferito al sabotaggio ferroviario, non ad altri obiettivi quali telecomunicazioni e strade. Dunque non era, come è stato spesso affermato, l'allarme generale per tutti i circuiti SOE in Francia. Tuttavia Reile aveva ragione a pensare che esso fornisse un indizio cruciale sull'imminenza del D-Day, e tutti i suoi addetti all'ascolto erano stati messi in allerta ai versi di Verlaine.

Quella sera anche gli uomini di Reile, avidamente protesi, come André Heintz, verso i loro apparecchi radio, sentirono il cruciale incipit del sonetto: seppero così che la tanto attesa invasione alleata sarebbe avvenuta entro il mese.

Rommel trascorse la mattinata del 1° giugno a La Roche-Guyon discutendo con un funzionario del ministero della Propaganda sulla li-

* "I gravi singulti / dei violini / dell'autunno / cullano il mio cuore / con un monotono / languore." [N.d.T.]

nea da adottare contro gli Alleati quando avesse avuto luogo l'invasione. Poi, nel pomeriggio, partì per un altro giro di ispezione delle difese del Vallo Atlantico. Significativamente, alla luce delle sue convinzioni riguardo al probabile sito dell'invasione, scelse il tratto di costa intorno a Dieppe, a nord della Senna. Come era avvenuto durante il suo recente giro a Riva-Bella, la visita gli fornì un'occasione di confronto con la dura realtà: nel corso di quella giornata la batteria mobile di artiglieria costiera di Ault fu bombardata dagli Alleati per ben due volte, tanto che Rommel fu costretto a ordinarne l'evacuazione finché non ne fossero state completate le piazzole di cemento. La schiacciante superiorità dell'aviazione alleata e l'impreparazione tedesca erano fin troppo evidenti.

Mentre Rommel eseguiva il suo giro di ispezione a Dieppe il generale Erich Marcks, comandante dell'LXXXIV Corpo d'armata, visitava la piccola località balneare di Arromanches-les-Bains, la quale faceva parte del fronte che si estendeva per un centinaio di chilometri lungo la costa normanna e, difeso da solo due delle divisioni di Marcks, era da lui considerato il settore più debole di tutta la zona sotto il suo comando. Due settimane prima Marcks aveva confidato alla moglie di avere la sensazione che gli Alleati sarebbero stati pronti ad attaccare il giorno del suo compleanno, il 6 giugno. Quel giorno, scrutando il mare da una collina fuori città, si rivolse a un aiutante di campo al suo fianco e ripeté praticamente alla lettera la previsione. «Se conosco gli inglesi» disse «andranno a messa per l'ultima volta la prossima domenica e salperanno lunedì. Il gruppo di armate B dell'esercito dice che non arriveranno ancora e che quando lo faranno sarà a Calais. Perciò penso che li potremo accogliere lunedì, proprio qui.»

Il primo giorno del nuovo mese trovò Hitler ancora al Berghof, immerso nella placida routine che aveva seguito per tutta la primavera. Si alzava tardi, trascorreva la mattinata fra riunioni e conferenze o al telefono e poi, dopo pranzo, si concedeva la sua passeggiata pomeridiana alla Casa del tè per mangiare qualche dolce e chiacchierare un po'. La sera, dopo cena, intratteneva i suoi ospiti con proiezioni di film, musica e conversazioni che potevano protrarsi fino alle prime ore del mattino. Spesso si lanciava in monologhi sconnessi su argomenti da tempo familiari, come la lotta contro gli ebrei e i comunisti o l'ascesa del partito. Altre volte sprofondava in un silenzio ostinato: il suo sguardo si fissava su un punto distante, invisibile all'uditorio, e lui smetteva di prestare attenzione agli altri. I visitatori obbligati trovavano questa situazione intollerabile. «Può essere il Führer finché vuole» osservava Magda, la moglie di Goebbels, a proposito di questo genere di serate con Hitler, «ma si ripete sempre e annoia i suoi ospiti.» Nicolaus von Below, l'ufficiale della Luftwaffe che aveva il ruolo di aiutante di stato maggiore di Hitler ed era ormai un compagno fisso della sua routine domestica, notò quanto questa ricordasse da vicino le abitudini del Führer in tempo di pace. Ora però, mentre la marea della guerra stava per cambiare in modo decisivo, lassù nel suo ritiro di montagna Hitler sembrava dimentico delle correnti impetuose che turbinavano minacciosamente più in basso.

In effetti, mentre la situazione peggiorava di giorno in giorno, il Führer si ritirava sempre più in un mondo personale e isolato fatto di ricordi e illusioni. "Era allarmante" rileva von Below "constatare come il suo contatto con la realtà tendesse a farsi sempre più labile." Ormai Hitler si trovava al Berghof già da quasi cinque mesi. A Berlino i suoi ministri e i suoi cari amici litigavano fra loro, gestivano e ampliavano i propri feudi personali e facevano a gara per attirare l'attenzione del Führer. Di quando in quando uno di loro si presentava al Berghof, dopo esservi stato convocato da Hitler, suscitando un fermento di folle agitazione. Ma poi l'ospite se ne andava e a Hitler tutto sembrava nuovamente normale e placido: la limpida aria di montagna tonificava il suo umore, le foreste verde cupo ammantavano i versanti delle colline con il loro fogliame perenne, i torrentelli montani rumoreggiavano in lontananza e il sole serale ripeteva il suo rassicurante e immutabile rituale di trasformare le vette alpine coperte di neve in un cangiante scenario tinto di rosa e d'oro. Lassù nel cielo, intanto, le aquile continuavano a planare senza posa sfruttando le correnti ascensionali.

Peter Moen, murato nella sua desolante cella di Oslo, stava affrontando il suo centodiciannovesimo giorno di prigionia. Intorno a lui, come riferiva il *Times* quella mattina, la Resistenza norvegese incalzava visibilmente e udibilmente. La sua cattura e quella di altri uomini della stampa clandestina avevano provocato la chiusura di tredici giornali, ma ormai il sentimento nazionale era così ardente, e l'odio per gli occupanti così profondo, che gli arresti del febbraio del 1944 avevano provocato solo un'interruzione temporanea delle attività partigiane. I ripetuti e infervorati appelli di Quisling a collaborare con le forze di Hitler si scontravano perlopiù con una sorda indifferenza. Ma l'NS e la sua ala armata, lo Hird, che si rifaceva al modello delle SS di Himmler, attiravano abbastanza fanatici da rappresentare una minaccia seria per i partigiani norvegesi. Quisling stesso, invece, risultava poco credibile agli occhi del Reichskommissar Josef Terboven, il governatore del paese nominato dai nazisti.

Il re e il suo governo rimanevano a Londra in atteggiamento di sfida. Quel giorno, in effetti, re Haakon e il principe ereditario Olaf visitarono in veste ufficiale una mostra sui prigionieri di guerra allestita a Pall Mall. La flotta mercantile norvegese, la quarta al mondo per dimensioni, si era consegnata volontariamente nelle mani degli Alleati, e un numero sempre maggiore di norvegesi veniva rimpatriato a bordo di piccole imbarcazioni e pescherecci che attraversavano il mare del Nord per infiltrarsi nel paese e svolgere missioni di sabotaggio e spionaggio. Milorg, la Resistenza armata organizzata su scala nazionale, cooperava strettamente con il governo di Londra e aveva suddiviso la Norvegia in quattordici distretti, ciascuno dei quali a sua volta era suddiviso in dipartimenti e zone con i loro piccoli gruppi di partigiani. A Oslo il Comitato centrale della resistenza operava nella clandestinità come un governo ombra. I resistenti venivano chiamati "forze patriottiche" e potevano contare sulla fedeltà di quasi tutti i compatrioti. Anche se la Norvegia poteva sembrare un teatro bellico di importanza secondaria, i suoi abitanti non riuscivano mai a dimenticare la guerra intorno a loro; quella notte, per esempio, i nuovi caccia ad ampio raggio d'azione e gli aerosiluranti della Royal Navy sferrarono un pesante attacco contro un convoglio di rifornimento tedesco al largo della costa norvegese, abbattendo vari Messerschmitt e altri caccia che avevano tentato di intercettarli.

Non appena era venuto a conoscenza dei piani nazisti per la coscrizione dei cittadini in vista del lavoro obbligatorio il governo norvegese in esilio aveva diffuso un ordine attraverso la BBC: nessuno doveva obbedire alle richieste dei tedeschi. Gli apparecchi meccanografici a schede impiegati per la registrazione della forza lavoro divennero così un obiettivo primario degli atti di sabotaggio, mentre gli uomini giovani fuggivano di casa, dando luogo al fenomeno dei "ragazzi nella foresta", un contingente affine al maquis francese. Quando i nazisti reagirono rifiutando di distribuire le tessere annonarie a coloro che non le venivano a ritirare di persona i partigiani organizzarono un'incursione e rubarono ottantamila tessere durante il trasporto dalla stamperia. In tutto il paese si presentarono per il lavoro obbligatorio solo trecento uomini.

Era il frutto della precoce resistenza messa in atto da patrioti come Moen. Quel giorno il suo pensiero si concentrava sulle razioni.

Ciò che lui e i suoi compagni di cella ricevevano era "incredibilmente buono", ammise nel suo diario: salsicce, marmellata, formaggio, paté di fegato, sardine. Il problema non era la qualità, bensì la quantità, che era molto ridotta, sicché la fame li tormentava sempre. La situazione, inoltre, si stava aggravando: fino a poco tempo prima i prigionieri cui era stato riconosciuto il diritto di farsi spedire pacchi da casa potevano ricevere anche un chilo di viveri ogni quindici giorni, e di solito li dividevano con i compagni. Tuttavia, come rappresaglia per la fiera resistenza all'esterno, quel privilegio era stato revocato, e di lì a poco Moen aveva dovuto annotare che la colazione si era ridotta a due pezzetti di pane e una tazza di surrogato di caffè. Il pasto di mezzogiorno consisteva in un pezzetto di pesce, cinque piccole patate, di cui una marcia, e una scodella di zuppa di pesce, mentre quello della sera si limitava a pane e a una ciotola di minestra liquida e farinosa.

Quello che gli riusciva più difficile da sopportare, tuttavia, era la completa mancanza di tabacco. Visto che veniva privato dei più elementari strumenti di stimolo intellettuale, come libri e giornali, la mancanza della più semplice delle droghe gli sembrava pressoché intollerabile.

La sua sola consolazione era sapere che non se la passava poi tanto peggio di molti altri civili in libertà. Le razioni erano scese a nuovi minimi, le code per il cibo erano la norma e si facevano sempre più lunghe, i succedanei avevano da tempo sostituito il sapone e il caffè e la gente si era ridotta a indossare scarpe di cartone con suole di legno, a dormire sotto coperte di carta e a usare sporte fatte con scaglie di pesce. Quando riusciva a dimenticare di trovarsi in una cella della Gestapo, Moen si sentiva addirittura fortunato.

Nella guerra che si stava combattendo oltre il Vallo Atlantico la Resistenza era divenuta un fiume in piena alimentato da una miriade di ruscelli: gli organi di stampa clandestini, gestiti da persone come Moen, informavano e mobilitavano milioni di persone; André Heintz e innumerevoli migliaia di altri come lui fornivano informazioni preziose agli Alleati; centinaia di agenti del SOE come Sonia d'Artois e Sydney Hudson preparavano elaborati piani di sabotaggio in vista del D-Day.

In tutta la Francia, che costituiva il principale obiettivo degli sforzi alleati, i gruppi di giovani armati del maquis, nascosti sulle colline e nelle foreste, venivano riforniti di armi dai lanci paracadutati degli Alleati. Nella maggioranza dei casi essi avevano cominciato come renitenti alla leva, sottraendosi alla coscrizione per il lavoro obbligatorio nelle fabbriche tedesche. Questo primo atto di disobbedienza li conduceva inevitabilmente a commetterne altri: privi di tessere annonarie e di documenti di identità, diventavano fuorilegge ricercati e finivano giocoforza per entrare nel vasto mondo clandestino della Resistenza.

Il percorso di Albert Grunberg assomigliava al loro, solo che nel suo caso a farlo diventare un nemico del Reich era stato il semplice fatto di essere ebreo. Anche lui, quando erano venuti a prenderlo, era scappato. La sua fuga aveva richiesto coraggio e lo aveva trasformato da un giorno all'altro in un resistente. Anche quelli che lo avevano aiutato, in una cerchia di silenziosa complicità, avevano deciso di schierarsi dalla parte della Resistenza, giacché agli occhi degli occupanti nazisti e del governo di Vichy aiutare un ebreo era un crimine contro lo stato, mentre denunciarlo comportava una ricompensa. In aprile le SS avevano infatti introdotto un nuovo metodo per intensificare la loro infaticabile caccia agli ultimi ebrei rimasti in Francia. "I premi non dovranno essere troppo elevati" avvertiva l'ordinanza. "Tuttavia dovrebbero essere abbastanza cospicui da incoraggiare l'iniziativa [...] In generale la ricompensa sarà più alta nelle città che in campagna." La minaccia degli informatori era dunque più reale che mai.

Fra le persone che aiutavano Albert quella che correva i maggiori rischi era Madame Oudard, dato che gli offriva alloggio e gli portava da mangiare. Così facendo metteva in pericolo anche la propria famiglia: sua madre Mémé e i suoi figli, Lulu e Michel, che la aiutavano a preparare i pasti di Albert. Mémé, nonostante l'età avanzata, saliva di quando in quando sei piani di scale per andare a chiacchierare di politica con lui. Lo stesso faceva Michel, mentre Lulu talvolta gli dava una piccola dimostrazione degli esercizi di educazione fisica che imparava a scuola. Poi c'erano Monsieur e Madame Bon, i suoi vicini del sesto piano, che gli lasciavano usare la loro cucina quando erano fuori città: era una vera benedizione, soprattutto quando la situazione diventava particolarmente difficile tra lui e suo fratello Sami. Gli Ouvrard, una coppia di impiegati della metropolitana che vivevano allo stesso piano, gli offrivano da mangiare, e lo stesso facevano gli altri suoi vicini della porta accanto, i Maillard. I Fusey gli erano d'aiuto semplicemente dimostrandosi abbastanza discreti da non chiedere chi abitasse nella stanzetta. Il professor Chabanaud, che lavorava al Museo di storia naturale e abitava al piano inferiore, appagava il gusto di Albert per le discussioni su argomenti filosofici e scientifici. Una qualunque di queste persone avrebbe potuto tradirlo. Tutte mettevano a repentaglio la loro vita.

Quel giorno, finalmente, Albert ricevette la notizia che aveva atteso con ansia. I giornali pubblicavano articoli sul bombardamento di Chambéry e nel negozio dei Grunberg sua moglie Marguerite, affaccendata nel lavoro, stava immaginando Roger, il quale abitava nel centro cittadino, che aveva subito il peso maggiore dell'attacco, sepolto sotto uno spesso strato di macerie. Aveva trovato il tempo di scrivere ai due figli un appunto da cui trapelava la sua agitazione, ma tutti i tentativi di raggiungerli per telefono o di far loro pervenire un telegramma erano falliti.

Poi, alle cinque del pomeriggio, Albert aveva sentito un familiare colpetto alla porta e, aprendo, si era trovato di fronte Madame Oudard, che lo cercava con insolito anticipo. Teneva fra le mani una lettera. La diede all'esterrefatto Albert e sparì giù per le scale, rapidamente come era venuta. Lui ebbe appena il tempo di notare i suoi capelli in disordine. La missiva era giunta mentre la signora era in attesa del suo turno nel salone di Marguerite; quest'ultima l'aveva letta prima di consegnargliela e la vicina era corsa fuori per strada senza pensare per un attimo al proprio aspetto.

Si trattava di un messaggio brevissimo, poche righe scarabocchiate, ma diceva tutto. "Stiamo bene" lesse. "La città è stata bombardata ma i rifugi di qui sono scavati nella roccia e non c'è niente da temere." Più sotto c'erano le inconfondibili firme dei suoi figli. Sopraffatto dalla gioia, trovò ancora il tempo di scrivere la consueta pagina di diario della giornata. Madame Oudard gli aveva porto in fretta un piccolo regalo: "La chère lettre salvatrice" ("La cara lettera salvatrice"). I suoi figli erano in salvo. Quella era la salvezza anche per lui, nonché la fine dell'agonia e di tutti i timori che lo avevano tormentato.

Finalmente Sonia d'Artois riusciva a rilassarsi. Dopo i faticosi e torridi tragitti dal primo rifugio, la notte prima aveva raggiunto lo Château des Bordeaux, nei pressi del paesino di Amné. Aveva trascorso una notte di buon sonno in una tenda nascosta fra gli alberi sul retro della proprietà e con grande sollievo era riuscita a cambiarsi, indossando gli abiti estivi più leggeri che le erano stati procurati dai contatti di Sydney Hudson a Le Mans. L'unico problema rimasto era la spalla, che continuava a procurarle fitte lancinanti.

Quel mattino si sedette per la colazione sulla terrazza del castello di fronte a un bricco fumante di caffè. C'erano anche pane e appetitosi monticelli di molle formaggio bianco e di burro. Un vero lusso, pensò, anche se il caffè era un surrogato del tipo che si era imposto ormai dappertutto in Europa, fatto con la cicoria macinata, di sapore amaro. Si sentì a casa. Almeno era tornata in Francia.

Guardandola Hudson si domandò come fosse capitata lì. Aveva chiesto che gli mandassero una donna, ma lei aveva appena vent'anni e quella era la sua prima missione. Il SOE aveva cominciato a inviare le sue agenti in Francia nel 1942, ma i pregiudizi nei confronti delle rappresentanti del gentil sesso in missione al fronte erano stati superati solo lentamente. Certo, il capo del Reparto francese del quartier generale dei servizi informativi di Baker Street era una donna formidabile, Vera Atkins, ma impiegare le donne come punta di lancia nel conflitto andava contro la tradizione, specialmente quando il nemico era la Gestapo. Nessun'altra unità britannica aveva mai preso in considerazione la possibilità di esporle a un simile pericolo. Ma il SOE era un'organizzazione anticonvenzionale ed era pronto a infrangere tutte le regole.

Del resto, quel cambiamento si era reso necessario. Via via che le reti organizzative si allargavano in tutta la Francia, gli agenti avevano sempre maggiore bisogno di corrieri in grado di spostarsi nelle campagne o fra le piccole città e i centri maggiori, per tenerli sempre in contatto fra di loro. Quei corrieri dovevano essere figure insospettabili, tali da non suscitare l'attenzione dei tedeschi; dovevano potersi muovere inosservati su treni o pullman e passare attraverso i posti di blocco apparendo sempre innocenti e inermi; in breve, dovevano essere donne.

La questione fu discussa accanitamente all'interno del SOE. Alla fine fu portata all'attenzione del vertice, ossia dello stesso Churchill. «Impiegate donne per questo?» aveva domandato il primo ministro. «Sì» gli fu risposto «ma pensiamo che sia una cosa molto ragionevole, non crede?» Churchill aveva borbottato qualcosa e poi aveva assentito: «Sì. Buona fortuna».

Stavano arrivando in Francia sempre più numerose, e nella maggioranza dei casi erano donne come Sonia, che avevano vissuto in Francia o avevano origini anglofrancesi. L'esperienza dimostrava che potevano essere capaci quanto gli uomini: per quelle mansioni ci voleva naturalmente coraggio, ma erano necessari anche acume, immaginazione e adattabilità. Inizialmente erano apparse "insospettabili" ai tedeschi, ma ormai la Gestapo aveva cominciato a rendersi conto che essere donna non significava per forza essere "innocua".

Hudson fu colpito da come Sonia sembrava a suo agio e osservò con soddisfazione il modo in cui centellinava il caffè, proprio come una del luogo. Anche il suo accento era perfetto. La chiamò, in tono leggermente canzonatorio, Marguerite, la parola in codice impiegata nel messaggio del SOE per annunciare il suo arrivo. Lei rise e lui capì subito che sarebbero andati d'accordo.

Rimasero a sedere sulla terrazza, gustandosi la colazione e abbozzando i piani per il D-Day.

Non era certo troppo presto. Quella sera, alle 21.15, George Jones, che si era nascosto con il suo apparecchio radio nella boscaglia dietro di loro, si sintonizzò sulla BBC. Stette ad ascoltare il fiume di messaggi personali diffusi nei quindici minuti seguenti, che perlopiù rimanevano misteriosi e privi di significato anche per lui. Poi udì le parole che gli erano state insegnate. C'erano tre messaggi distinti, predisposti appositamente per il circuito Headmaster di Hudson, e ciascuno di essi era collegato a un obiettivo preciso. "Les gigolos portent des bracelets"; "Les visites font toujours plaisir" e "Les fleurs sont des mots d'amour": i gigolò che indossano braccialetti indicavano le ferrovie, le visite gradite parlavano di attività di guerriglia e di strade e le floreali parole d'amore significavano telecomunicazioni.

Ventiquattro ore prima del D-Day, ciascun ordine in codice sarebbe stato confermato da un'altra breve frase.

La trasmissione dei messaggi della BBC significava che la macchina del D-Day stava cominciando a funzionare a pieno regime. Non si tentò in alcun modo di dissimulare questo fatto. «Di tanto in tanto la marina sparisce dalla pubblica scena» aveva dichiarato l'ammiraglio Sir William James, capo dei servizi di informazione della marina all'Ammiragliato, in occasione dell'inaugurazione di una mostra fotografica sulla Royal Navy a Londra, «ma ora sta per tornare alla ribalta. Di qui a non molto raggiungeremo la fase in cui potremo dare inizio a una grande spedizione anfibia.» Anche il ministro della Produzione di Churchill aveva fatto un accenno simile nel discorso per il pranzo della Società degli orologiai di Londra. Nessun esercito sarebbe mai andato in battaglia, aveva proclamato Oliver Lyttleton, ben equipaggiato come quello che la Gran Bretagna avrebbe inviato sul continente. A Washington Henry Stimson, il segretario alla Guerra, aveva fatto allusioni a eventi di grande portata. Oltre tre milioni e seicentomila soldati americani prestavano servizio oltreoceano, disse, e «il periodo dell'azione decisiva è ormai vicino». Era il giorno in cui l'ammiraglio Ramsay aveva formalmente assunto il controllo dell'Operazione Neptune. Eisenhower trascorse il suo ultimo giorno a Bushy Park prima di trasferirsi nei suoi quartieri avanzati di Portsmouth.

Da diversi giorni Ike teneva riunioni con l'ufficiale capo del suo servizio meteorologico, il capitano della RAF James Stagg. Ike aveva previsto che da quel momento in poi tutti i suoi comandanti partecipassero a una riunione quotidiana per ricevere un aggiornamento ufficiale da Stagg. "Siamo tutti molto attenti al tempo ora" osservava Harry Butcher. Stagg, che aveva quarantatré anni, era uno scozzese dei bassopiani, alto e dai capelli rossi, "uno scienziato fin nel midollo" come ebbe a scrivere un cronista, "con tutta la consumata capacità dello scienziato di formulare un giudizio spassionato a partire dai fatti: un uomo dalla mente acuta e dalla prontezza conciliante, distaccato, risoluto e coraggioso".

Il D-Day era ancora previsto per lunedì 5 giugno. Per il momento il tempo era coperto e c'era una pioggia leggera: la cappa di caldo sembrava finalmente svanita. In seguito il sole fece una breve comparsa, ma verso la metà del pomeriggio fu nascosto da una bassa coltre di nubi. Ora il sole si levava prima delle sei del mattino e tramontava dopo le dieci di sera. A Londra l'oscuramento ufficiale andava dalle 22.52 alle 5.03. Le giornate continuavano ad allungarsi. Il plenilunio era previsto per il 6 giugno.

Eisenhower si sentiva fiducioso. "Le previsioni del tempo, sebbene ancora vaghe, sono generalmente favorevoli" recitava il testo del cablogramma che inviò a George C. Marshall, il capo di stato maggiore dell'esercito americano, in un messaggio personale e segretissimo "fanatizzato". "Tutti sono di buon animo e, salvo condizioni meteorologiche avverse, faremo il nostro numero come previsto." Una ragione del suo ottimismo era la spiccata sensazione che finalmente le più disparate componenti dell'enorme macchina da guerra alleata di cui era al comando stavano convergendo armoniosamente verso un unico obiettivo. La notte prima si era recato a Stanmore, il quartier generale della RAF alla periferia nordoccidentale di Londra, per discutere sulla distruzione delle stazioni radio tedesche d'alta potenza posizionate lungo la costa francese e impiegate per disturbare i radar alleati. Era presente il maresciallo dell'aria Sir Arthur Harris, il risoluto capo del Comando bombardieri della RAF, che si era opposto caparbiamente alla prospettiva di sottoporre i suoi al controllo di Eisenhower per il D-Day ed esprimeva apertamente il proprio scetticismo sui bombardamenti tattici. Ma Ike era stato molto lieto di sentire il combattivo Harris, detto il Bombardiere, domandare a un collega: «Perché non possiamo prendere una di queste stazioni radio stanotte?». Che Harris mettesse volontariamente a disposizione i propri aerei per un incarico così difficile e rischioso era un segnale insolito e quanto mai gradito. Quella notte, ricorda Harry Butcher, Ike "disse agli aviatori di scatenare pure l'inferno sulle aree dello sbarco". A quel punto concentrarsi su tali zone non avrebbe rivelato nulla ai tedeschi, dato il martellamento che veniva effettuato anche altrove.

Molto meno graditi erano i rumori che si sentivano provenire da dietro le quinte di Churchill. Verso la fine del pomeriggio Eisenhower aveva ricevuto un messaggio urgente dall'ammiraglio Ramsay: il primo ministro aveva elucubrato per il D-Day un progetto folle.

Quella mattina il comandante di Neptune si era recato a Londra, dove alle tre del pomeriggio si sarebbe dovuto incontrare con Churchill per una riunione nella Sala delle carte geografiche. Con sua sorpresa, Ramsay vi aveva trovato anche il re Giorgio VI, accompagnato dal suo segretario particolare, e sorprendendolo ancor più Churchill aveva rivelato che sia lui sia il re intendevano accompagnare le truppe oltre la Manica nel D-Day. Atterrito da quell'idea, Ramsay fece presenti i rischi che essa comportava, e non appena ebbe l'occasione di assentarsi decorosamente si attaccò al telefono per chiamare Eisenhower e sollecitarlo a intervenire. Ma Ike aveva già spiegato a Churchill che quella era un'idea folle. Immagini, gli aveva detto, «che la nave su cui lei è imbarcato venga colpita. Dovremo dirottare quattro o cinque navi per salvarla e lei diventerà un peso per tutta la battaglia», per non parlare delle conseguenze catastrofiche che sarebbero derivate se il primo ministro fosse rimasto ucciso.

Alle preoccupazioni di Ike si aggiungeva inoltre il fatto che, proprio mentre l'azione si spostava a Portsmouth, gli era stato comunicato che Churchill si accingeva a scendere in quella città per il fine settimana. Il generale Montgomery, che aveva sentito la notizia, era fuori di sé dalla rabbia: «Se Winnie viene, non solo sarà una grossa grana, ma attirerà qui un'attenzione assolutamente non necessaria» aveva esclamato. «Perché non va a fumarsi il suo sigaro al castello di Dover e a farsi vedere in compagnia del sindaco? Attirerebbe l'attenzione dei tedeschi su Calais.»

Stranamente, però, Ike liquidò la questione con un'alzata di spalle. Se Churchill era deciso, non era uomo da lasciarsi fermare. Inoltre, quanto all'idea che il primo ministro salpasse con le truppe del

D-Day, era fiducioso che non si sarebbe realizzata: da un lato era sicuro che il Gabinetto di guerra lo avrebbe vietato, dall'altro sapeva anche che Churchill era profondamente contrario al proposito del re di partire, perciò alla fine non avrebbe certo potuto chiedere di farlo lui. In effetti Ike stava avendo la meglio su Churchill grazie alle proprie abili manovre, perché non appena aveva sentito parlare del progetto del primo ministro aveva contattato Buckingham Palace e mobilitato il re perché vi si opponesse. Quanto all'arrivo di Churchill a Portsmouth, pensava che fosse meglio averlo vicino ma sotto controllo piuttosto che saperlo a Londra intento a elaborare altri piani pazzeschi. Inoltre lasciare che Churchill sventolasse pubblicamente il suo sigaro in faccia alla stampa mondiale a Dover, come aveva sbottato l'esasperato Montgomery, era uno stratagemma fin troppo evidente ed era probabile che finisse per risultare controproducente. Al momento Ike si sentiva sicuro che i piani stavano funzionando, e persino mentre provvedeva a contenere l'entusiasmo del primo ministro la sua équipe di specialisti in depistaggio stava discutendo sulle misure per sostenere le operazioni dopo il D-Day. Anche ammesso che gli sbarchi avessero avuto successo, si trovarono d'accordo sulla scelta di mantenere la minaccia contro la Norvegia meridionale e il passo di Calais; qualora la testa di ponte in Normandia si fosse impantanata queste minacce sarebbero state integrate incrementando quelle rivolte contro la Norvegia e puntando su Bordeaux.

Comunque la diplomazia personale di Ike era stata messa a dura prova, e Churchill stava saggiando i limiti della pazienza di tutti. Continuava ad andare su tutte le furie per i civili bombardati in Francia, e il rapido approssimarsi del D-Day lo stava eccitando fino alla frenesia. "Dio mio" confidò quella sera al suo diario un esasperato Sir Alan Brooke "quanto è difficile combattere una guerra e tenere le considerazioni militari al riparo da tutti gli interessi costituiti e dalla cretineria politica che vi è associata."

Ma guerra e politica procedono mano nella mano, e intanto la vita quotidiana proseguiva, come il commercio e gli affari. La Borsa di Londra stava a galla, con una forte domanda di titoli industriali e una diffusa crescita delle quotazioni. Anche Wall Street era luogo di scambi intensi. I pubblicitari captavano gli umori. "L'alba non tarderà a sorgere" era un titolo del *Times* di quel giorno. "Nelle ombre della notte abbiamo faticato per accelerare l'arrivo del mattino vittorioso. Ora che il giorno avanza i nostri pensieri tornano alle sicure necessità di una vita pacifica." I produttori di Chubblocks ("Ricciolitondi"), che pubblicavano questo annuncio corredato da un'opportuna illustrazione, erano impazienti di accaparrarsi i frutti dell'invasione imminente.

Invece per Jill (una delle due scimmie fuggiasche le cui smorfie avevano tanto divertito i londinesi nei giorni precedenti) non era in vista la liberazione: i ripetuti tentativi di allettare le due scimmie a calarsi dal loro albero a Hampstead erano falliti, e da ultimo Jack fu catturato, mentre Jill venne abbattuto. Un'altra notizia preoccupante per gli amanti degli animali era il calo del numero dei siti di nidificazione delle rondini. I cinema di West End richiamavano folle di spettatori con film come *Per chi suona la campana*, interpretato da Gary Cooper e Ingrid Bergman, al Carlton, o *Destinazione Tokyo*, con Cary Grant e John Garfield, al Warner. Al Duchess Theatre trionfava per il terzo anno di repliche *Blithe Spirit*, mentre all'Aldwych Lynne Fontain e Alfred Lunt mettevano in scena *There Shall Be No Night*. La British Archaeological Society teneva la sua assemblea annuale quel pomeriggio alle quattro e mezzo e al palazzo municipale di Londra la scuola di musicisti austriaci rifugiati in Gran Bretagna offriva in omaggio alla città un busto bronzeo. Alle 21.40 la BBC (servizio nazionale) trasmetteva un ciclo di *Lieder* del compositore cecoslovacco Janáček, cantati da Emilie Hooke, soprano, e Peter Pears, tenore. Il titolo, *Diario di un giovane scomparso*, coglieva opportunamente la sinistra incertezza che permaneva sul destino di tanti connazionali del compositore sotto il regime nazista.

Churchill, nel suo bunker rivestito di cemento a Whitehall, era di nuovo intento a leggere la sua razione quotidiana di messaggi di Ultra. Quel giorno era confortante la ricchezza di intercettazioni di dispacci militari tedeschi dall'Italia che rivelavano l'esaurimento di tutte le riserve disponibili ed erano punteggiati di espressioni quali "lotte dure e sanguinose", "infiltrazioni del nemico", "ritirata" e "crescente pressione alleata". Fra le intercettazioni compariva anche una protesta di von Rundstedt sulla perdurante penuria di trasporti in Francia, che stava ostacolando la costruzione delle difese del Vallo Atlantico.

A mezzogiorno partecipò a una riunione del suo Gabinetto di guerra. Parlarono della Iugoslavia, dove appariva ormai chiaro che tutti gli sforzi di gettare un ponte fra i realisti serbi e i partigiani comunisti di Tito erano condannati al fallimento. Inoltre rifiutarono, in quanto palese tentativo di mettere in difficoltà gli Alleati, una proposta della Gestapo di scambiare un milione di ebrei con diecimila camion e rifornimenti di caffè, tè, cacao e sapone. Ma la questione di gran lunga più spinosa rimaneva De Gaulle.

Roosevelt continuava a rifiutarsi di discutere con lui la questione del governo della Francia dopo la liberazione, e non esisteva un accordo perché il generale trasmettesse un comunicato radio alla popolazione il giorno del D-Day. Era previsto che tutti gli altri capi di stato in esilio, come re Haakon di Norvegia e la regina Guglielmina d'Olanda, si rivolgessero ai rispettivi paesi, e Churchill, che ormai manifestava chiari segni di impazienza nei confronti del suo alleato alla Casa Bianca, era irremovibile sul fatto che De Gaulle non doveva essere trattato diversamente. Appena quel mattino Lord Selborne gli aveva inviato una lettera in cui usava parole forti: "Dal punto di vista dei gruppi della Resistenza francese nell'Operazione Overlord" scriveva il ministro responsabile del SOE "un comunicato personale di De Gaulle rivolto a loro avrebbe un immenso effetto psicologico sul D-Day. [...] Non si può eludere il fatto che la sua influenza personale sui combattenti francesi è della massima importanza".

Ad Algeri, comunque, il balletto diplomatico proseguiva. Duff Cooper aveva ricevuto il telegramma con cui Churchill invitava De Gaulle a Londra, ma avendo notato che non vi si prometteva nulla riguardo alla discussione sul governo del dopoguerra in Francia decise di non inoltrarlo al generale, che, ne era certo, sarebbe esploso di rabbia. Consultò invece René Massigli, l'esperto di politica estera di De Gaulle, e i due concordarono un piano. Bisognava insistere perché il capo di France Libre si recasse a Londra, ma se gli americani avessero continuato a rifiutare di discutere questioni civili con lui sarebbe dovuto tornare subito ad Algeri, mettendo così pubblicamente in imbarazzo Roosevelt e inducendolo a fare concessioni. Massigli sapeva che sarebbe stato difficile far partire De Gaulle per Londra. Perciò aveva chiesto che Churchill venisse informato del piano e che dicesse al generale di essere d'accordo. Cooper tornò all'ambasciata britannica per spedire il telegramma.

Nel frattempo De Gaulle passava la giornata nel suo ufficio surriscaldato a Les Glycines rimuginando su come veniva trattato dagli Alleati. Roosevelt, molto sospettoso di quello che definiva il "complesso messianico" del generale, era assai male informato riguardo ai sentimenti gollisti diffusi in Francia: non più tardi del precedente febbraio il suo capo di stato maggiore personale, l'ammiraglio William Leahy, gli aveva assurdamente raccomandato il maresciallo Pétain come la persona più affidabile per guidare i francesi dopo il D-Day.

In quel momento centinaia di americani venivano addestrati negli Stati Uniti in vista di un loro invio in Francia per amministrare il paese dopo la liberazione, mentre le stamperie stavano già sfornando centinaia di migliaia di speciali banconote di occupazione. De Gaulle era ben consapevole di tali circostanze e ne era profondamente umiliato e adirato. Quanto alla Gran Bretagna, c'era già stato un terrificante diverbio a Londra, con Churchill che gli urlava al di là del tavolo: «Lei non è la Francia. Io non la riconosco come la Francia!».

Spesso, però, era proprio il comportamento irragionevole di De Gaulle a provocare reazioni del genere. Appena sei mesi prima, per esempio, aveva incontrato Churchill a Marakkech, dove il primo ministro si stava riprendendo da una polmonite dopo le fatiche della Conferenza di Teheran. La sua visita seguiva svariati mesi di dissidio con il primo ministro e De Gaulle era di umore irritabile già all'arrivo. Clementine Churchill, che parlava un ottimo francese, lo invitò a fare una passeggiata in giardino prima di pranzo. A un certo punto la conversazione si era fatta stentata. «Generale» disse la signora Churchill con lo stesso modo di fare diretto che a volte doveva adottare con suo marito «dovrebbe fare molta attenzione a non odiare i suoi amici più dei suoi nemici.» Lui aveva fatto tesoro di quel consiglio e dall'incontro in Marocco erano scaturiti un maggiore sostegno a favore della Resistenza francese e un patto in vista della partecipazione di France Libre al D-Day.

Ma ora tutto ciò sembrava in pericolo.

Le relazioni tese con De Gaulle avevano ripercussioni sulle trattative con i capi di France Libre a Londra circa le modalità dell'azione della Resistenza.

Dal numero 10 di Duke Street, un edificio nascosto dietro i grandi magazzini Selfridge's di Oxford Street, France Libre aveva costruito una formidabile organizzazione di spionaggio e sabotaggio. Nota con il nome di Bureau central de renseignements et d'action (BCRA), veniva diretta dal colonnello Passy, pseudonimo di André Déwavrin, un energico e leale seguace di De Gaulle. Grazie alla sua pronta cooperazione gli Alleati avevano elaborato un complesso piano d'azione con cui la Resistenza francese avrebbe potuto contribuire al D-Day: i suoi contingenti sarebbero stati riforniti di armi e munizioni, ma tenuti accuratamente sotto controllo, per essere sguinzagliati solo quando e dove il loro intervento avrebbe potuto giovare alle truppe alleate; di qui l'elaborato sistema di messaggi in codice destinati a persone come André Heintz. Tuttavia la necessità di mantenere il segreto del D-Day sotto la più stretta sorveglianza comportava che nemmeno agli ufficiali di France Libre venissero comunicati gli orari e i luoghi degli sbarchi, e così questi, che pure lavoravano duramente a fianco dei loro alleati americani e britannici, erano frustrati dal fatto di rimanere esclusi dalla pianificazione dell'invasione.

L'ufficiale dell'OSS William Casey fu testimone di una scena di questo genere poco tempo prima del D-Day nella sala del palazzo al 70 di Grosvenor Street in cui veniva pianificato il Progetto Sussex. Gli uomini di France Libre vi erano pienamente coinvolti, e fra le altre cose aiutavano gli Alleati a scegliere siti sicuri e adatti ai lanci con il paracadute. Uno dei francesi più pronti a collaborare era il colonnello Rémy, pseudonimo di Gilbert Renault-Rouilier, un bretone che prima della guerra era stato dirigente assicurativo e aveva allestito un'impressionante rete di servizi informativi chiamata Confrérie de Notre Dame (CND). Erano stati i membri di Century, la sezione normanna della rete informativa di Rémy, a contrabbandare con successo i piani del Vallo Atlantico a Londra.

Rémy stava in piedi di fronte a una grande carta geografica e indicava un punto in cui raccomandava che venisse paracadutata la prossima squadra di Sussex. Ma quel sito si trovava proprio dietro una delle spiagge in cui avrebbero avuto luogo gli sbarchi in Normandia e quindi venne subito scartato in quanto inadatto. Eppure nessuno sapeva dirgli perché. Insospettito, Rémy domandò se senza volerlo avesse sfiorato un segreto dell'invasione; se le cose stavano così, chiese che gli facessero il favore di dirglielo, in modo da consentirgli di svolgere il suo lavoro adeguatamente. Seguirono alcuni attimi di imbarazzo, finché gli venne detto, con gentile fermezza, che neppure nell'ultimo minuto del giorno previsto l'OSS gli avrebbe comunicato quando e dove sarebbero avvenuti gli sbarchi. Perciò gli ufficiali di France Libre, come Rémy e Passy, mai completamente coinvolti né completamente esclusi dalla pianificazione del D-Day, dovevano tenere a freno la propria frustrazione.

Per la seconda notte di seguito gli aeroplani del Comando bombardieri della RAF colpirono la stazione di smistamento ferroviario di Saumur, sulla Loira. In capo a venti minuti la coltre di fumo era divenuta così densa che si dovette lanciare un'altra serie di segnali di localizzazione, del tipo di quelli lasciati dagli aerei Pathfinder, per la seconda ondata di bombardieri in arrivo. La linea ferroviaria collegava Tours a Nantes, il temporaneo domicilio sulla Loira di Walter Schwender.

La sua seconda casa, Auschwitz, si trovava centinaia di chilometri più a est, sulla Vistola, nei pressi della storica città di Cracovia. Dopo la sconfitta della Polonia nel 1939 i nazisti vi avevano aperto un campo per prigionieri politici, nel quadro di un piano più ampio e ambizioso volto a trasformare la città e i suoi dintorni in un modello di insediamento tedesco all'Est. La popolazione polacca locale era stata deportata, e le case rimaste vuote messe a disposizione dei tedeschi. I primi internati del campo erano stati per la maggior parte polacchi, ma nel 1944 esso era ormai divenuto il più grande, internazionale e famigerato di tutti i campi di concentramento nazisti.

Già all'inizio del 1942 le SS avevano inaugurato un secondo campo, situato a quattro chilometri di distanza, noto come Auschwitz II o Auschwitz-Birkenau, dal nome tedesco del villaggio vicino, Brzezinka. La sua costruzione fu concepita con cura e attenzione, e i primi progetti furono opera di un diplomato del Bauhaus, la famosa scuola di arte e design.

Lo sterminio organizzato in massa degli ebrei europei era in pieno svolgimento. Birkenau era uno dei campi di sterminio principali, poiché era dotato di camere a gas e forni crematori e collegato alla rete ferroviaria europea da una linea secondaria appositamente costruita. Heinrich Himmler, il capo delle SS, lo aveva visitato nel luglio del 1942 e aveva assistito personalmente all'esecuzione con il gas di un gruppo di ebrei olandesi, rimanendo così compiaciuto di quanto aveva visto da autorizzare un ampliamento delle strutture e disporre che il ritmo di lavoro venisse accelerato. Successivamente aveva visitato la fabbrica della I.G. Farben, e a conclusione della giornata aveva partecipato a un sontuoso ricevimento insieme ad altre SS e personalità di Auschwitz. Verso la metà del 1944 le camere a gas di Birkenau dovevano funzionare oltre gli orari consueti per smaltire gli ebrei d'Ungheria, deportati su convogli che giungevano quotidianamente al campo.

La fabbrica della I.G. Farben denominata Buna, situata circa cinque chilometri a est dei due campi principali di Auschwitz, nei pressi del piccolo villaggio di Dory, attingeva la propria forza lavoro a un campo noto come Auschwitz-Monowitz o Auschwitz III. Monowitz era uno dei circa quaranta campi satellite sparsi in un'ampia area intorno ad Auschwitz; questi avevano varie dimensioni ed erano allestiti nei pressi di miniere, fonderie e fabbriche che lavoravano direttamente o indirettamente per l'industria degli armamenti: la I.G. Farben era solo una delle svariate imprese tedesche coinvolte. Monowitz era il più importante dei campi satellite e fungeva da quartier generale per gli altri.

Il campo di Monowitz era un quadrato di circa 550 metri di lato circondato da due recinti di filo spinato, di cui quello interno era elettrificato; comprendeva una sessantina di baracche di legno, in ciascuna delle quali dormivano 250 uomini che si stringevano a due per cuccetta. Sopra il cancello d'ingresso principale stavano scritte le parole grottescamente familiari agli internati dei campi di concentramento di tutta l'Europa occupata dai nazisti: "Arbeit macht frei" ("Il lavoro rende liberi"). Al centro del campo c'era un grande piazzale per le adunate, di fronte a esso stava un'aiuola erbosa in cui all'occorrenza venivano erette le forche per le impiccagioni; all'interno vi erano un ospedale gestito da medici delle SS e perfino una casa di piacere, il cui accesso, tuttavia, era rigorosamente vietato agli ebrei. I detenuti appartenevano a molte categorie, nazionalità e lingue diverse, ma nel 1944 il novanta percento degli internati era costituito da ebrei; tutti venivano ritenuti abbastanza giovani e in forze da sfuggire alla camera a gas almeno finché erano in grado di lavorare.

Il padre di Walter Schwender, Wilhelm, lavorava alla fabbrica Buna e vi giungeva ogni giorno dalla sua abitazione nel piccolo villaggio di Babitz. La località era situata vicino ad Auschwitz, alla confluenza dei fiumi Vistola e Sola; qui, come nella maggior parte dei villaggi vicini, i polacchi erano stati espulsi, le loro proprietà erano state confiscate e le loro case assegnate ai tedeschi. Babitz sorgeva accanto ai binari ferroviari, nelle adiacenze del campo di Birkenau, ed era provvista addirittura di un piccolo campo ausiliario proprio per l'allevamento di bestiame. Solo chi si fosse deliberatamente ostinato a chiudere gli occhi avrebbe potuto non sapere quello che stava accadendo lì, e perfino i visitatori occasionali della Buna avevano modo di vedere le ciminiere di Auschwitz ed essere investiti da quell'odore spaventoso. Ma il cuore dell'ideologia nazista era costituito dalla convinzione della superiorità razziale e dall'antisemitismo, e le SS ritraevano inesorabilmente gli ebrei e i prigionieri politici con le fattezze di nemici del popolo tedesco. Walter e i suoi genitori non mettevano in discussione questa situazione o, se lo facevano, tenevano per sé i propri pensieri. I prigionieri della Buna lavoravano con uniformi a strisce munite di triangoli colorati per indicare la loro categoria: verde per i criminali, rosso per i politici e una stella gialla per gli ebrei. "Come si può constatare" scriveva il padre di Walter "i criminali sono numerosi."

A quel punto della guerra la Buna era divenuta oggetto di un intenso interesse da parte degli Alleati non tanto per i prigionieri quanto per le sue potenzialità come fabbrica di gomma e combustibile sintetico, che ne facevano un obiettivo strategico importante. I voli regolari sul complesso di Auschwitz erano cominciati in aprile, quando i bombardieri della 15ª forza aeronautica di stanza in Italia avevano compiuto la loro prima missione di fotoricognizione sul luogo. Il giorno precedente un altro velivolo aveva scattato alcune foto della fabbrica, in previsione di una missione di bombardamento importante.

Quel giorno anche l'amministrazione delle SS del campo principale di Auschwitz aveva registrato alcuni mostruosi dati statistici. La deportazione degli ebrei ungheresi ad Auschwitz, che avrebbe finito per coinvolgere oltre 430mila persone, era cominciata alla metà di maggio; da allora, dai denti dei deportati uccisi nelle camere a gas erano stati ricavati quasi quaranta chili d'oro. Mercoledì erano giunti dall'Ungheria due dei 147 treni che avrebbero compiuto questo inusitato viaggio di morte; i carri bestiame piombati erano stipati con un carico umano di ottomila prigionieri. Il trasferimento aveva richiesto tre giorni e mezzo e, senza cibo né acqua, 55 persone erano morte in viaggio e altre duecento erano semplicemente impazzite. Quando i treni erano finalmente giunti alla banchina ferroviaria e le guardie delle SS avevano aperto i portelloni seimila fra uomini, donne e bambini erano stati subito messi in fila e avviati alle camere a gas. Duemila, cioè mille uomini e altrettante donne più giovani e in forze, erano stati invece inviati alle baracche in vista del lavoro forzato.

"Le squadre sono nelle grinfie del Controllo movimenti" recitava il diario di guerra dei Fucilieri di Regina di giovedì 1° giugno. "Tutti gli spostamenti avvengono in camion." Glenn Dickin stava per prendere congedo dal campo di Hiltingbury e dalla Gran Bretagna.

Dalla sua traversata dell'Atlantico due estati prima aveva fatto molte esperienze e mutato opinione su un gran numero di cose. Quel ragazzo delle praterie abituato a essere in sintonia con il paesaggio si era emozionato di fronte alla campagna inglese. In sella alla sua motocicletta, lungo le dune del Sussex, era rimasto colpito dagli scorci panoramici e meravigliato dalla pace e dalla tranquillità dell'insieme. "Su questo non c'è dubbio" aveva scritto alla madre "il paesaggio inglese è molto gradevole. Mi piace il vecchio villaggio in cui ci troviamo. È davvero tranquillo e rilassante." Alberi e fiori abbondavano e c'era una profusione di rose, "di quelle grandi, meravigliose". Anche sapersi più vicino all'azione gli sollevava l'animo. Ogni giorno aveva modo di vedere la storia che si avvicinava nel cielo. "Frotte di aerei rombanti, grandi e piccoli, veloci e potenti" raccontava con esultanza.

Eppure il contrasto con il Canada era spesso doloroso. I prezzi erano alti, gli ufficiali inglesi in cui si imbatteva non gli piacevano, trovava le sigarette locali impossibili da fumare e implorava i suoi di mandargliene da casa; né si era scaldato molto per le ragazze inglesi che aveva avuto occasione di incontrare ai primi balli cui aveva partecipato. Gli articoli che si leggevano sui giornali britannici a proposito della vita oltreatlantico lo facevano arrabbiare: affermavano che il dollaro valeva solo metà della sterlina inglese, eppure l'esperienza quotidiana gli dimostrava che con una sterlina si combinava la metà di quello che si poteva fare a casa. "Certo non sono molto soddisfatto dell'impressione iniziale che ho ricavato dalla Madrepatria" ammetteva.

Anche il primo periodo di addestramento in Gran Bretagna era stato duro. Non era trascorso un mese dal suo arrivo che già si trovava in una scuola di combattimento: veniva svegliato alle cinque del mattino per una corsa di cinque chilometri prima di colazione, poi doveva affrontare una marcia di altri sei chilometri fino al sito di addestramento, trascorrere l'intera giornata correndo su e giù in tenuta da combattimento e infine sorbirsi un'altra marcia di sei chilometri per fare ritorno alla base. Molto spesso, tutto ciò doveva essere affrontato sotto la pioggia battente e sembrava che non ci fosse mai abbastanza cibo. Come un ragazzo al campo estivo, corredava le sue lettere di elenchi di ciò che avrebbe voluto ricevere da casa: carne in scatola, succo di pompelmo e di mela, formaggio, marmellata fatta in casa, le cosce di pollo in conserva come le preparava sua madre. "C'è veramente da sperare che riusciremo a farla finita con questa schifosa guerra e a tornare in Canada dove potrò mangiare grosse bistecche e bere un sacco di latte" era un ritornello tipico. A un certo punto era così stanco che aveva addirittura cercato di entrare nei paracadutisti, che, scriveva, "vanno sempre su e giù su grossi aerei, che magari trainano alianti e così via e si divertono un sacco". Se non ci fosse riuscito, sperava di poter entrare nell'aviazione canadese. Ma né l'uno né l'altro progetto erano andati in porto.

Nel corso di quei due anni, però, si era pian piano aperto alle nuove esperienze e adesso si stava godendo la vita. Insieme ai pub, aveva visto un gran numero di film, compresi classici del periodo di guerra come *La signora Miniver* e *Pian della Tortilla*, e aveva addirittura trovato una ragazza inglese carina che aveva frequentato per alcuni mesi, una brunetta che portava a ballare sul sedile posteriore della sua motocicletta e i cui genitori l'avevano accolto calorosamente nella loro casa. Quando si era spostato in un secondo campo in un'altra parte del paese aveva trovato una sostituta: una ragazza bionda di origini olandesi. "Ho incontrato persone molto simpatiche e ho passato momenti davvero gradevoli" aveva scritto a casa in occasione del primo Natale trascorso lì. Aveva apprezzato anche la sua prima mensa ufficiali, la biblioteca di una maestosa residenza del XVII secolo con il soffitto dorato, migliaia di libri e un enorme caminetto, la cui struttura portante esibiva due figure scolpite, l'una "un bambino con un fascio di frecce, l'altra un uomo con il capo cinto da una corona di alloro". Fuori, nel parco, pascolava un branco di cervi.

Insieme a Gordon Brown aveva cominciato a giocare a hockey per la squadra del reggimento. Inoltre trascorrevano insieme le licenze a Londra, alloggiando all'esclusivo Hotel Savoy sullo Strand, un ritrovo frequentato dagli ufficiali canadesi e statunitensi in tempo di guerra; andavano a ballare e ad assistere agli spettacoli nel West End e si guardavano in giro ammirando le celebrità che volteggiavano nel salone dell'albergo. Uno dei loro soggiorni coincise con una visita di due dive di Hollywood, l'attrice comica Martha Raye e l'affascinante Kay Francis, che aveva interpretato Florence Nightingale nel film biografico *L'angelo bianco*. Le due attrici avrebbero recitato insieme quell'anno in *Quattro ragazze in una jeep*, in cui un quartetto di belle ragazze partecipa a spettacoli per lo svago delle truppe (uno dei casi in cui l'arte imita la vita, dato che entrambe erano celebri per le loro tournée a sostegno del morale delle truppe). Glenn era riuscito addirittura ad avvistare Raye che si aggirava nella hall avvolta in una pelliccia di visone. Aveva spiato anche Burgess Meredith, la stella del palcoscenico e dello schermo che l'anno precedente aveva diretto il film di presentazione dell'Office of War Information, una pellicola destinata ai soldati americani intitolata *Benvenuti in Gran Bretagna*. "Probabilmente ve la ricorderete in *I ponti di New York* e *Tom, Dick e Harry*" scriveva ai suoi familiari. "Dal vivo è proprio come sullo schermo." Un altro incontro che aveva suscitato in lui una forte impressione era stato quello con una ragazza cecoslovacca che aveva lasciato il proprio paese quando i nazisti avevano preso il potere. "Un gruppo di persone molto cosmopolita" scriveva a casa, sentendosi ormai un uomo di mondo.

Aveva anche viaggiato molto. Era stato a Brighton, a Bornemouth e all'isola di Wight, aveva visitato Stonehenge e scorrazzato con la moto nel Galles e nel Gloucestershire, dove il suo occhio abituato alle praterie era rimasto sbalordito dai muri onnipresenti dei *cotswolds* ("recinzioni di pietra" le chiamava "senza ombra di malta a tenerle insieme, vecchie di centinaia di anni"). Era stato in Scozia, dove aveva partecipato a un corso di addestramento per commando a Inverary, sul Loch Fyne, e grazie al cugino di Gordon, Reg, che era nell'aeronautica, aveva ottenuto un passaggio su un bombardiere quadrimotore Stirling: insieme avevano trasvolato il mare del Nord fin nei pressi della costa olandese, tanto per fare un po' di esercizio di bombardamento. Ormai in lui prevaleva il disincanto a questo riguardo, e non notava quasi più i bombardieri pesanti o le squadriglie di caccia che sfioravano le sommità delle siepi partendo alla volta della Francia, spettacoli che pure lo avevano mandato in estasi ancora poco tempo prima. Glenn stava decisamente maturando. Aveva addirittura cominciato ad ascoltare i discorsi di Winston Churchill alla radio. "Parla sempre bene" riferì alla madre.

A qualche chilometro di distanza un'altra giovane ammiratrice di Churchill coglieva l'opportunità di rimanersene piacevolmente stesa a letto fino alle dieci del mattino prima di "gingillarsi" in camera sua e prepararsi per il turno di guardia pomeridiano a Fort Southwick. L'educazione che Veronica Owen aveva ricevuto l'aveva imbevuta di storia inglese, una delle sue materie preferite, e i discorsi elaborati con grande cura di Churchill, che rievocavano grandi momenti del passato della nazione, l'avevano sempre profondamente commossa. Lo stesso valeva per i film, che vedeva a ritmo di due o tre alla settimana al cinema locale: epiche vicende di lotte e di vittoria, come la vita di Madame Curie, oppure *Canto per ricordare*, incentrato sulla figura del compositore e patriota polacco Chopin.

Eppure c'era qualcosa di più, un rapporto familiare che in quel periodo di guerra legava in maniera inconfondibile Veronica al capo del governo britannico. Churchill aveva trascorso gli anni trenta senza incarichi politici di rilievo e si era ritrovato nel ruolo di reietto all'interno del Partito conservatore guidato da Stanley Aldwin e Neville Chamberlain, nonché di irriducibile individualista su questioni come l'autonomia dell'India, l'abdicazione di Edoardo VIII e la politica di *appeasement* nei confronti di Hitler. Per tenersi occupato, ma anche per predicare gli insegnamenti che aveva tratto dalla storia, aveva dunque trascorso gran parte del decennio sudando su una voluminosa biografia in quattro volumi del suo illustre antenato John Churchill, primo duca di Marlborough, vincitore della grande battaglia contro i francesi a Blenheim nel 1704.

Churchill aveva raccolto intorno a sé, per farsi aiutare, una squadra di storici e ricercatori, e per le questioni navali aveva scelto come consulente il padre di Veronica. Il comandante Owen, che a quell'epoca era in pensione ed era già un valido storico navale attivo presso la Navy Records Society, trascorse quattro anni a lavorare con Churchill alla biografia di Marlborough e alla fine pubblicò anche una monografia sull'argomento, *The War at Sea under Queen Anne 1702-1728*. Di conseguenza, come ebbe a osservare in seguito il fratello gemello di Veronica, Hugh, "fummo educati ad ammirare WSC persino durante i suoi anni nel deserto". Non vi era dunque bisogno di ricordare a Veronica che Churchill, diretto discendente del grande duca e nato nel palazzo che portava il nome della sua vittoria più importante, stava ora guidando la battaglia della propria nazione contro l'ultimo e senz'altro più esecrabile esponente di una genia di tiranni che avevano di volta in volta minacciato l'Europa.

Dopo il turno di guardia tornò a casa, si cambiò rapidamente d'abito lasciando l'uniforme e inforcò la bicicletta per andare a cena dagli Spurway a Titchfield. All'inizio, quando era appena arrivata a Fort Southwick, riusciva a trascorrere alcune piacevoli e gradite pause con i suoi genitori a Londra, ma da aprile in poi, a causa della restrizione delle licenze a un raggio di una trentina di chilometri, non aveva più avuto occasione di vederli e gli Spurway erano divenuti un po' la sua famiglia adottiva. Si sentiva ancora lievemente in imbarazzo con loro, ma quella sera giunse l'occasione per rompere il ghiaccio. La conversazione si dipanava scorrevole e improvvisamente la sua timidezza era sparita. "È così piacevole andarsene per un po' e parlare di cose vere" raccontava ai suoi genitori "e non più solamente di vestiti, di rossetti, di altri scriccioli e di uomini!" E poi c'era un altro aspetto positivo. Un tempo Frank Spurway aveva giocato a cricket per il Somerset, e quindi avevano un'altra passione in comune: "Abbiamo parlato e parlato e parlato fino a cinque minuti prima delle undici!" annotava nel suo diario, dopo essere tornata affannosamente a Heathfield e aver trasgredito l'ora limite delle ventitré solo per un paio di minuti.

A Cottesmore, mentre preparava l'attrezzatura in attesa del grande giorno, Bill Tucker ricordava il periodo di addestramento alla scuola di paracadutismo. Il personale era composto da uomini che facevano venire in mente esperti torturatori. Il tenente responsabile del loro contingente, soprannominato Flash Gordon, aveva pronto un improperio per tutto e per tutti, mentre i suoi tirapiedi spiavano le reclute e le punivano a forza di piegamenti; una volta Bill, sorpreso a muovere un bulbo oculare, ne aveva dovuti fare cinquanta. In occasione del primo lancio di allenamento si era ritrovato seduto, pallido, insieme ai suoi amici in un enorme hangar. Non era mai salito su un aereo prima e il grido di guerra «Geronimo, i paracadutisti!» fu ripetuto all'infinito per tirarli su di morale. Fuori, un aereo rullava sulla pista; poi si era fermato lì davanti e li aveva fatti salire; a lui era stato assegnato il terzo posto nell'ordine di lancio. Dopo che l'aereo ebbe fatto un giro sopra il campo, il direttore di lancio aveva ordinato loro di alzarsi in piedi. Tucker continuava a pensare che si trattasse solo di una prova. Poi, improvvisamente, il direttore di lancio aveva urlato: «Saltate!» e subito il primo si era beccato un calcio nel didietro, come aiuto a uscire dal portellone. Prima di potersi rendere conto di qualsiasi cosa Tucker aveva sentito una sberla sulla parte posteriore delle cosce e improvvisamente si era trovato a testa in giù a fare capriole fuori dall'aereo; stava ancora contando come gli avevano insegnato ("Milleuno, milledue...") quando sentì un colpo tremendo mentre il paracadute si apriva di schianto e lui si ritrovò sospeso a mezz'aria. Era una sensazione meravigliosa. «Ho saltato!» gridò fuori di sé al momento di toccare terra.

Da allora aveva fatto decine di lanci, ma l'unico in vista di un combattimento era stato a Salerno. Avrebbe dovuto partecipare alla sua prima battaglia l'anno precedente, nel corso di una missione per conquistare alcuni campi d'aviazione fuori Roma controllati dai tedeschi all'epoca della resa dell'Italia; la data prevista era l'8 settembre, il giorno del suo compleanno. Avevano volato per un'ora dopo il decollo dalla loro base in Sicilia, ma alla fine la missione era stata cancellata. Il giorno successivo il battaglione era stato riunito per un discorso dal suo comandante, il maggiore Edward Krause, che, soprannominato Palla di cannone, era sempre sul sentiero di guerra. La missione, spiegò, era stata cancellata perché i tedeschi ne erano stati informati. «Uomini» aveva detto con il suo solito linguaggio scurrile «la notte scorsa avevamo preso la storia per le palle, ma il destino ha alzato la gamba e ci ha scorreggiato addosso.»

In seguito, a Salerno, il destino si era comportato meglio. Quella notte Tucker non aveva provato paura. "Mi ero immaginato di essere un uomo fortunato, capace di dimenticare il passato e di non pensare affatto al futuro." L'unica cosa che lo preoccupava era la possibilità di vomitare, perché stava ancora lottando con i problemi di stomaco, i giramenti di testa e la perdita di peso derivanti dalle sue prodezze nordafricane. Era una notte chiara, illuminata dalla luna, e sotto di sé Bill poteva vedere le navi in fiamme nel golfo di Salerno, mentre gli Alleati combattevano per guadagnare una posizione sicura in Italia. La luce verde si era accesa, si era lanciato a capofitto e d'un tratto si era reso conto di spostarsi nell'aria molto più rapidamente di quanto avrebbe dovuto. Qualcosa era andato storto, perciò aveva azionato il paracadute di emergenza ed era riuscito a toccare il suolo sano e salvo; ma era atterrato lontano dagli altri, e improvvisamente aveva compreso di trovarsi sul suolo europeo, "brulicante di tedeschi". Alla velocità della luce aveva posto mano al suo fucile e si era sentito pronto a morire. Da quel momento in poi l'Italia non era stata altro che un interminabile succedersi di colline, malesseri e, quando stava meglio, di grande bellezza.

Ora si domandava come sarebbe stata la Norvegia.

"[...] visti cinquanta grossi cannoni da campo imballati non custoditi sul lato della strada. Convoglio di sessanta veicoli diretti verso Southend. Lungo entrambi i lati dello svincolo sono tracciati al suolo i parcheggi per migliaia di veicoli, non ancora occupati. Enorme accampamento a est della strada Brentwood-Tillbury e a sud di Grays [...]."

Nella sua casa di Hendon l'operatore radio di Garbo stava inviando un dispaccio all'Abwehr a Madrid per confermare l'enorme ammassamento di uomini e mezzi alleati nell'Inghilterra sudorientale e richiamare ancora una volta l'attenzione dei tedeschi su un attacco imminente al passo di Calais. Karl Kühlenthal aveva un motivo di più per essere soddisfatto del suo agente Arabel.

Dato lo spavento preso sulla Normandia due settimane prima, i pianificatori del depistaggio alleato si erano affrettati a rinforzare la posizione di Garbo. Non si sognavano nemmeno di indurre i tedeschi a spostare le loro forze dalla costa normanna: sarebbe stato aspettarsi troppo. Il loro intento principale era invece quello di tenere le truppe di Hitler bloccate nel passo di Calais in attesa di uno sbarco, il che avrebbe significato che una delle due armate agli ordini di Rommel, la XV, non avrebbe potuto intervenire sul luogo dell'invasione. A tal fine era di importanza essenziale sostenere la credibilità di Garbo a Berlino. Se il piano di depistaggio doveva funzionare davvero, i suoi messaggi sarebbero dovuti continuare dopo il D-Day: quanto più a lungo i tedeschi avessero continuato a credere alla sua versione, tanto meglio sarebbe stato per la battaglia in Normandia. L'approvazione finale di questa versione del piano di depistaggio era venuta solo due settimane prima. Fino a questo punto, tutto sembrava indicare che i pezzi grossi di Berlino stavano abboccando all'esca di Garbo.

Eppure tutti continuavano a stare sulle spine. Quello stesso giorno, infatti, avevano avuto un'agghiacciante occasione di ricordare la fragilità dell'esistenza di Garbo in quanto agente del doppio gioco. L'elaborato quadro che stava creando per i tedeschi aveva lo stesso tasso di realismo dei film che avevano trasformato la sua omonima hollywoodiana in una celebrità mondiale: in qualsiasi momento della proiezione c'era il rischio che la pellicola si spezzasse, il proiettore si rompesse o le luci in sala si accendessero all'improvviso.

Il Double Cross Committee, che manovrava Garbo e gli altri agenti suoi colleghi, era ben consapevole che quel numero illusionistico poteva interrompersi da un momento all'altro in maniera quanto mai sgradevole. Alle due e mezzo di quel pomeriggio si riunì negli uffici di St. James's Street, nel cuore del West End londinese. Uno dei punti all'ordine del giorno era quindi la questione della credibilità di Garbo.

Paradossalmente, la minaccia più grave per lui e per tutto il piano dell'azione di doppio gioco sarebbe stata costituita proprio dai successi degli Alleati: mentre la sconfitta dei nazisti andava profilandosi con sempre maggiore chiarezza, numerosi ufficiali dell'Abwehr cominciavano ad abbandonare la nave sul punto di affondare e tentavano di garantire la propria sopravvivenza offrendosi di aiutare gli Alleati. Uno di questi era Johan Jebsen, di stanza a Lisbona, che sembrava nutrire sinceri sentimenti antinazisti e aveva messo a disposizione alcune informazioni riservate effettivamente utili. Poi, nel gennaio del 1944, era stato sul punto di mandare all'aria l'intero piano del doppio gioco: in un rapporto a Londra citò alcuni degli agenti tedeschi che venivano manovrati da Lisbona contro gli inglesi. Il numero uno di quell'elenco era Arabel, alias Juan Pujol.

Questo apparente "dono" mise Londra davanti a un dilemma angosciante. Se Arabel avesse continuato a lavorare come se niente fosse accaduto, ciò avrebbe fornito un motivo per ritenere che fosse manovrato dagli inglesi anziché dai tedeschi. Quando Jebsen se ne fosse reso conto, si chiedevano gli esperti del doppio gioco, chi avrebbe potuto prevedere che cosa sarebbe accaduto? Poteva anche essere filobritannico in quel momento, ma se a un certo punto la sua fedeltà verso la Germania si fosse risvegliata, sarebbe stato più che naturale che smascherasse quell'agente. E se la Gestapo avesse intuito che era un traditore e l'avesse arrestato? Sarebbe stato in grado di resistere alla tortura? Oppure avrebbe rivelato la natura del gioco per salvarsi la pelle? «Per farla breve» osservò Sir John Masterman, presidente del Double Cross Committee «quel rinnegato tedesco, cercando di aiutarci, ha rischiato di distruggere l'intero sistema.»

Il Comitato discusse le varie opzioni possibili. Avrebbero potuto far uscire Jebsen dal Portogallo, ma ciò avrebbe indotto i tedeschi a sospettare degli agenti del doppio gioco con cui era stato in contatto. In alternativa, il SIS avrebbe potuto assassinarlo, ma ciò avrebbe indotto i tedeschi ad avviare un'indagine in grande stile. Alla fine si decise di non fare nulla, se non tenere attentamente sotto controllo ogni suo movimento. Per un po' non era successo niente di preoccupante.

Poi, solo quattro settimane più tardi, si era verificata la catastrofe. I decrittatori di Bletchley Park avevano captato un messaggio dell'Abwehr che rivelava come Jebsen fosse stato rapito da casa sua a Lisbona: era stato portato oltre la frontiera franco-spagnola a bordo di una vettura protetta dall'immunità del corpo diplomatico e in quel momento si trovava in viaggio verso Berlino per essere interrogato dalla Gestapo.

Si era realizzata l'eventualità più sfavorevole, e da allora la stessa vita di Garbo in quanto agente del doppio gioco era apparsa sospesa a un filo. Jebsen, che a Londra era noto con il nome in codice di Artist, aveva denunciato la natura del gioco? Esisteva il minimo barlume di un indizio che i tedeschi avessero scoperto Garbo? In altre parole, era possibile che tutto il piano di depistaggio concepito in vista del D-Day stesse per crollare miseramente? Solo i decrittatori potevano fornire la risposta. Avevano lavorato in modo febbrile sui dispacci dell'Abwehr per appurare i motivi per cui Artist era stato arrestato; se li avessero scoperti si sarebbe potuto anche valutare se Garbo era davvero in pericolo.

La notizia, resa nota al 58 di St. James's Street poco prima delle tre del pomeriggio, fu un sollievo: il problema di Artist con i tedeschi, secondo gli esperti, nasceva quasi certamente dai suoi tentativi di gonfiare le note spese più che da dubbi sulla sua lealtà politica. Inoltre, si riteneva improbabile che qualsiasi sospetto avesse avuto riguardo al sistema del doppio gioco sarebbe stato rivelato sotto interrogatorio della Gestapo. Non c'era una valida ragione, conclusero i membri del Double Cross Committee, per ipotizzare che Garbo fosse compromesso in modo decisivo. Il doppio gioco poteva continuare. Il piano per il depistaggio in vista del D-Day rimaneva saldamente in piedi.

Alle dieci e mezzo del mattino David Bruce e l'Indomito Bill erano giunti a Belfast con il cacciatorpediniere statunitense *Davis* ed erano saliti a bordo del *Tuscaloosa*, l'incrociatore pesante americano che li avrebbe portati alla testa di sbarco Utah. Dopo il pranzo con l'ammiraglio Deyo, durante il quale si erano trovati tutti d'accordo sul fatto che Pearl Harbor era stata una benedizione sotto mentite spoglie, perché aveva costretto gli Stati Uniti a svegliarsi dal loro torpore letargico, i due uomini dell'OSS avevano fatto visita agli ufficiali britannici a terra. Più tardi, tornati a bordo, avevano visto un film che aveva come protagonista Erroll Flynn nei panni del "gentiluomo Jim Corbett", il leggendario campione dell'Ottocento le cui maniere educate e forbite contrastavano con la tenacia che mostrava sul ring.

Bruce era preoccupato per ciò che aveva visto e sentito fino a quel momento. Si era reso necessario un maggiore impegno navale americano per Neptune rispetto a quello originariamente previsto, e le concorrenti esigenze di forze navali nel Pacifico avevano ritardato l'arrivo di rinforzi. "Gli ufficiali di alcune unità" riportava Bruce nel suo diario

> hanno preso parte solo stasera per la prima volta alle riunioni informative in cui sono state illustrate le loro complesse mansioni nella grande operazione; alcune delle navi giunte di recente dall'America mancano del necessario equipaggiamento, compresi oggetti come radio a galena, fumogeni galleggianti e relativi inneschi, nonché di quantità di munizioni sufficienti per proseguire le proprie mansioni qualora lo sbarco non abbia successo rapidamente.

Sul continente, tuttavia, la situazione stava un po' migliorando per gli agenti dei servizi informativi alleati impegnati nel Progetto Sussex. Quella notte altri tre dei loro erano atterrati in Francia.

Giovedì 1° giugno fu il giorno in cui i corrispondenti di guerra canadesi, segregati sull'isola di Wight, vennero iniziati al segreto del D-Day. In una stanza della locanda Fountain Inn, a Cowes, un ufficiale britannico srotolò una carta della costa francese. «Il piano è questo» sussurrò: «approdiamo grossomodo in questa zona tra Cherbourg e Le Havre.» Uno dei presenti avvertì un sollievo improvviso. Ora sapeva. Sarebbero sbarcati su spiagge ampie e sabbiose che si stendevano per chilometri, praticamente prive di dislivelli da scalare, non nei pressi di un porto saldamente difeso da prendere d'assalto: in altre parole, non ci sarebbe stata un'altra Dieppe.

Via via che sempre più persone venivano informate sugli sbarchi cresceva la preoccupazione per possibili fughe di notizie. Che cosa sarebbe accaduto se uno delle decine di migliaia di soldati chiusi nei loro accampamenti (come Glenn Dickin o Bill Tucker) o uno dei corrispondenti di guerra avesse rivelato, deliberatamente o senza volerlo, quello che sapeva? Era possibile che ciò mandasse all'aria l'intero segreto del D-Day? Era possibile prevenire quel pericolo? Gli Alleati erano sul punto di scoprirlo.

Più tardi, quella sera, il telefono con rimescolatore squillò con insistenza sulla scrivania di un maggiore dell'ufficio del controspionaggio nel quartier generale del Comando occidentale nel Galles meridionale. In quella zona erano acquartierati migliaia di soldati americani destinati a essere impiegati negli sbarchi supplementari dopo il D-Day. Il comprensorio era già isolato: tutti gli ingressi e le uscite erano controllati, c'erano posti di blocco e centinaia di agenti della polizia militare e soldati che controllavano i documenti di identità e il traffico. Era già in corso un allarme di sicurezza: la notte prima un sergente dell'aviazione statunitense si era sbronzato in un bar a Redditch e aveva sfoderato le speciali banconote della valuta francese che gli erano state assegnate, vantandosi di essere in procinto di partire per la Francia «il 4 o il 5», e in quel momento gli ufficiali dei servizi segreti si stavano dando da fare per cercare di mettere a tacere la storia.

La telefonata proveniva da un colonnello del SIS del quartier generale di Montgomery a Londra, nella St. Paul's School. «Dovete aiutarci» disse. «È una faccenda molto seria. Lasciate perdere tutto il resto.» La notte prima un sottufficiale britannico appartenente a una delle squadre d'assalto che sarebbero dovute sbarcare all'alba del D-Day era scappato dal suo accampamento nello Hampshire, recando con sé informazioni abbastanza particolareggiate sulla spiaggia di sbarco e sulle maree da riuscire a localizzare il punto. Si era volatilizzato. Tuttavia esisteva una possibilità che fosse diretto in Galles, dove abitavano sia la sua ragazza sia i suoi genitori.

Vennero immediatamente allertate la polizia militare e il servizio di sicurezza del campo, mentre l'abitazione del sottufficiale fu posta sotto sorveglianza ventiquattro ore su ventiquattro. «Bisogna catturarlo prima che il danno sia combinato» ribadì il colonnello. «Il pericolo è che lui è maledettamente bene informato sia sul dove sia sul quando.»

Quando scoccò la mezzanotte il sottufficiale era ancora latitante.

Quella notte il tempo sulla Manica era perturbato. La giornata era stata contrassegnata da un alternarsi di leggeri acquazzoni e brevi intervalli di sereno e la temperatura aveva oscillato fra i 15 e i 18 gradi. Di sera, però, aveva cominciato a spirare un vento fresco da sudovest e il cielo si era coperto, riempiendosi di banchi di nubi basse e rumoreggianti. Il mare si stava ingrossando e anche il barometro segnava un preoccupante calo della pressione.

6

Soldati di ottimo umore

Venerdì 2 giugno

Non poteva passare inosservato. Era un titolo a più colonne sul *Times*, posto in rilievo da uno spesso riquadro nero, e avvertiva esplicitamente: "Si consiglia al pubblico di evitare gli spostamenti". In vista delle "pressioni crescenti sul sistema ferroviario", quell'estate sarebbe stato necessario ritirare dalla circolazione, senza preavviso, un numero molto maggiore di carrozze. L'avviso richiamava con prepotenza lo sguardo del lettore, tanto quanto il titolo che annunciava l'imminente caduta di Roma e l'appello del Vaticano affinché la Città Eterna venisse trattata con rispetto. Chiunque avesse alzato la mano su Roma, aveva dichiarato il papa, si sarebbe reso «colpevole di matricidio di fronte all'intero mondo civile e all'eterno giudizio di Dio». Il feldmaresciallo Kesselring, comandante delle armate di Hitler in Italia, dopo aver ascoltato Gigli nel *Ballo in maschera* di Verdi aveva ordinato l'evacuazione della città. Gli alberghi venivano abbandonati dagli ufficiali tedeschi, le automobili dello stato maggiore venivano caricate e la fanteria si metteva in marcia verso nord.

A Londra la giornata era luminosa, calda e soleggiata. Le forze di invasione erano in movimento. Migliaia di soldati erano già a bordo dei rispettivi mezzi di trasporto, bloccati nei convogli o in attesa nei porti. Altri avevano già raggiunto le "dure", cioè le centinaia di piattaforme di cemento provvisorie allestite per l'imbarco lungo i fiumi, le spiagge e gli estuari per caricare l'enorme armata e il suo pesante equipaggiamento di carri armati, cannoni, camion e rifornimenti. Decine di unità erano in navigazione, dirette verso l'area di raduno a sud dell'isola di Wight, nella Manica. La britannica *Nelson*, da cui Churchill sperava ancora di assistere all'azione, lasciò la sua base a Scapa Flow, nelle Orcadi, puntando la prua verso Milford Haven, sulla costa sudoccidentale del Galles. L'ammiraglio Ramsay trascorse il pomeriggio seguendo l'imbarco delle truppe a Southampton e nella vicina Gosport. "Tutti i soldati di ottimo umore" annotò nel suo diario.

Alle sei e mezzo di sera due sottomarini tascabili vennero trainati con un rimorchiatore da Portsmouth fino alla Manica. Le funi di traino erano fatte di nylon; il materiale sarebbe bastato per confezionare ventimila paia di calze, una fortuna sul mercato nero. Ciascuno dei sommergibili, lunghi solo quindici metri e larghi uno e mezzo, era dotato di un'unica cuccetta, che veniva utilizzata a turno dai quattro membri dell'equipaggio, di un motore diesel identico a quelli montati sugli autobus londinesi e di batterie che producevano idrogeno, fonte di mal di testa e vomito per gli uomini. La loro missione era emergere sotto costa nelle acque della Normandia immediatamente prima degli sbarchi del D-Day, in modo da fungere da riferimenti per l'orientamento delle forze britanniche e canadesi; fino a quel momento sarebbero dovuti rimanere in immersione nei pressi della riva. I mezzi erano dipinti di giallo e verde, anziché delle tradizionali tinte grigie e nere, per potersi mimetizzare nelle acque basse presso riva durante il periodo di attesa e sfuggire all'osservazione di eventuali ricognitori aerei.

Appena conclusa la sua giornata di insegnamento al liceo André Heintz salì in sella alla bicicletta e si diresse all'università, dove il portinaio gli porse una lettera indirizzata a "Monsieur Conto". Era il nome con cui lei lo conosceva: uno degli svariati *noms de guerre* che usava, insieme con i relativi documenti di identità falsi. Non voleva che qualche prova incriminante potesse essere messa in relazione con casa sua.

La lettera portava il timbro di Hermanville-sur-Mer, un piccolo villaggio sulla costa fuori Ouistreham, ed era stata imbucata alle cinque del pomeriggio del giorno prima. André lesse il messaggio: "Ti aspetto alle 8.45 alla stazione Saint Pierre sabato 3 giugno. Cordiali saluti, Courtois". Courtois era il nome in codice del suo contatto clandestino: il marito della donna che gli aveva comunicato i messaggi in codice in quell'indimenticabile mattina al liceo, nonché il capo della Resistenza per tutto il dipartimento del Calvados; il suo vero nome era Jacques Bergeot. Quella di Saint Pierre era una stazioncina nei pressi dei magazzini portuali di Caen, collegata a Ouistreham da una ferrovia a scartamento ridotto; era il loro luogo di incontro abituale.

Quella sera André compì il suo rituale di ascoltare la BBC in attesa di eventuali messaggi di avvertimento, ma non ve ne furono. Fuori l'aria era calda e il cielo coperto, e lui sentiva volare centinaia di bombardieri alleati che risalivano la Senna alla volta di Parigi. In precedenza, nel corso della giornata, le trasmissioni della BBC in francese avevano parlato dell'"insurrezione nazionale" indetta da De Gaulle, che il capo di France Libre aveva messo in rapporto con la liberazione del paese ormai imminente. L'evento non andava confuso con una sollevazione in massa spettacolare e spontanea, aveva osservato André Gillois, portavoce del movimento: sarebbe dovuta consistere semmai in una serie meticolosamente pianificata e accuratamente modulata di mosse che sarebbero state diverse da regione a regione e avrebbero coinvolto più persone in modi diversi. Tutti, perciò, dovevano seguire scrupolosamente le istruzioni che li avrebbero raggiunti tramite le organizzazioni di appartenenza o la radio. "Ascoltate i nostri ordini" aveva concluso "essi vi guideranno."

Quanto avrebbe dovuto aspettare ancora André? Ogni volta che si sentiva impaziente o scoraggiato gli tornavano alla memoria i suoi amici di Bristol. Fino a quel momento essi avevano patito quasi più di lui: le loro città erano state bersaglio di alcuni devastanti bombardamenti tedeschi e, anche se ancora non lo sapeva, uno dei suoi migliori amici era stato ucciso durante un'incursione. Per un po' era riuscito addirittura a tenersi in contatto con loro: un giorno aveva ricevuto una lettera affrancata da Lisbona, dunque da un paese neutrale, che gli indicava un numero di casella postale in Portogallo cui inviare le sue missive. Si era rigorosamente attenuto a notizie di carattere personale, perché era sicuro che la lettera sarebbe stata aperta dalla censura delle autorità di Vichy, ma comunque aveva assicurato agli amici che, sebbene la vita nella Francia occupata dai nazisti fosse difficile, anche lui e la sua famiglia condividevano i loro stessi sentimenti e cercavano di resistere. Aveva perfino scritto che, per cercare di tenere alto il morale, seguivano il consiglio contenuto nella famosa poesia di Kipling *Se* ("Se vuoi essere un uomo, figlio mio [...] Se riesci a costringere cuore, tendini e nervi"). In un'altra lettera aveva confessato che stava cercando di leggere il maggior numero possibile di libri inglesi e citava i versi di una poesia di Alfred de Vigny che secondo lui tra le righe celava molti segreti:

Gémir, pleurer, prier, est également lâche
Fais énergiquement ta longue et lourde tâche

Dans la vie où la sort a voulu t'appeler
*Puis, après comme moi, souffre et meurs sans parler.**

Quel giorno Glenn Dickin lasciò finalmente Hiltingbury per raggiungere il suo punto di imbarco a Southampton. Il percorso del convoglio era stato preparato con scrupolo: doveva giungere nel luogo stabilito all'ora prevista per imbarcarsi sulla nave giusta. Si procedeva lentamente, perché centinaia di altri convogli, che si snodavano nell'entroterra per diversi chilometri, attendevano che venisse il loro turno di imbarcarsi. Nelle strade di periferia i bambini giocavano fra i carri armati e le massaie portavano ai soldati tazze di tè e dolci fatti in casa. Il corrispondente di guerra Alan Moorehead, che seguì un percorso quasi identico, ha ricordato così il suo viaggio:

> Otto chilometri in un'ora. Scendemmo per Acacia Avenue. Intorno al parco verso High Street: una colonna chilometrica di "anatre"** e camion da tre tonnellate, jeep, carri armati e bulldozer. Sul marciapiede qualcuno faceva un vago cenno di saluto. Un anziano si fermò e borbottò: «Buona fortuna!». Ma la maggior parte della gente ci fissava silenziosa e immobile. Sapevano dove stavamo andando. Erano già state effettuate prove in precedenza, ma loro non si lasciavano ingannare. C'era qualcosa, nel portamento dei soldati, che proclamava senz'ombra di equivoco: "Ci siamo: ecco l'invasione". Eppure erano tranquilli e sorridenti. Era un sollievo essere fuori dal campo e spostarsi di nuovo liberamente per le strade. Di quando in quando la colonna si arrestava. Poi riprendevamo di nuovo a procedere lentamente verso le "dure".

Anche Dickin impiegò la maggior parte della giornata per raggiungere Southampton. Aveva con sé razioni di emergenza che dovevano aiutarlo a superare le prime ore sull'altra sponda: in una scatola ermetica erano stipate barrette di cioccolato con uva passa e cubetti di pappa d'avena con estratto di carne che si sarebbero sciolti istantaneamente quando vi avesse versato sopra acqua scaldata con il bollitore pieghevole e le tavolette di combustibile che portava in una tasca. Ancora più rapida era la preparazione della sua minestra

* "Gemere, piangere, pregare è parimenti pavido: / svolgi con energia il tuo lungo e pesante incarico / nella vita in cui la sorte ha voluto chiamarti / poi, come me, soffri e muori senza proferir parola." [N.d.T.]

** Autocarri anfibi, così chiamati per l'acronimo DUKW. [N.d.T.]

autoriscaldante: bastava accendere lo stoppino alla base della lattina e la zuppa era pronta quasi subito.

Per il D-Day indossava anche un nuovo elmetto. Fino a quel momento i soldati canadesi erano stati equipaggiati con uniformi, berretti, stivali e armi uguali a quelli dei britannici; solo le spalline, i bottoni e i distintivi rendevano Glenn riconoscibile in quanto membro del reggimento dei Fucilieri di Regina. Tuttavia in occasione dell'attacco alla Normandia era stata presa la decisione di produrre elmetti speciali. Quello di Glenn lo distingueva chiaramente in quanto membro della 3ª divisione di fanteria canadese, cioè come uno dei "canadesi del D-Day": visto di fronte somigliava all'elmetto americano, ma il retro aveva un profilo inclinato e offriva maggiore protezione sui lati del capo. "È incredibile" ha scritto l'amico di Glenn, Gordon Brown, "quali effetti possa avere uno speciale elemento di identificazione sul morale di una squadra. Eravamo molto fieri del fatto che la 3ª fosse l'unica divisione canadese a partecipare all'invasione del D-Day."

Anche Glenn aveva il suo biglietto d'ingresso al "grande spettacolo": il suo speciale talloncino di imbarco, che gli era stato consegnato a Hiltingbury. Era composto di due parti, entrambe contrassegnate dal suo nome, numero, rango e posizione, come secondo vicecomandante della compagnia B (Baker); entrambe riportavano il numero di serie della sua nave. Come gli era stato detto di fare, portava il talloncino nel suo libro paga; quando salì a bordo un ufficiale staccò metà del talloncino per registrare esattamente quando, dove e come si era imbarcato.

Finalmente il suo convoglio arrivò alla zona portuale. Glenn, stracarico di equipaggiamento, salì lentamente la passerella dell'imbarcazione che lo avrebbe condotto oltremanica. Si trattava di una nave passeggeri della Union-Castle, la *Llangibby Castle*, che prima della guerra aveva navigato lungo la linea Gran Bretagna-Sudafrica; l'equipaggio era ancora quello civile, anche se l'unità era stata presa a nolo dall'Ammiragliato. Glenn porse il suo talloncino, seguendo le procedure. Quando fosse arrivato a tre miglia al largo della Francia si sarebbe calato in un piccolo mezzo da sbarco che lo avrebbe traghettato per l'ultimo tratto fino a Juno Beach.

Poco prima dello sbarco Glenn avrebbe consegnato la seconda metà di talloncino a un altro ufficiale, che doveva raccogliere tutti i talloncini dei membri della sua squadra in una speciale bisaccia contrassegnata dal numero della nave nonché dalla data, dal luogo e dall'ora esatta in cui l'avevano lasciata. Poi la bisaccia sarebbe stata sigillata. "È assolutamente necessario" rilevava l'ordine segretissimo che definiva la procedura "che le squadre prestino particolare cura a questo riguardo, dato che la seconda metà del talloncino può evitare che vengano trasmesse informazioni inesatte ai congiunti." Questa cura coscienziosa dei particolari forniva una dimostrazione rassicurante del fatto che tutto, in vista del D-Day, era stato pensato fino al dettaglio più minuto; d'altra parte, ricordava anche a Glenn con crudezza che, nel giro di poche ore, quel talloncino poteva essere l'unico modo per ricostruire quando e dove fosse giunto a riva il suo corpo.

Per tutto il giorno Algeri era rimasta immersa in una pesante nebbia proveniente dal mare, che faceva da riscontro all'oscurità ancora sospesa sui piani di De Gaulle per il D-Day. Il generale non aveva ancora deciso se doveva prendere quell'aereo per l'Inghilterra: seduto a rimuginare nel suo ufficio a Les Glycines, era ancora irritato e risentito per il trattamento riservatogli dagli Alleati.

Intorno a metà mattinata Duff Cooper era passato da lui e gli aveva portato un altro appello urgente di Churchill, che lo pregava di venire a Londra al più presto. Il primo ministro stava subendo intense pressioni da parte del parlamento perché quella questione ingarbugliata venisse prontamente risolta. In Gran Bretagna e negli Stati Uniti era diffusa la sensazione che fosse imminente un disastro politico che avrebbe potuto mettere a rischio anche la riuscita delle operazioni militari: "Adesso, mentre si avvicina l'ora dell'invasione" aveva scritto un corrispondente del *Times* quella mattina "diventa di giorno in giorno più impellente la necessità di un solido accordo sull'amministrazione civile [in Francia]". A New York lo *Herald Tribune* era ancora più schietto e addossava la responsabilità del problema a un puro capriccio di Roosevelt: la situazione di stallo poteva essere spiegata solo dall'antipatia personale del presidente per De Gaulle e ricondotta a "orgoglio ferito e mero pregiudizio". Ma il presidente doveva sapere, concludeva l'articolo, che il sangue dei soldati americani non doveva essere versato per motivazioni così meschine.

Per quasi un'ora De Gaulle aveva ribadito che non c'era motivo di recarsi a Londra se gli americani si rifiutavano di partecipare a colloqui sugli affari civili. Non doveva fare quello che Churchill chiedeva solo perché conveniva agli Alleati: non era cosa da par suo.

Cooper lasciò Les Glycines a mani vuote e riferì le osservazioni di De Gaulle a René Massigli, il quale ribadì di essere pronto a presentare le sue dimissioni se De Gaulle avesse rifiutato l'invito di Churchill. Massigli non era l'unico: ormai il generale doveva subire pressioni anche da parte dei suoi, che gli chiedevano di trovare un modo per uscire dall'impasse. Il CFLN, che si riunì quel pomeriggio, lo esortò a larga maggioranza, comunisti compresi, e con solo poche voci dissenzienti, a prendere quell'aereo per Londra.

Alle dieci e mezzo di sera Cooper telefonò nuovamente a Massigli. L'ambasciatore era di umore brioso, perché quel giorno aveva festeggiato le sue nozze d'argento. Oltre a essersi goduti uno splendido pranzo offerto da due vecchie amiche, la principessa Marie de Ligne e la principessa Galitzin, che abitavano in una splendida residenza moresca alla periferia di Algeri, lui e la moglie Diana avevano offerto una cena all'ambasciata, in occasione della quale il suo personale aveva scovato alcune bottiglie di autentico champagne, e si erano goduti "una vera festa". Cooper trovò Massigli cordiale come al solito e pronto a ribadire la sua promessa di presentare le dimissioni se De Gaulle avesse insistito a respingere l'invito a Londra.

Incoraggiato da questa conversazione e dagli eventi della giornata Cooper tornò all'ufficio di De Gaulle poco prima di mezzanotte. In seguito avrebbe annotato nel suo diario: "Abbiamo discusso in modo animato: io gli ho parlato con grande franchezza e a volte sgarbatamente, ma lui ha preso tutto molto bene". Il generale, infatti, rispettava profondamente Cooper, in quanto all'epoca di Monaco era stato l'unico ministro del governo britannico (ricopriva l'incarico di primo Lord dell'Ammiragliato) ad aver presentato le dimissioni. Inoltre Cooper era solito esprimere in modo schietto la sua opinione, proprio come De Gaulle; il generale ebbe a scrivere che era "un uomo superiore su cui il destino aveva riversato numerosi doni [...] Da umanista, amava la Francia; da politico, trattava gli affari con nobile serenità [...] Collocandosi tra Churchill e me, considerò suo dovere assorbire i contrasti". In quel momento cruciale per il D-Day, proprio quando era vitale mobilitare completamente la Resistenza subito dopo l'invasione, la fiducia personale e il rispetto reciproco di questi due uomini contribuirono a lasciare una porta aperta alle trattative.

Dopo aver placato i bollenti spiriti i due vennero a discutere del nocciolo della questione. De Gaulle domandò se, nel caso fosse andato a Londra come Churchill chiedeva, gli sarebbe stato consentito di comunicare liberamente usando i suoi cifrari. Cooper gli rammentò che Churchill lo aveva già promesso. «Me lo ripeta sotto la sua responsabilità personale» chiese De Gaulle. Cooper replicò che lo avrebbe fatto, ma lui non era membro del governo britannico; tuttavia, qualora Churchill si fosse smentito, prometteva di rassegnare immediatamente le dimissioni.

Questo fu sufficiente per De Gaulle: dopo aver promesso che avrebbe dato una risposta definitiva entro le dieci del mattino seguente accompagnò Cooper fuori, nell'aria notturna pervasa di profumi. «Quanti passeggeri porta l'aereo del signor Churchill?» gli domandò mentre si stringevano la mano.

Era un segno incoraggiante.

Sonia d'Artois, nell'intimità nascosta del ricovero del castello fuori Le Mans, stava valutando Sydney Hudson. Era notevolmente più anziano di lei, sui trentacinque, aveva quegli occhi azzurro chiaro che ricordava da Londra e un modo di fare calmo e distaccato che la metteva a suo agio. L'istinto le diceva che poteva fidarsi di lui.

Hudson aveva accumulato un cospicuo bagaglio di esperienze prima di arrivare lì. Anche lui si sentiva a casa in Francia, perché in un certo senso quella era casa sua, o quasi. Era cresciuto in Svizzera, nei pressi di Losanna, una città francofona sulla riva settentrionale del lago di Ginevra, di fronte alla località termale di Évian-les-Bains e alle Alpi francesi. Suo padre vi gestiva alcune attività economiche e Sydney, allora bambino, poté godere di un'infanzia viziata, intercalata dallo sci, dal tennis e dai rapporti sociali con l'élite locale. Ma la sua famiglia non aveva mai smesso di sentirsi britannica, così allo scoppio della guerra era partito per Londra e si era arruolato nei Regi fucilieri. Per buona parte del 1940 si era trovato a difendere l'Inghilterra dalla prospettata invasione e a lavorare con le Squadre ausiliarie, il segretissimo contingente clandestino che veniva addestrato per la difesa nazionale nel caso che i tedeschi fossero riusciti nel proprio intento.

Ben presto, però, aveva scoperto che la rigida gerarchia e l'ingombrante protocollo dell'esercito gli riuscivano intollerabili e aveva cominciato a sentirsi impaziente di entrare in azione. Da ultimo era riuscito a farsi strada fino al SOE, dove il suo francese perfetto, anche se provvisto di un'inconfondibile inflessione svizzera, era stato accolto come un capitale prezioso. Al pari di Sonia, aveva attraversato tutta la trafila dell'addestramento in Inghilterra e in Scozia; la sua missione di prova era consistita in un sabotaggio al canale navigabile di Manchester.

Era stato paracadutato nella Francia di Vichy non ancora occupata con un lancio "alla cieca", insieme a Rafferty e Jones, nel settembre del 1942, ed era riuscito a trovare un nascondiglio in un piccolo villaggio dei paraggi. Il suo arresto pressoché immediato era stato il risultato della soffiata di un vicino; perlomeno, questo è ciò che aveva congetturato. Dopo quindici mesi era riuscito a evadere, aveva traversato i Pirenei a piedi, nella neve alta, mettendosi al sicuro in Spagna e poi a Gibilterra; infine aveva fatto ritorno a Londra nel marzo del 1944. Come tutti gli agenti caduti in mani nemiche, era stato interrogato lungamente e a fondo prima di ottenere il via libera per un'altra missione.

Dopo un breve ma intenso periodo di addestramento Hudson era stato paracadutato il lunedì dell'Angelo nei pressi di Issoudun, nella Francia centrale, insieme a due altri agenti, uno dei quali era George Jones, con il suo apparecchio radio. Da lì lui e Jones si erano diretti verso nord seguendo le istruzioni del SOE, e alla fine avevano scoperto lo Château de Bordeaux e il suo simpatico giovane proprietario, Edmond Cohin. Poco dopo Hudson aveva subito il trauma di apprendere che la terza persona con cui si era paracadutato, una giovane agente ebrea anglofrancese di nome Muriel Byck, che faceva parte di un'altra rete organizzativa, era improvvisamente morta di infarto. A peggiorare le cose c'era il fatto che in seguito aveva sentito fra i messaggi in codice aperto diffusi dalla BBC la frase "Michelle pense à son frère Simon" ("Michelle pensa a suo fratello Simon"), vale a dire un saluto inviato da Muriel a Sydney con il suo nome in codice. Lo aveva inoltrato poco prima di morire e la BBC, ignorando le implicazioni, lo aveva trasmesso insieme a tanti altri.

Hudson, reso più accorto dal precedente arresto, non dava più nulla per scontato. Così, non appena era riuscito trovare un nascondiglio alternativo aveva messo al sicuro Jones e la sua radio a breve distanza dal castello e predisposto altri rifugi da utilizzare in caso di necessità. Inoltre teneva rigorosamente separati fra loro tutti i gruppi embrionali della Resistenza che sottostavano al suo controllo. "Ero ben consapevole dei pericoli che possono comportare le chiacchiere" osservò. "'Sai che cosa è successo l'altra sera? C'è stato un lancio di paracadutisti proprio nel campo qui accanto. Non dirlo a nessuno, mi raccomando!' e così via di bocca in bocca, fino ad arrivare all'orecchio di un informatore della Gestapo."

Sbarazzarsi dei paracadute si era rivelato un problema veramente difficile. Le francesi, da tanto tempo a corto di tessuto per i vestiti, erano tentate di usare il nylon per confezionare camicette, ma ciò le esponeva immediatamente al sospetto e all'arresto, e rischiava in tal modo di rivelare alla Gestapo la presenza di un agente. Durante l'addestramento gli avevano insegnato che i paracadute si potevano bruciare, ma quando aveva tentato di farlo in un caminetto del castello ne aveva ricavato un denso liquido nero che si era sparso un po' ovunque sul pavimento, suscitando l'inorridita costernazione della governante. Così aveva deciso di raccogliere tutti i paracadute, legandoli strettamente, e di sommergerli in un fossato sotto un ponte. Un'altra precauzione da lui adottata prevedeva che quando uno degli agenti si trovava lontano dal castello su una finestra dell'edificio principale venisse esposto in bella evidenza uno strofinaccio; se qualcosa non andava, lo strofinaccio veniva ritirato dalla governante. Hudson aveva preso l'abitudine di verificare sempre se lo strofinaccio era al suo posto prima di entrare per colazione.

Alle 23.30 Churchill accantonò definitivamente la sua fantasticheria di accompagnare i soldati fino alle spiagge. Era stata una giornata lunga e faticosa per tutte le persone coinvolte.

Quella mattina il suo treno speciale aveva fatto sosta alla stazione poco fuori del piccolo villaggio di Droxford, qualche chilometro a ovest di Southwick House. Avrebbe potuto fermarsi più vicino, ma lì nei pressi c'era una galleria che offriva riparo in caso di un'incursione della Luftwaffe. Il primo ministro era accompagnato da un suo carissimo amico, il feldmaresciallo Smuts del Sudafrica, dal suo capo di stato maggiore personale, il generale Sir Hastings Ismay, e da alcuni membri del suo gruppo di collaboratori.

Prima di lasciare Londra aveva inviato a Roosevelt il testo del discorso che Giorgio VI si preparava a pronunciare in occasione del D-Day, nel quale, con un afflato molto religioso, il re chiedeva alla nazione di pregare per il successo dell'impresa. Il testo conteneva anche alcune parole della regina: "Ella comprende bene le ansie e le preoccupazioni delle nostre connazionali in questi momenti [...] e sente che molte donne saranno liete di vegliare ed essere in questo modo [con la preghiera] vicine ai loro uomini imbarcati sulle navi, all'assalto delle spiagge e in volo nei cieli". Inoltre Churchill aveva comunicato al presidente che, una volta lanciata con successo Overlord, era intenzionato a riaprire la rotta dell'Artico per i convogli diretti verso la Russia di Stalin.

Proprio mentre stava lasciando Londra aveva ricevuto una lettera dal re. "Caro Winston" esordiva "voglio rivolgerle ancora un appello affinché non prenda il mare in occasione del D-Day." Il sovrano faceva presente al suo primo ministro di aver ormai rinunciato all'idea di assistere allo svolgersi degli eventi dal mare, e sottolineava che qualora lui invece avesse scelto di parteciparvi il Gabinetto di guerra non avrebbe avuto modo di raggiungerlo in un momento critico. "La prego" insisteva "metta da parte i suoi desideri personali e non si discosti dal suo consueto alto senso del dovere nei confronti dello stato."

Per tutto il giorno Churchill non aveva preso alcuna decisione su come reagire a quella missiva. Smaniava di salpare insieme alle truppe, e quando era stato lui stesso soldato aveva sempre anelato all'azione. «L'uomo che deve svolgere un ruolo efficace nel prendere [...] gravi e terribili decisioni belliche» aveva detto una volta «può avere bisogno della vivificante esperienza dell'avventura.» Le esperienze della Prima guerra mondiale, quando gli alti ufficiali e i politici avevano altezzosamente impartito gli ordini da lontano, oltre a fornirgli un corroborante insegnamento personale lo avevano convinto che una visita di ispezione al fronte consentiva decisioni tattiche e strategiche migliori. "Ho veduto molti errori gravidi di conseguenze" scriveva "commessi a causa della sciocca teoria secondo cui le vite preziose non devono essere esposte al pericolo."

Nel pomeriggio, poi, aveva fatto visita ad Eisenhower nel suo quartier generale avanzato di Southwick House per discutere i dettagli dell'ultimo minuto dell'operazione e per cogliere il colpo d'occhio della grande flotta di navi che ormai si radunava nel Solent.

I monaci agostiniani avevano fondato un convento a Southwick secoli prima, e secondo la leggenda locale nel 1346 Edoardo, il Principe Nero, era partito da qui per la sua scorreria oltremanica che avrebbe condotto alla vittoriosa battaglia di Crécy. Lo scioglimento dei monasteri durante la Riforma aveva consegnato i 3200 ettari di terra di Southwick nelle mani del riconoscente signore del villaggio. Uno dei suoi discendenti, un autocratico colonnello dai folti favoriti, Evelyn Thistlethwaite, esercitava ancora la sua signoria sulla residenza e sul villaggio adiacente: le case, perlopiù costruite in mattoni rossi e con la struttura in legno, spesso con i tetti ricoperti di paglia, erano tuttora di proprietà del colonnello, che circolava nel suo enorme possedimento a bordo di una carrozza trainata da cavalli oppure sul sedile posteriore della sua Rolls-Royce d'epoca con autista. Quanto alla vita sociale, si concentrava in due pub, il Golden Lion e il Red Lion, nei quali occasionalmente Monty centellinava un succo d'arancia e Ike si godeva una birra.

Già nel 1941, però, il mondo moderno si era brutalmente intromesso in questa piega feudale del tempo: la Royal Navy aveva requisito la residenza, una grande casa in stile giorgiano costruita su fondazioni giacobite, per allestirvi una scuola di navigazione, e due anni più tardi la prossimità del luogo al Centro sotterraneo operativo multifunzionale di Fort Southwick aveva fatto sì che essa diventasse il naturale sito d'elezione per il quartier generale avanzato di Eisenhower. I suoi terreni alberati e i piccoli padiglioni di caccia offrivano un'ottima sistemazione al piccolo agglomerato di baracche prefabbricate Nissen che erano spuntate come funghi per alloggiare i comandanti del D-Day e i loro collaboratori.

Eisenhower, disdegnando di prendere un appartamento nella residenza, aveva optato per una più sportiva roulotte, nascosta fra gli alberi e circondata dalle tende del suo stato maggiore personale. Aveva un soggiorno, una cucina, uno studio e una camera da letto, ingombra di pile di romanzi a buon mercato, di fotografie della moglie Mamie e di suo figlio John con l'uniforme di West Point. "Carrozzone da circo": così Ike chiamava la roulotte che era dotata di tre telefoni, ciascuno di un colore diverso. Quello rosso lo collegava direttamente a Washington; quello nero lo metteva in comunicazione con Southwick House; quello verde, infine, serviva per chiamare Churchill nella Sala delle carte geografiche a Whitehall.

Eisenhower trascorse le sue prime ore a Southwick House dedicandosi alla stesura dell'Ordine del giorno per il 5 giugno, che doveva essere distribuito alle truppe di invasione. "Soldati, marinai e aviatori della forza di spedizione alleata!" esordiva;

> State per imbarcarvi nella Grande Crociata a cui abbiamo puntato per tutti questi mesi. Gli occhi del mondo sono rivolti su di voi. Al vostro fianco marciano le speranze e le preghiere dei popoli amanti della libertà, ovunque essi si trovino. In compagnia dei nostri valorosi alleati e fratelli d'armi che combattono sugli altri fronti, voi renderete possibile la distruzione della macchina da guerra tedesca, il rovesciamento della tirannide nazista sulle popolazioni oppresse dell'Europa, e restituirete a noi tutti la sicurezza di vivere in un mondo libero.

Eisenhower concludeva: "Confido pienamente nel vostro coraggio, nella vostra dedizione al dovere e nella vostra abilità in battaglia. Non accettiamo nulla di meno di una completa vittoria!

"Buona fortuna! Imploriamo la benedizione del Signore onnipotente su questa grande e nobile impresa".

Il suo messaggio per il D-Day era: liberazione e libertà; parole che echeggiavano quelle preparate per il re. Ike le ripeté in uno speciale ordine segretissimo che diramò simultaneamente ai suoi comandanti dell'aviazione. Era essenziale ricordare, scrisse, che gran parte dei combattimenti aerei si sarebbe svolta sopra le teste di popolazioni amiche, le quali per anni avevano dovuto sopportare le atrocità dei tedeschi. Gli equipaggi dei velivoli, dunque, dovevano fare il possibile per evitare di colpire altro che gli obiettivi militari. Le forze aeree alleate erano la testa di lancia delle forze di liberazione e recavano "ai popoli oppressi dell'Europa l'annuncio della nostra avanzata". Consigliava: "Ponete attenzione a che non venga fatto nulla che possa tradire questa fiducia o comunque pregiudicare il nostro buon nome agli occhi dei nostri amici tuttora oppressi dalla tirannide nazista".

Fra le righe si poteva leggere un riferimento alla controversia, non ancora composta, scatenata dalle preoccupazioni di Churchill per le vittime civili. Non più tardi del giorno prima si era verificato uno scontro fra i comandanti subordinati di Ike riguardo alla decisione se bombardare i villaggi e le città francesi il giorno del D-Day e in seguito, in modo da ritardare i movimenti delle truppe tedesche nella zona dei combattimenti. Il punto di vista di Churchill, espresso dal maresciallo dell'aria Tedder, il vice di Eisenhower nel ruolo di comandante supremo, era che tali incursioni comportavano il rischio di perdite civili elevate, nonché quello di distruggere monumenti storici importanti, a fronte di un vantaggio che poteva essere assai modesto. Il maresciallo Trafford Leigh-Mallory, comandante in capo dell'aeronautica per Overlord, riteneva invece che le considerazioni strategiche fossero preminenti: quali che fossero i costi non militari, dovevano essere pronti a impedire che gli Alleati venissero ributtati in mare.

La disputa continuò fino al giorno successivo. Alle dieci di quel mattino Ike, nel suo nuovo quartier generale, pose fine alla discussione: si pronunciò fermamente a favore dei bombardamenti e implicitamente contro Churchill, disapprovando qualsiasi accenno al fatto che li si sarebbe dovuti interrompere per timore di provocare vittime civili, pur dichiarandosi convinto che era di importanza vitale ridurre queste ultime al minimo. L'avvertimento scritto al suo stato maggiore dell'aviazione era sia un tentativo di concludere la controversia sia un'offerta di pace a Churchill.

Ora che il conto alla rovescia di settantadue ore al D-Day era iniziato, anche Ike cominciò a organizzare due volte al giorno nella biblioteca di Southwick House, una grande sala rivestita da librerie di rovere e arredata con comode poltrone e divani, un briefing sulle condizioni atmosferiche. La riunione del mattino, tenutasi poco prima che si risolvesse la controversia sui bombardamenti, fu fastidiosamente inconcludente e mise ancora una volta alla prova i nervi già tesi di tutti i partecipanti. Il colonnello Stagg aveva un compito difficile: oltre a informare il comandante riguardo al tempo che era verosimile attendersi per il D-Day, doveva anche mettere d'accordo i vari servizi meteorologici che di volta in volta gli fornivano la loro consulenza. Il giorno prima aveva rilevato le condizioni meteorologiche in via di trasformazione al largo dell'Atlantico e aveva annotato nel proprio diario che preannunciavano "una situazione al limite, molto difficile". Aveva raccomandato a un alto ufficiale americano dello stato maggiore di Ike di informare quest'ultimo che non tutti gli esperti concordavano su cosa ciò potesse significare per il D-Day. «Per l'amor del cielo, Stagg» era stata la brusca replica «ne venga a capo, il generale Eisenhower è un uomo molto preoccupato.»

Tuttavia quel mattino sembrava che non si potesse giungere a un verdetto condiviso. Gli americani di Widewing prevedevano tempo sereno, ma l'Ammiragliato britannico e il ministero dell'Aria riconoscevano un brutto presagio nelle depressioni sul Nordatlantico, il cui sviluppo era difficile da pronosticare. Stagg, preferendo non esporsi, disse che per il 5 giugno non si potevano escludere né venti a regime di burrasca né una bassa coltre di nubi a quota trecento metri: sia l'una sia l'altra eventualità potevano rendere impossibili le operazioni aviotrasportate e il supporto aria-terra.

Dodici ore più tardi, dopo aver preso congedo da Churchill, Ike si riunì di nuovo con la sua squadra nella biblioteca; ora i pesanti tendaggi per l'oscuramento erano accuratamente tirati. "Inaffidabili" era la conclusione di Stagg sulle condizioni climatiche nel D-Day, sebbene ammettesse che gli esperti erano lungi dall'unanimità. "In delicato equilibrio" era un'altra espressione che sfoderò per esprimere i loro dubbi. Dopo aver ascoltato con pazienza il comandante supremo domandò al suo principale consulente meteorologico: «Bene; ma cosa ne pensa lei?». Stagg lo guardò dritto negli occhi: «Se rispondessi, signore, ciò mi farebbe diventare un indovino, non un meteorologo».

Eisenhower dovette accontentarsi, ma rimase irritabile per tutto il tempo che seguì. Quella sera, mentre tornava alla sua roulotte, trovò un soldato americano intento a smontare un proiettore cinematografico e uno schermo. Dato che Ike era arrivato tardi, si era

Sonia e Guy d'Artois il giorno delle loro nozze, nell'aprile del 1944. Il SOE *era contrario a inviare insieme in missione gli agenti sposati perché riteneva che in caso di arresto sarebbero risultati particolarmente vulnerabili ai metodi di interrogatorio della Gestapo.*
(Sonia d'Artois)

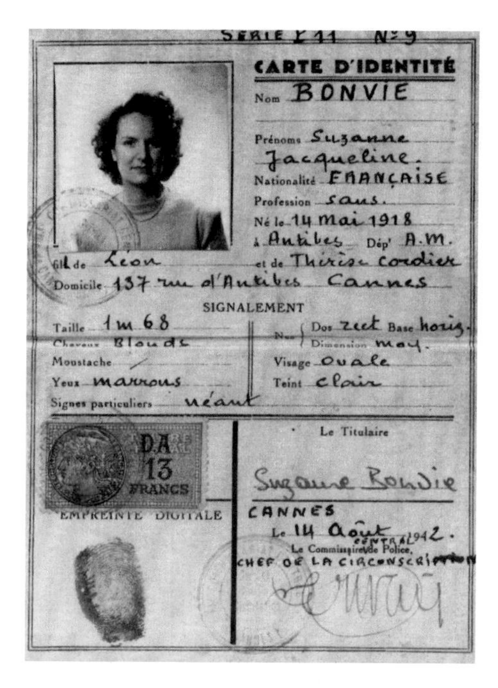

SERIE E 11 N° 9

CARTE D'IDENTITÉ

Nom BONVIE

Prénoms Suzanne Jacqueline.

Nationalité FRANÇAISE

Profession sans.

Né le 14 Mai 1918

à Antibes Dép' A.M.

fill de Léon et de Thérèse Cordier

Domicile 137 rue d'Antibes Cannes

SIGNALEMENT

Taille 1m 68

Cheveux Blonds

Moustache /

Yeux marrons

Signes particuliers néant

Nez { Dos rect Base horiz. / Dimension moy.

Visage Ovale

Teint clair

Le Titulaire

Suzanne Bonvie

EMPREINTE DIGITALE

DA 13 FRANCS

CANNES

Le 14 Août 1942.

Le Commissaire Central de Police,

CHEF DE LA CIRCONSCRIPTION

La carta di identità falsa che Sonia d'Artois utilizzava in Francia, grazie alla quale riuscì a superare numerosi posti di blocco tedeschi.
(Imperial War Museum)

Sydney Hudson, il capo del circuito Headmaster del SOE *che lavorava insieme a Sonia d'Artois, temeva che il D-Day giungesse prima che la sua rete organizzativa fosse del tutto pronta.* (Special Forces Club)

Il SOE *e la Resistenza francese fornirono il loro apporto agli sbarchi del D-Day sabotando le linee ferroviarie e le reti di comunicazione del nemico.* (The National Archives, Kew)

In tempo di pace Peter Moen faceva il contabile. Qui è ritratto insieme ai suoi compagni di lotta della Resistenza. Durante la guerra divenne un redattore del London Nyatt*, uno dei più importanti giornali clandestini norvegesi.* (Norges Hjemmesfront-museum, Oslo)

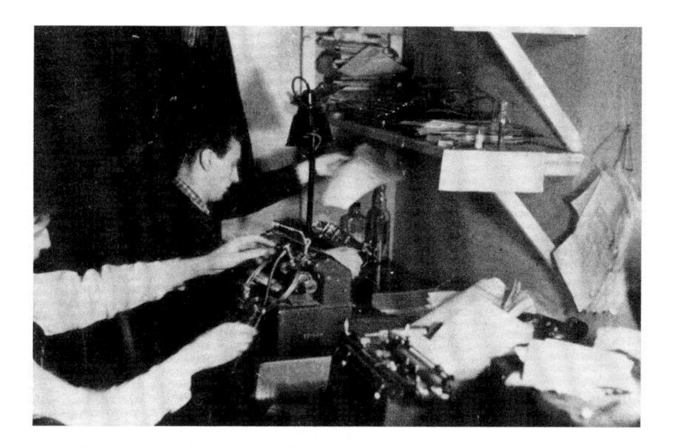

*Peter Moen (*a sinistra*) al lavoro nella redazione clandestina del suo giornale.* (Norges Hjemmesfront-museum, Oslo)

In questa cella della Gestapo che divideva con altri due prigionieri Peter Moen tenne un diario segreto. (Norges Hjemmesfront-museum, Oslo)

Il fuciliere Glenn Dickin non era mai stato fuori dal Canada prima della Seconda guerra mondiale. Durante il periodo di addestramento in vista del D-Day, spinto dalla nostalgia della prateria andò alla ricerca dei suoi parenti inglesi.
(Famiglia di Glenn Dickin)

Bill Tucker, americanissimo ragazzo di Boston, si era addestrato in Georgia con l'82ª divisione aviotrasportata in previsione del lancio in Francia per il D-Day.
(Bill Tucker)

Veronica Owen era uno "scricciolo", cioè un'effettiva del servizio femminile della Royal Navy. Il suo compito era crittare e decrittare i messaggi radio navali. (Famiglia di Veronica Owen)

Nel complesso sotterraneo di Fort Southwick gli scriccioli svolgevano un ruolo fondamentale nella gestione delle comunicazioni che servirono a organizzare l'Operazione Neptune. (Imperial War Museum)

Walter Schwender (a sinistra) *durante un momento di svago insieme ai suoi camerati in Francia.* (Famiglia di Walter Schwender)

Walter Schwender e suo fratello Karl avevano vent'anni quando furono uccisi. Questo è il necrologio pubblicato, "con profondissimo dolore", dalla famiglia: "I nostri due cari e valorosi ragazzi si sono sacrificati per il Führer, il popolo e la patria e hanno così perso la vita". (Famiglia di Walter Schwender)

Für Führer, Volk und Vaterland, haben sich unsere beiden lieben, braven Jungens geopfert und ihr Leben gelassen. Unser ältester Sohn und Bruder

SS-Grenadier

Karl Schwender

gefallen am 15. 2. 1943 im Alter von 20 Jahren im Osten und sein Bruder, unser zweiter Sohn

Gefreiter

Walter Schwender

gestorben am 15. 9. 1944 an einer schweren Verwundung in einem Kriegslazarett im Westen im Alter von 20 Jahren.

In tiefstem Schmerz:
Familie Wilhelm Schwender.

Altstadt-Saar, z. Z. Auschwitz/OS, den 17. Oktober 1944.

L'insegnante André Heintz era impaziente di entrare in azione, ma gli venne assegnato il compito di raccogliere informazioni. (Collezione André Heintz)

Uno dei risultati del lavoro di Heintz: una casamatta tedesca fotografata segretamente a Caen. (Collezione André Heintz)

André Heintz ascoltava le istruzioni trasmesse via radio da Londra con questa radio a galena nascosta in una scatoletta di spinaci. (Collezione André Heintz)

Albert Grunberg, nascosto a Parigi in una minuscola stanzetta, ascoltava le notizie sugli sbarchi del D-Day con il suo apparecchio radio. (Collezione R. Grimberg)

L'agente Juan Pujol, maestro del depistaggio, veniva chiamato Garbo dagli Alleati, Arabel dai tedeschi. (The National Archives, Kew)

Tre giorni prima del D-Day Hitler recitò la parte del padre di famiglia al Berghof in occasione del matrimonio della sorella di Eva Braun, Gretl. Il Führer e il suo segretario personale, Martin Bormann, contribuirono alla scelta dei regali.
(Bayerische Staatsbibliothek)

Nell'isolamento del Berghof, Hitler era certo che le sue truppe avrebbbero facilmente respinto uno sbarco alleato.
(Bayerische Staatsbibliothek)

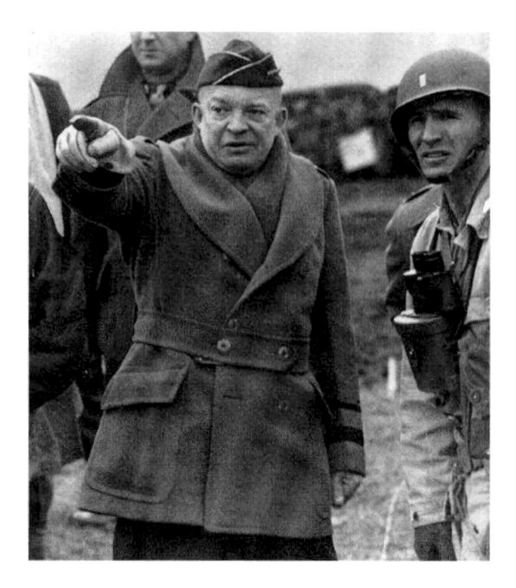

Il comandante supremo delle forze alleate Dwight D. Eisenhower dirige le manovre in Gran Bretagna poco prima del D-Day. (Popperfoto)

Le abilità diplomatiche di Eisenhower venivano messe sovente a dura prova dal compito di tenere unito il suo gruppo di comandanti a capo dell'invasione. Qui è ritratto (al centro) *mentre parla con il generale Sir Bernard Montgomery. Nella foto si riconoscono anche* (alla destra di Eisenhower) *il maresciallo dell'aria Sir Arthur Tedder e* (in piedi, da sinistra a destra) *il tenente generale Omar Bradley, l'ammiraglio Sir Bertram Ramsay, il maresciallo dell'aria Sir Trafford Leigh-Mallory e il tenente generale Walter Bedell Smith.* (Pictorial Press)

Churchill dovette abbandonare l'idea romantica di accompagnare le forze di invasione nel D-Day. Avrebbe posto piede sulle spiagge della Normandia solo in un secondo momento. (Camera Press)

Il generale Charles de Gaulle, capo di France Libre, venne a conoscenza dei piani degli Alleati per il D-Day poche ore prima dell'inizio dell'invasione. (Camera Press)

*Il feldmaresciallo Erwin Rommel, che aveva ricevuto da Hitler l'incarico di respingere qualsiasi tentativo di invasione della Francia, ritratto durante una visita d'ispezione alla 21ª divisione corazzata nel maggio 1944; quando gli Alleati sbarcarono, si trovava a casa sua in Germania. (*Popperfoto*)*

*Uno dei motivi per cui Rommel e Hitler continuarono a formulare ipotesi sul luogo in cui sarebbe giunta l'invasione fu che il personale alleato (sia i militari sia i civili) fece bene attenzione a serbare il segreto. Ciò nonostante vi furono alcune fughe di notizie. (*Imperial War Museum*)*

Fu in un campo di transito come questo alle porte di Southampton, in cui la concentrazione di uomini e mezzi procedette nella massima segretezza, che Glenn Dickin attese l'arrivo del D-Day. (The National Archives, Kew)

È il giorno prima del D-Day e una donna inglese stende i panni mentre nella strada dietro di lei si è formato un ingorgo di mezzi e truppe di invasione. (Imperial War Museum)

Un paracadutista americano, appesantito dal materiale che dovrà renderlo autosufficiente per le prime quarantotto ore di combattimento, sale a bordo dell'aereo per il trasporto truppe in vista del lancio all'alba del D-Day. (Imperial War Museum)

I B-24 *dell'8ª forza aeronautica dell'esercito americano, rientrando in Inghilterra dopo una missione di bombardamento nelle prime ore del D-Day, sorvolano la flotta alleata in navigazione verso la Normandia.* (Imperial War Museum)

Le truppe canadesi sbarcano a Juno Beach dai loro mezzi anfibi, come fece anche Glenn Dickin nelle prime ore del D-Day. (Imperial War Museum)

Soldati canadesi da poco sbarcati in Normandia cercano di ripararsi dal fuoco dei cecchini. (Imperial War Museum)

Piccadilly Circus: la sera del D-Day i londinesi lessero avidamente la notizia degli sbarchi. (Popperfoto)

Più o meno nello stesso momento, sul far della sera del D-Day, Glenn Dickin veniva ucciso. Fu sepolto insieme ai suoi compagni d'armi nel cimitero di Fontaine-Henry. (Famiglia di Glenn Dickin)

dovuto sospendere la proiezione, in modo che anche i soldati americani di Southwick potessero vedere il film. Aveva sempre ribadito che le truppe avevano la precedenza, ed era anche capitato che si perdesse uno spettacolo perché tutte le copie disponibili erano in uso. Ma quella sera se la prese con il suo attendente navale, Harry Butcher, e lo riprese aspramente per aver organizzato la proiezione a un'ora che avrebbe tenuto i soldati alzati fino a tardi, quasi fossero una nidiata di bambocci stanchi. "Sapevo che era di cattivo umore perché eravamo a ridosso del D-Day" ha osservato Butcher.

Quella sera l'ammiraglio Ramsay annotò nel suo diario che l'imminente deterioramento del tempo era "un pensiero fisso". Paradossalmente, al largo la giornata era stata serena, con lunghi tratti di sole, e quando era scesa la notte anche il mare nello stretto di Dover si era calmato dopo che la brezza era calata. Ma cominciavano a formarsi banchi di nubi che oscurarono la luna.

Ad accrescere il fardello di Southwick House c'erano notizie allarmanti su Ultra e Fortitude. "I lillà bianchi sono fioriti" era stato il primo dei messaggi codificati della BBC rivolti alla Francia: si trattava di un segnale in codice indirizzato a Gustave Bertrand per informarlo che doveva recarsi in un luogo segreto dove quella notte un Lysander della RAF sarebbe atterrato e l'avrebbe preso a bordo per portarlo in Inghilterra.

Poche persone custodivano tanti segreti su Ultra quanto Bertrand. Negli anni trenta, in qualità di capo del dipartimento di decrittazione dei servizi segreti francesi aveva avuto rapporti di stretta collaborazione con il brillante gruppo di decrittatori polacchi che per primi avevano forzato il segreto della macchina cifrante tedesca Enigma. Nel 1940, quando le armate di Hitler avevano sconfitto la Francia, Bertrand e i suoi si erano ritirati nella relativa sicurezza della zona non occupata del paese, dove avevano proseguito il loro lavoro finché i nazisti erano entrati nella Francia meridionale dopo l'invasione alleata in Nordafrica nel novembre del 1942. Bertrand era dunque passato alla clandestinità e aveva aderito alla Resistenza, ma nel gennaio del 1944 era stato arrestato a Parigi mentre si recava a un appuntamento con un agente britannico da cui avrebbe dovuto prendere in consegna un apparecchio radio. Terrorizzato di poter rivelare il segreto di Enigma sotto tortura, aveva accettato di collaborare con i tedeschi, ma si era trattato solo di un espediente per guadagnare tempo: una settimana dopo era riuscito a sottrarsi alle loro grinfie e a sparire. Da allora il SIS aveva disperatamente cercato di farlo uscire dalla Francia e riportarlo in Inghilterra: solo interrogandolo si sarebbe potuto scoprire se aveva rivelato qualcosa al nemico per salvarsi la pelle.

Nonostante il messaggio della BBC Bertrand non era ancora arrivato. A quel punto, quando mancavano solo tre giorni al lancio dell'Operazione Overlord, nessuno sapeva se avesse rivelato il segreto di Enigma e con esso anche quello di Fortitude. Se i tedeschi sapevano che Enigma era stato tradito, avrebbero potuto utilizzarlo per mettere nel sacco gli Alleati. Il Lysander doveva volare in Francia quella sera per andare a raccogliere Bertrand. E allora gli Alleati avrebbero saputo.

Anche il soldato inglese fuggito dal suo campo di raccolta e tuttora latitante era un motivo di grande ansia: sia nel quartier generale di Montgomery sia in quello di Eisenhower i telefoni squillavano all'impazzata. La notizia secondo cui era stato arrestato quella mattina nei pressi della casa dei suoi genitori non contribuì molto a calmare le acque. A quel punto l'interrogativo più pressante era: se aveva parlato, che cosa aveva detto? E a chi? Come era riuscito ad arrivare in Galles dallo Hampshire? Che contatti aveva avuto *en route*? «Dobbiamo saperlo nel giro di un'ora» insisteva il quartier generale di Montgomery rivolgendosi all'assillato maggiore del Comando occidentale. «Arresti e metta in isolamento, senza perdere tempo, chiunque sia in possesso di informazioni ricevute da lui. Dobbiamo sapere quanto è grave la fuga di notizie e se possa essere fermata. Non c'importa come lo fa parlare o come tappa i buchi. Purché, per l'amor di Dio, faccia presto.»

La cosa si dimostrò più facile a dirsi che a farsi: nonostante l'abile ed esperto interrogatorio del maggiore, il sottufficiale si rifiutava di parlare e resisteva perfino al trattamento del silenzio, cioè ai lunghi minuti in cui l'inquirente si limitava a fissarlo senza dire una parola. La maggioranza delle persone trovava la cosa intollerabile e finiva per parlare pur di rompere la tensione, ma non quell'uomo. Nella stanza accanto squillò il telefono. Era il colonnello del SIS di Londra che chiedeva notizie. «Faccia in fretta, per l'amor di Dio!»

La lotta degli sguardi proseguì. Ma poi l'inquisitore ricorse a un altro vecchio trucco, cioè quello di muovere un'accusa falsa e offensiva: spesso ciò provocava una reazione indignata di diniego che bastava a rompere il ghiaccio e costituiva il primo passo per ottenere di più. «Ho mandato a chiamare tua madre» disse. «Come pensi che si sentirà quando le dirò che, nel momento decisivo, hai avuto paura e hai tradito i tuoi compagni?» Questa volta il trucco funzionò. «Non li ho traditi» rispose. «So che cosa succederà. Verrò fucilato. Bene, procedete. Ma non ho venduto i miei compagni.»

Poi la storia venne fuori tutta insieme. Ascoltando le riunioni informative della sua unità, il soldato si era reso conto che aveva una buona probabilità di non fare ritorno vivo dal D-Day e aveva deciso che voleva vedere per l'ultima volta i genitori e la fidanzata. Era riuscito a eludere la vigilanza delle sentinelle ed era tornato a casa facendo l'autostop; aveva trascorso la notte in un campo dell'esercito statunitense nei dintorni, dopo essere riuscito a entrare con una scusa. Lungo il cammino aveva ceduto alcune delle sue banconote francesi come souvenir, e dopo vari bicchieri aveva anche raccontato ad alcuni soldati americani ciò che sapeva dell'invasione.

Occorrevano misure drastiche. Il campo americano venne istantaneamente bloccato, tutti i militari di stanza lì furono interrogati e vennero identificati diversi soldati che erano venuti a conoscenza del segreto dell'invasione, di cui non erano ancora stati messi a parte. Il loro campo, che era ancora aperto, fu subito isolato con un cordone di guardie; furono fatti arrivare agenti della polizia militare da altre unità e vennero proibite o tenute sotto sorveglianza tutte le chiamate telefoniche verso l'esterno. Ma questa fu solo una parte delle misure: vennero diramate alla polizia le descrizioni dei camion e degli autisti che avevano dato passaggi al sottufficiale fin lì, e per fortuna si riuscì a rintracciarli. Tutti i camionisti acconsentirono di buon grado a rimanere chiusi in casa per vari giorni, e lo stesso fecero i genitori e la fidanzata del soldato. Quanto al sottufficiale, fu mandato davanti alla corte marziale e venne condannato a dieci anni di reclusione.

Quello, tuttavia, non fu l'unico allarme serio per la sicurezza che si registrò nei dieci giorni precedenti il D-Day. Alcuni soldati britannici, per esempio, evasero da un campo nei pressi di Londra per andare a far bisboccia, e ci fu anche un altro caso strano, quello del cruciverba del *Daily Telegraph*. Nel corso di vari giorni successivi in maggio e all'inizio di giugno le risposte a certe definizioni erano parole quali "Utah", "Mulberry" e "Omaha", tutte correlate ad alcuni aspetti segreti del D-Day; l'MI5 decise quindi di interrogare l'uomo che aveva ideato i cruciverba, un insegnante, e risultò che si trattava di un'innocua, anche se strana e financo incredibile coincidenza. Solo molti anni più tardi emerse che l'uomo si era rivolto ai propri allievi perché gli suggerissero qualche parola per le sue definizioni; uno di loro aveva bighellonato intorno a vari campi di raccolta, e gli era capitato di orecchiare parole insolite o esotiche che aveva poi ripetuto all'insegnante.

Tutti questi episodi, più o meno innocui o gravi, contribuivano a mettere in rilievo l'ansia che cresceva con l'avvicinarsi del D-Day. Il segreto era precariamente sospeso sull'orlo di un precipizio.

Malgrado le notizie rassicuranti del giorno precedente riguardo a Johan Jebsen, l'ufficiale dell'Abwehr rapito, le persone più vicine a Garbo erano in preda a un grande nervosismo: solo loro sapevano quanto complessa, incerta e vulnerabile fosse veramente la partita. In febbraio, dopo che Jebsen aveva fatto il nome di Arabel come agente dell'Abwehr, un reclutatore aveva cominciato a preoccuparsi a tal punto della situazione precaria in cui versava l'intera operazione da chiedere l'immediato abbandono di Garbo; il suo ordine venne annullato dal Double Cross Committee, ma lui rimaneva pronto a staccare la spina in qualsiasi momento.

Quell'incredulo Tommaso altri non era che il controllore inglese di Garbo, l'ufficiale ispanofono che lo aveva accolto quando era sbarcato dall'idrovolante a Plymouth due anni prima: Tomas Harris.

Figura straordinaria ed enigmatica, aveva solo quattro anni più di Pujol e lavorava per l'MI5 dal 1940 in qualità di suo principale esperto di questioni spagnole. Grazie alla madre, Enriqueta, parlava la lingua e capiva la cultura e la mentalità di quel paese come se fosse cresciuto lì; il padre, Lionel, era un facoltoso mercante d'arte di Mayfair specializzato nelle opere dei maestri El Greco, Velázquez e Goya. Tomas aveva seguito le orme del padre nel commercio e aveva viaggiato a lungo in Spagna per acquistare dipinti per la galleria. Durante la Guerra civile aveva effettuato diversi viaggi nel Nord del paese, riuscendo a carpire *objets d'art* ai rifugiati.

Harris era a sua volta artista e scultore, e all'età di quindici anni aveva vinto una borsa di studio alla prestigiosa Slade School of Art; poi era passato al Courtauld Institute per svolgere una ricerca post laurea sul barocco spagnolo.

Allo scoppio della guerra Harris era una sorta di istituzione esotica della società londinese, con il suo aspetto elegante ma anticonvenzionale, la barba accuratamente regolata, le sigarette gialle di tabacco nero fatte a mano che gli tingevano di nocciola le dita e la raffinata aria di mistero. Ormai gestiva una galleria per proprio conto ed era anche molto facoltoso. Lui e la moglie Hilda, generosi e amanti della compagnia, erano soliti organizzare feste sontuose nella loro casa di Mayfair. Tra i suoi amici Harris annoverava Guy Burgess, uomo di mondo e produttore di dibattiti radiofonici per la BBC, Kim Philby, che era stato corrispondente di guerra in Spagna durante la Guerra civile, e il giovane astro nascente della storia dell'arte Anthony Blunt. Alcuni decenni più tardi emerse che i tre erano stati fra le spie più famigerate ai tempi della Guerra fredda, ma a quell'epoca erano assidui frequentatori di feste con una gran passione per la bella vita. Harris, osservò una volta Philby ironicamente, "affermava che una tavola veramente bella non può essere rovinata da macchie di vino". Ma era stato Burgess a introdurre Harris nell'ambiente dei servizi segreti britannici, quando aveva ingaggiato lui e la moglie come "governanti" della scuola di addestramento per agenti segreti gestita dall'organismo che aveva preceduto il SOE, cioè la sezione D del SIS. Quando quel lavoro era giunto al termine Blunt, che a quel punto era entrato a far parte dell'MI5, lo aveva presentato nell'ambiente del controspionaggio.

Harris si era rivelato ben presto un operatore esperto e dotato di talento: impressionava tutti con la sua energia e la sua immaginazione. "Quando aveva un'idea brillante il suo sguardo, di solito carezzevole e pieno di sentimento, si infiammava d'improvviso" ha osservato un ufficiale dei servizi britannici che lo ha conosciuto bene; "d'altra parte, i suoi occhi rimanevano ardenti e brillanti anche quando dipingeva o scolpiva." Era dotato di una personalità forte e coinvolgente. "Guardando un quadro al suo fianco" ricorda uno dei suoi contatti nell'ambiente dei mercanti d'arte del West End "ti rendevi conto che, in capo a una ventina di minuti, la pensavi proprio come lui."

L'abilità di Harris si esplicava ora nel tentativo di convincere i tedeschi che il quadro che andava delineando per tramite di Garbo era assolutamente realistico.

Sul treno speciale con cui aveva raggiunto Portsmouth Churchill si era portato anche la sua cassetta di intercettazioni segrete. Per la maggior parte provenivano dal fronte italiano, dove i tedeschi erano in piena ritirata: un messaggio inviato da Kesselring all'Alto comando a Berlino riferiva della situazione "troppo logorata"; in un altro il comandante tedesco si appellava a Heinrich Himmler perché rendesse disponibile la divisione corazzata Lehr delle SS in vista della difesa costiera. Churchill scorse anche il sommario navale: l'*U-178* era giunto a Bordeaux dall'Estremo Oriente con un carico di gomma, zinco e wolframio (quest'ultimo veniva impiegato per la lavorazione dell'alluminio); inoltre, quattro U-Boot erano partiti dai loro ben protetti fiordi norvegesi dirigendosi verso sud, alla volta della Francia occidentale, per raddobbare gli *Schnorchel*.

La notizia era preoccupante. Uno *Schnorchel* era un tubo simile a un periscopio che risucchiava l'aria di superficie e consentiva ai sottomarini di far funzionare i loro rumorosi motori diesel e ricaricare le batterie pur rimanendo parzialmente sommersi. In teoria un U-Boot equipaggiato con uno *Schnorchel* non avrebbe mai dovuto emergere, quindi era molto meno vulnerabile. Sebbene gli americani avessero inventato il dispositivo già nel 1897 e la marina olandese lo utilizzasse prima della guerra, in quella fase solo i tedeschi lo stavano sfruttando, perché nella pratica il congegno si era dimostrato capriccioso e inaffidabile; esso comunque innalzava il livello di pericolosità degli U-Boot per la flotta di invasione del D-Day.

Da un'altra intercettazione Churchill venne inoltre a sapere che il ministero degli Esteri tedesco stava denunciando le incursioni di bombardamento alleate come "attentati terroristici", il che significava che gli equipaggi alleati non avrebbero più avuto titolo ad alcuna protezione da parte delle autorità militari o di polizia tedesche: era un sinistro presagio del loro destino, dato che gli equipaggi abbattuti della RAF venivano successivamente messi a morte nei campi di concentramento. Un altro dispaccio letto da Churchill era stato scritto dall'incaricato d'affari portoghese a Berlino ed era indirizzato a Lisbona. L'autore riferiva che un bollettino di guerra tedesco aveva menzionato per la prima volta un'"invasione" alleata. Ciò induceva a ritenere, secondo l'incaricato, che l'Alto comando avesse ricevuto qualche informazione concreta a sostegno di tale ipotesi. Erano sempre più diffuse le voci a proposito di sbarchi dal mare in Olanda, dall'aria in Francia e nella stessa Germania, intorno ad Amburgo e nello Schleswig-Holstein. Eppure a Berlino la linea ufficiale rimaneva ottimistica. "Ufficiali tedeschi" riferiva a Lisbona l'incaricato d'affari "soprattutto quelli che sono tornati dal fronte orientale, sono ancora convinti che la Wehrmacht potrebbe facilmente spazzare via l'esercito russo una volta sventata la minaccia contro l'Occidente." Questa intercettazione fece capire a Churchill che nel campo nemico regnavano incontrastati l'autocompiacimento e la confusione.

Dopo aver fatto visita ad Eisenhower Churchill tornò al suo treno. Alle undici e mezzo prese il telefono provvisto di rimescolatore e comunicò al segretario particolare del re, Sir Alan Lascelles, che aveva cancellato i propri piani per il D-Day. Poi, dopo mezzanotte, iniziò una lettera personale manoscritta al re. Esordiva con tono di sfida, ma concludeva con un piagnucolio obbediente. "Come primo ministro e ministro della Difesa" premetteva in tono baldanzoso "dovrei essere autorizzato a recarmi dovunque lo ritenga necessario nell'ambito dell'espletamento dei miei doveri, e non ammetto che il Gabinetto abbia alcun diritto a porre restrizioni sulla mia libertà di movimento." Dopo essere passato a respingere qualsiasi confronto tra la sua posizione costituzionale e quella del sovrano, terminava bruscamente comunicando al re che avrebbe obbedito ai suoi desideri, "anzi, ordini", in quanto motivati da preoccupazioni per la sua sicurezza. "È un grande conforto" scriveva Churchill con un accenno appena velato alla circostanza che questo avrebbe potuto costituire un motivo per rassegnare le sue dimissioni "sapere che essi scaturiscono dal desiderio di Sua Maestà di continuare ad avermi al suo servizio."

Dalla pagina emergeva con la massima evidenza la delusione di Churchill per essere stato ostacolato nei suoi piani. La lettera, una volta firmata, fu consegnata a un portaordini che partì di gran carriera nell'oscurità per consegnarla a palazzo. Eisenhower non era il solo ad avere le paturnie prima dell'invasione.

A La Roche-Guyon Rommel esibiva una calma notevole. Da tempo si era convinto che gli Alleati avrebbero fatto sbarcare le loro truppe con l'alta marea, affinché i loro uomini si trovassero a superare la distanza più breve possibile nel momento in cui avrebbero dovuto attraversare le spiagge esposte sotto il fuoco nemico. Era ciò che avevano fatto altrove, e non vedeva motivo per cui si sarebbero dovuti comportare diversamente. Consultando le tabelle della luna e delle maree si accorse che non vi sarebbe stata coincidenza fra alta marea e luna propizia prima del 20 giugno. Quel mattino si era occupato delle scartoffie, ma dopo pranzo andò a sparare due colpi con il suo amico, il marchese de Choisy. "Mi sono goduto uno splendido panorama sulla valle della Senna" avrebbe annotato nel diario il suo consulente navale "e quanto alla selvaggina ho visto solo un minuscolo scoiattolo, ma c'erano continui attacchi aerei ai ponti sulla Senna."

Anche il feldmaresciallo von Rundstedt, nel suo quartier generale a Parigi, stava scrutando attentamente il cielo. Telegrafò all'Alto comando a Berlino per comunicare che l'invasione alleata avrebbe richiesto quattro giorni consecutivi di tempo buono, ma non era previsto nulla del genere. Anche lui era certo che la settimana ventura sarebbe stata tranquilla.

Mentre von Rundstedt formulava la sua previsione l'ufficiale dell'Abwehr Oskar Reile stava trasmettendo allo stato maggiore del feldmaresciallo e alla Gestapo le informazioni riguardo ai messaggi di avvertimento della BBC e al sonetto di Verlaine che erano state raccolte il giorno precedente dal suo servizio di intercettazioni. La Gestapo inoltrò la notizia all'Alto comando a Berlino e agli esperti dello stato maggiore generale d'Occidente.

La più mirabile realizzazione tecnica di Hitler nell'Obersalzberg era un ascensore che saliva fino in cima al Nido dell'Aquila, un pinnacolo di roccia che sovrastava il Berghof di circa settecento metri. Lì, con costi iperbolici stimati in circa trenta milioni di marchi, e dopo tre anni di lavoro, era stato scavato nella roccia viva un tunnel per alloggiarvi un ascensore provvisto di una porta placcata in oro e sedili imbottiti. Per raggiungerlo bisognava affrontare un tragitto mozzafiato di otto chilometri di ripida e tortuosa strada di montagna, superando tornanti e passaggi a strapiombo. In vetta, all'interno di un'ampia sala circolare da cui si godevano vedute panoramiche, il Führer poteva collegarsi via telefono praticamente con qualsiasi capitale del mondo. C'erano anche un solarium, una sala da pranzo e un appartamento privato.

Eppure Hitler andava lassù di rado, temendo che un fulmine potesse colpirlo mentre usava l'ascensore oppure che un franco tiratore potesse prenderlo di mira mentre percorreva in automobile la lenta e tortuosa strada che portava al tunnel. Per la maggior parte del tempo l'intero progetto rimase un trastullo, un patrimonio che evidentemente tralasciava di sfruttare. Ciò simboleggia bene il mondo sterile in cui ormai si muoveva.

Hitler era stato avvertito che l'invasione poteva essere vicina: lo stato maggiore dell'Alto comando aveva verificato le tabelle delle maree e, diversamente da Rommel, era giunto alla conclusione che qualsiasi giorno fra il 5 e il 13 giugno poteva prestarsi all'entrata in azione degli Alleati. Hitler, inoltre, era stato aggiornato sui messaggi della BBC e sulle informazioni di Reile. Ma tali avvertimenti sembravano non averlo scosso. Al contrario: proprio quella mattina aveva dato ordine di spostare la 19ª divisione della Luftwaffe dalla Francia all'Italia, suscitando la collera impotente di Walter Warlimont, capo in seconda delle operazioni dell'Alto comando tedesco. Questo era solo un modo per "ballare sulla musica del nemico" pensò Warlimont.

Le informazioni, anche se precise, sono inutili per una mente chiusa, e a quel punto Hitler, a causa del crescente isolamento sociale in cui viveva, era ormai immune nei confronti di qualsiasi sfida alle sue convinzioni saldamente radicate: circondatosi di servili adulatori e sicofanti, era libero di indulgere nelle sue fantasie senza più freni. Jodl, Keitel e gli altri membri dell'Alto comando servivano principalmente a tradurre in fatti la sua volontà.

Walter Schwender, affaccendato nel suo laboratorio di riparazioni della Wehrmacht fuori Nantes, non scrisse alla sua famiglia ad Auschwitz. Laggiù, nella Buna, un altro giovane stava lavorando fra i tubi, i binari e le caldaie sparpagliate per tutto il complesso industriale come i frammenti di un infernale deposito di rottami.

Per lui scrivere a casa non era neppure immaginabile: era un prigioniero, uno degli ebrei del campo di Monowitz che venivano tenuti in vita per sfruttarne il lavoro. Peggio si metteva la guerra per i tedeschi, più essi trovavano modi per spremere ogni energia produttiva ai loro schiavi: in aprile, in seguito alle pressioni di Heinrich Himmler, capo delle SS, a tutti i campi di concentramento del Terzo Reich era stato diramato un ordine secondo cui il lavoro doveva essere "estenuante, nel vero senso della parola, per ottenere il massimo della produzione".

Il prigioniero, emaciato dalla fame, indossava la leggera uniforme a strisce dei campi di concentramento e portava cucita sulla giacca una stella di David gialla. Si trovava in quel luogo sin da quando vi era arrivato su un treno merci cinque mesi prima. Sull'avambraccio sinistro aveva tatuato il suo numero: 174517.

Primo Levi era stato spogliato del suo nome e dell'identità personale sin dal giorno in cui era arrivato lì. Da allora aveva visto ammalarsi e svanire inspiegabilmente nel nulla decine dei suoi compagni di prigionia. Alla Buna (che, nonostante gli strenui sforzi dei nazisti, non aveva ancora prodotto un solo chilo di gomma sintetica) lavoravano in tutto circa quarantamila operai schiavi. In effetti, come aveva notato il padre di Walter, alcuni dei prigionieri erano criminali, ed erano contraddistinti da un triangolo verde. Molti di loro erano anche kapò, preposti al comando degli altri prigionieri dalle stesse SS: come aveva spiegato Himmler quel mese nel corso di una riunione dei suoi generali, formavano il corpo degli *Unteroffizier* per l'intera comunità dei campi di concentramento. Il kapò doveva controllare che i suoi deportati lavorassero e doveva tenere pulite le baracche, altrimenti rischiava di essere immediatamente deposto; in tal caso sarebbe tornato alla sua cuccetta in una delle baracche, dove quella notte stessa i suoi compagni di prigionia lo avrebbero ucciso. «E lui questo lo sa» aveva spiegato in tono lugubre Himmler. «Il kapò gode di certi privilegi. Qui non si tratta di progettare un sistema assistenziale, lasciate che ve lo dica in tutta franchezza, bensì di raccogliere gli Untermenschen dalle strade e di farli lavorare per la Germania... per la vittoria.» In questa gerarchia della brutalità gli ebrei occupavano il gradino più basso, erano gli schiavi di tutti gli altri schiavi.

La Buna aveva le dimensioni di una piccola città. Al centro di questa metropoli da incubo si innalzava la Torre del Carburo, un edificio costruito dagli internati; i suoi mattoni, osservò Levi, erano cementati dall'"odio e dalla discordia, come la Torre di Babele [...] e odiamo in essa il sogno demenziale di grandezza dei nostri padroni, il loro disprezzo di Dio e degli uomini, di noi uomini".

Levi e Walter Schwender avevano in comune la giovane età, ma i loro due mondi erano separati da un abisso di crudeltà, disprezzo, ignoranza, pregiudizio e indifferenza.

C'era una sola piccola cosa che i due giovani potevano condividere. "L'acqua è tiepida e dolciastra, ha odore di palude" osservava Levi, inconsapevolmente d'accordo con Walter: persino dopo quattro giorni trascorsi sul vagone merci senza nulla da bere era stato costretto a risputarla. Alle SS era vietato berla. Quel sapore aveva offerto a Levi un primo assaggio della follia della Buna. Mentre gli sembrava di impazzire per la sete, aveva adocchiato fuori da una finestra un bel ghiacciolo a portata di mano e aveva allungato il braccio per raccoglierlo, ma guardia glielo aveva strappato brutalmente. «Perché?» domandò Levi. «Qui non c'è perché» rispose la guardia.

A Washington Franklin D. Roosevelt tenne una conferenza stampa. La campagna di pressione per portare soccorso agli ebrei d'Europa stava montando da mesi. Quell'anno il presidente aveva istituito il War Refugee Board per salvare le vittime dei nazisti; si era proposta la creazione di "porti franchi" o rifugi temporanei, ma fino a quel momento le lungaggini burocratiche avevano impedito di vedere risultati concreti. "Per un uomo che muore di fame in un campo o entra in una camera a gas, la speranza che per i suoi bambini non tutto sia nero in questo mondo può costituire un grande sostegno" aveva scritto un angosciato commentatore americano. "Ma sentire che i tuoi amici e alleati sono velleitari i quali pensano sinceramente ciò che dicono, anche se poi non hanno la grinta per metterlo in pratica, deve gettarti addosso una disperazione che avvelena l'animo." Nella sua conferenza stampa Roosevelt annunciò che stava valutando la possibilità di riconvertire un campo dell'esercito negli Stati Uniti in un rifugio.

Albert Grunberg, nella sua stanzetta a Parigi, si stava riprendendo da un altro estenuante scontro con il fratello. Il giorno prima Sami si era profuso in una litania di lamentele e di autocommiserazione su come i suoi sogni di prosperità si erano dileguati per sempre, dato che non avrebbe più potuto vivere della rendita della sua proprietà. Albert non era dell'umore per starlo ad ascoltare. Come avrebbe reagito, gli domandò rabbiosamente, se lui avesse continuato a lamentarsi allo stesso modo per i suoi figli? Era indecoroso lagnarsi sempre per la propria sfortuna, lo rimproverò. A coronamento di questo litigio Sami dichiarò che si sentiva male, si mise a letto e poi tenne sveglio Albert russando tutta la notte.

Quello stesso giorno mille ebrei, uomini, donne e bambini, arrivarono ad Auschwitz da Drancy: era il settantacinquesimo convoglio di deportati dalla Francia che giungeva nel campo di sterminio. Dopo l'usuale selezione delle SS sulla pensilina, a 239 uomini e 134 donne vennero assegnati dei numeri e poi furono ammessi nel campo; i restanti 627 vennero spinti verso le camere a gas. Dieci giorni prima il precedente convoglio da Drancy aveva scaricato milleduecento ebrei, 732 dei quali erano stati immediatamente gassati.

Fra essi vi era il cugino di Albert Grunberg, Jacques Cling, insieme alla moglie Simone e ai loro due figli adolescenti, Maurice e Willy. Erano stati arrestati dalla polizia nella loro casa di Parigi, in rue Monge; poi erano stati trattenuti a Drancy per due settimane prima del viaggio di tre giorni alla volta di Auschwitz. La loro famiglia morì unita. Simone, tragicamente inconsapevole del destino che li attendeva, aveva insistito perché Maurice, che in modo inspiegabile era stato lasciato fuori dall'elenco delle persone da deportare, venisse prelevato a scuola per accompagnarli. "Nous sommes en pleine terreur blanche", scrisse Grunberg nel suo diario quando sentì la notizia del loro arresto.

Veronica Owen aveva una giornata libera. Rimase a letto fino alle nove e mezzo e dopo colazione inforcò la bicicletta e tornò dagli Spurway per prendere un mazzo di rose che, per la fretta di rincasare in orario, aveva lasciato lì la sera prima. Perlomeno era in bicicletta, e così era potuta tornare a casa rapidamente nell'oscurità. Altre volte le era toccato camminare. Prima che venissero introdotte le restrizioni agli spostamenti, in aprile, in occasione delle licenze di tre giorni che aveva trascorso insieme ai genitori a Londra aveva dovuto tornare a Fareham in treno dopo il tramonto. Ciò comportava una paurosa camminata di un quarto d'ora lungo una strada non illuminata e fiancheggiata da alberi fino a Heathfield. Per farsi coraggio aveva imparato a memoria alcune poesie e camminava in mezzo alla strada continuando a declamare ad alta voce «Questo augusto trono di re, questa isola scettrata» e altri versi patriottici di Shakespeare, Wordsworth e Browning finché non riusciva a superare senza incidenti gli alberi e a rientrare nel suo cottage.

Dopo una tazza di tè fece ritorno a Heathfield e bighellonò per il resto della giornata, leggendo altre lettere di Lawrence d'Arabia. "Non riesco a mettere giù questo libro" scrisse ai genitori. Poi aggiunse una postilla curiosa. Prima tutti erano sicuri che l'invasione sarebbe avvenuta in maggio, ora gli sguardi di tutti erano puntati su Roma. Che questo gran parlare del secondo fronte fosse un bluff? "Mi domando" scrisse prima dell'arrivo del pullman che l'avrebbe condotta a Fort Southwick per il turno di quella sera "se ci andremo mai nella Francia settentrionale!"

Al 19 di Mollergaten Peter Moen graffiava sul suo diario di carta igienica il "centoventesimo giorno". Come uno scienziato che registra la scoperta di una specie ignota, prendeva appunti sui suoi compagni di cella. Sia l'uno sia l'altro, osservò, erano "uomini normali o comuni o da giardino".

Tutti i prigionieri erano definiti "politici", ma ciò significava solamente che in un modo o nell'altro avevano avuto guai con le autorità di occupazione. Alcuni facevano la borsa nera, alcuni si erano azzuffati con i soldati tedeschi; altri, come Moen, erano veri esponenti della Resistenza. Il marinaio, il prigioniero numero 5984, era finito dietro le sbarre per aver colpito un soldato tedesco durante una rissa fra ubriachi, e per quanto Moen poteva congetturare doveva aver avuto diverse noie con la legge anche in tempo di pace. Era stato coinvolto in guerre fra bande, parlava con cognizione di causa di rapine aggravate e di tanto in tanto rammentava un capobanda chiamato Harry il Piede per via della sua abilità nel prendere a calci gli avversari durante le risse. Lui e il giardiniere-scalpellino, un uomo tranquillo cui era stato assegnato il numero 6052, avevano caratteri incompatibili e litigavano di continuo. Moen si annoiava a fare sempre da paciere ed era infastidito dal tono ipocrita che il giardiniere-scalpellino assumeva quando parlava con il marinaio. Personalmente era affascinato da quest'ultimo e riconosceva in lui un personaggio esotico, lontano dalla sua esperienza. Qualsiasi tentativo di discussione intellettuale con lui era una perdita di tempo, ma aveva uno splendido senso dell'umorismo che li aiutava a distrarsi. "Un prigioniero depresso è un vero fardello" scrisse Moen "e rappresenta senz'altro una punizione aggiuntiva."

Con il marinaio non si correvano rischi del genere. Si insegnavano a vicenda parole e modi di dire stranieri: il marinaio dava a Moen lezioni di finlandese, il contabile lo ricambiava con qualche parola di francese sul tema delle donne. Il sesso, in effetti, occupava gran parte delle loro conversazioni: donne e risse fra ubriachi erano al centro dei discorsi del suo compagno di cella, il cui vocabolario era un florilegio di sconcezze. Quando raccontava le sue imprese, i suoi occhi castani mandavano dei lampi e spesso si interrompeva per scoppiare in un'aspra risata. "Dal punto di vista amoroso è un animale selvaggio e fa qualsiasi cosa pur di conseguire il suo scopo: il possesso fisico" annotò Moen. Le sue storie duravano solo finché lo interessavano e poi se ne ripartiva senza preavvisi né addii. "Sostiene di non avere figli illegittimi; così dice..." concludeva Moen, tirando le somme del suo bilancio morale.

Da bambino Bill Tucker era stato educato alla fede metodista, ma non era un frequentatore abituale della chiesa; ciò nonostante non era neppure un agnostico, e si considerava profondamente religioso. Durante il periodo di attesa a Cottesmore, mentre si interrogava sul proprio destino, fu attratto dai servizi religiosi officiati dal cappellano protestante, il reverendo George Woods, soprannominato Chappie.

Il reverendo Woods, un uomo dai capelli scuri sui trent'anni, si era arruolato nell'82ª aviotrasportata due anni prima a Fort Benning e poi, dopo i cinque lanci regolamentari, era riuscito a conquistarsi le agognate ali d'argento e gli anfibi. Era saltato a Salerno insieme a tutti gli altri, divenendo così il primo cappellano della storia degli Stati Uniti a effettuare un lancio di combattimento. Prima della guerra era stato rettore di una chiesa episcopale nell'Indiana. Godeva di una certa popolarità alla base e a Tucker piaceva: "Quando c'era un servizio ci andavo. Dicevo sempre le mie preghiere".

A differenza di Glenn Dickin, che era circondato dei volti familiari di persone della sua stessa provincia e addirittura dei luoghi e della scuola della sua infanzia, Tucker aveva con sé poco del proprio passato che potesse confortarlo o rassicurarlo. Si era lasciato la famiglia alle spalle. "Ho avuto un'infanzia difficile" ha ricordato "e mi sono semplicemente dimenticato di casa. Di tanto in tanto scrivevo una letterina e avevo una ragazza laggiù, ma mi piantò in asso per un pilota di B-17. Faceva tutto parte del passato." Ma attingeva forza ai suoi amici, uomini delle più diverse estrazioni e provenienze, di tutti gli stati d'America.

Il suo migliore amico era Larry Leonard, del Missouri. I due si erano piaciuti fin dal primo momento. Si erano trovati di stanza insieme a Cookstown, nell'Irlanda del Nord; erano corsi appresso alle ragazze, si erano ubriacati ed erano andati al cinema. Facevano rifornimento a base di patatine fritte e bistecche. "Intorno alla latteria gironzolavano molti dei nostri ragazzi" ricorda Tucker "e alcuni di loro avevano delle fidanzate. Ma a Cookstown c'era penuria di ragazze e poi se ne stavano bene alla larga, perché erano state avvertite dai sacerdoti di stare in guardia dall'esercito degli Stati Uniti."

La situazione, tuttavia, aveva cominciato a migliorare quando lui e Larry erano arrivati in Inghilterra: passavano la maggior parte delle libere uscite nella cittadina di Loughborough, frequentavano i pub e i balli. Quando Tucker si vedeva con Molly, la pilota collaudatrice, Larry e la sua amica li raggiungevano per andarsi a divertire tutti insieme. Ora che si trovavano entrambi reclusi a Cottesmore i due uomini erano inseparabili. Tucker si era fatto trasferire all'equipaggio di mitragliatrice di Larry quasi subito dopo che era arrivato a Quorn, e i due passavano il tempo nella tenda di Larry a ghignare di questo e di quello e a ripetere all'infinito le procedure di combattimento. Quando finalmente avessero messo piede a terra nel D-Day, ovunque si fossero trovati, avrebbero manovrato la mitragliatrice insieme: avrebbero formato una squadra di combattimento di due uomini, ciascuno dei quali affidava la propria vita all'altro.

Quel pomeriggio, verso l'una, tre bombardieri pesanti che volavano in formazione a V spuntarono da un cielo coperto e fecero un cerchio sopra la base aerea sovietica di Poltava, in Ucraina. Ben presto altri settanta aerei volavano in cerchio a trecento metri di altezza;

poi, con un'esibizione di potenza aerea impressionante, atterrarono con precisione cronometrica a intervalli di un minuto sulla pista. Erano quadrimotore Flying Fortress della 15ª forza aeronautica statunitense e avevano appena effettuato la prima operazione di ponte aereo allestita dall'Unione Sovietica e dai suoi alleati.

L'iniziativa congiunta russo-americana a Poltava aveva ricevuto il nome in codice Frantic: era un'impresa carica di importanti potenzialità tattiche, strategiche e, in quanto simbolo della cooperazione fra Est e Ovest, anche politiche. I bombardieri avevano base in Italia, ma i loro obiettivi si trovavano nell'Europa centrale e orientale; il fatto di poter atterrare dietro le linee sovietiche dopo aver completato le loro missioni, anziché dover tornare fino in Italia, consentiva loro di portare meno carburante e un maggior carico di bombe. Inoltre avevano modo di evitare le pesanti difese antiaeree lungo la rotta italiana, mentre il maltempo sulle Alpi non influenzava più le loro incursioni. Al di là di questi vantaggi tecnici immediati, c'era la prospettiva di accedere a molti altri obiettivi che i tedeschi avrebbero dovuto difendere con le loro già malridotte risorse in fatto di batterie antiaeree e caccia. L'effetto sul morale degli stati satelliti della Germania, Ungheria, Bulgaria e Romania, poteva essere significativo, dato che questi ultimi avrebbero avuto modo di constatare le dolorose conseguenze di una cooperazione sovietico-americana.

Gli sforzi per allestire basi per i bombardieri alleati in Russia erano stati avviati già quando l'Armata rossa aveva iniziato la sua inesorabile avanzata verso ovest nel 1943, e Roosevelt aveva sollevato la questione con Stalin in occasione della Conferenza di Teheran, nel novembre di quello stesso anno. All'inizio del febbraio del 1944 il leader sovietico aveva confermato ad Averell Harriman di approvare l'idea: lo Zio Joe aveva mostrato vivo interesse per ogni aspetto, dalla lunghezza delle piste al contenuto di ottani del carburante per aeroplani. Tale interesse, tuttavia, non si estendeva alle questioni pratiche, che si dimostrarono quasi insormontabili a causa dei sospettosi e torpidi burocrati sovietici. Frantic, evidentemente, non era un nome inappropriato. Come si sarebbe fatto, domandavano i circospetti funzionari, a esaminare centinaia di militari statunitensi prima di farli entrare nell'Unione Sovietica? Alla fine, dopo settimane di trattative, vennero rilasciati visti di gruppo, ma quando singoli tecnici dovettero fare ritorno in Italia per brevi missioni la questione dei visti d'ingresso e d'uscita si ripresentò. La richiesta americana di esercitare il controllo totale sulle comunicazioni fu oggetto di strenua resistenza non da parte dell'aeronautica sovietica, bensì da parte del ministero degli Esteri. Il compromesso, che venne rispettato soprattutto per tentare di salvare la situazione, prevedeva che rappresentanti sovietici fossero presenti in tutti i centri per le comunicazioni e avessero il diritto di accedere a tutto il materiale, dalle previsioni meteorologiche ai rapporti operativi.

Poltava, che era stata prescelta come quartier generale dell'Operazione Frantic, era lo storico sito di una battaglia del 1709 immortalata da Puškin in un poema epico: qui le forze di Pietro il Grande avevano messo in rotta l'esercito svedese capitanato da Carlo XII, ponendo così fine a una lotta epica per il controllo del Baltico. Personale di guardia, di servizio e meccanici dovevano essere forniti dai sovietici, e in teoria americani e russi avrebbero dovuto mangiare, dormire e lavorare nelle stesse identiche condizioni. Mosca fornì anche le donne che, a tempo record, posarono le pesanti stuoie di acciaio con cui era pavimentata la pista di decollo, lunga milleseicento metri.

La base fu pronta verso la fine di maggio. "Era strano vedere lì, nel cuore del paese di Gogol'" ha riferito un testimone oculare "centinaia di GI che mangiavano enormi quantità di carne in scatola americana, fagioli in salsa e purea di mele, bevevano litri e litri di buon caffè, facevano proposte galanti alle cameriere ucraine della mensa che ridacchiavano imbarazzate e formulavano paragoni lusinghieri fra il paesaggio ucraino e quelli, più familiari per loro, dell'Indiana o del Kentucky." Molti di quegli americani avevano lontane origini polacche o russe. «Mia nonna sta a Kiev e ho zie e zii lungo tutta la strada da Smolensk alla Bessarabia» diceva un GI. La domenica c'era pollo alla crema e torta di mele. Ogni sera veniva proiettato un film, una volta americano e quella seguente sovietico. Gli aviatori ballavano con le impiegate e le meccaniche e fumavano migliaia di sigarette.

Per la loro prima missione, prevista per il 1° giugno, gli americani avevano in mente tre obiettivi, uno dei quali era Galaţi, in Romania, la città da cui proveniva Albert Grunberg. Con un gesto che voleva essere cortese chiesero l'approvazione sovietica, ma andarono su tutte le furie quando lo stato maggiore dell'Armata rossa pose il veto sui loro obiettivi senza fornire spiegazioni o proporre alternative. Risultò che senza volerlo avevano scelto bersagli il cui bombardamento avrebbe richiamato la pericolosa attenzione tedesca su siti importanti per l'imminente offensiva dell'Armata rossa: ancora segretissima, nella fase finale di programmazione, sarebbe stata lanciata poco tempo dopo il D-Day.

Gli americani scelsero un altro obiettivo e una data successiva, questa volta però senza chiedere l'approvazione sovietica: la base della Luftwaffe a Debrecen, in Ungheria. «I russi premiano i risultati» disse ai suoi uomini il generale Ira Eaker, comandante delle forze alleate nel Mediterraneo, «e, per Dio, io voglio risultati.» Dopo aver portato a termine l'incursione le Flying Fortress avevano virato verso est e, scortate da caccia Mustang a lunga autonomia e dagli Yak dell'aviazione sovietica, avevano raggiunto Poltava in perfetto orario. La brigata di donne russe tirò un sospiro di sollievo collettivo quando vide che la preziosa pista di maglia di acciaio resisteva al peso dei giganteschi bombardieri, mentre la prima spedizione aeronautica congiunta sovietico-americana contro il comune nemico rientrava sana e salva alla base. Il primo uomo a scendere a terra fu Eaker. Si accese un sigaro: forse era ancora sotto l'impressione del fine settimana che di recente aveva trascorso con Churchill a Chequers; poi appuntò qualche decorazione al petto dei generali sovietici che avevano contribuito a predisporre la base. Più tardi, quella sera stessa, Radio Mosca trasmise un resoconto trionfale dell'operazione; essa era stata resa possibile, rilevava, dall'avanzata verso ovest dell'Armata rossa.

David Bruce e il capo dei servizi informativi americani, ancora a bordo del *Tuscaloosa* a Belfast, trascorsero quella giornata limpida e serena impegnati in visite ufficiali: al governatore dell'Irlanda del Nord, al duca di Abercorn ("un affascinante signore di settantacinque anni" annotò Bruce nel suo diario "con il naso rosso e una passione per il Porto") e a Sir Basil Brooke, primo ministro dell'Irlanda del Nord nonché cugino di Sir Alan Brooke, capo di stato maggiore dell'impero britannico. Una volta tornati a bordo si rimisero a studiare i piani di Neptune e Overlord. I comandanti delle navi, registrò Bruce con una certa inquietudine, stavano "annaspando nel mare di carta dei piani di invasione che si riversavano quotidianamente sulle loro scrivanie".

7

Il Nadir della tensione

Sabato 3 giugno

A Caen, André Heintz pedalò fino alla stazione ferroviaria nei pressi della zona portuale: andava all'appuntamento delle 8.45 con Courtois, il suo contatto dei servizi informativi che arrivava da Ouistreham. Il treno giunse in orario, il che ormai succedeva molto di rado: quello da Cherbourg a Parigi, che avrebbe dovuto raggiungere Caen alle nove del mattino, era in ritardo a causa di un sabotaggio della linea e arrivò con dodici ore di ritardo. Anche i bombardieri alleati facevano del loro meglio per distruggere le linee ferroviarie e i ponti, e dalla capitale non arrivavano più convogli. Nel corso della giornata André aveva visto passare nel cielo decine di aeroplani, e gli allarmi erano risuonati diverse volte, costringendo la gente a correre in cerca di un riparo. Suo padre, che stava cercando di comprare un po' di legna per la loro cucina economica, si era dovuto dare per vinto a causa delle frequenti interruzioni. Era una giornata calda e asciutta.

Di solito i due uomini passeggiavano con aria innocente dalla stazione verso la città, e intanto André passava al compagno, senza farsi notare, carte di identità false appena preparate, oppure lo aggiornava su eventuali novità militari significative che aveva osservato intorno alla città. Di recente Courtois gli aveva detto di concentrare i suoi sforzi per cercare di localizzare le batterie antiaeree. "Usavamo solo delle biciclette" ricorda André "ma entrambi ci occupavamo di una specifica zona che perlustravamo due volte alla settimana per vedere se c'era qualcosa di nuovo. Inoltre conoscevamo agricoltori e altra gente nelle campagne che ci raccontavano molte cose e così potevamo sapere rapidamente se era arrivato un nuovo cannone antiaereo oppure se uno già esistente era stato spostato."

Quel giorno André aveva un'informazione particolarmente interessante da comunicargli. Uno dei suoi vicini, un giudice, dava alloggio a un ufficiale dello stato maggiore tedesco, e nella stanza dell'"inquilino" aveva trovato un documento che rivelava come i nazisti fossero profondamente pessimisti riguardo alle proprie difese. Aveva cercato di memorizzarne il testo, che era più o meno il seguente: "Possibilità di resistere sulla spiaggia per tre ore. Seconda linea di difesa intorno a Caen, un giorno. Linea arretrata di difesa lungo le colline Falaise". C'era anche una carta geografica, ma il giudice l'aveva assennatamente lasciata dove l'aveva trovata, ritenendo che la sua assenza sarebbe stata notata subito.

Quell'informazione era importante per André e ancor più per i pianificatori del D-Day. "Ci dava speranza" ricorda André; inoltre, confermava ciò che gli Alleati sospettavano da tempo riguardo alla 716ª divisione di fanteria, che aveva il suo quartier generale in città ed era incaricata di difendere le spiagge vicine. Costituita da due reggimenti, comprendeva un'elevata quota di *Osttruppen*, cioè soldati che erano stati arruolati a forza presso gruppi etnici come polacchi, cechi, ucraini e russi e ora dovevano sottostare agli ordini dei sottufficiali e ufficiali tedeschi. Fra loro pochi erano pronti a sacrificare la propria vita per Hitler, e la loro età media era più elevata di quella degli uomini delle divisioni tedesche più coriacee; era quindi poco verosimile che mettessero particolare impegno nel combattimento.

André e Courtois si separarono dopo aver concordato di incontrarsi di nuovo martedì mattina, il 6 giugno. Né l'uno né l'altro aveva la minima idea di dove sarebbe venuta l'invasione del D-Day. "Non so per quale ragione" ricorda André "ma immaginavamo che gli sbarchi avrebbero avuto luogo di domenica. Eravamo tutti impazienti."

Quello fu il giorno in cui Bill Tucker venne finalmente a sapere dove e quando avrebbe effettuato il suo lancio del D-Day. Fu fatto entrare in una tenda nel campo di aviazione di Cottesmore, dove scorse un grande tavolo con un plastico e fotografie aeree. La prima cosa che attirò la sua attenzione fu la parola "Normandia". Dunque la loro destinazione non sarebbe stata la Iugoslavia, come avevano congetturato alcuni dei suoi compagni, né la Norvegia, che secondo lui era l'ipotesi più probabile, bensì la Francia. Ricordava ancora qualche parola del francese che aveva imparato alle superiori, e in questo era praticamente l'unico della 1ª compagnia; si sentiva sorpreso ed eccitato dalla notizia. Sapeva chi era Guglielmo il Conquistatore e pensava che "Normandia" fosse un nome bellissimo.

Rimase ancora più affascinato quando l'ufficiale che illustrava il piano rivelò il nome del loro obiettivo: Sainte-Mère-Église, una cittadina sulla penisola del Cotentin, l'estrema area occidentale dell'invasione. Un altro nome bellissimo, pensò. Osservando le fotografie riuscì a riconoscere, al centro della città, una piazza contornata da alberi con una chiesa e, lì vicino, un cimitero.

Il lancio sarebbe avvenuto diverse ore prima dello sbarco delle truppe che arrivavano via mare. L'82ª, insieme alle Aquile Urlanti della 101ª, avrebbe preso possesso dell'intera area in modo da impedire l'afflusso di rinforzi tedeschi pronti ad attaccare le truppe americane mentre queste lottavano per prendere terra su Utah Beach e Omaha Beach. Le truppe aviotrasportate britanniche avrebbero svolto una funzione analoga nel settore est dell'area di invasione. Una volta che le estremità della testa di sbarco fossero state assicurate le truppe avrebbero avuto un'opportunità di conquistare il proprio caposaldo. Le sorti di tutta l'impresa del D-Day dipendevano dal successo dei contingenti aviotrasportati.

Il compito di Tucker e del suo battaglione era appunto conquistare e tenere Sainte-Mère-Église. La presa di questo centro abitato rivestiva un'importanza critica, dato che esso si trovava proprio sulla Route Nationale 13, la strada principale da Cherbourg a Bayeux che percorreva la penisola del Cotentin da sud a nord e quindi costituiva l'unica via di comunicazione di prima classe che i tedeschi potessero utilizzare per far arrivare i rinforzi. Il 2° plotone di Tucker avrebbe assunto il ruolo di avanguardia dell'attacco della 1ª compagnia; avrebbero dovuto tenere la città finché da Utah Beach non fosse arrivata la fanteria.

Guardando il plastico e le fotografie Tucker pensò che il piano gli risultava sufficientemente chiaro. Riusciva perfino a riconoscere l'edificio che ospitava il quartier generale del comandante tedesco, uno dei punti che avevano il compito di conquistare. Non c'erano molte domande. "Tutto sembrava abbastanza ben definito e ognuno di noi nutriva una certa fiducia nel fatto che la gente agli alti livelli sapesse che cosa stava facendo" ricorda. Quando la riunione informativa fu terminata ai soldati fu raccomandato di farsi una notte di buon sonno, perché il giorno seguente sarebbe stato lungo. I loro C-47, che dovevano decollare domenica notte, sarebbero arrivati in Francia all'incirca all'una del mattino di lunedì. Conoscere finalmente la missione del D-Day era rinfrancante.

Quel fine settimana iniziò con tempo sereno e asciutto su gran parte dell'Inghilterra; le temperature si aggiravano sui 21-24 gradi. Allo stadio di Wembley, a Londra, la grande attrazione era costituita da una partita di baseball, a cui partecipavano vari giocatori professionisti, fra la squadra della 9ª forza aeronautica statunitense e quella delle forze di terra americane. I lanciatori usavano una base artificiale portatile, un'anteprima per l'Inghilterra. Il pubblico si era scaldato assistendo a una partita di softball in cui la formazione del quartier generale militare canadese aveva sfidato quella dell'esercito degli Stati Uniti. Erano stati venduti ventimila biglietti a uno scellino l'uno, e a presentare le squadre era stato Clement Attlee, vicepremier di Churchill nel governo di coalizione e leader del Partito laburista. I canadesi avevano vinto 4 a 1; la squadra delle forze di terra americane sgominò con facilità la formazione connazionale dell'aviazione infliggendole un 9 a 0.

Nel santuario del calcio inglese si celebrò una giornata rigorosamente nordamericana, e l'evento mise del tutto in ombra una partita di cricket al Lord's in cui aveva giocato una rappresentativa della polizia nazionale. L'episodio sembrava rammentare che gli Stati Uniti e il Canada avevano tenuto a galla la Gran Bretagna durante la guerra e ora erano in procinto di liberare l'Europa: nei tre anni da quando era stato promulgato il *Lend-Lease Act*, una legge sugli affitti e i prestiti, quasi cinque milioni di tonnellate di alimenti avevano varcato l'Atlantico alla volta del Regno Unito, ivi compresi oltre mezzo milione di tonnellate di carne e pesce in scatola e analoghi quantitativi di latte in scatola, lardo, pancetta, formaggio e frutta secca.

Eppure, come ribadivano ai rispettivi lettori i giornali del fine settimana, lo slogan bellico più importante era continuare a lavorare duro in vista della vittoria. "Piantate i vostri germogli ora" raccomandava il ministero dell'Agricoltura, e una società del Cambridgeshire si rivolgeva agli orticoltori del paese proponendo "cavolini completamente diversi per buongustai". La pubblicità sul *Times* dichiarava che "una volta piantati, i cavolini perenni a nove stelle della Curti durano anni e garantiscono una produzione abbondante e di elevata qualità, tanto più preziosa in un momento in cui le verdure sono costose e difficili da reperire". Il servizio di pulitura Chez-Vous, con uno slancio di ottimismo riguardo alla fine dei bombardamenti della Luftwaffe, offriva di "risparmiarvi tempo e fatica [...] Tappezzeria e tappeti bombardati ripuliti. Costi rimborsabili".

I teatri londinesi erano sempre affollati. All'Apollo andava in scena l'intramontabile *Come stanno a casa?* di J.B. Priestley, mentre all'Adelphi *Gli anni della danza* di Ivor Novello continuava a richiamare masse di spettatori. Al cinema Ginger Rogers e Ray Milland facevano la loro apparizione in *Lady in the Dark* e Olivia de Havilland era la protagonista di *Sua Altezza è innamorata*.

Ma nemmeno ai nottambuli più scatenati della capitale poteva sfuggire un caratteristico, seppur sottile, cambiamento dell'umore e del ritmo di vita. Le folle apparivano un po' più rade, i taxi più facili da trovare e le vie più silenziose, addirittura desolate; soprattutto, si avvertiva l'assenza della turbinosa massa di persone in uniforme che per settimane avevano affollato i marciapiedi, i ristoranti e i locali notturni. Era chiaro a tutti che l'invasione dell'Europa, da lungo attesa, stava per iniziare.

In Francia i bombardieri alleati continuarono il loro lavoro di distruzione delle difese e delle comunicazioni nemiche in vista dell'invasione, effettuando la più vasta incursione diurna mai realizzata fino ad allora. Un gruppo di caccia Spitfire si concentrò sulle aree di Caen e Cherbourg. Volando all'altezza delle vette degli alberi i velivoli alleati fecero fuoco contro convogli tedeschi, automobili dello stato maggiore e perfino contro singoli portaordini. Per dirla con le parole di un pilota, quando ebbero finito "la campagna sembrava assolutamente morta, a parte gli incendi che segnavano i luoghi nei quali si erano svolti gli attacchi".

Veronica Owen approfittò della bella giornata. Dopo aver indugiato a letto quella mattina, prese la bicicletta e andò a Fareham per pranzare alla YWCA, poi si recò a casa di amici nei dintorni per passarvi la notte. Si sedette all'aperto e si godette il sole la maggior parte del pomeriggio. La sera andò con i suoi amici a vedere una commedia, *L'ultimo scorcio dell'estate*, al King's Theatre locale, prima di coricarsi presto in un "letto piacevolmente confortevole", come registrò con riconoscenza nel suo diario.

La vita a Fareham aveva ormai ripreso un ritmo stranamente tranquillo ed era tornata a quel passo lento e misurato che la caratterizzava prima della guerra. Negli ultimi giorni era stata attraversata da una massiccia migrazione di migliaia di soldati alleati diretti verso la costa, e in precedenza per intere settimane le campagne circostanti erano state affollate di campi di raccolta, e perfino nel centro abitato si vedevano soldati che schiacciavano un sonnellino lungo i marciapiedi e nei giardini o che armeggiavano senza fine sui loro automezzi, con le mani sporche di olio. Molti erano canadesi. "Alcuni erano qui da un mese, altri arrivavano e ripartivano nel giro di pochi giorni" testimonia un abitante del posto. "Capitava che entrassero e ti chiedessero il permesso di cucinare un uovo [...] Le donne per strada offrivano loro un po' di tè quando potevano, e se c'erano mele in abbondanza preparavano una crostata. Simpatici e a posto. Le ragazze potevano andare a passeggio in mezzo a loro senza avere assolutamente nulla da temere."

Veronica aveva esplorato la zona felicemente e in tutta sicurezza. "Il patriottismo era tutt'intorno a noi" scrisse. "Pedalando, parlavamo della guerra per difendere i villaggi e la campagna." Siccome suo padre era nella marina militare, era cresciuta prima a Devonport, nella West Country, poi fuori Chatham, nei pressi dei regi cantieri navali sul Tamigi. Quei luoghi, perciò, rappresentavano una scoperta per lei, ed erano la scoperta di un'Inghilterra più rurale, ancora visibilmente immersa nel passato.

Ma l'intrusione del presente era decisamente visibile. La prima volta che si era accorta dell'ammassamento di truppe era stato verso la fine di aprile, durante una delle sue escursioni in bicicletta: era passata accanto a carri armati e a mezzi dell'esercito diretti verso sud, oppure fermi a fianco della strada. "Tonnellate di 'traffico'" aveva annotato sul diario. "I mezzi ammucchiati a lato della strada, mimetizzati alla meglio da alberi e siepi, i soldati distesi per strada a dormire, a leggere, in silenzio."

Ora, da un giorno all'altro, le strade erano deserte. "Capimmo che era il D-Day" ha ricordato una persona del posto "perché al mattino, quando ci svegliammo, se n'erano andati."

Le unità della Squadra navale occidentale erano già in navigazione da Scapa Flow, Belfast e dal Firth of Clyde, i mezzi da sbarco diretti a Omaha Beach e a Utah Beach cominciarono a lasciare gli ormeggi nel Devon e in Cornovaglia. Il tempo era sereno e limpido, ma a bordo del *Tuscaloosa* David Bruce stava valutando i suoi presentimenti sul D-Day. Aveva sentito ulteriori lamentele sul forte impegno che veniva richiesto alla marina statunitense e sui continui cambiamenti di programma all'ultimo minuto. Il più recente riguardava i lanci di truppe paracadutate. Il C-47 che trasportava Bill Tucker e i suoi compagni dell'82ª e della 101ª divisione aveva ricevuto un nuovo piano di volo, il quale prevedeva che passasse direttamente sopra le unità della marina americana. Alle navi era stato dato ordine di non sparare agli aerei a una distanza superiore a trecento metri, a meno che non fossero chiaramente identificati come nemici. Il piano, temeva Bruce, avrebbe offerto ai bombardieri tedeschi una perfetta opportunità di "intrufolarsi". Quanto all'Indomito Bill Donovan, Bruce annotò che a suo parere aveva preso il sopravvento "un fin troppo facile ottimismo sul successo dell'attacco".

Quella mattina Eisenhower rilevò con disperazione che il tempo in Inghilterra stava assumendo un corso imprevedibile. Fuori restava calmo e soleggiato, ma Stagg continuava a prevedere un grave deterioramento delle condizioni meteorologiche sulla Manica in vista del D-Day e, fatto ancora più grave, non era in grado di dire con precisione ad Eisenhower quanto sarebbero peggiorate. Gli esperti continuavano a trovarsi in disaccordo e dal briefing del mattino non era emersa alcuna previsione chiara. Pareva possibile che, se da un lato le condizioni del mare sarebbero state tollerabili, una nuvolaglia bassa avrebbe messo seriamente in pericolo l'appoggio aereo pianificato con tanta cura. L'Alto comando alleato doveva rischiare oppure posticipare l'intera operazione, sperando di poter godere di condizioni meteorologiche migliori in seguito? In questa ultima eventualità, Eisenhower avrebbe dovuto richiamare le unità che erano già in navigazione, e ciò avrebbe potuto solo aumentare le prospettive di una grave fuga di notizie.

Il generale si trovava di fronte a una decisione angosciosa. Trascorse la maggior parte della mattinata dedicandosi alla stesura di un lungo memorandum in cui delineava i problemi che si trovava di fronte. Il documento aveva il duplice intento di spiegare come la pensava e, per dirla nel gergo dei militari, di "parargli il culo" se le cose fossero andate male. Si sapeva che il D-Day avrebbe comportato un elevato numero di perdite anche nel caso che gli sbarchi fossero riusciti; se fossero falliti, la situazione si sarebbe potuta fare tremenda. Al primo posto nell'elenco di problemi stilato da Eisenhower c'era la perdurante crisi riguardo alla questione De Gaulle, che era importante per le operazioni giacché era evidente che il generale esercitava il comando riconosciuto sulle sole truppe francesi che avrebbero preso parte al D-Day, oltre che sul complesso della Resistenza francese. La situazione, come scrisse Eisenhower, era un "miserabile casino"; a leggere fra le righe, risultava chiaro che accusava Roosevelt di aver grossolanamente sottovalutato l'ampio consenso di cui il generale godeva in Francia.

Poi c'era il tempo, capriccioso e imprevedibile: un guaio reso ancora peggiore dal fatto che i meteorologi non riuscivano a mettersi d'accordo. "Probabilmente nessuno che non debba sopportare la responsabilità specifica e diretta della decisione finale" scrisse "è in grado di comprendere quanto pesino questi fardelli."

Come supremo comandante alleato, doveva tenere presenti questioni politiche che i suoi subordinati non dovevano affrontare. Ce n'era una, in particolare, che gli veniva sempre ricordata. Se avesse ritardato l'invasione come avrebbero reagito i russi?

Stalin aveva invocato l'apertura di un secondo fronte alleato in Europa sin dall'attacco di Hitler all'Unione Sovietica. La sua richiesta non era stata esaudita nel 1942, e benché l'anno seguente gli Alleati avessero invaso e messo fuori gioco l'Italia di Mussolini Stalin aspettava ancora, e continuava a premere per un'offensiva importante degli occidentali contro il cuore del territorio nazista. Alla Conferenza di Teheran, nel novembre del 1943, Roosevelt e Churchill lo avevano finalmente accontentato, garantendo il lancio di Overlord per la primavera del 1944; quella promessa aveva sigillato l'alleanza dei tre Grandi e rinnegarla ora era fuori discussione. In aprile i due leader occidentali avevano inviato congiuntamente un messaggio "personale e segretissimo" al loro alleato sovietico per confermare il loro accordo. "La traversata generale del mare" lo informarono "avverrà intorno alla data 'R' [...] Agiremo con tutte le nostre forze." La data "R", trasmessa direttamente allo stato maggiore sovietico a Mosca dalle missioni militari alleate nella capitale russa, era il 31 maggio, con un margine di alcuni giorni a seconda delle maree e delle condizioni meteorologiche.

Si era inoltre concordato che i sovietici avrebbero lanciato per proprio conto un'offensiva massiccia in coincidenza con Overlord, schiacciando così i tedeschi sia da ovest sia da est. Gli alleati, poi, promisero di coordinare piani per ingannare il nemico circa i propri progetti. In aprile, dopo settimane di trattative, Mosca aveva approvato il Piano Bodyguard, e da quel momento i pianificatori del depistaggio sul D-Day avevano continuato a inviare rapporti bisettimanali sull'avanzamento del progetto. Entrambe le parti si erano trovate d'accordo che si sarebbe ottenuto il migliore effetto sorpresa inducendo i tedeschi a ritenere che le vere offensive alleate dovessero arrivare in luglio, cioè più tardi del momento effettivamente previsto, e i sovietici avevano promesso di fungere da collegamento per condurre un'opera di depistaggio imperniata sulla Norvegia, anche se alla fine non lo avevano fatto.

Appena dieci giorni prima, nel corso di una riunione al Cremlino, Stalin e il suo Alto comando avevano ultimato il piano particolareggiato della loro offensiva d'estate. Al pari di quella alleata, anche questa operazione era accuratamente tenuta segreta attraverso complessi stratagemmi di depistaggio. Sarebbe iniziata il 9 giugno con un attacco diretto a nord, verso la Finlandia, ma questo, insieme a un attacco verso sud sul fronte ucraino, sarebbe stato sostanzialmente una finta: l'offensiva principale sarebbe stata lanciata contro l'esercito tedesco in Bielorussia, e avrebbe comportato lo schieramento di due milioni e mezzo di soldati, 5200 carri armati e 5300 aerei. Stalin, un capo abituato a essere coinvolto in tutte le decisioni, aveva controllato personalmente i particolari. "Žukov e io" ha scritto Aleksandr Vasil'evskij, capo dello stato maggiore sovietico, "fummo convocati a Mosca a più riprese. Di quando in quando, inoltre, Stalin ci chiamava al telefono per discutere vari particolari." Žukov era il suo collega, vicecomandante supremo, responsabile del primo e del secondo fronte bielorusso. Il 30 maggio Stalin, Žukov, Vasil'evskij e il generale Antonov lavorarono al Cremlino fino a tarda notte per completare il piano finale.

Il giorno seguente vennero diramate le direttive ai comandanti dell'Armata rossa. Stalin aveva scelto personalmente il nome in codice per questo equivalente sovietico di Overlord, Bagration. Una scelta sapiente e rivelatrice: il principe Pëtr Ivanovič Bagration era il comandante dell'esercito russo che era stato ferito a morte nel 1812 durante la battaglia di Borodino contro Napoleone, un eroe nazionale. Ma il suo nome evocava più della storica campagna contro gli invasori, perché Bagration era di origini georgiane e armene, e la dinastia bagratide aveva governato la Georgia per otto secoli prima che questa venisse annessa alla Russia nel 1800. La Georgia era la terra di origine di Stalin; la scelta del nome in codice, dunque, era un altro modo per ricordare chi manovrava le leve del potere.

Se da un lato russi e angloamericani avevano pianificato le proprie campagne in modo indipendente, dall'altro erano strettamente collegati e procedettero fianco a fianco nell'apertura del loro ultimo e decisivo attacco al potere nazista in Europa. Questa era una lezione che ormai veniva predicata quasi quotidianamente da Churchill e Roosevelt. Appena pochi giorni prima Elliot, il figlio del presidente, aveva visitato Widewing, e durante una partita a carte durata tre ore lui e Eisenhower avevano discusso del fattore russo. Stalin era intransigente quando si trattava di tener fede alla parola data, osservò Elliot, e la più grande prova per i russi sarebbe stata vedere se la Gran Bretagna e gli Stati Uniti avrebbero mantenuto la loro riguardo al secondo fronte. Fece presente ad Eisenhower che le perdite sovietiche avevano ormai raggiunto i sedici milioni fra militari e civili. Eisenhower replicò di non sapere con certezza quali fossero gli impegni presi, ma disse anche di confidare che per quanto riguardava il secondo fronte nessuno se ne sarebbe andato «senza onorare i debiti di gioco».

Il comandante supremo, sulle cui spalle ora gravava la responsabilità di Overlord, sapeva che un rinvio, o un tentativo di invasione condotto in modo maldestro, avrebbe avuto conseguenze politiche e strategiche incalcolabili, che si sarebbero fatte sentire ben oltre le spiagge della Normandia. Per questo motivo era profondamente convinto, in modo addirittura viscerale, che il D-Day dovesse avere luogo, se mai era possibile, nei tempi previsti. "Solo un peggioramento marçato e superiore a quello atteso potrebbe mandare all'aria i nostri piani" scriveva al generale George C. Marshall in un messaggio "fanatico" segretissimo e "solo per i suoi occhi".

Non poteva fare molto altro fino al prossimo briefing meteorologico di quella sera, perciò approfittò della pausa per scrivere a casa. Suo figlio John si sarebbe diplomato a West Point il 6 giugno e la madre sarebbe stata lì. "Non c'è nulla che non darei per essere lì insieme a te e John" scriveva "ma *c'est la guerre*!" Per la maggior parte del tempo, annotò nel proprio diario la sua autista Kay Summersby, sembrava molto depresso.

Mentre Ike si tormentava per i capricci del tempo, a qualche chilometro di distanza Churchill continuò a lavorare a bordo del suo treno fino all'ora di pranzo. Ultra gli recava altre buone notizie. Ora che tutti i ponti erano stati abbattuti i tedeschi stavano facendo portare speciali batterie antiaeree per proteggere i loro traghetti sulla Senna. Un sottomarino americano aveva affondato un incrociatore leggero giapponese nel Pacifico. Un'incursione aerea su Wiener Neustadt aveva distrutto tutte le installazioni di una fabbrica aeronautica. Inoltre, dalle intercettazioni diplomatiche apprese che il rappresentante giapponese al Vaticano informava Tokyo che nei cieli sopra Roma l'aviazione tedesca rimaneva "praticamente invisibile". Tutti ormai aspettavano che i nazisti abbandonassero la città, ammetteva il funzionario.

Il rapporto mensile dell'MI5 per maggio, comunque, comprendeva un avvertimento. Riferiva, infatti, notizie interessanti riguardo a un afflusso di spie tedesche in Islanda: tutte erano state arrestate in possesso di istruzioni che ingiungevano loro di inviare bollettini meteorologici a Berlino. Da ciò l'MI5 deduceva che i nazisti si aspettavano che in un prossimo futuro venisse lanciata dall'isola un'operazione offensiva "di una certa importanza": una gradita conferma che il depistaggio alleato su un attacco alla Norvegia stava funzionando. Ma l'MI5 riferiva a Churchill anche sull'arresto in Spagna dell'ufficiale dell'Abwehr Jebsen e sul suo trasferimento coatto a Berlino. Ciò significava, sottolineavano gli estensori del rapporto, che il piano del doppio gioco stava attraversando una fase critica. Inoltre rivelavano che a Garbo era stato chiesto di scoprire l'esatta posizione, compresi i numeri civici, dei quartieri generali alleati in servizio che si occupavano del D-Day: dato che erano appena state sventate missioni tedesche per assassinare i generali Harold Alexander e Mark Clark in Italia, ciò poteva significare che i tedeschi stavano prendendo in considerazione analoghi attentati in Gran Bretagna. Tutti serbavano un ricordo nitido del recente attacco di paracadutisti e alianti contro il quartier generale di Tito in Iugoslavia, e Churchill non aveva bisogno che gli si rammentasse che suo figlio Randolph aveva avuto molta fortuna a uscirne vivo.

Quasi a voler accrescere le preoccupazioni del primo ministro, l'MI5 riferiva che c'erano state alcune fughe di notizie potenzialmente pericolose. Un operaio di una fabbrica che produceva carri armati speciali per il D-Day aveva fatto qualche chiacchiera di troppo in un pub; il guardafuochi di una nave aveva scritto una lettera in cui rivelava che forse la sua unità sarebbe stata una di quelle usate come navi di blocco nelle operazioni imminenti e citava altre navi del genere, oltre al loro porto di riferimento; un ufficiale di una nave olandese in Galles aveva raccontato che la sua unità era carica di petrolio e munizioni e si sarebbe trovata al largo della costa francese nel giro delle due settimane successive; una donna nell'Inghilterra meridionale aveva scritto ai propri parenti nel Lancashire riferendo dove si trovava il quartier generale di Montgomery. E quello era solamente un campione delle chiacchiere a vanvera che potevano ancora mettere a repentaglio il D-Day.

Dopo aver pranzato Churchill partì per Southampton con il suo ministro del Lavoro, Ernest Bevin, e con il generale Smuts. Qui assisté all'imbarco delle truppe della divisione Tyneside. Poi, salito a bordo di una lancia a motore, passò in rassegna l'enorme adunata di mezzi da sbarco alla fonda nel Solent. "Sono uno spettacolo meraviglioso" telegrafò entusiasta a Roosevelt. Proseguì la sua breve crociera fino a Portsmouth e fece una puntata a Southwick House per una chiacchierata fuori programma con Eisenhower. "Il corteo di automobili e impetuosi motociclisti del primo ministro ha fatto irruzione come un turbine [...] Hanno riempito i loro serbatoi e intaccato la nostra provvista di scotch, dato che c'erano dieci o più bocche asciutte da bagnare" annotò nel suo diario Harry Butcher. Churchill riferì ad Eisenhower che il re aveva posto il veto a un suo imbarco nel giorno dell'invasione e gli chiese se poteva aiutarlo a fargli cambiare idea. Dato che Eisenhower rifiutò, Churchill gli fece osservare che anche il comandante supremo era troppo prezioso per partire. Poi se ne andò di gran carriera per tornare al suo treno entro la serata.

Per Glenn Dickin, che aspettava a bordo della *Llangibby Castle* nella zona portuale di Southampton, quello era finalmente il congedo dall'Inghilterra.

Era lì ormai da due anni. Nel momento in cui vi era giunto era un ragazzo delle praterie dal viso fresco, ma nel frattempo era maturato, diventando uno stimato ufficiale e un uomo giovane ma esperto del mondo. Soffriva ancora molto della lontananza da casa, ma non si sentiva più tanto straniero in Gran Bretagna. Come la maggior parte dei canadesi di origini britanniche, la chiamava ancora "l'antico paese", e in effetti il Canada era intimamente legato alla Gran Bretagna per moltissimi versi: Giorgio VI era il sovrano anche del Canada, e nella capitale federale, Ottawa, risiedeva un governatore generale britannico; inoltre i canadesi erano pur sempre sudditi dell'impero, e in alcune parti del paese il patriottismo filobritannico era così profondo che allo scoppio della guerra migliaia di cittadini si presentarono subito per l'arruolamento volontario. La stessa circostanza che, a parte il suo elmetto per il D-Day, Glenn indossasse un'uniforme sostanzialmente inglese, e che la 3ª divisione di fanteria canadese sottostesse in ultima istanza al comando britannico, non faceva che sottolineare tali legami. Spesso, però, il loro primo incontro diretto con "l'antico paese" rivelava ai canadesi quanto fossero nordamericani, quanto fossero diversi dai britannici, e ciò acuiva il senso sempre più marcato di un'identità canadese distinta e il loro nazionalismo.

Questa era stata appunto l'esperienza di Glenn, resa più viva dal fatto che, come la maggior parte dei canadesi di origine inglese, la sua famiglia aveva ascendenze britanniche recenti, anche se, ancora una volta, lui era il prodotto caratteristico di una miscela etnica. Per parte di madre poteva risalire ai propri antenati fino in Germania e alla partenza della famiglia Guizdorfer dal Württemberg per il Nordamerica dopo il fallimento della rivoluzione tedesca del 1848. Il figlio più anziano, Charles Frederick, aveva cambiato il proprio nome in Christopher e trovato lavoro in Pennsylvania, ma poi si era trasferito in Canada. Nell'Ontario aveva sposato una ragazza proveniente da una famiglia di lealisti dell'impero unito, a loro volta rifugiatisi lì per trovare riparo dalla rivoluzione americana due generazioni prima. Poi era andato a ovest e nel 1893 si era stabilito a Manor, dove aveva cominciato a coltivare sessantacinque ettari di prateria. Aveva avuto dodici figli, fra cui Martha, la madre di Glenn, la quale nel 1944 aveva sessantacinque anni e aveva dato alla luce dodici figli, dei quali Glenn era il più giovane. Anche tre dei suoi fratelli erano arruolati nelle forze armate canadesi. Uno di loro, Donald, aveva prestato servizio anche nella Prima guerra mondiale; gli altri due, Claude e Ferriday, erano nell'aeronautica canadese in Gran Bretagna, e di tanto in tanto, quando era possibile, si ritrovavano con Glenn.

Le radici britanniche di Glenn si dovevano alla sua ascendenza paterna. George Dodsworth Dickin era uno delle migliaia di coloni che erano emigrati nelle praterie canadesi negli anni ottanta dell'Ottocento, attirati dalla promessa di terra a buon mercato e di una nuova vita. Prima ancora che il Saskatchewan diventasse ufficialmente una provincia, era giunto dalla fattoria di famiglia nello Shropshire, vicino al confine con il Galles, per costruire un nuovo futuro: era deciso a diventare agricoltore. Abbastanza ricco da poter acquistare una fattoria e altri possedimenti a Manor e dintorni, in seguito era diventato un ispettore governativo per le concessioni terriere. Era morto nel 1937, ma suo fratello Frank gestiva ancora una piccola fattoria fuori Wellington, sede di un mercato nello Shropshire.

Glenn era andato a fare visita alla sua famiglia inglese non appena aveva potuto. Da allora aveva trascorso molte licenze laggiù, di solito in compagnia del suo amico Gordon Brown. Lo zio Frank e sua moglie Gertie avevano cinque figli e se la passavano bene, riferì Glenn alla famiglia a Manor: avevano ventiquattro mucche da latte oltre a molti altri animali e numerosi frutteti. Lo zio Frank, scriveva "è felicissimo di vederci e ci tratta come pascià". Ciò significava rimpinzarli di cibo (quattro uova in un giorno, riferiva Glenn entusiasta, e quando arrivò l'estate non c'era che da allungare la mano per raccogliere fragole e lamponi). La visita dava ai due giovanotti anche il tempo per dormire, rilassarsi e riprendere un po' il fiato dal loro severo addestramento. Glenn fece conoscenza anche con i suoi cugini. Una, Isabel, aveva vinto alcuni trofei di golf prima della guerra; un'altra aveva partecipato a un torneo di bridge con la nazionale inglese. "Come vedete" scrisse a casa "i nostri parenti sono gente molto importante..."

All'epoca in cui si era imbarcato per la Normandia Wellington era diventata una seconda casa per Glenn, che aveva scoperto una nuova famiglia. Il suo ultimo soggiorno laggiù era stato in aprile, e vi si era trovato bene come mai prima. "Ho passato uno splendido periodo: sono andato allo spettacolo dei dilettanti, ai balli e ho giocato a ping-pong con i vicini" scriveva a sua sorella Mona. "C'è una giovane molto carina che abita nella stessa via e ha un'automobile: mi ha portato in giro a vedere un sacco di cose... È un bel tipo, sai, ci tiene molto che i soldati del *dominion* si svaghino." Certo era ironico, ma nella sua ironia si celavano affetto e calore autentici per l'antico paese e i suoi abitanti.

In ogni modo, sarebbe tornato a casa presto.

Sonia d'Artois stava cominciando a trovarsi bene nella base segreta del SOE. La prima sera che il gruppo aveva trascorso nei terreni dello Château de Bourdeaux Hudson le aveva assegnato una piccola tenda tutta per sé, ignorando che lei aveva il terrore dei serpenti. Nel cuore della notte si era svegliata sentendo qualcosa che strisciava sotto di lei. Cacciò un urlo; gli altri accorsero, ma solo per negare che la sua paura avesse alcun fondamento. «Be', solleva il sacco a pelo allora» insisté, e alla luce della torcia era apparso un serpente. Da allora aveva condiviso la tenda con gli uomini.

Continuava a ignorare quando e dove sarebbe avvenuta l'invasione, e l'attesa stava cominciando a sembrarle interminabile. Hudson notò la sua impazienza, che era condivisa da Kiki Glaesner: entrambi erano giovani, alla loro prima missione e ansiosi di entrare in azione. Perciò Hudson ideò un piano per assegnare a ciascuno di loro un ruolo. Kiki si sarebbe occupato di tutti i contatti di Hudson a sud di Le Mans; parte degli esplosivi sarebbe stata trasferita nelle fattorie di quell'area. Hudson e Sonia, invece, si sarebbero concentrati sulla cittadina di Le Mans, coinvolgendo i commercianti locali che potevano fornire vestiti, scarpe e altri articoli necessari per i civili. Una delle cose meno rilevanti, che tuttavia davano fastidio a Sonia, era lo stato dei suoi capelli: anche quando riusciva a trovare un rubinetto, l'acqua era sempre fredda e doveva usare il sapone anziché lo shampoo per lavarli, e stavano cominciando ad assumere un aspetto stopposo. Normalmente non le sarebbe importato molto, anche se le era sempre piaciuto aver un aspetto curato, ma avere i capelli in disordine poteva compromettere la sua copertura e quindi costituiva un rischio per la sicurezza: ufficialmente lei era impiegata presso Louis Vuitton a Parigi, e si trovava lì per rimettersi da una bronchite; presentandosi come uno spaventapasseri avrebbe potuto destare sospetti.

Il tragitto fino a Le Mans richiedeva a Hudson e Sonia circa un'ora di bicicletta, più un'altra ora per il rientro; dunque correvano sempre il rischio di imbattersi in un posto di blocco, dove avrebbero potuto pretendere di vedere i loro documenti. Per ridurre i rischi Hudson prese in affitto una casetta in città, in rue Mangeard, come base per loro due. Benché Sonia fosse stata inviata lì per fare da corriere per tutto il circuito, lei e Hudson stavano già cominciando a formare una sorta di squadra composta da due sole persone e Sonia aveva cominciato a gestire le finanze del circuito. "Avevamo solo un buon rapporto di collaborazione" avrebbe riferito in seguito Sonia: "eravamo un'ottima squadra e lui era comunque un uomo con cui si lavorava facilmente."

Il SOE aveva fornito a Headmaster abbondanti quantità di franchi francesi per agevolare le operazioni, pagare gli affitti, acquistare beni e comprare la collaborazione delle persone. Quando il denaro finì Sonia cominciò a chiederne in prestito ai suoi contatti, il più utile dei quali si dimostrò l'abate Chevalier, tesoriere della diocesi di Le Mans e zio di Edmond Cohin, il proprietario del castello. Sebbene il padre di Edmond fosse ebreo, sua madre era cattolica, e l'abate era suo fratello. Headmaster accumulò un conto così salato che, dopo la liberazione della Francia, fu compito di Sonia tornare lì con il marito e ripianarlo. "Il denaro ci fu fornito da Londra e la valigia era piena di banconote francesi" ricorda. "Dormimmo nella stanza da letto dell'arcivescovo."

A Le Mans Sonia e Hudson avevano indubbiamente bisogno di molto denaro. Facendo affidamento sul fatto che i tedeschi, informati dell'arrivo di un'agente donna, avrebbero pensato che lei si sarebbe tenuta defilata, decisero di trarre in inganno la Gestapo comportandosi nel modo esattamente opposto. Conducevano dunque una vita normale e disinvolta, per esempio andando a mangiare nei ristoranti della borsa nera che fiorivano grazie alla presenza della cospicua guarnigione tedesca. Questo modo di agire, tuttavia, comportava alcuni rischi, come ha spiegato Sonia: "Bisognava prendere i posti disponibili, e se c'era un posto libero a un tavolo bisognava andarci, altrimenti si rischiava di apparire sospetti". Così in un'occasione lei e Hudson si trovarono seduti vicino a un ufficiale tedesco e conversarono amabilmente finché lei si alzò per andarsene. Ma in quel momento le cadde la borsetta. L'ufficiale si chinò per raccoglierla, ma Sonia fu più svelta di lui e la agguantò in tempo. "Sapevo benissimo che se l'avesse raccolta lui l'avrebbe trovata piuttosto pesante e si sarebbe domandato che cosa ci tenessi dentro" ricorda. La borsetta era pesante perché conteneva la sua Colt calibro 32, il modello che veniva affidato a tutti gli agenti del SOE, sia uomini sia donne; se l'era portata da Londra. Era una pistola piccola e graziosa, pensava. Avrebbe detestato perderla o essere tradita dalla sua presenza. Solo in seguito vennero a sapere che l'ufficiale altri non era che il capo della Gestapo a Le Mans.

In Norvegia Vidkun Quisling dovette infine ammettere che la campagna per reclutare giovani per il servizio di lavoro era miseramente fallita. Rivolgendosi a un distaccamento delle SS formato da nazisti norvegesi diede sfogo alla sua amarezza deplorando che la gioventù del paese «si nasconda e si dia alla macchia quando chiediamo che lavori per il popolo e per il paese». Eppure in qualche modo bisognava pur far eseguire l'ordine di mobilitazione. «Sarete voi» promise agli uomini delle SS «a metterla in atto.» A Oslo fu annunciata la condanna a morte di altri cinque uomini che erano stati addestrati dai britannici come sabotatori; saliva così a 264 il numero delle persone mandate a morte dagli occupanti.

Come al solito, Peter Moen si alzò alle sei e mezzo del mattino, trascorse la giornata in cella e alle otto di sera si ritrovò disteso sul materasso con la tenda di oscuramento tirata. Le lunghe discussioni con i compagni di reclusione, come quella che avevano avuto la sera prima, non erano sempre di suo gradimento. Molte volte preferiva rimanere per conto suo, e non solo per il diario che infilava nel condotto di ventilazione, pagina dopo pagina; spesso usava la puntina della tenda di oscuramento per scrivere la soluzione di vari rompicapo matematici o geometrici: numeri primi, frazioni, cerchi o il volume di un cono. In un'occasione riempì diversi fogli con alcune "note sull'Equatore" fitte di calcoli sulle dimensioni del globo. Altri fogli non contenevano altro che la traduzione di parole straniere.

La sua educazione nella cittadina di Drammen, situata a una quarantina di chilometri a sudovest di Oslo, dove era cresciuto, era stata tradizionale e angustamente bigotta; poi era entrato nella società di assicurazioni Idun. Era un uomo tranquillo, lavoratore, soggetto ad accessi di malinconia e depressione talmente gravi che spesso lo aveva colto l'idea del suicidio. Solo la paura dell'ignoto lo aveva trattenuto. Come Veronica, conosceva bene Shakespeare, soprattutto i famosi versi di *Amleto* in cui il principe di Danimarca medita sulla morte: "Che cos'è che ci lega così alla vita, se non il timore di qualcosa dopo la morte [...] confonde la volontà e ci fa sopportare i mali che soffriamo invece di volare incontro ad altri che non conosciamo" scrisse nel suo diario ingarbugliando i versi.

La vita nella Resistenza aveva offerto a Moen una via di fuga da quella tetra introversione, un gradito farmaco per curare la sua depressione cronica. "Mi sono aggrappato avidamente all'eccitazione della vita clandestina" ammise. Si era adattato bene a quell'esistenza, tanto che la maggioranza dei suoi compagni non sarebbe mai arrivata a sospettare che fosse stato proprio lui il principale promotore di uno degli episodi decisivi della Resistenza norvegese. Custodiva gelosamente il segreto: non aveva ritenuto opportuno confidarlo neppure al suo diario.

Sei mesi prima, in una notte di fine novembre, nell'auditorium Aula dell'Università di Oslo, una sala usata per i concerti e gli spettacoli teatrali, era scoppiato un incendio. I vigili del fuoco, avvertiti da una telefonata, erano riusciti a estinguere presto le fiamme, sicché ne erano derivati pochi danni e in altre circostanze l'episodio sarebbe stato presto dimenticato; esso però si era verificato dopo settimane di tumulto nell'unica università della Norvegia rimasta ancora aperta. Le autorità naziste avevano mantenuto un atteggiamento diffidente nei confronti dell'ateneo sin dall'inizio dell'occupazione, e già nell'autunno del 1940 avevano sciolto l'associazione degli studenti. Un anno dopo avevano arrestato il vicerettore e lo avevano sostituito con il professor Adolf Hoel, un sostenitore dell'NS di Quisling. Molti studenti e insegnanti erano coinvolti in iniziative di resistenza clandestina di qualche genere ed erano risoluti a opporsi a qualsiasi tentativo di nazificare l'università e di introdurre l'appartenenza all'NS come pregiudiziale per l'accesso. Così nell'autunno del 1943, quando vennero introdotte le nuove regole di accesso, scatenarono rabbiose iniziative di protesta che fecero temere ai nazisti uno sciopero. Per stroncarlo sul nascere in ottobre gli occupanti arrestarono decine di docenti e studenti, provvedimento che provocò una protesta firmata da oltre duemila giovani. L'incendio era scoppiato proprio in quel frangente tumultuoso.

In una bizzarra replica della polemica che era infuriata a Berlino all'inizio del 1933, poco dopo l'avvento di Hitler al potere, a proposito dell'incendio del Reichstag, anche questa volta si levarono grida di protesta di una fazione secondo cui si trattava di una provocazione nazista, mentre le autorità tedesche puntavano l'indice contro i comunisti. Il Reichskommissar Josef Terboven incontrò immediatamente Quisling per concordare una reazione decisa. Alcune parole del loro colloquio trapelarono fino alla dirigenza del movimento per la resistenza civile in Norvegia, il Sivorg, che inviò un avvertimento urgente agli studenti. Nel giro di poche ore le truppe della Wehrmacht e della polizia in armi circondarono il campus, chiusero l'università e arrestarono oltre un migliaio di persone. Ma ancora sei mesi dopo permaneva il mistero di chi fosse il responsabile dell'incendio dell'Aula.

Moen, tuttavia, conosceva la verità: l'incendio non era stato appiccato dai nazisti né dai comunisti: era stato lui a provocarlo, insieme a un piccolo gruppo di collaboratori del *London Nyatt* mossi dal timore che la pressione ufficiale potesse da ultimo portare alla nazificazione dell'università; piuttosto che permetterla, avevano deciso di determinarne la chiusura provocando le autorità.

Moen non aveva avuto alcun ruolo diretto nell'appiccare l'incendio: era semplicemente uno dei cervelli che avevano elaborato e avviato il piano. Va detto che i piromani non avevano alcuna intenzione di danneggiare seriamente l'edificio, tanto che erano stati loro ad allertare i vigili del fuoco. Del migliaio di studenti arrestati, oltre seicento furono successivamente deportati in campi di concentramento in Germania; la parte svolta da Moen nell'episodio sarebbe emersa solo dopo la guerra.

Nel punto più buio, il suo diario era il giornale di un uomo torturato dal senso di colpa, dal rimorso, dall'insicurezza e dalla sfiducia, i segni di un intenso e logorante tumulto interiore. Anni prima aveva letto uno dei più famosi diari di prigionia del secolo, quello dell'anarchico russo Alexander Berkman, un innocente che aveva passato vent'anni rinchiuso in una prigione americana. Moen lo considerava "la Bibbia dell'eroismo della prigione", la cui osservanza aveva conferito a Berkman la forza e la volontà di sopravvivere e gli aveva fornito un'ispirazione nella sua battaglia contro la disperazione.

Eppure, per terribili che fossero i demoni personali con cui doveva confrontarsi, Moen non aveva mai perso di vista la più vasta lotta che riguardava la Norvegia nel suo insieme. "Ma dal più profondo della pena è nata per noi la felicità dagli occhi azzurri": di quando in quando questo verso dell'inno nazionale gli riaffiorava con prepotenza alla memoria, a ricordargli il lavoro da svolgere al *London Nyatt* e le battaglie che ancora lo attendevano. Ora i punti di riferimento della sua vita erano i giorni del calendario. Moen aveva segnato il 15 marzo, le Idi di marzo secondo l'antico calendario romano e il giorno in cui nel *Giulio Cesare* di Shakespeare l'eroe eponimo era caduto sotto i colpi dei suoi assassini, come "il giorno della morte del tiranno". Ma in un mondo non smetteva di produrre tiranni c'erano sempre prigionieri che resistevano all'ingiustizia e alla violenza. La loro lotta aveva un senso? Moen se lo domandava e si rispondeva, con una commossa dichiarazione di fede, "Sì, sì e ancora sì". "Senza quella lotta e senza i sacrifici che essa richiede, ogni libertà sarebbe ben presto schiacciata." Nelle celle del numero di 19 di Mollergaten erano stipati trecento prigionieri, ma lui non rimpiangeva nulla di ciò che aveva fatto o scritto. "Ci deve essere gente nelle prigioni naziste" aggiungeva. "Se non fossi qui io, ci sareste voi, voi che siete liberi..."

Quello stesso giorno, nel salone principale del Berghof, Hitler posò per una foto di gruppo ufficiale. Fra le oltre venti persone in piedi a fianco e dietro di lui c'erano Heinrich Himmler, il capo delle SS, Martin Bormann, potente segretario particolare di Hitler e *genius loci* dell'Obersalszberg, e il dottor Theodor Morell, suo medico personale. Hitler, in prima fila, indossava colletto bianco e cravatta e fissava l'obiettivo senza sorridere. Alla sua sinistra, stretta al suo braccio, stava una giovane donna snella e di bassa statura con un nastro fra i capelli. Alla sua destra un'altra giovane donna gli teneva l'altro braccio: era vestita di bianco e anche lei aveva un nastro fra i capelli.

Le due donne erano sorelle. Gretl, alla destra di Hitler, aveva appena sposato nel municipio di Salisburgo il Gruppenführer delle SS Hermann Fegelein (il che spiega la presenza di Heinrich Himmler, il suo capo); gli sposi erano giunti al Berghof per i festeggiamenti ufficiali.

La sorella della sposa si chiamava Eva Braun: aveva trentadue anni ed era l'amante del Führer.

Hitler non aveva famiglia né amici intimi personali. Magda Goebbels disse una volta che era «semplicemente non umano: irraggiungibile e intoccabile». Nella sua camera da letto al Berghof erano appese fotografie della madre e del suo autista di prima della guerra, ambedue morti. Spesso pareva vicino al suo cane Blondi, un lupo alsaziano che lo accompagnava ovunque, più che a chiunque altro. «Gli animali sono più fedeli delle persone» disse una volta, e amava citare Federico il Grande, il quale aveva sentenziato: «Da quando conosco l'uomo, amo i cani». Blondi, sosteneva Albert Speer, che conosceva Hitler meglio di chiunque altro, «contava per lui più del suo più stretto collaboratore».

Può benissimo darsi che questo fosse vero, ma altri lupi alsaziani venivano addestrati dalla Wehrmacht a uccidere nel quadro del suo piano per respingere l'invasione: le squadre speciali britanniche che facevano ritorno da incursioni preinvasione lungo la costa francese riferivano di aver subito feroci attacchi proprio da cani di quella razza. Alcuni di quei soldati avevano dunque preso l'abitudine di portare il coltello legato alla gamba sinistra, in modo da non sprecare secondi preziosi quando istintivamente alzavano il braccio destro per ripararsi dalla "guardia alsaziana".

La predilezione di Hitler per Blondi non significava che non apprezzasse le persone che lo circondavano al Berghof. Per esempio, era grato alla moglie del suo aiutante Nicolaus von Below di far parte della sua cerchia. La donna discorreva con Hitler dei propri bambini oppure della gestione della tenuta di famiglia: chiacchiere superficiali, che tuttavia aiutavano il Führer a distrarsi dai suoi problemi. Con le donne Hitler sapeva comportarsi con una galanteria all'antica: baciava loro la mano e si inchinava con compunzione quando entravano in una stanza o ne uscivano. Alla signora von Below era particolarmente grato soprattutto di una cosa: che fosse diventata amica di Eva.

L'amante del Führer lo aveva seguito al Berghof quell'inverno e da allora era sempre rimasta con lui. Vent'anni più giovane del Führer, lo aveva incontrato all'epoca in cui lavorava come assistente nello studio del fotografo di fiducia di Hitler, Heinrich Hoffmann. A un certo punto, verso l'inizio degli anni trenta, era diventata sua amante, anche se la precisa natura del loro rapporto sessuale rimane tuttora misteriosa. Era graziosa e aveva un personale attraente, ma vestiva con pudicizia e indossava monili di modesto valore. Amava gli sport ed era una fotografa dilettante discretamente capace. Le interessavano soprattutto il cinema, la moda e il pettegolezzo e non mostrava alcun interesse per la politica, cosa che piaceva molto a Hitler. «Un uomo sommamente intelligente» confidò una volta a Speer «dovrebbe scegliere una donna primitiva e stupida. Immagina se, oltre a tutto il resto, avessi una donna che interferisce con il mio lavoro. Nel mio tempo libero voglio aver pace!» Hitler spesso ignorava Eva, e verso l'inizio della loro relazione lei aveva tentato il suicidio assumendo una dose eccessiva di narcotici. In un'altra occasione aveva fatto un secondo maldestro tentativo di suicidio con una pistola. Entrambi gli episodi erano una maniera per richiamare l'attenzione. Normalmente si teneva ben in disparte dalla scena pubblica.

Al Berghof, tuttavia, Hitler le consentiva di diventare sempre più visibile: a cena sedeva regolarmente a tavola insieme agli altri ospiti e partecipava agli eventi della serata. Ma tutto era molto forzato. Hitler le vietava di fumare, di prendere il sole o di ballare, e nel suo mondo sempre più vuoto lei rimaneva poco più di un soprammobile. Viveva, si lamentò una volta, «come un uccellino in una gabbia dorata».

Per Eva l'avvenimento di quel giorno, che legava sua sorella Margarete (Gretl era il diminutivo) a Hermann Fegelein, era l'occasione di un gradito riconoscimento del suo rango nella società del Berghof, che in precedenza le era mancato. Fegelein, protetto di lunga data di Himmler e noto arrivista, era l'ufficiale di collegamento delle SS con Hitler. Gradevole affabulatore con un debole per le donne, si era messo al centro della vita sociale del Berghof, riuscendo a conquistarsi il favore di Bormann. Sin dal suo arrivo, in primavera, Eva si era sentita indubbiamente attratta da lui. Proprio in quel periodo Gretl aveva raggiunto la sorella al Berghof; dopo vari tentativi di sposarla con altri uomini dell'entourage di Hitler, Eva si era dunque impegnata seriamente per sistemarla con Fegelein. Aveva pianificato le cerimonie e aveva insistito per un matrimonio in grande stile, per compensare quello che non avrebbe mai avuto con Hitler. Da ultimo era trionfante: «Voglio che queste nozze siano bellissime, come se fossero le mie!» aveva dichiarato. «Ora sono qualcuno!» Hitler aveva scelto il costoso diadema della sposa facendosi consigliare da Bormann.

Sabato era uno dei tre giorni della settimana in cui Albert Grunberg incontrava la moglie Marguerite nel suo nascondiglio segreto. Da quando si era nascosto lei mandava avanti da sola il loro salone in fondo alla strada. Il fatto che esercizi simili rimanessero aperti durante tutta l'occupazione nazista di Parigi era dovuto tanto agli sforzi di Vichy per sostenere l'industria della moda e tenere su il morale maschile quanto alle abitudini delle donne francesi. «Più le donne francesi rimangono eleganti» aveva dichiarato lo stilista Lucien Lelong «più il nostro paese mostrerà agli stranieri che non teme il futuro.» Una rivista femminile ricordava alle sue lettrici che "ogni donna parigina è un manifesto di propaganda vivente" e anche altre pubblicazioni si mostravano d'accordo. Non era facile ottenere una simile perfezione. Il salone di Madame Grunberg soffriva, come tutti gli altri, a causa delle frequenti e spesso prolungate interruzioni della corrente; così, quando gli asciugacapelli smettevano di funzionare le clienti venivano fatte accomodare all'esterno, ed era ormai usuale vedere i parrucchieri all'opera sul marciapiede. Si diceva che uno di loro avesse collegato i suoi asciugacapelli a una fornace la cui aria calda veniva pompata attraverso tubi da stufa da un piccolo esercito di ragazzini che pedalavano a perdifiato su apposite cyclette, e che ogni 320 chilometri di "percorrenza" dal suo salone uscissero perfettamente acconciate 160 signore. Ma Madame Grunberg non aveva una simile fortuna: per scaldare l'acqua con cui radere i clienti al mattino doveva alzarsi alle sette per usare il gas, la cui erogazione sarebbe stata sospesa di lì a un'ora.

Churchill tornò al suo treno alle otto di sera, dopo aver fatto visita ad Ike; si cambiò, indossando l'uniforme di colonnello degli ussari, e si sedette per la cena insieme ad Anthony Eden, al generale Smuts e a Ernest Bevin. Vennero serviti uno champagne del 1926 e poi un eccellente vecchio brandy in panciuti bicchieri di cristallo. Churchill trascorse la maggior parte del tempo rievocando con Smuts i vecchi tempi della Guerra boera e la politica sudafricana dell'inizio del secolo. Bevin chiacchierò amichevolmente con il suadente e impeccabile Eden. Erano così gioviali che Churchill, in vena di battute, disse che sarebbe stato pronto a cedere il comando della guerra all'uno o all'altro dei due oppure a entrambi, in qualsiasi momento.

Su Southwick House, "il Nadir della tensione e dello sconforto", come l'aveva definita Stagg, era invece calata un'atmosfera tetra. Mentre Churchill si godeva la sua cena Eisenhower presiedeva in biblioteca la seconda riunione meteorologica della giornata. Intorno a lui, seduti in semicerchio su poltrone basse e divani, c'erano i comandanti del D-Day. L'atmosfera era già sensibilmente tesa, ma Stagg recò una notizia che seminò lo sgomento: il quadro meteorologico per il 5 giugno era "molto minaccioso". Il sistema di alta pressione sulle Azzorre che nei giorni scorsi aveva garantito tempo favorevole stava rapidamente lasciando passare una serie di depressioni. Dal primo mattino di domenica, l'indomani, fino a mercoledì inoltrato poteva promettere solo nubi basse e spesse a centocinquanta metri di quota, accompagnate da venti sostenuti, tra forza 4 e forza 6, sulle spiagge della Normandia.

Eisenhower se ne rimase seduto con aria accigliata per tutta la riunione: i suoi peggiori timori si stavano avverando. Quando quello scozzese dalla parlata suadente ebbe concluso gli pose una sola, semplice domanda: «Esiste anche una sola possibilità che domani lei sia un po' più ottimista?». Stagg rispose che in quel momento tale possibilità non sussisteva, poi lasciò la sala.

Il comandante supremo optò per una consultazione. Leigh-Mallory temeva che gli equipaggi dei suoi aerei non avessero la giusta visibilità, Ramsay pensava che il mare agitato avrebbe reso impossibile il compito della marina, e solo Montgomery rimaneva ottimista; ma dopotutto quello era Monty, sempre impaziente di battere i tedeschi: in fin dei conti, aveva maliziosamente chiamato i suoi due cani Rommel e Hitler.

Dopo un'ora di discussione il gruppo, di malumore, decise di rinviare ancora una volta la decisione finale. Il grosso delle truppe di invasione non avrebbe potuto salpare prima dell'alba, e perciò si sarebbero ritrovati tutti nella biblioteca alle 4.15 del mattino seguente per ascoltare le ultime previsioni di Stagg. Se fossero rimaste sfavorevoli avrebbero dovuto rimandare il D-Day. Nel frattempo le forze già in mare avrebbero avuto l'autorizzazione a continuare: potevano ancora essere richiamate.

Mentre l'esausto Eisenhower tornava nella sua roulotte per un paio d'ore di sonno, uno dei suoi comandanti si sentiva ancora insoddisfatto. Nell'annotazione che scrisse nel suo diario quella notte l'ammiraglio Ramsay, il responsabile di Neptune, osservò che si era stabilito di posporre la decisione solo perché Ike era "molto impressionato dalle spaventose conseguenze di un rinvio".

Il fardello del comandante supremo era, in effetti, il più pesante di tutti, ma il suo comandante delle forze di terra rimaneva fiducioso. Il giorno seguente, scrisse Montgomery nel proprio diario dopo la riunione, sarebbe stata una giornata interessante: si sarebbe dovuta prendere la decisione definitiva, e, una volta presa, ci si sarebbe dovuti attenere a essa. "Occorreranno decisamente dei caratteri forti e risoluti" scrisse. "Eisenhower è l'uomo che ci vuole per questo compito; è un uomo veramente 'grande' ed è un comandante alleato sotto ogni profilo: riesce a mantenere l'equilibrio fra i contingenti alleati [...] Mi affiderei a lui fino all'ultimo respiro."

Nel treno di Churchill il braccio destro militare del primo ministro, il generale Hastings Ismay, ricevette una chiamata da Southwick House con gli ultimi ragguagli sul cattivo tempo. "Una vera mazzata", per usare le sue parole. Alle due del mattino scrisse in tutta fretta una lettera a un amico fidato, definendo quella giornata "maledetta". Le sistemazioni sul treno erano un inferno, senza alcuna possibilità di appartarsi o di restare un momento per proprio conto: tre persone con un telefono dovevano stare stipate in uno scompartimento di un metro e venti per uno. Non c'era bagno, solo una doccia di fortuna. Il "padrone" (Churchill) era continuamente occupato. "Stanotte" concluse Ismay "è la peggiore della guerra dal punto di vista della 'decisione'."

Eppure rimaneva qualche consolazione. Dopo l'allarmante rapporto del lunedì precedente da parte del JIC, secondo cui Hitler poteva aver indovinato che la principale testa di ponte degli Alleati sarebbe stata la Normandia, nulla che potesse suffragare tale ipotesi era stato rinvenuto nell'enorme flusso di intercettazioni analizzate dai decrittatori di Bletchley Park; al contrario, tutto sembrava indicare che i tedeschi brancolavano ancora nel buio. Quello stesso giorno il JIC si era riunito a Londra per fare la sua valutazione finale sulle aspettative dei nazisti. "Durante la scorsa settimana" aveva concluso "non sono state raccolte informazioni le quali indichino che il nemico ha localizzato con precisione l'area in cui verrà effettuato il nostro assalto principale. Sembra che si attenda vari sbarchi tra il passo di Calais e Cherbourg."

Alle 21.09, mentre nella biblioteca di Southwick House cominciava la riunione per la verifica delle condizioni meteorologiche, l'operatore radio di Garbo nella casa di Hendon trasmise il seguente messaggio a Madrid: "Harwich. Distintivo mai avvistato prima: uno scudo giallo con tre picchi di montagne blu contornati di bianco. Trattasi di divisione arrivata recentemente dagli USA". A Berlino quello stemma fu identificato dagli analisti tedeschi e risultò appartenere all'80ª divisione di fanteria americana, che doveva far parte del FUSAG, al comando di Patton. La presenza del FUSAG nel porto di Harwich, nell'East Anglia, era un ennesimo indicatore di un ammassamento di forze alleate in vista di un attacco al di là della Manica diretto contro il passo di Calais.

Il fatto che i tedeschi continuassero a farsi ingannare era in gran parte dovuto proprio alla fiducia che riponevano nell'agente che chiamavano Arabel, e costituiva un notevole riconoscimento dell'efficacia del piano di depistaggio alleato. Per funzionare, quel piano doveva essere credibile e ciò dipendeva soprattutto dall'abilità dei suoi ideatori. Ma per prima cosa i nemici dovevano nutrire fiducia nel messaggero. Da quel punto di vista, Juan Pujol era il patrimonio più prezioso degli Alleati.

Lo era stato fin dall'inizio. "Stiamo entrando nella fase veramente decisiva della guerra" lo aveva avvertito Karl Kühlenthal in febbraio. "La sua priorità deve essere scoprire quando e dove vengono rilevate le prime avvisaglie di preparativi." Il messaggio era pervenuto sotto forma di una lettera indirizzata al signor Joseph Smith Jones per tramite di una banca portoghese di Lisbona e conteneva calde parole di approvazione. "Mi sembra tutto così perfetto" gongolava Kühlenthal "che non c'è praticamente nulla che possa dire riguardo alle misure che lei ha adottato."

Da allora non era accaduto niente che gli facesse cambiare idea: in fin dei conti, lavorava con Pujol dal 1941 e gli aveva insegnato personalmente i trucchi del mestiere.

Benché ora fosse Garbo, e quantunque agisse sotto controllo britannico, molto dipendeva ancora dalle capacità personali del vero Juan Pujol, che comunicava con Madrid sia via radio sia per lettera. I messaggi radio (in tutto oltre mille) venivano redatti dai suoi controllori inglesi, ma poi era Pujol a tradurli nel suo inimitabile spagnolo, con frasi abilmente infiorettate e occasionali eccentricità. Quanto alle lettere, alcune delle quali erano lunghe oltre ottomila parole, erano costituite da un messaggio di copertura, apparentemente innocuo, e dal vero messaggio, scritto fra le righe di quello di copertura con inchiostro simpatico. Pujol componeva i testi di copertura e ricopiava di proprio pugno con l'inchiostro speciale tutti quelli segreti, beninteso sempre in presenza di un ufficiale dell'MI5.

Continuava a essere molto impegnato dal compito di sviluppare la sua enorme rete immaginaria di oltre venti subagenti, tutti personaggi inventati di cui si divertiva a elaborare le fisionomie e le azioni. In breve, la persona più adatta a convincere l'Abwehr che Arabel era un fulgido successo era Pujol stesso: colui che sin dall'inizio del proprio elaborato doppio gioco si era spacciato presso i tedeschi come un personaggio fanatico e risoluto, anche se un po' donchisciottesco.

Certo nella vita reale era volubile, oltre che sfuggente e manipolatore. Quell'uomo con gli occhi castani, i capelli impomatati e la fronte alta rimaneva un enigma. Di primo acchito sembrava semplice e diretto, eppure si era abilmente aperto il cammino nel micidiale labirinto della Guerra civile spagnola ed era riuscito ad abbindolare i nazisti facendo affidamento solo sulle proprie forze, inducendoli ad accettarlo come agente. Un ufficiale dei servizi segreti britannici che lo conosceva bene lo descrisse come "un mentitore abilissimo, con pochi princìpi morali". Certo nelle sue memorie si dimostrò abile nel riscrivere la propria storia personale sfumando completamente la figura della moglie, che lo aveva aiutato in misura significativa durante il conflitto ma dalla quale in seguito aveva divorziato.

Eppure la vicenda del loro tempestoso matrimonio del periodo di guerra era inscindibile da quella di Garbo. In effetti, c'era mancato poco che mandasse a monte l'intera operazione.

Era successo un anno prima. Sua moglie, Aracelli Gonzáles, che aveva sposato nel 1940, non parlava l'inglese e non era mai stata fuori dalla Spagna e dal Portogallo. Trovandosi abbandonata a Londra con due figli piccoli e tormentata dalla nostalgia di casa, aveva implorato di poter rimpatriare per una breve visita alla madre, ma ciò era stato giudicato troppo rischioso dall'MI5. Nel frattempo lei e suo marito avevano stretto amicizia con una coppia spagnola, che li aveva invitati al Club spagnolo a Londra, dove avrebbero sicuramente incontrato diversi dipendenti dell'ambasciata di quel paese. Garbo si era opposto anche a questa possibilità, considerandola troppo pericolosa, e tale rifiuto era stata la goccia che aveva fatto traboccare il vaso della pazienza della moglie, sola e disperata; ne era derivato un enorme litigio. Quello stesso giorno Aracelli, fuori di sé dalla rabbia, aveva telefonato a Tomas Harris minacciando di presentarsi all'ambasciata spagnola e di rivelare i segreti del doppio gioco di Garbo a meno che non le fossero stati procurati i documenti per il viaggio.

C'erano già stati dissapori coniugali in precedenza, ma prima di allora non era mai esploso un conflitto così critico e pericoloso. Harris allertò immediatamente l'MI5 e diede disposizioni che la donna venisse subito arrestata se si fosse avvicinata all'ambasciata. Poi si mise a tavolino con Pujol e i due concertarono un piano.

Garbo scomparve per qualche ora, poi due ufficiali della polizia CID andarono a casa sua e informarono solennemente la moglie che era stato arrestato. Lei scoppiò in lacrime e giurò che il marito era sempre stato fedele all'Inghilterra. Il giorno dopo, singhiozzante e oppressa dai sensi di colpa per il suo arresto, infilò la testa nel forno con il rubinetto del gas aperto, non prima però di aver telefonato all'operatore radio di Garbo e avergli chiesto di passare da lei. Riavutasi, promise che se il marito fosse stato rilasciato non si sarebbe mai più comportata male né avrebbe chiesto di tornare in Spagna.

Ma la messinscena non era ancora finita. Fu portata, bendata, in un campo di prigionia, dove le venne condotto dinanzi il marito con la barba lunga, vestito con un'uniforme da prigioniero. Lei scoppiò nuovamente in lacrime, promise che si sarebbe comportata bene e firmò una dichiarazione in tal senso. Solo il giorno successivo venne accompagnata in un imponente palazzo di Whitehall e le fu comunicato che, dopo molte attente considerazioni, era stato finalmente deciso di consentire al marito di proseguire il suo lavoro. Poi le operazioni erano tornate alla normalità e da allora tutto era andato liscio.

Come osservò Harris, questo notevole episodio fu "non privo di interesse per valutare le qualità di Garbo e di sua moglie". Lei aveva solamente minacciato di andare all'ambasciata spagnola per ottenere i suoi documenti, ed è probabile che non avrebbe mai rivelato i segreti del marito. Quanto a Garbo, aveva dimostrato un'implicita fiducia nei suoi controllori inglesi consentendo loro di gestire la crisi così come avevano fatto, sia pure seguendo un percorso che lui stesso aveva delineato. "Se fosse andata male" osservò Harris "la sua vita coniugale sarebbe stata rovinata per sempre."

Per dirla più schiettamente, Pujol, per non parlare di Harris, era abbastanza pronto a mettere a repentaglio la vita di Aracelli per il bene di Garbo: come Pujol riconobbe già allora, se da un lato era abituato agli sfoghi emotivi della moglie ed era abbastanza sicuro che lo stratagemma avrebbe funzionato, rimaneva pur sempre un dieci percento di probabilità che lei potesse davvero suicidarsi.

Al quartier generale dello SHAEF si elaboravano i piani per appoggiare l'azione di depistaggio di Garbo riguardo a un secondo sbarco.

Nel corso degli ultimi mesi i tedeschi avevano intercettato vari agenti del SOE sia nella regione del passo di Calais sia in altre località della Francia. In seguito l'Abwehr aveva continuato a far funzionare i loro apparecchi radio e a trasmettere in Gran Bretagna, sperando di indurre gli Alleati a mandare altri agenti e a svelare i segreti del D-Day. Ma i servizi informativi alleati sapevano di questo gioco con le radio perché avevano forzato i codici dell'Abwehr e finsero di stare al gioco dei tedeschi, continuando a inviare messaggi come se nulla fosse accaduto. Avevano pensato che, un giorno, quei canali sarebbero potuti tornare utili per il depistaggio. Ora il momento era giunto: dieci giorni dopo il D-Day avrebbero trasmesso messaggi di avvertimento per mezzo della BBC riguardo a un presunto secondo sbarco, insieme ad altro materiale fasullo. Quel giorno gli ufficiali di collegamento con le squadre speciali del quartier generale di Ike ordinarono di tenere a disposizione il tempo necessario per le trasmissioni nelle notti del 15 e del 16 giugno.

"Michel si è rasato i baffi" recitò l'annunciatore della BBC in mezzo al normale elenco di messaggi personali. Quelle parole significavano che la notte prima Gustave Bernard, il francese che era al corrente del segreto di Enigma, era finalmente riuscito a incontrare il

Lysander della RAF ed era trasvolato sano e salvo fino in Gran Bretagna. A questo punto per il SIS era urgente sapere se avesse tradito il segreto.

A tale scopo il capo del SIS Sir Stewart Menzies si rivolse a Paul Paillole, il capo del controspionaggio francese a Londra, che prima della guerra era stato collega di Bertrand al Deuxième Bureau, il servizio segreto francese. Alle cinque e mezzo del pomeriggio Paillole cominciò dunque a leggere la relazione che Bertrand aveva steso nel corso della giornata, e una volta finito lo interrogò. Era evidente che Bertrand aveva rischiato grosso accettando di collaborare con i tedeschi, anche se era stato solo uno stratagemma per riuscire a evadere. Paillole, tuttavia, aveva notato alcuni particolari della storia che gli sembravano difficilmente credibili. I tedeschi potevano essere stati davvero così ingenui da lasciare che Bertrand li ingannasse e da offrirgli l'opportunità di scappare? Eppure Bertrand parlava in modo così franco e aperto di tutto che Paillole giunse alla conclusione che non poteva essere un traditore e non aveva rivelato il segreto di Ultra. Solo una cosa lo preoccupava: il fatto che tentasse di fargli dire qual era la data prevista per il D-Day per poter informare via radio i suoi contatti in Francia. Era davvero ingenuamente convinto che fossero affidabili? Oppure questo non era altro che un modo per avvertire i tedeschi?

Tanto per non correre rischi, il SIS mise Bertrand agli arresti domiciliari fino a dopo gli sbarchi.

Ad Algeri, dopo una mattinata particolarmente angosciosa per Duff Cooper, il generale De Gaulle aveva infine acconsentito a partire per Londra. L'ambasciatore inglese passò la maggior parte della giornata affannandosi per organizzare il viaggio. Finalmente, alle quattro e mezzo del pomeriggio il capo di France Libre, accompagnato da Cooper, decollò sull'aereo messo a disposizione da Churchill. Il loro primo scalo fu Rabat, in Marocco, dove cenarono. De Gaulle, preoccupato della necessità di continuare a mantenere il segreto, decise di non lasciare il campo d'aviazione e di mangiare a bordo. La cena, osservò Cooper, fu una "faccenda sgradevole", ma non è chiaro se intendesse riferirsi al calore, al cibo oppure all'umore capriccioso del generale. In ogni modo i due uomini camminarono su e giù per la pista, discorrendo di tutto tranne che del loro pensiero dominante: l'invasione imminente e la questione del riconoscimento da parte degli Alleati del ruolo di De Gaulle in quanto capo di un governo provvisorio francese, che era a un punto morto. Alle dieci e mezzo l'aereo decollò di nuovo e, dopo un volo senza particolari problemi, atterrò in Inghilterra alle sei esatte del mattino seguente.

Mentre i due camminavano su e giù per la pista a Rabat la consueta trasmissione serale di France Libre sulle frequenze della BBC, intitolata *Les Français parlent aux Français*, ribadiva che l'imminente liberazione della Francia doveva essere duplice: liberazione dal nemico e liberazione da Vichy. Sotto questo profilo, si sottolineava, era tempo che gli Alleati riconoscessero l'autorità governativa di De Gaulle e del suo movimento. Come sempre, la trasmissione si era aperta ricordando da quanto durava ormai la lotta contro l'occupazione nazista: era il millequattrocentoquarantunesimo giorno della vergogna dal maggio del 1940, quando Pétain aveva firmato l'armistizio con Hitler.

Quella mattina a La Roche-Guyon Rommel era occupato con i preparativi antinvasione e teneva sotto pressione i suoi sottoposti affinché predisponessero maggiori difese costiere, richiedendo più lanciarazzi multipli, assicurando la cooperazione della Luftwaffe nella posa delle mine lungo le rotte di navigazione intorno all'isola di Wight e predisponendo un programma intensivo per estendere le opere di difesa lungo la spiaggia fino al limite della bassa marea. La scadenza per quest'ultimo compito, aveva stabilito, sarebbe stata il 20 giugno.

Ricevette anche una visita interessante, quella del generale di divisione Hans Kramer, il suo ultimo successore nell'incarico di comandante dell'Afrika Korps, che era stato catturato dagli inglesi dopo la caduta della Tunisia e da allora era stato tenuto in un campo di prigionia in Gran Bretagna. Poi si era ammalato, e di recente gli Alleati lo avevano rilasciato nel quadro di uno scambio di prigionieri di guerra organizzato dalla Croce Rossa svedese. Durante il rimpatrio sotto scorta, prima di passare per la Svezia aveva osservato un ingente ammassamento di forze nell'Inghilterra sudorientale. Da ciò risultava evidente, come riferì a Rommel, che gli Alleati stavano preparando l'invasione che sarebbe dovuta avvenire da qualche parte nella regione del passo di Calais. Dato che questa conclusione corrispondeva alle convinzioni di Rommel, la Volpe del deserto si trovò prontamente d'accordo.

Né l'uno né l'altro si rendevano conto che anche questo faceva parte del piano britannico di depistaggio e che Kramer era stato deliberatamente ingannato; in effetti quando era partito dal suo campo di prigionia nel Galles era stato portato attraverso le vere zone di raccolta di Neptune per farlo assistere al massiccio ammassamento di forze, ma gli era stato detto che si trovava nell'Inghilterra sudorientale e gli era stato fatto addirittura incontrare il generale George C. Patton, che gli venne indicato come il comandante in capo del FUSAG, il mitico gruppo d'armata statunitense.

Dopo la partenza di Kramer, e dopo aver consumato il suo solito pranzo spartano, Rommel montò a bordo della sua Horch e risalì la Senna per incontrare von Rundstedt nel suo quartier generale di Saint-Germain-en-Laye. Ebbe così l'occasione di constatare con i propri occhi le devastazioni provocate dai bombardamenti alleati. Secondo le parole di un rapporto segretissimo redatto quel giorno stesso a Berlino dal gruppo operativo dell'aviazione tedesca, a causa delle incursioni alleate Parigi era stata "sistematicamente tagliata fuori dal traffico a lunga distanza" e i ponti più importanti sul corso inferiore della Senna erano stati "distrutti uno dopo l'altro".

Rommel disse al comandante in capo delle forze occidentali che il giorno dopo intendeva partire di buon'ora alla volta di casa sua, a Herrlingen, dove contava di festeggiare il cinquantesimo compleanno della moglie. Poi sarebbe andato a far visita a Hitler al Berghof per sollecitarlo ad assegnargli altre due divisioni corazzate da impiegare in Normandia, oltre a corpi antiaerei e a una brigata di mortai. Avrebbe fatto ritorno a La Roche-Guyon il giorno 8. Von Rundstedt non vedeva alcun motivo per cui non sarebbe dovuto andare a casa, dato che nulla lasciava pensare che l'invasione fosse imminente.

L'unità dell'esercito di cui faceva parte Walter Schwender non era l'unico contingente tedesco di stazione a Nantes, dove la marina poteva contare su oltre una decina di motovedette e dragamine. Ma il Gruppo navale ovest, comandato dall'ammiraglio Theodor Krancke, non disponeva di navi di superficie in prossimità dei porti sul lato francese della Manica. La prima linea di difesa di Hitler contro la flotta di invasione sarebbe stata formata dai suoi U-Boot. I "branchi di lupi", tuttavia, non esistevano più: le navi e gli aerei antisommergibile alleati, con l'aiuto di Ultra, avevano provveduto a toglierli di mezzo.

C'erano flotte operative di sottomarini nei porti di Bordeaux, Brest, La Pallice, Lorient e Saint Nazaire; quest'ultimo era più a valle lungo il corso della Loira rispetto al luogo in cui si trovava Walter. Sebbene il suo enorme bacino di carenaggio fosse stato distrutto dai commando inglesi già nelle prime fasi della guerra, Saint Nazaire continuava a ospitare i sommergibili nei loro appositi ripari, e lo stesso valeva per gli altri porti francesi sull'Atlantico. Lì, sotto cinque metri di cemento, i sottomarini potevano essere riparati e rimessi in condizione di navigare, mentre i loro equipaggi riposavano in baracche appositamente costruite. I ripari, progettati per resistere ai bombardamenti, erano custoditi da ammassi di batterie antiaeree; ciò nonostante molti civili francesi erano rimasti uccisi nel corso di incursioni contro le installazioni di difesa. Quando uscivano in mare aperto, però, gli U-Boot diventavano vulnerabili.

L'ammiraglio Dönitz, comandante in capo della marina tedesca, aveva ammesso in un'annotazione nel suo diario di guerra che per i suoi sommergibili stava diventando sempre più difficile individuare le navi e gli aerei di scorta ai convogli. I successi ottenuti fino a quel momento erano in gran parte il risultato della tenacia e dello spirito di sacrificio dimostrati dai suoi equipaggi. "Ora comunque" scriveva "le possibilità di successo sono in gran parte ridotte. In effetti un sottomarino che parte per una missione ha considerevoli probabilità di non fare ritorno. In questi ultimi mesi solo il settanta percento dei nostri U-Boot ha fatto ritorno indenne alla base."

Ma l'ammiraglio Ramsay e i pianificatori del D-Day dovevano prepararsi al peggio: in quello stesso giorno avevano stimato che i tedeschi avrebbero avuto centoventi sottomarini pronti per il combattimento, di cui novanta nell'area dell'invasione. Sarebbe toccato alle forze antisommergibile tenerli lontano dalle rotte delle unità alleate e assicurare che nessuno degli U-Boot provenienti dalla Norvegia riuscisse a raggiungere la Manica.

Quanto a prevedere il luogo o il momento in cui sarebbe avvenuta l'invasione, la marina tedesca non era in una situazione migliore di quella dell'esercito o dell'aviazione. Un ristretto numero di ufficiali, osservando che il golfo della Senna non era densamente minato, si domandò se ciò non significasse che il sito dell'invasione sarebbe stata la Normandia, ma le convinzioni di Hitler e le tattiche di depistaggio alleate fecero sì che Dönitz delineasse piani per un contingente di sommergibili antinvasione diviso in tre componenti. Una faceva capo soprattutto alle basi di Trondheim e Narvik, nella Norvegia settentrionale; una era concentrata intorno a Bergen, nella Norvegia meridionale; la terza faceva riferimento ai porti francesi. Tutte e tre erano pronte per prendere il mare nel giro di sei ore.

In Francia erano in attesa 49 U-Boot, di cui però solo 35 effettivamente pronti a salpare: quindici a Brest, due a Lorient, quattro a La Pallice e quattordici a Saint Nazaire; solo la metà di quanto previsto dagli Alleati. Inoltre, contrariamente ai timori di Churchill, solo un ristretto numero di essi era attrezzato con gli *Schnorchel.*

Walter Schwender attendeva, ignaro, dietro la prima linea di difesa concepita da Hitler, gli U-Boot, dietro la seconda, le mine, e la terza, le difese sulle spiagge. Lui e i suoi compagni costituivano la quarta linea.

A Berlino i servizi informativi delle SS inoltrarono a Dönitz l'informazione di Oskar Reile riguardo ai messaggi di avvertimento del SOE trasmessi sulle frequenze della BBC e osservarono che l'invasione poteva aver luogo nel giro delle due settimane successive. Nel suo gruppo di collaboratori nessuno la prese sul serio. Forse, ipotizzarono, si trattava solo di un'esercitazione.

Oltre l'Atlantico, alle 16.39 ora della costa orientale, un dispaccio dell'agenzia Associated Press annunciò che l'invasione era cominciata. La notizia elettrizzante fu immediatamente raccolta e diffusa da oltre cinquecento stazioni radio di proprietà dei quattro grandi network americani, oltre che da altre emittenti a Cuba, in Cile e a Mosca. A New York una partita di baseball venne interrotta e i giocatori e il pubblico rimasero un minuto in silenzio per pregare. Nella cattedrale di St. John The Divine si allestì in fretta una messa speciale. I funzionari di un ippodromo di Long Island si prepararono a cancellare le ultime due corse della giornata e i centralini di New York rimasero intasati dalle richieste di informazioni.

Cinque minuti dopo che quel dispaccio era stato diramato, l'Associated Press diffuse una correzione urgente, ma ormai la notizia infondata era già stata sentita da milioni di persone tanto nel Nord quanto nel Sudamerica, e ci vollero diverse ore perché i sistemi telefonici tornassero alla normalità. Durante le trasmissioni serali i commentatori ebbero il loro daffare per smentire la notizia e chiarire come l'incidente potesse essersi verificato.

La spiegazione era semplice: a un'operatrice di telescrivente dell'agenzia era stato chiesto di effettuare un'esercitazione pratica del lancio della notizia, preparata dallo SHAEF alcuni giorni prima, ma a causa di un errore l'apparecchio era rimasto collegato per l'aggiornamento oltreatlantico, e forse l'operatrice aveva battuto i tasti con troppa foga. Eisenhower, tuttavia, era troppo esausto e preoccupato per darsene pensiero, e quando il mattino seguente Harry Butcher gli comunicò la notizia si limitò a mugugnare.

Quella sera nel quartier generale della 3ª divisione di fanteria canadese, a Cowes, ai corrispondenti di guerra vennero forniti i particolari relativi agli sbarchi a Juno Beach. Quando si concluse la loro riunione informativa di aggiornamento era quasi buio. Mentre scendevano le scale per uscire all'aperto, uno di loro avvertì uno strano presentimento. Era stato proprio in quello stesso edificio che aveva partecipato alla riunione informativa per l'incursione di Dieppe, due anni prima: lì aveva sentito esporre tutti i piani, molto particolareggiati e sfacciatamente ottimistici. Meditabondo, tornò al molo e alla lancia che lo avrebbe riportato sulla nave. Il mare era più agitato che mai e l'imbarcazione beccheggiava furiosamente sulle onde cosparse di spuma.

8

Una confusione infernale

Domenica 4 giugno

Poco prima dell'alba Eisenhower si trascinò fuori dalla sua roulotte per sentire quel che Stagg aveva da dire sul tempo. Mentre percorreva in automobile il breve tratto di parco che lo separava da Southwick House le stelle brillavano in cielo e c'era calma di vento.

Ma il meteorologo portò brutte notizie: nel corso della notte aveva studiato gli ultimi bollettini dall'Atlantico confrontandoli con i dati storici: il destino sembrava avercela con loro. «In tutte le mappe meteorologiche dei quaranta o cinquant'anni che ho preso in esame» riferì «non riesco a trovarne una dello stesso periodo dell'anno che assomigli a questa per il numero di basse pressioni che segnala contemporaneamente.» Il suo aspetto faceva pensare più all'inverno che all'estate.

«Prevede qualche cambiamento?» domandò Eisenhower. «No» fu la risposta di Stagg. Poi fu il turno di Ramsay: «Quando pensa che arriverà la copertura di nubi?» chiese il comandante di Neptune. «Nel giro di quattro o cinque ore» rispose l'ufficiale della RAF, che poi si ritirò lasciando i comandanti alle loro decisioni. Montgomery era ancora dell'idea di partire, Ramsay era neutrale. Ma Leigh-Mallory avvertì che con nubi a bassa quota l'aviazione avrebbe potuto svolgere solo una piccola parte delle sue missioni. Questo fu, più di ogni altro, il fattore che indusse Eisenhower a decidersi: una copertura efficace da parte dell'aeronautica sarebbe stata di importanza vitale per le truppe di terra, e dato che nessuno intorno a quel tavolo era disposto a contraddirlo ordinò un rinvio di ventiquattro ore. Avrebbero riconsiderato la situazione quella sera.

Furono immediatamente diramati ordini a tutti i comandi e le unità già in navigazione verso la Manica vennero fatte ritirare. Alcune non recepirono l'ordine e oltre un centinaio di navi che portavano la fanteria statunitense verso Utah Beach proseguirono la loro rotta finché un aereo del Comando costiero britannico non lanciò un razzo di avvertimento quando il convoglio si trovava ormai a una trentina di miglia a sud dell'isola di Wight.

Il capo dei servizi informativi dell'OSS per l'Europa, David Bruce, sentì la notizia alle sei e mezzo del mattino a bordo del *Tuscaloosa* quando era al largo di Falmouth, e l'incrociatore pesante trascorse quasi tutta la giornata navigando su un enorme cerchio al largo del canale di Bristol. Questo rinvio confermava le sue preoccupazioni a proposito del D-Day e rispecchiava il punto di vista di Donovan, secondo cui si trattava di un enorme azzardo. "Il vero sovrano di questi mari è il volubile tempo inglese." I precedenti sbarchi anfibi degli Alleati, per esempio in Sicilia, avevano dovuto fare i conti con difese di gran lunga più deboli e condizioni meteorologiche ragionevoli, ma perché quelli in Normandia riuscissero a sfondare il Vallo Atlantico di Hitler occorrevano condizioni adeguate in fatto di copertura del cielo, per i bombardieri, e di stato del mare, per le truppe d'assalto. Il successo del D-Day sembrava dipendere in gran parte da una serie di congetture ottimistiche.

Più degno di nota era il suo pessimismo riguardo alle prestazioni dei servizi informativi: Bruce temeva che si facesse troppo affidamento sull'elemento sorpresa. "Abbiamo scelto per l'assalto i punti di attacco più ovviamente favorevoli" annotò Bruce, che era stato messo al corrente dei piani di depistaggio. "Nonostante i diversivi progettati, si potrebbe ipotizzare che il nemico, di rado inefficiente nel lavoro di squadra, sia giunto a una previsione generalmente esatta riguardo alla direzione dell'assalto" proseguiva "e non sembra certo possibile che un'enorme flotta, le cui unità più lente devono cominciare la traversata ventiquattro ore o più prima dell'ora H, sfugga all'osservazione del nemico per molto tempo prima di arrivare a destinazione." Nutriva fiducia nella capacità del controspionaggio di manovrare le spie tedesche in Gran Bretagna, ma concludeva cupamente che altre stravaganze della sorte sarebbero potute risultare più avverse agli Alleati che ai tedeschi, i quali comunque stavano ben saldi sul continente.

Prima che le navi fossero riuscite a riguadagnare il porto la fosca previsione di Stagg si era avverata: si alzò il vento e nubi rabbiose si accumularono nel cielo. Alle undici venne emesso un avviso di burrasca sulla Manica. Per i quattromila soldati con il mal di mare, intrappolati senza via di fuga sui loro mezzi da sbarco, la giornata si profilava veramente difficile.

Bedell Smith, il capo di stato maggiore di Ike, telefonò al treno di Churchill perché gli venisse comunicata la notizia. La chiamata fu raccolta alle 4.45 del mattino da uno Hastings Ismay non lavato e raggomitolato in uno scomodo spazio. "Il peggio (o quasi il peggio) è accaduto" scrisse alla sua confidente il capo di stato maggiore militare del primo ministro. "Comunque ci troviamo nel mezzo di una confusione infernale. Ma ne usciremo tutti con serenità se riusciremo a conservare lucidità e sangue freddo." Continuava a adoperarsi per far tornare Churchill a Londra prima possibile, perché si rendeva conto che lì, fermi sui binari a Droxford, erano disperatamente irraggiungibili. "Come ho detestato le ultime quarantotto ore" aggiunse. Quando arrivò la chiamata di Bedell Smith Churchill dormiva ancora, perciò Ismay non lo disturbò e si coricò anche lui. Il primo ministro si svegliò mezz'ora dopo. Quando Ismay gli riferì la notizia sembrò che avesse perso la parola: contrariamente al suo solito, non disse nulla.

Ma il peggio doveva ancora venire. Mentre si svolgeva questo dramma, De Gaulle stava finalmente arrivando in Gran Bretagna. Alle sei del mattino il suo York toccò terra sul campo di aviazione di Heston, poco fuori Londra, dove il generale fu accolto da un picchetto d'onore e da una banda dell'aeronautica che suonò la *Marsigliese.* Poi venne portato a Londra, dove, dopo aver preso alloggio all'Hotel Connaught, si recò al quartier generale di France Libre a Carlton Gardens. Qui trovò una lettera di Churchill. "Mio caro generale" esordiva il messaggio in tono espansivo "benvenuto su queste rive." Churchill proponeva a De Gaulle di farsi condurre in automobile fino a Portsmouth e di essere suo ospite a pranzo, dopodiché avrebbero telefonato insieme ad Eisenhower per un incontro informativo completo sul D-Day.

Quando De Gaulle giunse a Droxford fu divertito dalla vista del treno parcheggiato di fronte a quella stazioncina di campagna. Churchill, fresco e roseo dopo le abluzioni del mattino, gli venne incontro lungo i binari a braccia aperte, quasi fossero vecchi amici che non si vedevano da tempo. Dapprima tutto fu bonomia e l'unica nuvola all'orizzonte era costituita dalla presenza del generale Smuts, il quale non molto tempo prima aveva incautamente reso pubbliche dichiarazioni secondo cui la Francia, non essendo più una grande potenza, sarebbe anche potuta entrare a far parte del Commonwealth.

Tuttavia, per il momento De Gaulle era davvero commosso da quell'occasione. Sedendosi in posizione centrale di fronte a un grande tavolo verde, Churchill raccontò con enfasi teatrale del piano per il D-Day e della necessità insorta di rinviarlo di ventiquattro ore. "In tutta sincerità" avrebbe riferito in seguito "espressi la mia ammirazione al primo ministro per il risultato del suo impegno [...] Era una clamorosa giustificazione della politica coraggiosa che aveva impersonato sin dai giorni più bui della guerra. In quel momento era impossibile per chiunque, francese o inglese che fosse, non lasciarsi travolgere da un analogo moto di ammirazione per lui."

Le cose, tuttavia, cominciarono a guastarsi già al momento del dessert. «Dobbiamo parlare di questioni politiche» disse d'un tratto Churchill. De Gaulle chiarì, come aveva annunciato prima di lasciare Algeri, di essere venuto in visita in Inghilterra per trattare esclusivamente questioni militari, e subito si inalberò. Che scopo aveva parlarne, se Roosevelt si rifiutava di affrontare questioni politiche? E comunque, perché mai doveva ottenere l'approvazione di Roosevelt o di chiunque altro per governare la Francia? Ricominciò così la familiare controversia, e mentre De Gaulle parlava la sua voce cominciò a levarsi per l'irritazione. Ben presto anche Churchill si mise a urlare di rimando. I diplomatici che sedevano intorno al tavolo si ritrassero inorriditi e la situazione degenerò. «Libereremo l'Europa» latrò il primo ministro «ma lo faremo grazie agli americani!» De Gaulle fu esasperato da queste parole. Se gli americani erano così ansiosi di stipulare un accordo con lui, rispose, perché erano andati avanti senza il suo consenso e avevano stampato la cosiddetta "valuta francese" che intendevano distribuire appena sbarcati in Francia? Quello, disse con tono sprezzante, non era altro che "denaro falso".

L'accusa fece salire ulteriormente la temperatura. Nelle prime ore della giornata Churchill aveva inviato a Roosevelt un messaggio scritto con il cuore in mano. "La nostra amicizia è il mio punto di riferimento in mezzo alle complicazioni sempre più gravi di questo impegnativo conflitto" aveva scritto al presidente, soggiungendo che nel mondo del dopoguerra, quando si sarebbe dovuto tenere la Germania sotto controllo per vent'anni, non era affatto certo che la Gran Bretagna sarebbe mai potuta dipendere da una Francia gollista. Ora, infuriato, disse a De Gaulle che fra Gran Bretagna e Stati Uniti non sarebbe mai potuta sorgere una lite. «Ogni volta che dovrò scegliere tra lei e Roosevelt» promise «sceglierò Roosevelt.»

Questa scena alla Stanlio e Ollio era resa non meno grottesca dal francese deplorevole di Churchill, né contribuì a migliorare la situazione un goffo intervento di Ernest Bevin. Il ministro del Lavoro osservò che il Partito laburista si sarebbe ritenuto offeso se il generale avesse rifiutato colloqui politici. «Offeso?» ribatté De Gaulle infuriato. «Voi sareste offesi? Ma non pensa alla Francia ferita? Ci pensa mai a lei?» Tale replica, formulata in francese, lasciò attonito Bevin, che non parlava quella lingua. A separare Francia e Gran Bretagna non c'era soltanto la Manica.

In qualche modo le cose si calmarono abbastanza perché Churchill riuscisse ad accompagnare De Gaulle durante la sua visita ad Eisenhower. Ike, come sempre, fu gentile e diplomatico, e spiegò con pazienza gli aspetti tecnici dell'operazione del D-Day al generale, che ne rimase affascinato. Inoltre lusingò il capo di France Libre chiedendogli il suo parere riguardo alla decisione di rinviare l'attacco. «Che cosa farebbe lei?» domandò con tatto. De Gaulle aveva pochi dubbi. «Se fossi al suo posto» rispose «tenendo presenti gli inconvenienti di un ritardo di molte settimane, che prolungherebbe la tensione psicologica per le truppe d'assalto e metterebbe in pericolo la segretezza, non rinvierei.»

Ma anche questa affabilità tra generali finì per urtare una mina. Ike si offrì cordialmente di mostrare a De Gaulle il testo della sua dichiarazione in vista della liberazione, che doveva essere diffusa in occasione del D-Day, ma il generale si accorse subito che non faceva menzione né di lui né del CFLN, e anzi chiedeva alla popolazione francese di obbedire agli ordini di Eisenhower. L'atmosfera si raffreddò all'istante. Dopo un paio di battute glaciali Eisenhower si dichiarò disponibile a verificare se era possibile emendare il testo. De Gaulle, che pure aveva acconsentito a cenare con Churchill, preferì salire altezzosamente sulla sua vettura e partì alla volta di Londra da solo.

Fu una brutta conclusione di una giornata difficile: quella era molto più di un'increspatura sulle acque della diplomazia. Gli Alleati facevano affidamento sulla Resistenza francese per seminare il caos dietro le linee nemiche nel D-Day, ma proprio alla vigilia dell'invasione l'alterco con De Gaulle tracciava un punto interrogativo sui complessi piani concordati fra lo SHAEF e il generale Marie-Pierre Koenig, delegato militare del capo di France Libre e ufficiale di collegamento con le FFI.

André Heintz era in preda al nervosismo. Dopo aver ricevuto il messaggio di allerta, si aspettava l'invasione da un momento all'altro. Pensava che il gran giorno sarebbe potuto essere domenica, ma poiché le ore passavano e non stava accadendo nulla si sentiva sempre più scoraggiato. Gli amici lo avevano invitato a ballare quella sera, ma lui aveva rifiutato perché c'era la possibilità che avesse cose più urgenti da fare. Una delle sue missioni recenti per Courtois era stata reclutare persone della sua stessa età in bande di partigiani armati che avrebbero attaccato i tedeschi non appena gli Alleati fossero sbarcati. Era riuscito a coinvolgere alcuni dei suoi amici, e segretamente li invidiava per le possibilità loro offerte; forse, quando fosse giunto il D-Day, anche lui avrebbe avuto un'opportunità di prendere le armi.

Ciondolava per la casa senza pace; ogni tanto scendeva in cantina per sintonizzarsi sulla BBC e sentire se c'era qualche novità. I bombardieri alleati continuavano ad attraversare il cielo e in città vi furono diversi allarmi aerei.

Sul far della sera non era ancora accaduto nulla e così decise finalmente di andare a ballare, ma per quanto provasse non riusciva a smettere di pensare agli eventi epici che stavano per verificarsi. Improvvisamente, mentre riprendeva fiato a margine della pista da ballo, ebbe una strana sensazione. "Mi sentivo un po' come Dio, perché conoscevo il futuro: sapevo quello che sarebbe accaduto. Era strano provare una sensazione così diversa da tutti gli altri. Poi d'un tratto ero nuovamente triste, perché non potevo avvertirli di nascondersi, di cercare riparo e così via. Mi domandavo quanti sarebbero sopravvissuti. Non potevo sottrarmi al desiderio di proteggerli."

"Mancano sedici chilometri alle porte di Roma" esultava il titolo di apertura del *Sunday Times*. L'articolo spiegava che alla fine le truppe alleate si erano vigorosamente aperte la strada attraverso i colli Albani e procedevano spedite alla volta della capitale italiana; avevano fatto quattordicimila prigionieri. Buone notizie venivano anche dal fronte orientale, dove l'Armata rossa stava rispondendo colpo su colpo alla disperata resistenza dei tedeschi a Iaşi, in Romania. Quanto al teatro bellico dell'Asia sudorientale, Tokyo descriveva il campo d'aviazione di Biak in Nuova Guinea, al quale le truppe americane si stavano avvicinando, come propria linea di difesa interna. L'offensiva aerea continuava sopra la Francia e i Marauder e gli Havoc, scortati dai Mustang e dai Thunderbolt, bersagliarono i loro obiettivi per il diciassettesimo giorno consecutivo. Ponti, scali ferroviari e binari furono sottoposti ai loro attacchi senza che un solo bombardiere alleato andasse perduto.

Eppure in Gran Bretagna la vera notizia era quello che non era ancora accaduto. La corrispondente Mollie Panter-Downes, scrivendo la sua consueta lettera da Londra per il *New Yorker*, riferì di un'atmosfera di attesa che pareva sospesa sulla capitale. "Nello strano silenzio del momento (silenzio non solo in senso figurato, dato che da mesi gli abitanti di Londra non vengono più svegliati dalle sirene) sembra quasi che ognuno viva alla giornata, in attesa del momento che, quando arriverà, sarà grande e straordinario per tutti." Indizi e premonizioni riguardo all'invasione non mancavano. Un avviso ufficiale sul *Sunday Times*, corredato dall'illustrazione di un telefono il cui quadrante veniva attraversato da un treno carico di carri armati mimetizzati, esortava la popolazione a riflettere bene prima di fare telefonate a lunga distanza. "Vi chiedete se venga fatto un utilizzo sconsiderato e superfluo delle telefonate interurbane sul vostro posto di lavoro o nel vostro ufficio?" domandava. "Allora fate questa prova. Alla fine di una giornata qualunque chiedete l'elenco delle telefonate interurbane e controllate se qualcuna avrebbe potuto essere sostituita da una lettera. Fatelo pure per vostra soddisfazione personale, ma sarà anche un servizio reso alla causa della guerra."

Se in quel frangente, mentre il paese si affacciava su una svolta storica, la segretezza aveva un'importanza vitale, lo stesso si poteva dire della fede e del coraggio. Il vescovo di Southwark ricordava ai lettori che quella era la domenica della Trinità. Esattamente quattro anni prima, all'epoca della catastrofe di Dunkerque, Churchill aveva rivolto il suo appello alla nazione in una serie di trasmissioni che avevano mosso gli animi. Ora, scriveva il vescovo, "la domenica della Trinità cade anche quest'anno in un momento risolutivo per la storia delle nazioni: ci troviamo alla soglia di eventi con cui, secondo la volontà di Dio, verrà deciso, nel bene o nel male, il corso dei secoli futuri".

Il quotidiano pubblicava anche una breve poesia di Edward Shanks, intitolata *The Article*. Era preceduta dalle famose parole pronunciate dal duca di Wellington prima della battaglia di Waterloo a proposito del soldato britannico: "Se riusciremo a concludere l'affare o no dipende tutto da quell'articolo. Datemene abbastanza e sarò sicuro di farcela".

What, if we dared, should we say now to you,
You, soldier, idling down the dusty way,
Parades, fatigues forgotten for the day,

Only this empty afternoon in view?
The half-closed eyes are lazy in the sun,
Burnt skin makes fine an ordinary face,
Heavy shod feet move somehow with a grace
We shall remember after they have gone.

This is the article four years a-making,
The same that stood, that other time, unbreaking
While Nay's grim troopers charged the stubborn squares
Of this we think, but which of us shall say
All that we think upon this sunfilled day?
*Why, no one, soldier, for there's no one dares.**

Fu una domenica di calma a bordo della nave ormeggiata nel Solent su cui era imbarcato il quartier generale della 3ª divisione della fanteria canadese, la *Hilary*. Gli ufficiali si dedicarono tranquillamente ai loro piani e controllarono i particolari dell'ultimo minuto. Di tanto in tanto uno dei corrispondenti di guerra saliva sul ponte a guardare il mare e a controllare il vento. Avevano cominciato a circolare voci di un rinvio. Stava arrivando una burrasca dall'Atlantico... Le navi nella Manica imbarcavano acqua... Al largo della costa francese tutto era calmo... I tedeschi avevano saputo della Normandia...

Glenn Dickin, in attesa a bordo della nave passeggeri *Llangibby Castle*, aveva maggiore fortuna delle migliaia di soldati di fanteria che si trovavano su piccoli mezzi da sbarco e ora dovevano resistere in quelle condizioni per ventiquattro ore più del previsto: mentre il mare montava di ora in ora e il vento aumentava, quelle piccole imbarcazioni rollavano e beccheggiavano fra le onde, finché i ponti furono tutti cosparsi di vomito.

* "Che cosa dovremmo dirti ora, se osassimo, / Soldato che percorri indolente la strada polverosa, / Dopo aver scordato per oggi parate e fatiche, / E hai dinanzi a te solo questo pomeriggio vuoto? / Gli occhi pigramente si socchiudono sotto il sole / La pelle abbronzata rende bello questo viso comune / I piedi pesantemente calzati si muovono, non so come, con grazia: / Questo è ciò che ricorderemo dopo che se ne saranno andati. // Ecco l'articolo, occorrono quattro anni per prepararlo: / È lo stesso che resistette, quell'altra volta, senza spezzarsi / Quando i feroci soldati di Ney caricavano le formazioni ostinate. / A questo pensiamo: ma chi di noi dirà / Tutto ciò che pensiamo in questo giorno inondato di sole? / Diamine, nessuno, soldato, perché nessuno osa." [N.d.T.]

L'ultima volta che Glenn aveva avuto il mal di mare era stato all'inizio di maggio. Lui e Gordon si trovavano a Hiltingbury quando si era svolta, lungo la costa meridionale, l'ultima grande esercitazione in vista dell'invasione. L'operazione, denominata in codice Fabius III, impegnava quattro divisioni d'assalto oltre alle relative forze navali. Anche in quell'occasione il mare era agitato. I due avevano fatto da arbitri delle esercitazioni per il reggimento De La Chaudière, e il mare era così grosso che entrambi avevano dovuto ricorrere ai loro sacchetti per il vomito.

"Sacchetti per il vomito" era un'espressione che Garbo usò in molti messaggi per indicare l'invasione. Glenn e Fabius III avevano inconsapevolmente svolto un ruolo importante nel suo elaborato doppio gioco.

"Tutta la 3ª divisione di fanteria è concentrata qui, pronta per l'imbarco" aveva riferito a Garbo il 30 aprile il suo immaginario Agente 4, di base a Hiltingbury. "Ci sono altri campi pieni di truppe pronte all'attacco [...] È estremamente difficile lasciare il campo. Stanno preparando razioni fredde per due giorni e anche sacchetti per il vomito, giubbotti salvagente in vista della traversata delle truppe." Garbo aveva inoltrato queste informazioni a Kühlenthal a Madrid, aggiungendo che il suo subagente a Hiltingbury era convinto che l'invasione fosse imminente. Il giorno dopo l'Agente 4 aveva riferito a Garbo che la 3ª divisione aveva appena lasciato Southampton con ordini di imbarco. "La mia opinione" suggeriva "è che, se non sono già sulla costa della Manica, le truppe che devono imbarcarsi in questo momento si stanno mettendo in viaggio verso il loro remoto obiettivo..." Con ciò intendeva alludere a un attacco contro la Norvegia.

Kühlenthal abboccò all'amo e inoltrò le informazioni a Berlino, cosicché presto il dispaccio finì sotto gli occhi dello stesso Hitler al Berghof. Ma poi, alcuni giorni dopo, l'Agente 4 tornò sui propri passi rivelando che le truppe canadesi erano rientrate a Hiltingbury. Ovviamente, come riferì un rabbioso Garbo, si era trattato solo di un'esercitazione e il suo agente si era dimostrato un "sempliciotto".

Ma perché utilizzare i canadesi e Fabius III nella campagna di depistaggio, se era evidente che il loro spostamento avrebbe finito per rivelarsi nient'altro che un'esercitazione? Non c'era forse il pericolo che la manovra gettasse ombre sulla credibilità di Garbo, anziché rafforzarla?

L'ingegnoso Tomas Harris e il Double Cross Committee erano di diverso avviso, e per mezzo di Pujol avevano costruito il piano di depistaggio di Garbo con tale abilità che a quel punto, cioè alla vigilia del D-Day, la credibilità di cui il loro uomo godeva a Berlino era più solida che mai. Harris e Pujol rappresentavano ormai un duo inseparabile, che lavorava in armonia pressoché perfetta: il catalano trascorreva gran parte del suo tempo fra l'abitazione del mercante d'arte a Mayfair e l'ufficio di Jermyn Street, dove Pujol incontrava il personale dello SHAEF e gli altri che facevano funzionare la campagna del doppio gioco. Era entrato in pieno nello spirito dell'operazione e le potenzialità della sua mente tortuosa venivano esaltate dall'inventiva dell'ex antiquario. "Tomas Harris mi era riuscito simpatico fin dall'inizio" ricorda Pujol "non solo per la sua stretta di mano ferma ma anche perché mi aveva cinto le spalle con un braccio in un gesto di protezione e amicizia." Insieme avevano cercato di rendere Garbo credibile e umano: secondo i loro calcoli, era importante mostrare che poteva anche commettere errori.

I servizi informativi tedeschi credevano che Garbo disponesse in Gran Bretagna di una rete di subagenti, che in realtà erano tutti frutto dell'inventiva di Harris e Pujol. Oltre all'Agente 4 c'era J(5), una donna che, si era fatto credere ai tedeschi, lavorava al ministero della Guerra. Quando 4, da Hiltingbury, aveva previsto l'invasione, Garbo aveva riferito a Madrid anche che J(5) aveva commentato in termini sprezzanti l'idea, affermando che le truppe canadesi erano uscite solamente per un'esercitazione. Dovendo scegliere fra i due Garbo aveva dato credito all'Agente 4 ed era giunto alla conclusione che J(5) "racconta balle". Poi, quando era emersa la verità e i movimenti di truppe si erano rivelati nulla più di un'esercitazione, aveva telegrafato a Madrid chiedendo che il suo commento su di lei venisse ignorato. "Mi accorgo che le sue informazioni erano vere e che l'errore è sorto in parte per colpa mia perché ero rimasto impressionato dall'Agente 4. Mi rendo conto che potrei ottenere informazioni più accurate attraverso i miei amici al ministero." Kühlenthal rispose invitando Garbo a non preoccuparsi: era evidente che l'Agente 4 aveva sbagliato in buona fede e non bisognava scoraggiarlo, perché la prossima volta l'annuncio di invasione avrebbe potuto essere veritiero.

Grazie a questa vicenda intricata Harris aveva brillantemente conseguito due obiettivi: in primo luogo aveva dimostrato che Garbo poteva commettere errori, dunque che era umano e perciò più credibile; in secondo luogo era riuscito a convincere i tedeschi che la fonte di Garbo al ministero della Guerra fosse verosimilmente più attendibile riguardo alle intenzioni e ai piani degli Alleati rispetto a un agente che teneva sotto controllo un campo militare. Secondo il piano di Harris, quando fosse giunto il momento vi sarebbe stata un'analoga fonte al ministero di Londra che avrebbe svolto un ruolo decisivo nell'ultimo depistaggio in vista del D-Day. Da questo punto di vista, la chiave sarebbero stati i contatti di Garbo a Whitehall.

Per quel giorno, tuttavia, Garbo si accontentò di aggiungere una notizia che sembrava ingigantire la minaccia di un attacco alla Norvegia. Un altro effettivo di quel suo esercito immaginario era l'Agente 3(3), un uomo di origini greche che risiedeva nei pressi di Glasgow. Alle 19.56 di quella sera Garbo riferì a Madrid che 3(3) aveva ricevuto la notizia dello sbarco di un nutrito contingente di truppe dall'Irlanda che si era attendato nei pressi di Lockerbie, nella Scozia sudoccidentale. Sulla base della descrizione delle insegne delle truppe Garbo era giunto alla conclusione che doveva trattarsi della 55ª divisione britannica. Inoltre l'Agente 3(3) aveva osservato un'altra concentrazione rilevante di uomini e mezzi a Motherwell. Garbo aveva espresso le sue perplessità al riguardo: uno stratagemma per rinforzare la sua credibilità. "Vi consiglio di trasmettere queste informazioni a Berlino con tutte le debite riserve" aveva raccomandato a Madrid "dato che, nonostante l'agente abbia congetturato che queste truppe sul Clyde stavano per imbarcarsi, la sua versione non mi ha convinto, e quindi mi riservo di confermarla quando avrò indagato meglio."

Un altro bel lavoro di Harris e Pujol. Dipingendo Garbo come un agente estremamente cauto riguardo alle informazioni trasmesse dai suoi subagenti, aggiungevano un'ulteriore patina di credibilità alla fiducia che Berlino già riponeva in lui, pur mantenendo sempre viva la presunta minaccia alla Norvegia.

Era il millesettecentotrentaseiesimo giorno di guerra e il centoventiduesimo giorno di reclusione di Peter Moen al 19 di Mollergaten. Dal giorno della sua cattura, avvenuta in febbraio, era stato sempre ossessionato dalla morte. Il suicidio non era mai lontano dai suoi pensieri. Se avesse ceduto alla tentazione, non sarebbe stato certo il primo: dall'inizio dell'occupazione nazista almeno quaranta prigionieri della Gestapo si erano tolti la vita in carcere. Nel caso di Moen, il suicidio offriva una via di fuga allettante dal tormento della vergogna che provava per aver parlato sotto tortura.

Il giorno del suo arresto era stato caricato su un'automobile e portato direttamente al quartier generale della Gestapo alla Viktoria Terrasse, o VT, come veniva chiamata in breve, per essere sottoposto a interrogatori e torture. Lì era stato "spezzato" e aveva riferito alla Gestapo i nomi di due suoi contatti con la Resistenza. Sei settimane dopo, intirizzito e mezzo morto di fame nella cella di isolamento, era finalmente riuscito a riferire al suo diario segreto quanto era accaduto. Poteva immaginare i suoi amici, esordiva, che ora lo definivano un uomo "spezzato".

> Diciamo pure che è così. Quando un uomo è rimasto per un'intera notte in piedi in un gelido scantinato della Viktoria Terrasse, con la fronte coperta dai sudori freddi, la schiena flagellata da uno scudiscio di gomma e da una corda grossa quanto un pugno stretto, con i vestiti e il corpo sporchi del suo sangue e del sudiciume del pavimento e i segni lasciatigli sul corpo dai calci di pesanti stivali, allora si sente spezzato. A me è capitato e ho sentito le ginocchia farmisi così deboli che mi sono inginocchiato e ho pregato: "Signore, salvami... muoio". Mi sono sentito spaventosamente vicino al suicidio. Mi sarebbero bastati una lampadina rotta e un taglio sul polso. Ero solo... ma no, non ero solo. Qualcosa di invisibile mi ha trattenuto la mano.

Da allora i sensi di colpa e la ricerca di Dio costituirono una costante delle sue giornate di prigionia. "Non sono coraggioso. Non sono un eroe" scrisse. Dio gli sfuggiva, e lui non riusciva a trovare un punto di appoggio sicuro "per la fede o per la convinzione che qualcosa di divino mi ha rivolto la parola o ha parlato in me". Dividere la cella con altri uomini lo aveva costretto a pensare a cose diverse, ma sotto la superficie rimaneva in agguato un'introversione malinconica. C'erano giorni in cui non desiderava che pace e silenzio, e a volte sentiva addirittura la mancanza dell'isolamento.

Era uno di quei giorni. "È impossibile trovare pace di qualsiasi genere" scrisse "religiosa o mondana che sia."

All'ora in cui Veronica aveva terminato la colazione a casa del suo amico il tempo si era messo al brutto, e lei aveva dovuto ripercorrere i sedici chilometri che la separavano dal suo alloggio a Heathfield pedalando in fuga da una burrasca rumoreggiante. Poi per il resto della giornata era stata di guardia a Fort Southwick ed era venuta a sapere che tutte le licenze erano state cancellate. "Infausto presagio?" aveva annotato nel suo diario tascabile. Prima di coricarsi di buon'ora aveva fatto in tempo a registrare la grande notizia del giorno: "Roma è caduta".

Annotazioni sintetiche come questa erano tipiche: l'eccitazione che le derivava dal suo impegno con gli scriccioli affiorava solo nelle lettere che scriveva a casa. Del suo lavoro in tempo di guerra apprezzava praticamente tutto. Le sarebbe piaciuto diventare sottufficiale di marina e già due volte era stata raccomandata per una promozione, ma i sottufficiali dovevano avere almeno venti anni e mezzo e lei era ancora troppo giovane. Si era sentita piuttosto sollevata, perché la promozione l'avrebbe innalzata nell'atmosfera più rarefatta dell'Ufficio cifra, mentre della sua situazione attuale apprezzava la varietà sociale delle persone con cui lavorava, e poi nutriva il sospetto che l'uniforme da ufficiale avrebbe limitato la sua libertà di movimento se avesse voluto andare con gli amici al caffè o al cinema.

Inoltre era orgogliosa della sua posizione. Pur essendo legata a valori tradizionali, non aveva ambizioni di ascesa sociale, e come era capitato a molti coetanei alcuni dei suoi punti di vista erano stati radicalizzati dal servizio nelle forze armate. Era fermamente convinta dell'equità del principio di una paga uguale per uguali mansioni e sperava vivamente che dalla guerra sarebbe emerso un mondo nuovo. Sosteneva con slancio l'idea delle Nazioni Unite e aveva iniziato un corso universitario per corrispondenza in storia, economia e logica; pensava che "in futuro le donne britanniche dovranno partecipare a più gruppi di discussione, alla politica, ascoltare le trasmissioni di approfondimento della BBC ecc.".

Suo padre la prendeva spesso in giro per quello che definiva il suo "complesso del ponte inferiore", ma la capiva: nel corso della sua esperienza di sommergibilista anche lui aveva dovuto imparare a adattarsi alla convivenza coatta fra marinai e ufficiali di ogni grado quando ci si trovava in navigazione.

Quel giorno fu proprio un sommergibile a suscitare grandi timori per la segretezza del D-Day. La squadra operativa 22.3, una formazione antisommergibile composta da una portaerei e cinque cacciatorpediniere, riuscì a impadronirsi della prima nave da guerra nemica catturata dalla marina statunitense dai tempi della guerra contro gli inglesi del 1812. Ma non si poteva rivelarlo a nessuno, perché questa volta la preda non era una nave da guerra britannica, bensì un sottomarino tedesco, l'*U-505*, operativo al largo di Lorient. Una parte dell'equipaggio del sommergibile pensava che quell'U-Boot portasse iella. Dal 1942, infatti, almeno dodici delle sue missioni erano state interrotte; fra queste, se ne deve ricordare in particolare una durante la quale il comandante si era suicidato mentre il sottomarino stava subendo un attacco con bombe di profondità da parte di una nave americana. Sotto il nuovo comandante all'*U-505* erano state assegnate missioni di pattugliamento lungo la costa dell'Africa occidentale, al largo della Sierra Leone e della Liberia, nella speranza che riuscisse ad affondare navi mercantili alleate, ma per due settimane tutte le prede erano riuscite a sfuggirgli, tanto che un membro dell'equipaggio si era lamentato: «La maledizione è ancora con noi». In effetti era così, ma la loro sfortuna non dipendeva da una stregoneria, bensì da Ultra: gli americani erano riusciti a localizzare l'U-Boot usando le informazioni decrittate da Bletchley Park e avevano fatto in modo che le navi alleate se ne tenessero bene alla larga.

Da ultimo il capitano, trovandosi a corto di carburante, aveva deciso di rientrare alla base lungo la rotta più breve, che rasentava le isole di Capo Verde. La portaerei americana *Guadalcanal* e la sua scorta di cacciatorpediniere conoscevano grossomodo la rotta dell'*U-505*, ma non riuscivano a localizzarlo con precisione; trovandosi anche loro a corto di carburante, avevano deciso di dirigersi verso Casablanca.

Poi, quella stessa mattina, il cacciatorpediniere *Chatelain* aveva individuato l'U-Boot con il suo sonar e sganciato alcune bombe di profondità. L'attacco aveva provocato danni, sia pure non gravi, al sommergibile, e così il comandante aveva ordinato di immergersi alla massima profondità. Ma l'*U-505* aveva cominciato a inabissarsi in maniera incontrollata, e presto era stato necessario impartire un contrordine. «Portateci su, portateci su prima che sia troppo tardi!» gridava il comandante: il sottomarino, con il timone ormai fuori uso, era riaffiorato alla superficie come un tappo di sughero. Il comandante dell'unità attaccante aveva inviato un messaggio radio alle altre navi della squadra americana: «Vorrei che quel bastardo fosse catturato se possibile».

Una squadra di arrembaggio composta da tre persone era salita a bordo del sottomarino senza trovare trappole esplosive né resistenza armata: l'U-Boot aveva solo una presa a mare aperta che lo stava allagando e il timone incastrato, e così continuava a girare in tondo. Dopo aver tappato la presa a mare la squadra di arrembaggio scaricò rapidamente nove sacchi postali che contenevano oltre 454 chili di prontuari per i codici, macchine Enigma e chiavi di cifratura. Messa la preda al traino della portaerei gli americani, temendo di rimanere senza carburante prima di raggiungere il Marocco, avevano fatto trionfalmente rotta verso Dakar, in Senegal, che si trovava sotto il controllo di France Libre.

Washington e Londra erano inorridite. Il capo dell'Ammiragliato britannico telegrafò all'ammiraglio King, il più alto ufficiale della marina statunitense: "Vista l'importanza di impedire che i tedeschi sospettino proprio ora che i loro cifrari sono stati compromessi, vorrà certo convenire con me che a tutti gli interessati dovrà essere ordinato di mantenere il più completo riserbo a proposito della cattura dell'*U-505*". King, dal canto suo, minacciò di mandare davanti alla corte marziale il capitano della squadra. Occorreva evitare, a qualunque costo, di rompere le "uova d'oro" scodellate da Ultra per Churchill proprio alla vigilia del D-Day.

Dakar pullulava di spie naziste. Se la cattura dell'*U-505* avesse indotto i tedeschi a modificare il loro sistema di cifratura basato su Enigma, si sarebbe dovuto lanciare l'invasione alleata senza l'ausilio di uno dei suoi strumenti più importanti; perciò alla *Guadalcanal* e alla sua pericolosa preda fu ordinato di cambiare rotta e puntare verso Bermuda, l'avamposto britannico al largo della costa atlantica americana, circa duemila miglia più a ovest. Tutti i tremila uomini della squadra operativa ricevettero l'ordine di osservare la massima segretezza («Fatevi coraggio e tenete la bocca chiusa» fu raccomandato loro), mentre i superstiti dell'equipaggio dell'U-Boot vennero tenuti accuratamente separati dagli altri prigionieri di guerra tedeschi in una base dell'esercito americano in Louisiana e la notizia della loro cattura non venne riferita neppure alla Croce Rossa. Eventuali "chiacchieroni" non dovevano avere la possibilità di mandare a monte l'Operazione Overlord.

Come al solito Albert Grunberg trascorse gran parte della giornata con l'orecchio incollato alla radio, ad ascoltare la BBC e Radio Parigi. Era un rituale quotidiano ostacolato solo dalle interruzioni della corrente, che si stavano facendo più frequenti. "Niente *ondes joyeuses* oggi" si era lamentato di recente in seguito a un'interruzione che gli aveva impedito l'ascolto per un giorno intero.

Non era l'unico a coltivare una devota e assidua frequentazione della radio: alla vigilia del D-Day circa 5 milioni e 300mila famiglie francesi ne avevano una in casa e un numero imprecisato di persone disponeva di apparecchi non denunciati alle autorità. All'inizio dell'occupazione le autorità di Vichy avevano creato Radiodiffusion nationale (RDF), nel tentativo di allontanare gli ascoltatori dalle trasmissioni della BBC in lingua francese; in seguito la vendita di apparecchi radio era stata vietata. Ogni giorno la RDF trasmetteva circa quindici ore di programmi fra varietà, sport, musica leggera e classica, e i radiodrammi a puntate tratti dalle opere di Georges Simenon riscuotevano grande successo. Inoltre venivano quotidianamente mandati in onda sette notiziari, che in seguito divennero dieci; l'annunciatore più famoso era uno svizzero bilingue. L'emittente, guidata dall'ex direttore di Radio Stoccarda, veniva tenuta sotto stretto controllo dai tedeschi.

Radio Parigi, l'altra emittente francese, veniva regolarmente tacciata dalla BBC di essere "tedesca" e di "trasmettere solo menzogne". A Grunberg capitava spesso di sintonizzarsi sulle sue frequenze e di annotare con rabbia nel proprio diario le infamie che aveva appena sentito pronunciare. Quanto all'ascolto della BBC, era un reato punito con severità, ma ogni giorno c'erano migliaia di ascoltatori pronti a correre il rischio. Oltre agli argomenti sostanziosi e agli aggiornamenti sull'andamento della guerra, c'era sempre la possibilità di trovarsi ad ascoltare con un ironico sorriso i maldestri tentativi di Churchill di esprimersi in francese. Alla fin fine, Grunberg ascoltava sia le trasmissioni legali sia quelle clandestine pur di ingannare il tempo della sua volontaria prigionia.

Nell'ultima settimana, oltre a parlare dell'avanzata degli Alleati su Roma i bollettini della BBC sulla guerra in Europa riportavano numerosissime notizie a proposito dell'Armata rossa. Lungo il fronte tedesco-sovietico, che si estendeva da nord a sud per oltre tremila chilometri, il 1944 era destinato a passare alla storia come l'"anno delle dieci vittorie". Solo nel mese di giugno l'Armata rossa ne aveva ottenute ben tre, costate ai tedeschi un milione di morti. Dopo due anni e mezzo i sovietici erano finalmente riusciti a rompere l'assedio di Leningrado e avevano respinto le vacillanti truppe nemiche fino ai confini dell'Estonia; sotto la guida del maresciallo Ivan Konev, inoltre, avevano liberato l'Ucraina e attraversato il confine della Romania; infine, in maggio avevano sferrato l'attacco alla grande fortezza di Sebastopoli, la "città della gloria", che era rimasta in mano ai nazisti per quasi due anni, e riconquistato tutta la Crimea. Poi lungo il fronte era scesa una relativa calma. Ma il 30 maggio i tedeschi avevano improvvisamente reagito lanciando una disperata controffensiva dalla loro enclave di Iaşi: Hitler non era disposto a cedere terreno senza combattere. Negli ultimi giorni i titoli dei giornali e i notiziari della BBC continuavano a riferire di aspri combattimenti.

Grunberg dedicava particolare attenzione a Iaşi per due importanti motivi. Il primo era che la città, sede di uno storico accordo di pace stipulato fra la Russia e la Turchia nel 1774 al termine di uno dei loro continui scontri per il controllo dei Balcani, si trovava appunto in Romania, appena un centinaio di chilometri a nord della sua città natale, Galaţi. Il governo filotedesco del paese, spronato dall'organizzazione fanaticamente fascista e antisemita delle Guardie di Ferro, si era schierato a fianco di Hitler e aveva preso parte al suo attacco contro la Russia, e così ora Grunberg traeva un'acre soddisfazione dallo spettacolo del suo meritato castigo. Questo piacere era ulteriormente accresciuto da una seconda ragione che lo teneva incollato ai notiziari: a infliggere la punizione erano le forze dell'Armata rossa e dell'Unione Sovietica.

Grunberg era un fervente sostenitore del Partito comunista francese, e quindi, per estensione, dell'Unione Sovietica, madrepatria del comunismo, ma il suo atteggiamento non era acritico. Per esempio, biasimava aspramente il partito per non aver aderito al governo popolare d'anteguerra di Léon Blum e aveva criticato il ritardo con cui era entrato nel CFLN di De Gaulle. Quando alla fine vi aveva fatto il suo ingresso, in aprile, aveva esultato: "Il Partito comunista ha dimostrato al mondo che i suoi seguaci sanno morire per l'indipendenza del loro paese!". Grunberg era un patriota e un sostenitore di France Libre, e di rado si lasciava sfuggire un'opportunità di rallegrarsi quando le forze di De Gaulle riportavano una vittoria sul campo di battaglia; di recente aveva annotato con orgoglio il ruolo di primo piano svolto dagli uomini del generale nella battaglia per Montecassino: "Le truppe francesi possono battere i boche quando non vengono tradite". Inoltre, al pari di De Gaulle, era sempre molto sensibile nei confronti di qualsiasi offesa all'onore della Francia e sempre pronto a protestare quando il suo paese, una grande potenza, veniva escluso dalle conferenze interalleate. "I lumi della Francia sono eterni" aveva scritto "e prima o poi si avvertirà il bisogno di lei."

L'Armata rossa, tuttavia, esercitava su Grunberg un potere davvero ipnotico: nelle sue forze eroiche riponeva tutte le sue speranze del sorgere di un mondo nuovo. Notando il momento di calma che era calato sul fronte orientale dopo le vittorie in Ucraina si era detto, giustamente, che si doveva agli immensi preparativi sovietici per sferrare l'assalto finale contro il "mostro" Hitler, in concomitanza con gli sbarchi in Occidente. Era raro che Grunberg citasse il nome di Hitler senza corredarlo di un epiteto del genere. Ultimamente menzionava spesso l'Armata rossa nel corso delle sue chiacchierate quotidiane con Madame Oudard, tanto che lei aveva finito per esserne infastidita. "Ogni volta che mi riferisce le notizie" si era lamentata "non fa che parlarmi dei russi."

Nei giorni a venire, comunque, tutti i suoi sensi sarebbero stati tesi a registrare le notizie che provenivano dall'Occidente.

Il quartier generale del 3° fronte bielorusso dell'Armata rossa era nascosto in una foresta nei pressi di Smolensk. Era già stato allestito un posto di comando, collegato via radio e telegrafo con Stalin al Cremlino e con gli altri comandanti lungo il fronte della grande offensiva ormai imminente. La campagna di depistaggio, ingegnosamente concepita per trarre in inganno i tedeschi sui luoghi e i tempi dell'attacco, stava dando i suoi frutti. Al comando c'era il generale I.D. Černyakovskij, che aveva il compito di far avanzare le sue truppe attraverso Minsk e Vilnius alla volta della Prussia orientale. Alle quattro di quel pomeriggio giunse in volo da Mosca il capo dello stato maggiore sovietico Vasil'evskij, che doveva essere gli occhi e le orecchie di Stalin su quel fronte di importanza cruciale. Per il resto della giornata rimase ad ascoltare attentamente Černyakovskij che esponeva i suoi piani.

Poco a poco Sydney Hudson stava assumendo il controllo della sua rete del SOE. George Jones era l'elemento più esposto all'arresto, a causa dei furgoni tedeschi muniti di radiogoniometri che battevano la zona e del fatto che dopo tutti quei giorni passati a lavorare sulla radio era sull'orlo di un esaurimento nervoso. Era convinto che Hudson fosse un "vero capo" e si sentiva tranquillo sotto la sua guida. Alcune delle qualità di comando di Hudson nascevano indubbiamente proprio dalla sua personalità: sicurezza in se stesso, capacità di controllare e dissimulare le proprie emozioni e di mantenere una distanza, piccola o grande che fosse, da coloro ai quali impartiva le sue direttive, visione delle situazioni "dall'alto" e, aggiungeva Jones, "la capacità di farsi una notte di buon sonno anche nelle circostanze più sfavorevoli".

Oltre a queste qualità innate c'erano quelle che aveva appreso con grande rapidità: convinzione del valore dei propri obiettivi, senso della missione e capacità di trasmetterlo agli altri, capacità di formulare chiaramente le proprie idee sia per iscritto sia verbalmente, di suscitare emozioni nei propri agenti e di infondere in loro una sensazione di sicurezza.

Hudson si era reso conto ben presto che i suoi problemi di reclutamento nella Sarthe erano dovuti in gran parte alle infiltrazioni tedesche nelle reti organizzative del SOE avvenute negli anni precedenti e pertanto aveva assegnato la massima priorità alla segretezza. La struttura delle "cellule" era elementare: i membri della rete dovevano essere collegati fra loro esclusivamente per suo tramite. Anche per Hudson la cosa migliore sarebbe stata non sapere dove vivevano gli altri. «Usate il gruppo più ristretto possibile per raggiungere il vostro obiettivo» era solito raccomandare. E aggiungeva: «Assicuratevi una via di fuga, non mettete mai niente per iscritto a meno che non sia assolutamente necessario e comunque distruggetelo subito dopo, procuratevi una buona copertura e, se venite arrestati, resistete per ventiquattro ore; se volete tenere segreto qualcosa, non chiedete a nessuno di giurare che tacerà. Raccontate più frottole che potete!». Per il capo di una rete evitare l'arresto era particolarmente importante: in tale eventualità, infatti, qualunque cosa fosse accaduta agli altri sarebbe stato necessario formare l'organizzazione da capo.

Questo era appunto il motivo per cui Hudson si era separato fisicamente dagli altri e si era trasferito a Le Mans. Sonia d'Artois era la personificazione di un'altra lezione che aveva appreso dall'osservazione: "Le donne possono essere agenti migliori degli uomini e certamente si prestano meno a destare sospetti. Inoltre, un uomo che si accompagna a una donna richiama meno l'attenzione di un uomo solo."

Hudson aveva con sé una carta di identità falsa che gli era stata fornita dagli specialisti del SOE. Il documento, che recava il timbro di emissione della prefettura di Parigi e la data del dicembre del 1943, attestava che lui era Jacques Étienne Laroche, nato a Parigi il 1° agosto 1910 e domiciliato in rue de la Faisanderie 74, Paris XV. Un'annotazione aggiuntiva registrava che di recente aveva cambiato temporaneamente domicilio per stabilirsi allo Château de Bordeaux. La professione dichiarata era quella di commesso viaggiatore specializzato in cosmetici, occupazione che faceva bene il paio con la presunta attività di Sonia per conto della Louis Vuitton. Il documento offriva la consueta accurata miscela di verità e invenzione: la fotografia, le impronte digitali, i dati relativi alla statura e ai tratti somatici di Hudson ("occhi azzurri, viso ovale, colorito chiaro") rispondevano al vero, tutto il resto era falso, compreso il suo stato civile (*celibataire*, "celibe"). Forse Laroche non era sposato, ma Hudson lo era, sebbene al momento la solidità del suo matrimonio fosse perlomeno dubbia. Si era sposato in Svizzera e sua moglie, insieme alla loro figlioletta di due anni, viveva a casa dei propri genitori in

Inghilterra; da quando si era arruolato nell'esercito e nel SOE le aveva viste pochissimo. Nel corso delle settimane seguenti, quando la situazione di pericolo aveva fatto nascere tra lui e Sonia un'intimità favorita dal fatto che nessuno dei due sapeva se sarebbe sopravvissuto fino all'indomani, avevano allacciato una relazione destinata a rendere incolmabile l'abisso fra Sydney e la sua famiglia a casa.

Sonia era un'ottima copertura anche per lui, e grazie alla sua familiarità con la Francia era ben consapevole dei pericoli che li circondavano: a costituire una minaccia per loro, oltre che la Gestapo, erano i collaborazionisti francesi. Un giorno Sonia si stava recando in un rifugio segreto, l'abitazione di un professore universitario e di sua moglie, oriunda scozzese, che si trovava agli arresti domiciliari; mentre stava svoltando l'angolo della loro via, un presentimento viscerale la avvertì di non andare all'appuntamento bensì di attendere quello di ripiego, che era stato concordato per tre ore dopo in un altro luogo. Così fece, e la sua decisione si rivelò giusta: i tedeschi erano stati messi sull'avviso da un informatore e la stavano aspettando. "Un sesto senso mi aveva avvertito di non andare" ricorda "e il mio angelo custode mi protesse, così andai al punto di incontro successivo."

Averla mandata in Francia era stato un azzardo, che tuttavia si rivelò fruttuoso. Aveva ricevuto valutazioni mediocri dai suoi istruttori, i quali ne avevano rilevato l'inadeguatezza ai rigori e alla disciplina richiesti dalla vita in clandestinità di un agente dietro le linee nemiche. Era irruenta, ardente e imprevedibile: il risultato di una personalità da maschiaccio e di un'infanzia ribelle, segnata dal divorzio dei genitori e dai continui trasferimenti di domicilio e di scuola. Per sua fortuna a dire l'ultima parola non era stato l'istruttore, ma il paterno Maurice Buckmaster, l'uomo che dirigeva il Reparto francese del SOE. Dopo aver letto i rapporti l'aveva presa da parte: «Ascolta Toni» le aveva detto «quello che devi fare è non comportarti da adolescente. Cerca di convincere la gente che sei più matura della tua età.» Aveva preso sul serio quel consiglio. Da un certo punto di vista, la aiutava sapere di essere uno degli agenti donna più giovani mai inviati in Francia: le dava coraggio e la incitava a dimostrare che i suoi istruttori si erano sbagliati.

Mentre Eisenhower si svegliava in vista della sua riunione informativa sulle condizioni meteorologiche e il generale De Gaulle atterrava a Londra, uno dei due sottomarini tascabili che dovevano fungere da punti di riferimento per la navigazione in vista dell'invasione stava raggiungendo la sua posizione a circa due chilometri al largo della costa della Normandia, nei pressi della foce del fiume Orne. Dal periscopio il comandante riusciva a riconoscere una mucca sulla costa e alcuni aerei che atterravano in lontananza su Caen. In seguito poté osservare un tipico pomeriggio domenicale sulla spiaggia: comitive di tedeschi scesi dai camion giocavano a pallone sulla sabbia e nuotavano. Alcuni di loro, pensò, erano abbastanza bravi da poter essere campioni olimpici. "Ci facevano sorridere" ricorda "perché evidentemente non avevano la minima idea che fossimo lì né di quello che stava per accadere."

Walter Schwender, che si trovava fuori Nantes, sarebbe potuto essere uno di quei soldati spensierati avvistati dal comandante del sottomarino britannico, visto che continuava a mangiare fragole fresche e ad andare sulla spiaggia per nuotare e fare bagni di sole. Lavorava ancora all'officina riparazioni dell'esercito. Per gran parte del suo tempo era impegnato ad aggiustare biciclette, fatto non sorprendente se si pensa quanto fossero importanti per la mobilità dell'esercito tedesco in Francia.

Nonostante la loro apparente potenza sulla carta, le forze di Hitler in Francia erano impreparate a sostenere un'invasione, e la perdurante fiducia di Walter Schwender nelle promesse del Partito nazista, secondo cui gli Alleati sarebbero stati ributtati in mare, era decisamente mal riposta. La sua squadra faceva parte della VII Armata, inclusa nel gruppo di armate B di Rommel, schierato a nord della Loira e a ovest dell'Orne. In questa regione, che pure era direttamente minacciata dall'invasione, c'erano solo sei divisioni corazzate. Lungo i duemila chilometri del fronte atlantico l'esercito era costituito da circa ventitré divisioni "statiche", descritte dal capo di stato maggiore di Rommel, Hans Speidel, come composte perlopiù da "personale delle fasce di età avanzate, spesso privo di esperienza di combattimento [...] materialmente equipaggiate in maniera del tutto inadeguata [...] quasi prive di mezzi di trasporto e fornite solo di pochi veicoli a trazione animale". Max Pemsel, il capo di stato maggiore della VII Armata, era ancora più critico: visto che i ranghi venivano continuamente setacciati alla ricerca di uomini validi da inviare sul fronte orientale, osservava, pochi di coloro che rimanevano in Francia erano abili al combattimento.

Nemmeno sotto il profilo dell'equipaggiamento la VII Armata era un contingente di alto livello. L'artiglieria era costituita da un'accozzaglia di modelli differenti e di calibri diversi, cui faceva riscontro un'ampia gamma di munizioni di vario tipo, sempre in quantità estremamente limitate. I cannoni anticarro e i cannoni d'assalto semoventi erano rari sul terreno. Più grave ancora era la scarsità di carburante perfino per i pochi veicoli a motore disponibili: la situazione era così seria che i comandanti dei reggimenti avevano il permesso di usare l'automobile solo una volta alla settimana, mentre gli altri giorni dovevano accontentarsi di montare in groppa a un cavallo o in sella a una bicicletta. Alle soglie dell'estate del 1944, in vista dell'invasione, furono compiuti strenui sforzi per rendere più mobili tutte le squadre della VII Armata, con il solo modesto risultato di procurare un maggior numero di biciclette e rastrellare veicoli francesi con conducenti del posto: un'altra soluzione rabberciata, data la propensione dei francesi a svignarsela durante le incursioni aeree. Nonostante reiterate richieste, non vennero messi a disposizione autisti tedeschi.

Ancora peggiore, se possibile, era la situazione nel campo dell'aeronautica: qui Rommel aveva ragione a disperarsi. Per il D-Day gli Alleati avevano a disposizione undicimila aerei, mentre la Luftwaffe poteva fare conto solo su trecento velivoli in tutto l'Occidente. Pochi soldati tedeschi in Francia avevano anche solo una vaga idea del fatto che la situazione era così grave. "Parlavamo spesso dello sbarco alleato e di dove sarebbe potuto avvenire" è il commento di uno di loro, che senza dubbio sarebbe stato condiviso da Walter Schwender. "Pensavamo: lasciamo pure che vengano, tanto li ributteremo in mare. Credevamo sinceramente, come ci veniva sempre detto, di essere così forti che li avremmo respinti in un batter d'occhio. E poi pensavamo che vi fossero svariate migliaia di aerei tedeschi pronti a intervenire e a darci sostegno. Di ciò eravamo fermamente convinti."

Quanto alle forze sul mare, la situazione non era molto migliore. L'ammiraglio Theodor Krancke, comandante del Gruppo navale ovest, disponeva solo di pochi dragamine, una manciata di cacciatorpediniere e alcuni siluranti e motoscafi. Inoltre, circa quaranta degli U-Boot di Dönitz avrebbero dovuto dare il loro contributo nell'azione di contrasto dell'invasione, ma in pratica meno della metà di essi era effettivamente pronta a prendere il mare, e alla fine i sottomarini non poterono molto di fronte all'enorme quantità di mezzi a disposizione dell'ammiraglio Ramsay. Alla vigilia del D-Day l'intera flotta di Hitler in Occidente, secondo le parole dello stesso Dönitz, non sarebbe stata in grado di infliggere che "punture di pulce". Non c'era dunque da meravigliarsi che Rommel si preoccupasse tanto.

Alle sette del mattino la Volpe del deserto prese posto sul sedile anteriore della sua Horch, guidata dall'autista, che era in attesa fuori dal castello di La Roche-Guyon, e partì per la Germania. Lo accompagnavano l'ufficiale del comando operativo, il colonnello von Tempelhof, e l'aiutante di campo, Hellmuth Lang. Aveva posto al suo fianco sul sedile una scatola contenente un paio di guanti di pelle grigi confezionati a mano che aveva acquistato a Parigi il giorno prima in vista del compleanno della moglie.

Durante la colazione era stato aggiornato dal suo stato maggiore sulle condizioni meteorologiche ed era giunto alla conclusione che le maree sfavorevoli e l'apparente assenza di ricognitori aerei rendevano estremamente inverosimile l'imminenza di un'invasione. Quest'ultimo fatto non era certo dovuto alle difese della Luftwaffe, che negli ultimi mesi aveva brillato per la sua assenza: Rommel aveva ripetutamente richiesto maggiore copertura aerea, ma di fatto Göring non era in grado di fornirgliela.

Tuttavia, per ogni eventualità, Rommel aveva passato in rassegna le procedure di allerta insieme a Speidel. Sapeva che l'attuazione delle misure antinvasione che aveva ordinato nel corso degli scorsi cinque mesi era lungi dall'essere completata. In effetti, la posa in opera degli ostacoli sulla spiaggia della bassa marea era appena cominciata, il minamento era in corso e le divisioni carrozzate si trovavano ancora troppo lontane dagli arenili. Quella, tuttavia, era una questione che sperava di risolvere in un faccia a faccia con Hitler nel corso della sua visita al Berghof dopo il compleanno della moglie.

Nell'Obersalzberg i festeggiamenti per le nozze di Gretl Braun, celebrate il giorno prima, continuarono nel Nido dell'Aquila, oltre che a casa di Bormann, mentre gli abitanti del posto spettegolavano sul consumo di incredibili quantità di champagne francese, liquori e altre prelibatezze.

Durante i festeggiamenti, tuttavia, ebbe luogo un incontro più tetro: quello fra Hitler e Albert Speer. Il fiasco dell'ME-262 aveva posto fine a un lungo periodo di ostilità fra Speer, ministro agli Armamenti, e Hermann Göring, capo della Luftwaffe. Fino ad allora era stato Göring a mantenere una posizione di vantaggio; a quel punto però, due giorni prima del D-Day, le cose finalmente cambiarono.

Il maresciallo dell'aria Göring, successore designato di Hitler, era un uomo finito. L'ex asso dell'aviazione della Prima guerra mondiale era asceso ad altezze vertiginose, assumendo gli incarichi di primo ministro della Prussia, capo del Piano economico quadriennale, presidente del Consiglio per la difesa del Reich e del Consiglio per la ricerca scientifica, Reichsmarschall e capo della Luftwaffe. Ma era anche pigro, corrotto, schiavo della droga, e non riusciva opporre che una debole resistenza alle richieste sempre più irreali avanzate da Hitler. Soprattutto, il declino costante della Luftwaffe durante l'anno di sconfitte seguito alla battaglia di Stalingrado aveva privato di ogni credibilità la sua pretesa di poter salvare la situazione. "Dal punto di vista politico" aveva osservato con sarcasmo nel 1943 uno dei suoi aiutanti "Göring potrebbe anche essere morto."

Alla vigilia del D-Day nessuno dei generali di Hitler prendeva sul serio il successore designato del Führer. Solo la perdurante lealtà di quest'ultimo nei confronti del vecchio camerata, nazista della prima ora e compagno di battaglie di strada, faceva sì che Göring mantenesse la sua posizione. Ma anche questa situazione venne portata all'esasperazione. Göring trascorreva la maggior parte del tempo a Carinhall, il suo famoso padiglione di caccia intitolato alla prima moglie, defunta, oppure al castello di Wildenstein, una mostruosità barocca nei pressi di Norimberga, dove era cresciuto. Come tutti i membri della cerchia più ristretta dei fedeli di Hitler, però, possedeva anche una villa nell'Obersalzberg, e vi arrivava spesso per dei *tête-à-tête* con il Führer. Si trovava lì anche quella domenica. Solo il giorno prima Hitler era sceso a lunghi passi dalla collina per augurare buon compleanno a Edda, la figlioletta di sei anni di Göring, e con galanteria aveva baciato la mano della sua signora, apostrofandola con il titolo di "Frau Reichsmarschall".

Anche Speer frequentava il Berghof e risiedeva nella sua villa nell'Obersalzberg, appartata in un luogo tranquillo in mezzo ai pini e provvista di uno studio di architettura appositamente concepito. Era giunto lì, una volta di più, per dimostrare la sua tesi, vale a dire che bisognava togliere a Göring il controllo della produzione aeronautica. Dopo un breve periodo di eclissi Speer era tornato a godere del favore di Hitler: di recente questi aveva ammesso davanti al suo aiutante, Nicolaus von Below, che Speer era l'unico in grado di capire realmente l'infrastruttura della produzione degli armamenti. Göring continuava a vantarsi della forza della Luftwaffe, ma Speer, da quell'infaticabile lavoratore che era, aveva compreso che le recenti incursioni aeree contro i giacimenti petroliferi rumeni e le raffinerie nella Germania centrale stavano minando le possibilità dei nazisti di continuare la guerra.

Quel giorno Hitler, affrontando sia pure per breve tempo tali aspre verità, aveva finalmente abbandonato Göring. «Gli armamenti dell'aeronautica devono essere incorporati nel suo ministero» aveva detto a Speer, «questo è fuori discussione.» Portò la notizia personalmente al suo vecchio amico e di lì a poco Speer si presentò alla villa di Göring per discutere i particolari del passaggio di consegne. Il capo della Luftwaffe si lamentò amaramente della decisione, ma dichiarò che se questo era il volere del Führer, avrebbe obbedito. "Il tutto però gli appariva molto sconcertante" avrebbe detto secondo Speer "dato che solo poco tempo prima Hitler pensava che già così io [Speer] ricoprissi troppi incarichi."

Eppure questa sembrava una questione di importanza relativamente secondaria a fronte del caos che a quel punto veniva riversato tutti i giorni sulla Germania dai bombardieri alleati.

Al campo d'aviazione di Cottesmore Bill Tucker si svegliò con pioggia battente e vento forte. Poi giunse la notizia che le operazioni erano state rinviate di ventiquattro ore. Ma ormai era troppo tardi per annullare la speciale cena in programma quella sera per i paracadutisti, e in tutto il campo risuonavano le battute sui condannati a morte che consumavano il loro ultimo pasto sostanzioso. Per molti paracadutisti dell'82ª divisione quello fu il pasto migliore che rammentassero di aver consumato da quando avevano lasciato gli Stati Uniti.

Mentre gli altri sudavano freddo, in vista del gran giorno Tucker si sentiva meno preoccupato di quanto fosse stato prima di alcuni dei suoi lanci di addestramento. Dopo la riunione informativa del giorno precedente avevano ascoltato un discorso di incoraggiamento di Gavin, il quale aveva affermato che nella zona di lancio si sarebbero trovati in superiorità numerica rispetto ai tedeschi. "La sua voce era molto tranquilla" ricorda Tucker. "Non aveva alcuna inflessione drammatica né faceva gesti, come dimenare le braccia o simili. Si limitò a spiegare quello che dovevamo fare e partì dal presupposto che tutto sarebbe andato come lo aveva previsto [...] ispirava fiducia nel suo modo di comandare." Tradizionalmente gli eserciti erano addestrati in modo da mettere in secondo piano l'individuo, che deve entrare a far parte di una squadra più grande, ingranaggio di una macchina concepita per muoversi in squadroni e plotoni. Ma la creazione della fanteria paracadutata aveva rivoluzionato la situazione: il paracadutista, lanciato dietro le linee in mezzo ai nemici, doveva essere pronto a operare in maniera di gran lunga più indipendente. Il dono di Gavin era saper instillare nei suoi uomini l'orgoglio per la loro abilità individuale. Era significativo che

Tucker, come paracadutista, portasse una targhetta con il suo nome scritto sopra, un fatto senza precedenti per l'esercito statunitense. Ciò lo faceva sentire parte di una vera élite, un'istituzione, diceva, "immortale, come l'Afrika Korps di Rommel o le squadre dei carri della grande armata di Napoleone".

Dopo che ebbe parlato Gavin fu la volta del maggiore Palla di cannone Krause, il quale mise in scena un'esibizione enfatica che Tucker trovò affascinante e repellente a un tempo. Sostenendo la bandiera americana, il comandante del battaglione disse che era stata la prima a sventolare sopra Gela, in Sicilia, in seguito al loro primo lancio di combattimento, ed era stata anche la prima a sventolare su Napoli. «Domattina» aggiunse «mi siederò nell'ufficio del sindaco di Sainte-Mère-Église e questa bandiera sventolerà sopra il municipio.»

Alle nove di sera Eisenhower e i suoi comandanti in capo si incontrarono nuovamente per parlare del tempo. Fuori il vento continuava a ululare e a far sbattere gli infissi, mentre i pini ondeggiavano furiosamente. I meteorologi avevano alle spalle un'intensa riunione di due ore in cui avevano discusso in modo accanito sui possibili sviluppi della situazione. "Misericordiosamente e quasi miracolosamente" annotò Eisenhower "quello che era pressoché incredibile è accaduto verso mezzogiorno." All'improvviso, infatti, gli esperti avevano individuato una tregua fra due depressioni che avrebbe aperto una finestra di opportunità di circa trentasei ore, a partire dalla fine della giornata di lunedì. Verso il mattino di martedì 6 giugno il vento sarebbe calato, il mare si sarebbe placato e la coltre di nubi si sarebbe potuta sollevare. Le condizioni non sarebbero state ideali, ma nemmeno disastrose.

Dagli uomini esausti e preoccupati che si stringevano su poltrone e divani sparsi nella biblioteca di Southwick House si levarono grida spontanee di esultanza. Kenneth Strong, capo dei servizi informativi di Eisenhower, dichiarò che non aveva mai sentito un gruppo di uomini di mezza età esultare a voce così alta. Quella sera, contrariamente alla pratica usuale, Stagg rimase ad ascoltare la discussione, nell'eventualità che venissero formulati ulteriori interrogativi sulle condizioni meteorologiche. L'atmosfera, annotò, era "tesa e seria".

I capi dell'aeronautica, preoccupati della visibilità per i bombardieri e per le truppe aviotrasportate, pensavano che la situazione fosse ancora incerta. Ma l'ammiraglio Ramsay disse che le condizioni per il bombardamento navale parevano accettabili e, fatto più importante, avvisò che ogni ulteriore ritardo avrebbe comportato un rinvio di due settimane: le sue navi avrebbero dovuto fare rifornimento di carburante e non sarebbero riuscite a completarlo in tempo per compiere un altro tentativo il 7 giugno; dopo quella data le maree e la luna avrebbero impedito di provare l'invasione fino alla metà del mese. Inoltre, aggiunse, il tempo a loro disposizione si stava esaurendo rapidamente: se volevano che la flotta salpasse il 6, lui doveva impartire gli ordini molto presto.

Da ultimo Eisenhower si rivolse a Montgomery. «Vedi qualche motivo per cui non dovremmo partire martedì?» domandò. «No» rispose nettamente Montgomery. «Io direi: "Va'".» «È un azzardo pazzesco» osservò Bedell Smith «ma è il miglior azzardo possibile.» Stagg e la sua équipe di meteorologi si ritirarono.

Per due interminabili minuti il comandante supremo camminò su e giù per la stanza, con le mani allacciate dietro la schiena, le spalle ingobbite e il capo calato sul petto. Infine si fermò e alzò lo sguardo. «La domanda è: per quanto tempo si può lasciare che una cosa del genere continui a restarsene sospesa in un limbo?» disse. Seguì un altro lunghissimo minuto di silenzio. Da ultimo disse: «Sono assolutamente convinto che dobbiamo impartire l'ordine. Non mi piace, ma è arrivato il momento. Andiamo».

All'uscita dalla biblioteca Stagg gli venne incontro. I telefoni lavoravano già all'impazzata per inviare ordini alle forze di invasione. «Bene, Stagg, ora ci tocca ricominciare a recitare la nostra parte» disse Ike sorridendo. «Ma per amor del cielo, faccia in modo che il tempo segua le sue previsioni e soprattutto non venga a portarci altre cattive notizie!» Stagg tornò al lavoro. Ci sarebbe stata un'ultima verifica delle condizioni meteo alle 4.15 il mattino dopo, per essere certi che nulla fosse cambiato. Verso mezzanotte era ancora impegnato nello studio delle carte delle isobare e nel frattempo telefonava alle stazioni meteo di tutto il paese per ottenere gli ultimi aggiornamenti. Quando finalmente si ritirò alla sua tenda per recuperare qualche ora di sonno riuscì a vedere tra gli alberi che il cielo era coperto da nuvole basse. Pioveva fitto e il vento agitava i rami. Che paradosso, pensò. La mattina precedente, con il bel tempo, il D-Day era stato rinviato. Ora, sotto la pioggia battente di un temporale, era stato dato il segnale di partenza. La cosa deve sembrare un po' folle.

A quell'ora Churchill aveva ormai fatto ritorno a Londra con il suo treno ed era entrato immediatamente nel suo bunker sotterraneo per passare in rassegna l'andamento della guerra nella Sala delle carte geografiche. Poi convocò i suoi segretari e lavorò fino a ben oltre mezzanotte, quasi cascando dal sonno sugli incartamenti. Fra quei documenti c'era la sua razione quotidiana di Ultra, che ancora una volta era costituita perlopiù di rapporti militari dall'Italia, uno dei quali rivelava che alle dieci di quel mattino le truppe alleate avevano letteralmente raggiunto le porte di Roma. Un altro riferiva le istruzioni tedesche in vista della distruzione dei campi d'aviazione nei pressi dell'Urbe, in modo che nessuno di essi cadesse in mano agli Alleati. C'era anche l'intercettazione di un dispaccio diplomatico che riferiva la conversazione avuta dall'ambasciatore giapponese con il deposto dittatore italiano Benito Mussolini, allora a capo di una repubblica fascista nell'Italia settentrionale. I nazisti restavano fiduciosi per quanto riguardava l'apertura di un secondo fronte in Europa, aveva detto Mussolini all'ambasciatore, e lui sperava che sarebbe avvenuta presto, dato che così i tedeschi avrebbero potuto "approfittare di un'opportunità eccellente per sferrare al nemico un colpo decisivo".

Mentre Churchill lavorava nella Sala delle carte geografiche, la BBC trasmetteva un concerto per violoncello eseguito da Pablo Casals e le truppe americane raggiungevano il centro di Roma appena abbandonato dai tedeschi in partenza. Uno degli abitanti della città vide gli statunitensi entrare in Piazza di Spagna, ai piedi della monumentale scalinata. "Dopo alcuni carri armati" ricorda "arrivavano i soldati, marciando al chiaro di luna. Erano silenziosi, molto stanchi, camminavano quasi come automi. La gente usciva dalle case per festeggiarli ma loro sorridevano, facevano un cenno con la mano e proseguivano." In quei paraggi una sceneggiatrice che stava girando un film si imbatté nel regista Roberto Rossellini, che stava fumando una sigaretta Camel. «Dobbiamo fare un film» disse lui «e subito. Non dobbiamo fare altro che guardarci intorno e troveremo tutte le storie che ci servono.»

La notizia della caduta di Roma fu subito trasmessa a Churchill. "I vostri soldati si sono battuti magnificamente!" telegrafò allora a Roosevelt. "Mi riferiscono che i rapporti fra i nostri eserciti sono ammirevoli sotto ogni profilo, e sicuramente ciò avviene in un clima di assoluta fratellanza." Roosevelt, che aveva trascorso il fine settimana a Charlottesville, in Virginia, nella casa del suo capo di stato maggiore Watson, detto Pa, stava sorseggiando un whisky con menta e zucchero quando gli venne riferita la novità.

Quella notte, a tarda ora, l'ammiraglio Krancke riferì a Berlino dal suo quartier generale in Francia: "È dubbio se il nemico abbia già raccolto la sua flotta di invasione fino a concentrare la potenza necessaria". Ma i segnali erano discordi. Al quartier generale della XV Armata un agente riferì che l'invasione sarebbe iniziata il giorno dopo e fu lanciato un allerta sulla massima scala. Quella stessa notte, inoltre, tutti gli autisti francofoni dell'Alsazia-Lorena che facevano parte del corpo d'élite del 6° reggimento paracadutisti tedesco di stanza a Sainte-Mère-Église disertarono, tranne uno, che fu trovato ucciso da un colpo di arma da fuoco il mattino successivo. In seguito si concluse che erano stati informati riguardo all'invasione dalla Resistenza francese. Ma Erwin Rommel giaceva profondamente addormentato accanto alla moglie nella sua casa di famiglia a Herrlingen, a molte centinaia di chilometri dalla costa francese. Non godeva di un sonno così profondo da mesi.

9

Okay, andremo

Lunedì 5 giugno

Quando alle tre e mezzo del mattino Eisenhower si alzò e uscì per avviarsi verso Southwick House la pioggia cadeva quasi orizzontale e il vento faceva oscillare la sua roulotte. Stagg si era già dato da fare con i telefoni muniti di rimescolatore per ottenere gli ultimi bollettini meteorologici. Dopo una gradita tazza di caffè bollente Eisenhower e i suoi comandanti si sistemarono nelle loro confortevoli poltrone, pronti per cominciare a lavorare. Tutti erano in uniforme da campo tranne Montgomery, che indossava un paio di pantaloni di velluto a coste e un pullover a collo alto di colore fulvo. Nessuno sorrideva. Quello era il momento decisivo: si sarebbe dovuto procedere all'invasione oppure stabilire un'altra data, optando per una scelta gravida di conseguenze incalcolabili.

Stagg, tuttavia, li liberò rapidamente da quel tormento. «Signori» esordì «non ci sono stati cambiamenti sostanziali dall'ultima volta, ma dal mio punto di vista ciò che è cambiato induce all'ottimismo.» Eisenhower era seduto accanto a lui, teso e concentrato. A quelle parole il volto del comandante in capo alleato, che ascoltava con attenzione i particolari, si rilassò in un sorriso. «Bene Stagg» disse «se questa previsione si avvera, le prometto che festeggeremo insieme quando arriverà il momento.» Furono poste solo poche domande. Poi Ike pronunciò la storica frase: «Okay, andremo». Erano le cinque del mattino e la decisione irrevocabile era stata presa. L'indomani, il 6 giugno del 1944, sarebbe stato il D-Day.

Mentre il gruppo si scioglieva Bedell Smith si avvicinò al meteorologo e gli strinse il braccio: «Ci hai dato un'apertura formidabile, Stagg» disse. «Tieni duro e potrai prenderti una settimana di licenza per farti sparire quei calamari che hai sotto gli occhi.» Stava spuntando l'alba e il cielo si era miracolosamente schiarito. Stagg, mentre si sistemava nella sua tenda per cercare di prendersi un ben meritato momento di sonno, sentì gli uccelli cantare e seppe che aveva fatto tutto ciò che poteva per l'invasione. Ora poteva solo sperare che il tempo corrispondesse alle sue previsioni.

Anche per l'ammiraglio Ramsay il peggio era passato. «Che cosa farai ora?» gli domandò Montgomery quando lasciarono insieme Southwick House. Per il comandante di Neptune la risposta era facile. «L'operazione è cominciata e ora è troppo tardi per cercare di fermarla. C'è il silenzio radio e non possiamo attenderci messaggi. Vado a dormire.»

Lungo la costa della Manica il mare era agitato e il vento soffiava ancora forte. Un giovane capitano britannico a bordo di uno dei mezzi da sbarco tratteggiò nel suo diario le scene di apertura di quel dramma grandioso. "Poco dopo colazione abbiamo issato l'ancora e siamo salpati. Le scogliere di gesso illuminate dal sole sono come tendaggi bianchi lungo la bassa linea di costa verde. La flotta bianca di mezzi da sbarco e navi appoggio con i loro grandi palloni di sbarramento e i motoscafi che alzano baffi bianchi di schiuma forma un bel quadro di blu, bianco e argento. Ecco una parte della flotta britannica: sembra più una regata."

Alle sette del mattino gli ufficiali aprirono finalmente gli ordini sigillati e lessero i nomi dei loro obiettivi del giorno dopo. Due ore più tardi l'enorme schieramento di unità navali che si erano raccolte nel Solent levò gli ormeggi e si diresse verso l'area Z, l'enorme zona di raduno a sud dell'isola di Wight. La squadra S avrebbe dovuto prendere terra su Sword Beach, la squadra G su Gold Beach e la squadra J su Juno Beach. La flotta che portava gli americani li avrebbe raggiunti da punti ancora più a ovest: la squadra U avrebbe puntato su Utah Beach, la squadra O su Omaha Beach. Dietro di loro, la linea di costa inglese stava scomparendo nella foschia. Le onde alte quasi due metri fecero sì che le duemila unità impiegassero la maggior parte del giorno per manovrare e raggiungere le rispettive posizioni. Quando le navi alla testa della flotta oltrepassarono le boe che delimitavano il canale accuratamente sgombrato da mine che portava alle spiagge della Normandia l'oscurità stava già calando. Fino a quel momento non un solo aereo tedesco li aveva avvistati.

Un corrispondente di guerra in attesa a bordo di un mezzo da sbarco in un porto inglese osservò le innumerevoli navi che lo circondavano. "Queste unità assiepate" scrisse

> rappresentano solo uno dei fiumi di uomini e macchine che si stanno riversando nel mare lungo tutta la costa. Quattro anni fa, quasi in questo stesso giorno, la marea di guerra si era riversata da est nei porti francesi della Manica, prima di rifluire tumultuosamente su Parigi e ben oltre. Ora la marea si è invertita, e in questo attimo di stasi della storia la prima possente ondata si sta raccogliendo prima di abbattersi con fragore sulle spiagge del nemico. Ma l'osservatore a distanza ravvicinata non scorge molto più della visione momentanea, fugace e terrificante che potrebbe cogliere un nuotatore isolato raggiunto da un grande frangente nel mare in tempesta.

A bordo della *Llangibby Castle* Glenn Dickin apprendeva finalmente i veri nomi dei suoi obiettivi del D-Day. Lui e Gordon Brown si erano detti addio, augurandosi l'un l'altro buona fortuna, già due giorni prima e avevano preso ciascuno il suo cammino. Gordon era l'ufficiale del reggimento addetto ai trasporti e aveva l'incarico di sorvegliare le operazioni di sbarco di oltre cinquanta veicoli, fra cui portamortai, jeep, camion per i rifornimenti da tre tonnellate, motociclette, mezzi per il trasporto di cannoni a traino e un'autocisterna per l'acqua. Aveva già condotto la sua colonna fuori da Hiltingbury fino a un'area di sosta intermedia, fornita di posti di parcheggio numerati nascosti sotto alti alberi. "Ero sbalordito dall'efficienza e dalla preparazione accurata che dovevano essere state necessarie per assegnare [parcheggi] a decine di colonne come la mia, facendo in modo che gli aerei nemici non avessero la possibilità di accorgersi di tutto quel movimento" ricorda. Ora si trovava a bordo di un mezzo da sbarco che trasportava venti dei veicoli affidatigli. Si era dovuto incastrare alla bell'e meglio a causa dello spazio ristretto e scoprì che non riusciva a dormire. L'ansia e la tensione erano quasi intollerabili.

La spiaggia assegnata ai canadesi per il D-Day era Juno Beach, un tratto di costa lungo quasi otto chilometri collocato fra gli obiettivi britannici (Sword e Gold). Ciascuno di questi tratti di spiaggia era ulteriormente suddiviso. Nan Beach, lunga circa quattro chilometri, era delimitata a est dal piccolo abitato di Bernières-sur-Mer e a ovest da La Rivière, ove c'erano un faro e un'antenna radio. A sua volta Nan Beach era suddivisa in settori. Glenn e i Fucilieri di Regina avrebbero preso terra nel Settore verde di fronte al piccolo porto di

Courseulles-sur-Mer, alla foce del fiume Seulles, un piccolo centro famoso per le sue ostriche. L'accesso al fiume era protetto da alcuni frangiflutti di legno in cattive condizioni. Le prime a sbarcare sarebbero state le compagnie A e B. La compagnia A avrebbe messo piede sulla spiaggia proprio accanto a questo accesso; Glenn e la compagnia B si sarebbero occupati del tratto di circa settecento metri alla loro sinistra.

A quel punto Glenn conosceva ogni particolare di Courseulles bene quanto la sua Manor: la torre idrica, il campanile della chiesa, la scuola, il municipio, la stazione ferroviaria. L'individuazione era stata resa possibile dall'intenso lavoro dei ricognitori alleati. Le carte topografiche del periodo antecedente la guerra, il paziente lavoro dei decrittatori, le informazioni fornite dalla Resistenza locale, le interviste fatte ai rifugiati e perfino ai turisti di epoca prebellica, ma soprattutto i continui sorvoli con aerei muniti di apparecchi fotografici ad alta risoluzione, avevano consentito di ricostruire un'immagine particolareggiata e aggiornata della spiaggia, del centro abitato e del paesaggio circostante. Così Glenn poteva già vedere, con una precisione minuziosa, il luogo che lo avrebbe accolto nel D-Day.

Sapeva che la spiaggia era piatta e sabbiosa: un buon punto per prendere terra, con solo pochi ammassi di rocce sparpagliati e isolati durante la bassa marea, praticamente privo di correnti trasversali che potessero infastidirli. Sopra la spiaggia c'era un argine di pietra alto tre metri con un'inclinazione di sessantacinque gradi, che non avrebbe dovuto creare troppi problemi con l'ausilio dell'attrezzatura per la scalata. Una volta raggiunta la sommità avrebbe dovuto attraversare una passeggiata larga otto metri con un basso muretto sull'altro lato. A quel punto si sarebbe ritrovato nel labirinto di vicoli e di edifici in pietra disposti a raggiera intorno a Place de la Mairie, e per attraversare il fiume ci sarebbe stato solo uno stretto ponte in direzione di Bayeux. Prima della guerra il paesino contava un migliaio di anime, ma i servizi informativi alleati stimavano che fino all'ottanta percento della popolazione poteva essere stato evacuato a forza dai tedeschi.

Glenn sapeva di non poter dare per scontato che tutti coloro che avrebbe incontrato sarebbero stati amichevoli: quando i tedeschi si ritiravano erano soliti lasciare dietro di sé alcuni agenti. "Tutti i civili verranno trattati con sospetto finché non sarà stato stabilito che sono patrioti" prescrivevano le istruzioni dei servizi informativi. Molte delle case, nessuna delle quali era più alta di due o tre piani, disponevano di un appezzamento di terra, e c'erano frutteti sparsi un po' in tutto il paese: dopotutto, la Normandia era il paese delle mele e del Calvados. La cittadina poteva vantare una linea ferroviaria a binario unico e a scartamento ridotto, che correva parallela alla strada e la collegava con Bernières e La Rivière; gli aerei alleati, però, non avevano scorto segni di locomotive, e quindi la linea era probabilmente in disuso.

Oltre Courseulles c'erano campi aperti coltivati, punteggiati di numerosi gruppetti di case circondati da altri frutteti. La sintesi delle informazioni topografiche per il reggimento, distribuita quattro giorni prima, informava Glenn che la conformazione del paesaggio offriva "scarse coperture", tranne occasionali siepi e cespugli che crescevano "lungo le valli del Seulles, del Mue e di piccoli corsi d'acqua tributari". L'obiettivo dei canadesi per la mezzanotte del D-Day era la principale linea ferroviaria est-ovest, che correva qualche chilometro più all'interno e collegava Bayeux a Caen.

Glenn, inoltre, sapeva esattamente come avrebbero fatto i tedeschi per cercare di fermarlo.

Courseulles era un caposaldo importante del Vallo Atlantico di Rommel, difeso da un unico reggimento della 716ª divisione di fanteria, la stessa il cui quartier generale a Caen veniva spiato da André Heintz. I servizi informativi alleati valutavano la divisione un'unità di "bassa categoria", provvista di solo due reggimenti di fanteria e uno di artiglieria costituiti per la maggior parte da *Osttruppen* e coscritti di età avanzata, eppure essa poteva arrecare danni letali. Sul molo di Courseulles c'era infatti una postazione fortificata con un fucile mitragliatore capace di spazzare la spiaggia con il suo fuoco, e subito dietro erano collocate altre due casematte munite di cannoni da fanteria leggera. Sulla diga marittima erano poi sistemate altre due torrette fortificate, che probabilmente disponevano di una mezza dozzina di fucili mitragliatori.

Glenn sapeva che i mezzi da sbarco, al momento di avvicinarsi alla spiaggia sotto un pesante fuoco nemico, se la sarebbero dovuta vedere anche con il repertorio di ostacoli subacquei installati per ordine di Rommel: tetraedri di ferro alti due metri; ostacoli di due metri e mezzo per due metri noti semplicemente come "elementi C", costruiti per essere collegati insieme ma che qui, per fortuna della compagnia B, erano stati disposti a intervalli regolari; pali di legno piantati nella sabbia che sporgevano per un metro e mezzo e potevano anche essere corredati da mine. Se fosse riuscito a sbarcare sano e salvo e ad attraversare la spiaggia sarebbe finito nel filo spinato, disposto in alti grovigli per centinaia di metri lungo il fronte a mare. Nel frattempo si sarebbe trovato sotto la mira dei mitraglieri, che avrebbero cercato di ammazzarlo prima che riuscisse a togliersi dalla spiaggia. Se ce l'avesse fatta, sull'altro lato della passeggiata avrebbe trovato la fanteria tedesca nascosta in trincee e case fortificate sparse per tutta la città. Ma al di là di Courseulles si stendeva la campagna normanna, aperta e priva di protezioni.

Aveva imparato anche la parola d'ordine per il D-Day. Se avesse nutrito dubbi sull'identità di qualcuno avrebbe dovuto pronunciare la lettera "V". La risposta giusta sarebbe stata "For Victory" ("Come vittoria"). Il giorno successivo all'invasione la parola d'ordine sarebbe stata "Handle" ("Maneggiare"), la controparola d'ordine "With care" ("Con cura").

Mentre la *Llangibby Castle* prendeva posizione nell'enorme flotta che salpava dal Solent, a bordo venne celebrata una messa e Glenn sentì recitare la famosa preghiera pronunciata dall'ammiraglio Nelson prima della battaglia di Trafalgar, la grande vittoria della Gran Bretagna su Napoleone:

> Possa il Dio che venero concedere al mio paese una grande e gloriosa vittoria anche per il bene dell'Europa in generale; possa la cattiva condotta di alcuno non infangarla; e possa l'umanità dopo la vittoria essere la caratteristica predominante della flotta britannica. Quanto a me, individualmente, affido la mia vita a Colui che mi ha fatto: possa la Sua benedizione scendere sul mio impegno di servire fedelmente il paese. A Lui rimetto me stesso e la giusta causa di cui mi è stata affidata la difesa. Amen. Amen. Amen.

A Caen André Heintz si svegliò sotto un cielo limpido. Per tutto il giorno aveva sentito sopra di sé gli aeroplani, ma il suono dei bombardamenti si perdeva in lontananza, sebbene avesse udito anche un'esplosione a distanza ravvicinata sul campo d'aviazione di Carpiquet. La grande notizia del giorno era la caduta di Roma. Da poco i tedeschi avevano affisso in tutta la città manifesti che raffiguravano gli Alleati nelle sembianze di una lumaca che strisciava su per l'Italia e riportavano l'ironica domanda: "Quando mai raggiungeranno Roma?". André era andato in giro a strapparli via dai muri. La caduta della capitale italiana era un tonico formidabile per il suo morale.

Anche quel giorno il treno da Parigi non era arrivato. André insisteva a scendere in cantina per ascoltare la BBC. «Ci farai fucilare tutti quanti con quella tua radio» lo rimproverava la madre. Ma lui non le dava retta.

A La Roche-Guyon pioveva quando, dopo aver fatto colazione, il consigliere navale di Rommel partì per sollecitare presso i collaboratori dell'ammiraglio Krancke a Parigi l'accelerazione delle operazioni di posa delle mine nella Manica: il programma aveva subito un grave rallentamento quando una flottiglia di dragamine in navigazione verso Le Havre era stata decimata da un bombardamento alleato. Nulla lasciava presagire ai collaboratori di Rommel che si stesse preparando una catastrofe, ed essi lavorarono tranquillamente ai propri incarichi come tutti gli altri giorni. Rommel era ormai giunto a casa sua a Herrlingen e stava riposando. L'unica faccenda di lavoro che affrontò fu telefonare al Berghof e fissare un appuntamento per poter incontrare Hitler giovedì 8.

A Parigi Albert Grunberg si svegliò di buon'ora come al solito, consumò la sua colazione, fumò la prima sigaretta della giornata e si mise a guardare fuori dalla finestra. Quel giorno, per la prima volta dall'inizio del conflitto, si concesse una speciale lozione per il cuoio capelluto che aveva tenuto in serbo da prima della guerra. Fuori il tempo era fosco e piovoso: dal lucernario aperto entravano di tanto in tanto folate di aria fredda che gli carezzavano il viso. La finestra era abbastanza bassa perché potesse guardare fuori, ma stava attento a non farsi vedere e sbirciava con cautela tra le fessure del cesto di vimini usato dalla moglie per portargli la spesa. Sul tetto della casa del portone accanto un uomo tutto sporco di fuliggine stava cercando di spazzare un camino. Grunberg lo osservò a lungo, ma pareva che il lavoro non sortisse un grande effetto. Un posapiano, pensò. Riuscì anche a scorgere uno dei suoi vicini, dalla parte opposta del cortile. Ma fece bene attenzione a non farsi vedere da lui e sbirciò con precauzione da dietro la tenda.

Quando ne ebbe abbastanza di guardare fuori dal lucernario si volse al suo ultimo libro, una biografia del poeta Charles Baudelaire. Come la maggior parte dei parigini, perfino quelli che non vivevano reclusi, anche lui spesso si serviva delle letture per ritirarsi in un mondo interiore. Alcuni libri erano stati proibiti fin dai primi tempi dell'occupazione, ma negli ultimi quattro anni era stato pubblicato un numero enorme di nuovi titoli. Si vendevano bene e andavano rapidamente esauriti, dato che la gente cercava di distrarsi dalla politica, dalla vita quotidiana, dalla violenza nelle strade o dalla permanenza forzata entro le mura domestiche durante le ore del coprifuoco. Le biblioteche pubbliche erano affollate e le bancarelle dei librai sul Lungosenna assediate dai clienti avidi di qualcosa da leggere, qualsiasi cosa. Grunberg, che viveva in un coprifuoco perpetuo, divorava avidamente i libri scelti che gli portava la moglie.

C'era anche una fiorente editoria clandestina. Per esempio le famose Éditions de Minuit di Parigi pubblicavano volumi di autori anonimi che venivano passati di mano in mano, tanto che ciascun esemplare arrivava ad avere una ventina di lettori. Il libro più venduto era *Il silenzio del mare* di Vercors, ma il prodotto più recente era un opuscolo di una sessantina di pagine intitolato *L'Angleterre*, scritto da un autore che aveva scelto il *nom de plume* Argonne. All'approssimarsi del D-Day, quel libro trattava proprio dell'amicizia anglofrancese: mentre il governo di Vichy non si stancava di evocare il martirio di Giovanna d'Arco, icona storica e patriottica, in chiave antinglese, Argonne suggeriva che ora erano in gioco valori più importanti. "Due regni forse, ma un unico popolo" sosteneva. "Il nostro cuore può battere per l'Inghilterra in tutta tranquillità, senza temere alcuna contraddizione del passato. Esistono vincoli che nessun taglio di spada può rescindere: sono vincoli dello spirito. La storia del pensiero e della civiltà è più importante di quella delle battaglie: sono i primi, infatti, a costruire le nazioni."

Quel giorno, tuttavia, Grunberg faticava a concentrarsi. Il tempo uggioso lo rendeva un po' nostalgico e si ritrovò a pensare alla sua vita di prima della guerra e specialmente a Marguerite, sua moglie. "Come è bella" scrisse nel suo diario. Poi, naturalmente, fu la grande novità del giorno a distrarlo: la liberazione di Roma e la continua risalita verso nord degli Alleati in Italia. Scrisse questa notizia incoraggiante a lettere maiuscole nel suo diario, come ultima annotazione della giornata.

Nelle prime ore della mattinata l'Alto comando di Hitler diramò un comunicato che reagiva con tono di sfida alla caduta di Roma. La lotta in Italia sarebbe proseguita con incrollabile determinazione, prometteva. "Si stanno adottando le necessarie misure per una vittoria finale tedesca, in stretta collaborazione con l'Italia fascista e le altre potenze alleate. L'anno dell'invasione porterà ai nemici della Germania una sconfitta definitiva nel momento decisivo." Più tardi Hitler partecipò a una riunione per discutere delle importazioni di tungsteno dal Portogallo e in seguito si recò alla consueta riunione di mezzogiorno dell'Oberkommando der Wehrmacht (OKW), l'Alto comando della Wehrmacht, dedicata quasi completamente agli eventi sul fronte italiano.

Sebbene ostentasse sicurezza Hitler si stava preparando anche a uno scenario più cupo. Qualche giorno prima Albert Speer era rimasto improvvisamente colpito dalla visione degli Alleati che distruggevano i ponti sul Reno e mettevano piede persino in Germania. L'uomo che un tempo era stato l'architetto di Hitler si rendeva conto che, in mancanza di un esercito per la difesa interna, i nemici avrebbero potuto conquistare addirittura Berlino e altre città importanti, mentre le forze tedesche in Occidente avrebbero lottato invano per riuscire ad attraversare nuovamente il Reno. Hitler era rimasto così colpito dall'idea di Speer che quel giorno decise di creare divisioni con un numero di effettivi ridotto all'osso nelle quali, in caso di emergenza, si sarebbero potuti inserire i trecentomila uomini che erano sempre presenti in Germania in licenza. Speer avrebbe contribuito avviando un programma accelerato per la produzione di armi e un piano per creare cortine fumogene in prossimità dei ponti sul Reno per proteggerli dagli attacchi alleati.

Churchill trascorse la maggior parte della mattinata a letto dedicandosi alla lettura della sua razione di materiale proveniente da Ultra e alla corrispondenza arretrata. La cassetta inviatagli da Menzies conteneva prevalentemente intercettazioni di routine dal fronte italiano, ma nulla dalla Normandia. A quel punto la preoccupazione principale di Churchill era far entrare Stalin nel quadro del D-Day. "Stasera si va" telegrafò al leader sovietico, e dopo aver spiegato i motivi del ritardo di un giorno lo informò: "Stiamo usando cinquemila navi e undicimila aerei equipaggiati al completo". Ora che Roma era caduta, aggiungeva, gli Alleati avrebbero dovuto decidere come usare le loro forze al meglio in Italia per sostenere "l'impresa principale".

A questo proposito Churchill aveva un punto di vista molto chiaro. Anziché spostare le forze dall'Italia per uno sbarco secondario nel Sud della Francia dopo il D-Day, come era stato concordato con gli americani, perché non colpire più a nord, fra Bordeaux e Saint Nazaire, sulla costa atlantica, in modo da assicurarsi altri porti e congiungere quelle forze con i contingenti di Eisenhower in Normandia? Formulò la sua proposta in un telegramma che voleva inviare a Roosevelt.

Mentre era impegnato a lavorare sua moglie gli inviò una breve nota scritta a mano. "Caro" gli scriveva Clementine "mi sento tanto vicina a te in questo momento tormentoso, talmente carico di tensione da impedire perfino di rallegrarsi di Roma. Sono impaziente di vederti a cena. Con tenero amore, Clemmie." Come al solito, accanto al suo nome aveva disegnato un piccolo gatto.

Erano passati quattro mesi dall'ultima volta che Peter Moen aveva avuto un contatto con il mondo esterno. Questa situazione era già difficile da tollerare per un uomo così profondamente coinvolto in compiti politici clandestini, ma ciò che lo tormentava davvero, quel giorno, era la preoccupazione per il destino di sua moglie Bella.

Quando la Gestapo era venuta a prenderlo aveva arrestato anche lei, sbattendola nel famigerato campo di prigionia di Grini, alla periferia di Oslo, nonostante non fosse chiaro se anche lei fosse stata coinvolta nella Resistenza oppure se fosse solamente una moglie sfortunata e ignara di tutto. Aveva trentasei anni; i documenti la definivano "casalinga". Il suo nome completo era Bergliot Svanhilde Fjeld Gundersen. Al pari del marito, le era stato assegnato un numero di internata: 9720.

Moen, ancora traumatizzato dall'arresto e dalla tortura, era tormentato per il destino di lei e si rimproverava. "Questa sera sto pensando a Bella" aveva scritto come primissima annotazione del suo diario segreto, una settimana dopo l'arresto. "Ho pianto perché ho fatto tanto male a Bella. Se vivo, Bella e io dobbiamo avere un bambino." Nel suo diario parlava spesso di lei. "Bella, tesoro, buonanotte" e "Bella, cara... buona notte. Se vivo sarò al tuo servizio. Per amore della mamma perdonerai la mia terribile debolezza" aveva scritto in quei primi giorni. Anche il pensiero di sua madre era una poderosa fonte di conforto. Il suo decimo giorno di prigionia era coinciso con l'anniversario del funerale e anche con il compleanno di lei. "Sii benedetta in eterno. Oggi troverò rifugio nel ricordo di lei" scrisse. "Se solo avessi avuto un cuore valoroso come il suo." Invidiava la salda fede religiosa che l'aveva contraddistinta.

Per Moen sapere che Bella era ancora a Grini era fonte di dolore e senso di colpa inestinguibili. Quel giorno si ripromise solennemente "di essere buono e amorevole in ogni cosa che la riguarda, quando finalmente le porte della prigione si riapriranno". Ma questo pensiero non faceva che acuire il suo senso di inadeguatezza e lo faceva temere per il futuro. A volte la sua paura era così forte da fargli pensare che avrebbe fatto meglio a rimanere in prigione. Poi, come sempre, rimaneva l'alternativa. "Sullo sfondo c'è la morte che chiama e fa cenno: 'Vieni da me. Nella mia casa c'è pace'" scriveva. Lasciò anche una poesia dedicata alla moglie, che fu scoperta insieme al suo diario dopo la guerra:

Avrebbero dovuto essere le stelle
a inghirlandarti la fronte

come una cornice rilucente
e un diadema dorato tra i tuoi capelli
in cui fili di pallido argento
e oro splendente
brillano e rilucono
come i raggi dell'aurora boreale
nell'aria della sera.

Qualunque cosa provasse dentro di sé, Eisenhower non mostrava dubbi riguardo al D-Day: mentre il primo ministro leggeva le sue intercettazioni di Ultra e preparava un messaggio per Stalin, il comandante supremo esibiva in pubblico la massima sicurezza. Quel mattino scese all'imbarcadero di South Parade a Portsmouth e assisté alle operazioni di carico delle truppe britanniche sui mezzi da sbarco, sorridendo gioviale e scambiando battute con i soldati. Tornato alla sua roulotte giocò una partita a dama con Harry Butcher. "Proprio quando l'avevo messo nell'angolo con le mie due dame e a lui restava una dama sola" ricorda Butcher "mi venisse un colpo se non saltò una delle mie e fece patta."

Anche i quotidiani mostravano fiducia nel futuro. Sul *Times* compariva una pubblicità dei variopinti occhiali da sole di Harvey Nichols di Knightsbridge, e un annuncio economico pubblicato quel giorno riguardava la ricerca di un pullover da cricket e di camicette estive per un bimbo di nove anni, mentre un'azienda propagandava "la casa tutta elettrica del futuro" con l'illustrazione di un soggiorno modernissimo provvisto di prese di corrente per aspirapolvere, lucidatrice, radio, riscaldamento elettrico, condizionatore, nonché di interruttori elettrici per azionare finestre e persiane. Una corrispondenza da Washington esaminava le prospettive più verosimili per le elezioni presidenziali in novembre, la Borsa di New York si manteneva stabile e da Malta arrivava la notizia che i processi con giuria, sospesi dal 1940, sarebbero ripresi. A Leicester Square il film *Nessuno sfuggirà* invitava gli spettatori a immaginare che il conflitto fosse terminato e che loro avrebbero preso posto nella giuria di un tribunale per i crimini di guerra.

L'unico vero accenno agli importanti avvenimenti a venire apparve in un articolo sul Servizio nazionale dei pompieri marittimi e fluviali, che riferiva come il corpo avesse congedato tutti i suoi uomini perché potessero prendere parte alle "operazioni future" e osservava che essi avevano ricevuto un addestramento speciale. Un richiamo alla cautela sul futuro a lungo termine della Gran Bretagna si poteva ravvisare nel resoconto del discorso tenuto a Plymouth da Lord Chatfield, ammiraglio della flotta. Questi avvertiva che la guerra aveva messo in luce quanto fosse vulnerabile l'impero britannico: se fosse scoppiato un altro conflitto mondiale la Gran Bretagna non avrebbe potuto affrontarlo da sola. "La forza delle armi deve essere affidata alle mani delle nazioni che amano la pace" aveva dichiarato. "Non possiamo più permetterci di ritirarci confortevolmente nell'isola che è la nostra patria. Dobbiamo essere forti quanto richiedono le nostre responsabilità e dobbiamo fare in modo che la nostra voce venga rispettata nel mondo."

A Roma il papa apparve di fronte a una folla di migliaia di fedeli per rendere grazie del fatto che alla Città Eterna fossero stati risparmiati gli orrori della guerra. A Ottawa il primo ministro canadese, Mackenzie King, dichiarò che la liberazione di Roma era una pietra miliare nella liberazione dell'Europa e fu annunciato che la marina canadese aveva affondato un altro U-Boot nell'Atlantico. In Sudafrica il *Johannesburg Star* chiedeva come Hitler potesse pretendere di salvare le capitali dei Balcani se non era riuscito a salvare Roma. "E come può sperare di salvare Berlino, nell'ora fissata dal fato?" aggiungeva. A Washington il presidente Roosevelt accoglieva il primo ministro australiano John Curtin, si preparava per un delicato incontro con il primo ministro polacco, Stanislas Mikołajczyk, e si rivolgeva alla nazione con uno dei suoi paternalistici "discorsi del caminetto" serali. Accolse la notizia della caduta di Roma con le parole «Una è fatta, ora passiamo all'altra», ma nel contempo ammoniva severamente di non lasciarsi prendere dall'autocompiacimento. Ottenere la garanzia che la Germania non avrebbe ripreso nel giro di una generazione la sua corsa alla conquista del mondo sarebbe stata un'impresa dura e costosa. «Le Nazioni Unite» dichiarò «sono decise a impedire che in futuro una razza possa essere in grado di controllare il mondo intero.» Sull'isola di Biak le truppe americane continuavano a incontrare una resistenza disperata da parte dei difensori giapponesi che li contrastavano accanitamente.

Nel corso del pranzo Churchill incontrò nel suo bunker i capi di stato maggiore, solo per scoprire che disapprovavano l'idea di ulteriori sbarchi in Francia: a loro parere non si dovevano sottrarre al generale Alexander le truppe che gli avrebbero assicurato i "frutti maturi della vittoria" in Italia. Ma anche i capi di stato maggiore avevano un loro ordine del giorno, che riguardava l'idea di impiegare tutte le truppe in sovrannumero in Italia per sferrare un'offensiva a nordest e a settentrione dell'Adriatico. Anche questa idea, alla fine, avrebbe comportato una discussione con Roosevelt e gli americani, dato che per il momento questi volevano tenersi pronti a ogni emergenza. Così il telegramma di Churchill a Roosevelt non fu mai inviato.

Il pranzo mise in luce controversie anche su un altro fronte. Churchill era tornato da Portsmouth di umore eccitabile, e sia l'ammiraglio Cunningham, capo dell'Ammiragliato e capo di stato maggiore della marina, sia il feldmaresciallo Sir Alan Brooke erano dell'avviso che fosse fin troppo ottimista riguardo al D-Day. Brooke, che aveva trascorso buona parte del fine settimana nella tranquillità della sua casa in campagna, avvertiva un'inquietudine profonda riguardo alle sorti dell'impresa. "Se va bene, non soddisferà comunque le aspettative della gran parte della gente, vale a dire di tutti coloro che non sanno nulla delle difficoltà che comporta" si sfogava nel suo diario il capo di stato maggiore dell'impero. "Se va male, rischia di essere la catastrofe più spaventosa di tutta la guerra. Prego Dio che tutto vada a finire bene."

Il pranzo di Eisenhower fu più informale e si svolse in privato in compagnia di Harry Butcher a Southwick Park, dove i due trascorsero il tempo raccontandosi aneddoti politici. Poi il comandante alleato si recò nella sua tenda speciale per tenere una conferenza informativa sull'invasione alla quale parteciparono, fra gli altri, inviati di BBC, Reuters, NBC e Associated Press. "Come al solito" annotò Butcher "li abbiamo tenuti sul bordo della sedia. La noncuranza con cui ha annunciato che avremmo attaccato al mattino e la finta noncuranza con cui i reporter hanno accolto quelle parole hanno offerto uno spettacolo di controllo delle emozioni che interesserebbe qualsiasi psicologo."

Dopo che i giornalisti se ne furono andati Eisenhower si sedette al suo tavolino portatile e scarabocchiò in fretta il testo di un comunicato stampa che sperava di non dover mai utilizzare: "I nostri sbarchi nell'area Cherbourg-Le Havre non sono riusciti a prendere saldamente piede" scrisse "e ho fatto ritirare le truppe. La mia decisione di attaccare in questo momento e in quella zona era basata sulle migliori informazioni disponibili. Le truppe di terra, l'aeronautica e la marina hanno fatto tutto ciò che il valore e la dedizione potevano. Se il tentativo che si è fatto merita biasimo o critica, questi vanno rivolti a me solo". Poi ripose l'appunto nel taschino dell'uniforme e se ne dimenticò.

D'altra parte, Eisenhower non poteva dimenticare lo scalpore suscitato dalla questione ancora irrisolta del ruolo che il capo di France Libre avrebbe svolto nel D-Day.

Quella mattina, quando il generale si era svegliato all'Hotel Connaught di Londra, la forma della dichiarazione di Eisenhower gli bruciava ancora, perciò gliene inviò una versione riveduta. Ma i suoi emendamenti vennero respinti: era semplicemente troppo tardi perché Washington potesse prendere in considerazione la possibilità di apportarvi modifiche. Fra l'altro, erano già stati stampati otto milioni di copie di quel testo, che doveva essere distribuito alle truppe e alla popolazione della Francia occupata.

A peggiorare ulteriormente l'umore del generale pensò un funzionario del Foreign Office venuto a riferirgli gli accordi in vista della trasmissione alla popolazione francese che sarebbe stata mandata in onda dalla BBC il giorno dopo. Per primi sarebbero intervenuti i capi di stato in esilio: il re di Norvegia, la regina d'Olanda e la granduchessa del Lussemburgo; poi sarebbe toccato al primo ministro belga, seguito dal generale Eisenhower, e dopo di lui a De Gaulle.

Ancora una volta De Gaulle si risentì, cogliendo subito nella scaletta della trasmissione un ingiusto tentativo di distinguere la sua condizione da quella degli altri leader europei e anche di lasciar intendere un'approvazione per la dichiarazione di Eisenhower. Rispose rabbiosamente che avrebbe parlato alla radio, ma solo quando lo avesse voluto, non quando gli fosse stato ordinato; se agli Alleati ciò non andava a genio, tanto peggio. I loro piani lasciavano intendere al capo di France Libre che il suo paese sarebbe stato occupato, come l'ex nemica Italia, e non liberato.

A mezzogiorno David Bruce, a bordo del *Tuscaloosa*, si trovava al largo di Plymouth insieme alla flotta di corazzate e incrociatori i cui cannoni avrebbero bombardato le difese tedesche il mattino seguente. Tutti a bordo portavano un elmetto e indossavano o avevano con sé un giubbotto salvagente. Le cabine erano state private di ogni parte in vetro e ogni elemento mobile sul ponte era stato saldamente assicurato. La potenza di fuoco della flotta di 3200 navi da guerra che avrebbero preso parte a Neptune era impressionante: solo il *Tuscaloosa* aveva nove cannoni da otto pollici e otto da cinque pollici e un quarto, e non era che uno dei 27 incrociatori che avrebbero preso parte all'impresa. A questi si aggiungevano 6 corazzate, 124 cacciatorpediniere, 143 dragamine e innumerevoli altre navi ausiliarie, senza contare le centinaia di mezzi da sbarco di vari tipi.

La flotta, fiancheggiata dai cacciatorpediniere, passò attraverso due grandi convogli di navi da trasporto stracariche di truppe, una delle quali rimorchiava in aria oltre sessanta palloni da sbarramento, e, non molto tempo dopo, in mezzo a un convoglio di mezzi da sbarco che trasportava carri armati lungo nove chilometri e disposto su quattro file. "La nostra potenza di fuoco" scriveva Bruce "comprenderà cinquemila razzi, che verranno sparati da cinque navi lanciamissili a sciami di mille ciascuna."

La notizia della posizione assunta da De Gaulle riguardo alla trasmissione del D-Day raggiunse Churchill dopo pranzo. Gli venne riferita in maniera leggermente confusa, sicché sembrava che il generale si fosse rifiutato di andare in onda. Il primo ministro, che a quel punto era veramente seccato, fu colto da un attacco di collera e accusò il suo maldestro alleato francese di essere "un ostruzionista sabotatore".

Verso le cinque del pomeriggio Hitler, accompagnato da Goebbels, che era appena giunto in aereo da Berlino per una delle sue periodiche visite oltre che per scambiare due chiacchiere con il dottor Morell sulla propria salute, si avviò tranquillamente verso la Casa del tè. Il ministro della Propaganda trovava che il Führer avesse un aspetto calmo e rilassato. "Da lontano la gente pensa che debba essere un uomo duramente provato, piegato in due dalla tensione, e che le sue spalle siano sempre sul punto di crollare sotto il fardello delle responsabilità" annotava Goebbels nel suo diario. "In realtà ci si trova di fronte a un personaggio attivo e determinato, che non tradisce il benché minimo segno di depressione o di difficoltà psicologica."

Hitler sembrava del tutto impassibile di fronte alle notizie che venivano da Roma. In effetti, disse a Goebbels, era comunque tutta colpa dei fascisti italiani, che insieme alla città avevano perduto il proprio centro politico e intellettuale. Quanto alla battaglia decisiva in Occidente, Rommel godeva ancora della sua fiducia: era certo che quando fosse giunta l'invasione le sue forze avrebbero ributtato gli Alleati in mare. Aveva anche in animo di reagire con una massiccia rappresaglia contro Londra, che avrebbe comportato il lancio di tre-quattrocento bombe volanti, già quasi pronte per l'impiego. Non avrebbe mai accettato, disse, di venire a patti con la Gran Bretagna. Il paese e la plutocrazia che lo governava, gente come Churchill, Eden e Sir Robert Vansittart, ex capo del Foreign Office, avevano complottato contro di lui sin dal 1936 e ora erano ridotti quasi in rovina. Sarebbe stato felice di assestare alla Gran Bretagna il colpo di grazia e poi le avrebbe fatto pagare cara la decisione di entrare in guerra. I piani di Hitler per il futuro, compresi gli sviluppi del conflitto, erano, ammetteva Goebbels con un'ironia forse inconsapevole, concepiti su larga scala e attestavano "una capacità di immaginazione straordinariamente profonda".

In privato Goebbels metteva in discussione il giudizio di Hitler, non sulla guerra stessa bensì su alcune figure del suo seguito, come Joachim von Ribbentrop, il ministro degli Esteri, e Alfred Rosenberg, già ideologo del partito e ora ministro dei Territori orientali occupati: a suo avviso erano due incompetenti. Nel corso della loro passeggiata per tornare al Berghof Hitler confidò a Goebbels che stava pensando di sostituire von Ribbentrop con Rosenberg. Il ministro della Propaganda rimase allibito ("dalla padella alla brace" pensò); i due capi nazisti, tuttavia, convenivano che la figura sulla quale ricadeva interamente la responsabilità del fiasco della Luftwaffe era Göring: Speer sarebbe stato l'uomo giusto per migliorare la produzione. Ma si trovarono d'accordo anche sul fatto che dal punto di vista politico era impossibile estromettere il feldmaresciallo, perché era molto popolare e la sua deposizione avrebbe arrecato un danno irreparabile all'autorevolezza del Partito nazista e al Reich.

Quasi in quello stesso momento il maresciallo d'aviazione Leigh-Mallory, comandante delle forze aeree del D-Day, teneva una riunione con il personale addetto all'informazione nel quartier generale della RAF di Bentley Priory, alla periferia di Londra. Fuori della sala alta e spaziosa, con le finestre alla francese e i tappeti azzurri e rosa della RAF, i rododendri erano in piena fioritura. All'interno, sulla mensola del camino dietro all'oratore, erano disposte le fotografie dei comandanti alleati nonché quella del generale Sperrle, comandante della Luftwaffe.

Dopo aver spiegato la strategia ed elencato i risultati degli intensi attacchi aerei contro strade, ferrovie, batterie costiere e stazioni radar Leigh-Mallory, di solito così prudente, si lasciò sfuggire una nota più positiva. «Il nemico sembra ignorare dove siamo diretti» disse «e forse anche quando arriveremo [...] Quando si ingaggerà la battaglia aeronautica, se l'aviazione tedesca vi sarà impiegata verrà sconfitta. Di questo sono assolutamente sicuro.» Per essere l'uomo che di recente aveva confidato ad Eisenhower di temere perdite del settanta percento fra i paracadutisti nel D-Day, Leigh-Mallory aveva rivelato notevole ottimismo.

Nel suo quartier generale di Caen, in fondo alla via su cui si affacciava la casa di famiglia di André Heintz, il generale Richter partecipava alla consueta riunione settimanale con i comandanti del reggimento. Era tardo pomeriggio e c'erano molte questioni da discutere. Il mare agitato minacciava di spazzare via parte degli ostacoli subacquei antinvasione che gli uomini avevano collocato sulle spiagge della Normandia, e si doveva svolgere un lavoro organizzativo imponente per addestrare le truppe inesperte. A conclusione del suo intervento il generale osservò, come avesse ripensato a quanto aveva appena detto, di aver ricevuto da Parigi l'informazione che l'invasione sarebbe potuta arrivare in qualsiasi momento fra il 3 e il 5 giugno. «Devo forse aggiungere, signori» osservò con sarcasmo «che da aprile in poi abbiamo ricevuto avvertimenti analoghi in tutti i periodi di plenilunio e in tutti i periodi senza luna.»

Alle sei e mezzo nel suo bunker Churchill presiedette l'ultima riunione del Gabinetto di guerra prima del D-Day. All'ordine del giorno c'erano molte questioni relative al dopoguerra, fra cui la composizione della delegazione britannica alla Conferenza di Bretton Woods, che avrebbe decretato la costituzione del Fondo monetario internazionale, e l'adesione alle Nazioni Unite, presso le quali Stalin stava cercando di ottenere più seggi per sé assegnando un commissario ciascuna alle repubbliche che formavano l'Unione Sovietica.

Ma i temi che occupavano l'attenzione del Gabinetto erano il D-Day e l'assente De Gaulle, ancora rinchiuso nell'Hotel Connaught. Churchill, furioso, dopo aver annunciato che gli Alleati sarebbero sbarcati in Francia il mattino seguente rese noto che se il generale non voleva parlare alla radio per lui la cosa poteva andar bene, e sarebbe stato felice di vederlo ripartire in volo per Algeri non appena le truppe alleate avessero toccato terra. Mentre stava parlando giunse un messo con un appunto indirizzato a Anthony Eden in cui si riferiva che De Gaulle ora rifiutava ai suoi ufficiali di collegamento il permesso di accompagnare le truppe di invasione, visto che non c'erano accordi di alcun genere sulle questioni civili.

Ormai mancavano poche ore al D-Day, e quest'ultima novità fece perdere definitivamente la pazienza all'esasperato primo ministro, che sbottò in una tirata furibonda. "Così ci allontaniamo dalla diplomazia ma anche dal comune buon senso" osservò Sir Alexander Cadogan, sottosegretario permanente del Foreign Office e testimone della scena. "È un collegio di ragazzine. Roosevelt, il primo ministro e, bisogna riconoscerlo, lo stesso De Gaulle si comportano tutti come fanciulle alla soglia della pubertà. Non c'è nulla da fare."

Churchill chiuse la riunione dichiarando che forse non restava altro da fare che caricare De Gaulle su un aereo e rispedirlo in Nordafrica. Quando il Gabinetto si sciolse la questione di ciò che avrebbe fatto il capo di France Libre e di quello che si sarebbe dovuto fare di lui rimaneva pericolosamente irrisolta.

Nel frattempo a La Roche-Guyon Hans Speidel aspettava ospiti a cena. Approfittando dell'assenza di Rommel, in licenza in Germania, il capo di stato maggiore del gruppo di armate B dell'esercito aveva colto l'opportunità per invitare da Parigi alcuni amici intimi. Fra questi vi era il noto scrittore Ernst Jünger, autore di *Nelle tempeste d'acciaio*, uno dei più famosi resoconti delle carneficine sul fronte occidentale durante la Prima guerra mondiale. Jünger inoltre, al pari dello stesso Speidel, era coinvolto nei piani per rovesciare Hitler: convinti che stesse conducendo la Germania verso la catastrofe, avevano aderito entrambi al complotto per assassinarlo che stava rapidamente prendendo corpo fra i generali dell'esercito. Jünger aveva addirittura portato con sé la bozza di un manifesto per la pace che lui stesso aveva redatto e che si sarebbe dovuto pubblicare immediatamente dopo la morte di Hitler. Dopo la fine della cena, quando la ristretta compagnia degli ospiti ebbe finito i propri liquori ed ebbe fatto una passeggiata nei terreni della tenuta, Speidel e Jünger sparirono in un'ala appartata del palazzo per discutere sul contenuto del documento.

Alle 21.15 ora europea (20.15 ora inglese) la BBC iniziò a diffondere i messaggi d'azione a codice aperto che informavano la Resistenza francese di tenersi pronta all'invasione entro quarantotto ore. Sin dalla sera del 1° giugno, quando era stata trasmessa la prima parte della strofa della poesia di Verlaine, un servizio di intercettazione tedesco era rimasto in alto stato di allerta. Alle 23.37 un ufficiale di basso rango dei servizi informativi del generale Alfred Jodl, capo delle operazioni dell'OKW, ricevette una comunicazione urgente da

Oskar Reile a Parigi con cui questi lo informava che i messaggi della BBC comprendevano la seconda parte della strofa: "Bercent mon cœur d'une langueur monotone". Ciò significava che il D-Day era imminente. Reile comunicò la notizia anche al quartier generale di Rommel a La Roche-Guyon e a quello di von Rundstedt Parigi, oltre che a Zossen e al quartier generale della XV Armata.

Nessuno lo prese sul serio, e il dispaccio venne o archiviato o eliminato: c'erano stati troppi falsi allarmi in precedenza e in ogni caso quell'informativa non forniva alcun indizio riguardo a dove avrebbe avuto luogo l'invasione; inoltre era sufficiente dare un'occhiata fuori dalla finestra per rendersi conto che il tempo non era favorevole per una traversata della Manica. Al quartier generale di Jodl il rapporto venne semplicemente archiviato. A Parigi quel messaggio di cruciale importanza venne raccolto dal colonnello Bodo Zimmerman, l'ufficiale del comando operativo di von Rundstedt, il quale era disposto ad ammettere che potesse annunciare una nuova e intensificata stagione di sabotaggi ma era riluttante a spingersi oltre. "Non possiamo attenderci che l'invasione vera e propria venga annunciata in anticipo dalla radio" dichiarò in un fonogramma inviato a tutte le stazioni. Anche se la XV Armata era stata messa in stato di allerta, nessuno pensava davvero che tale misura avesse grande significato.

A La Roche-Guyon il telefono squillò e il colonnello Staubwasser, ufficiale dei servizi informativi di Rommel, prese la chiamata. Era il quartier generale della XV Armata che riferiva della poesia di Verlaine e dello stato di allerta in vigore in tutto il passo di Calais. Staubwasser mise giù il ricevitore e andò a cercare Speidel. «Chiami il quartier generale di von Rundstedt a Parigi» fu la risposta del capo di stato maggiore «e chieda consiglio a loro.» Ma tutto quello che Staubwasser riuscì a ottenere fu una reazione scettica di Zimmerman e l'ordine di non allertare la VII Armata lungo la costa della Normandia. Dato che ciò corrispondeva alla ferma convinzione di Staubwasser, che a sua volta riecheggiava quella di Rommel, secondo cui l'invasione sarebbe avvenuta più a est, nel settore della XV Armata, che comprendeva il passo di Calais, non mise in discussione l'ordine. Anche lui era al corrente dei messaggi in codice della BBC, ma riteneva che, siccome venivano trasmessi di continuo, tale fatto non indicasse l'imminenza dell'invasione. "In base a precedenti esperienze, l'accresciuta frequenza di segnali di allerta trasmessi dalla radio nemica dal 1° giugno e indirizzati alle cellule clandestine francesi" riferì "non va interpretata come un'indicazione di un'invasione imminente."

D'altra parte nemmeno Speidel era allarmato. Intorno a mezzanotte i suoi ospiti cominciarono a lasciare il castello per l'ormai pericoloso e difficile rientro in automobile a Parigi e all'una del mattino lui era a letto. Quella notte anche l'ammiraglio Krancke, comandante del Gruppo navale ovest, ricevette rapporti riguardo ai dispacci della BBC, ma, abituato ai falsi allarmi, giudicò che non meritassero troppa attenzione. Fra l'altro il tempo nella Manica era pessimo, con venti forza 5-6, nubi fitte e mare agitato. Era una notte improbabile per un'invasione.

Così la pensava anche il generale Friedrich Dollman, che con la sua VII Armata aveva occupato la Normandia. Aveva ordinato a tutti i suoi comandanti di divisione, oltre che ad alcuni comandanti di reggimento, di prendere parte a un'esercitazione a Rennes, in Bretagna, che avrebbe avuto inizio alle dieci del mattino del giorno seguente. Ma sebbene fosse stato ordinato loro di aspettare fino a dopo l'alba per mettersi in viaggio, entro mezzanotte già metà dei partecipanti si trovava nelle rispettive stanze d'albergo a Rennes o ancora per strada, comunque lontano dai posti di combattimento. Uno di loro, il generale Edgar Feuchtinger, comandante della 21ª divisione corazzata, si trovava a Parigi, dove trascorse la notte con un'amica.

Alla solita ora André Heintz sintonizzò la sua radio per ascoltare le poesie in codice della sera e udì il fatidico messaggio che aveva atteso sin dal suo incontro con Madame Bergeot: "I dadi sono sul tavolo". Ora sapeva che l'invasione sarebbe potuta iniziare entro quarantotto ore. Ma dove per la precisione? Continuava a non averne idea.

Non devo assolutamente andare a letto, fu il suo primo pensiero; si ricordò anche che avrebbe dovuto incontrare Courtois il mattino seguente. Rimase alzato più a lungo che poteva e, quando finalmente andò a coricarsi, tenne i vestiti addosso.

"Quanto a me, me la passo benissimo" aveva scritto Walter Schwender quel giorno ai genitori "e spero lo stesso di voi. Le ciliegie e le fragole sono ancora ottime. E, alla fin fine, questa è la cosa principale. Naturalmente dalle vostre parti non saranno così avanti." Non c'era altro che potesse turbare la serenità di spirito di quel ventenne, se non un nuovo ritardo nella consegna della corrispondenza, che d'altronde costituiva un evento normale nella vita delle truppe tedesche in Francia.

Allo Château de Bordeaux l'operatore radio George Jones prese nota delle istruzioni d'azione per il circuito Headmaster di Sydney Hudson: "Les couventines sont désesperées" ("Le conventuali sono disperate") riguardava gli attentati alle ferrovie, "On les aime pas, on les supporte" ("Non piacciono, ma si sopportano") quelli alle strade e "La valse fait tourner la tête" ("Il valzer fa girare la testa") quelli alle linee telefoniche e telegrafiche.

Hudson, tuttavia, era nascosto insieme a Sonia d'Artois nel rifugio segreto di Le Mans, e dato che ormai era iniziato il coprifuoco non c'era più modo di fargli arrivare la notizia. In ogni caso Jones e Hudson avevano stabilito di incontrarsi al castello il mattino seguente alle undici. Gli avrebbe comunicato la notizia allora.

Alle nove di sera il *Tuscaloosa*, in rotta verso Utah Beach, aveva trovato mare grosso e navigava osservando rigorosamente il silenzio radio. Nel cielo torreggiavano banchi di nuvole minacciose. I soli segnali radio che si ricevevano erano quelli della BBC: David Bruce ascoltò i servizi sulla liberazione di Roma realizzati dai corrispondenti sul posto; in sottofondo riusciva a distinguere l'esultanza della folla e lo sferragliare dei carri armati.

La colazione a base di uova e pancetta era stata ordinata per mezz'ora dopo: un chiaro avvertimento del fatto che l'azione era imminente. Da quel momento in poi, il cibo sarebbe stato disponibile a intervalli irregolari e imprevedibili. A bordo dell'incrociatore americano gli uomini erano in stato di allerta: molti di loro erano intenti a fumare la pipa o la sigaretta e sembravano lieti della prospettiva di iniziare a combattere. L'ammiraglio Deyo si era esercitato con il sacco da boxe, aveva fatto un bagno e poi aveva cenato insieme a Donovan e Bruce: il menu comprendeva finto brodo di tartaruga, bistecca con verdura e gelato alla vaniglia con crema al cioccolato. Anche Donovan era fresco, rasato e pronto a entrare in azione. Si era abbottonato i pantaloni sopra le caviglie, aveva indossato scarpe con le suole di gomma, aveva tirato fuori il suo berretto di lana verde oliva e mangiava tranquillamente una mela: segno infallibile, osservò Bruce, che si preparava ad affrontare dei guai.

Quando mancava un quarto d'ora a mezzanotte Bruce sentì il rumore del fuoco di contraerea che proveniva da terra, a dritta, e che durò circa un quarto d'ora. Sullo schermo radar comparvero navi non identificate che procedevano alla velocità di 25 nodi a una distanza di circa venti chilometri. Alla fine fu possibile identificarle come unità amiche. A mezzanotte, improvvisamente salirono alti nel cielo quattro razzi illuminanti, anche questa volta sul lato di dritta, in direzione della costa francese.

Sul finire di quella giornata, dopo aver recuperato il sonno arretrato, l'ammiraglio Ramsay annotò nel proprio diario gli eventi di quella mattina a Southwick House. "Così" scrisse "è stata presa la decisione vitale e cruciale di organizzare e iniziare questa grandiosa impresa, la quale, spero, costituirà lo strumento per determinare il crollo della potenza bellica tedesca e la fine dell'oppressione nazista." Era ben consapevole che, sebbene il tempo stesse migliorando, quella sarebbe stata una giornata difficile per tutti coloro che erano imbarcati sulla sua flotta: ora tutto dipendeva dai primi, pochissimi attimi degli sbarchi che erano stati così meticolosamente predisposti. Sapeva anche che in quel momento critico le sorti dell'impresa sarebbero state in equilibrio: per farle pendere a favore degli Alleati si sarebbe dovuto "fare affidamento sul nostro capitale invisibile". Con queste parole intendeva riferirsi al livello eccellente dei loro servizi informativi e alla sorpresa strategica e tattica che era stata predisposta con tanta attenzione dal piano di depistaggio alleato.

Quello era il giorno più importante della vita di Jean Pujol.

Il nocciolo della campagna di depistaggio per il D-Day consisteva nel convincere i tedeschi che gli sbarchi in Normandia erano solo un preambolo diversivo rispetto alla "vera" invasione che sarebbe avvenuta in seguito nel passo di Calais. Lo stratagemma era stato concepito al fine di tenere bloccate le truppe di Rommel nel settore della XV Armata e di non farle affluire come rinforzo di quelle che tentavano di respingere l'invasione vera e propria. Tuttavia, perché ciò avvenisse l'azione di depistaggio sarebbe dovuta proseguire anche dopo il vero D-Day. Garbo sarebbe stato l'elemento chiave per la riuscita del piano, e dunque la sua credibilità doveva risultare solidissima. Per fare in modo che rimanesse tale anche dopo il D-Day, le informazioni sui contingenti alleati da lui inviate a Madrid erano per la maggior parte esatte, salvo che per la posizione di alcune formazioni inventate. Perciò, quando i tedeschi avessero incontrato le vere unità di combattimento nemiche in Normandia, non avrebbero avuto alcun motivo per dubitare di Garbo.

Ma non era ancora abbastanza. La posta in gioco era così alta, e Eisenhower attribuiva al depistaggio dopo il D-Day un ruolo così decisivo, che bisognava tentare qualcosa di molto più audace. Era stato Tomas Harris ad avere il lampo di genio. E se si fosse fatto in modo che Garbo fornisse in anticipo informazioni sul D-Day vero e proprio? Nel momento in cui fosse risultato che erano esatte, la sua credibilità sarebbe aumentata a livelli tali che i tedeschi avrebbero abboccato all'esca di un secondo sbarco. Il trucco, naturalmente, sarebbe consistito nell'allertare il nemico in anticipo, ma troppo tardi perché le informazioni potessero permettergli di correre ai ripari. Pujol aveva accolto questa proposta con entusiasmo, e anche se lui e Harris avevano dovuto lottare duramente per farla accettare alla fine ci erano riusciti; ora stavano completando gli ultimi dettagli di quel piano così rischioso.

Dopo un intenso dibattito con i collaboratori di Eisenhower l'équipe che gestiva il doppio gioco aveva autorizzato Garbo a inviare a Madrid un avvertimento di invasione imminente il giorno 6, con un anticipo di sole tre ore e mezzo sullo sbarco delle prime truppe in Normandia: sulla base della loro conoscenza del sistema delle comunicazioni dell'Abwehr Harris e Pujol sapevano che quell'informazione avrebbe raggiunto Berlino solo all'ora H, vale a dire proprio quando stavano cominciando gli sbarchi.

Tuttavia c'era un problema. Garbo, infatti, inviava i suoi messaggi a Madrid secondo un orario di trasmissione scrupolosamente concordato, per avere la certezza che il suo controllore dell'Abwehr fosse in ascolto. Ma le tre del mattino dell'ora legale inglese non rientravano in tale orario, dato che Madrid terminava la ricezione mezz'ora dopo la mezzanotte e non tornava a sintonizzarsi prima delle sette del mattino; perciò si doveva architettare qualche espediente per far sì che i tedeschi fossero in ascolto all'ora giusta.

A questo scopo Harris e Pujol si rivolsero a uno degli agenti fittizi di Garbo, il greco noto come 3(3). Il giorno prima, quando Garbo aveva trasmesso l'informazione del greco su ammassamenti di truppe nei pressi di Glasgow, aveva anche deplorato che il suo inesistente subalterno fosse scioccamente venuto di persona a Londra per riferirgliene: scioccamente, fece notare a Madrid, perché avrebbe potuto perdersi qualche sviluppo importante. Perciò lo aveva subito rispedito a Glasgow con l'ordine di telefonargli, avvalendosi di una speciale parola in codice, nel caso che durante la sua assenza fosse accaduto qualcosa di rilevante. Garbo aveva avvertito Madrid che era importante che qualcuno di loro rimanesse in ascolto, nell'eventualità che il subagente telefonasse nel cuore della notte: in tal modo avrebbero potuto ricevere la notizia immediatamente.

Così alle sette di sera, proprio alla vigilia del D-Day, l'operatore radio di Garbo inviò dalla casa di Hendon uno speciale messaggio in morse a Madrid. Insieme a lui c'erano Harris e Pujol, oltre all'ufficiale capo del depistaggio dello SHAEF e a Robertson, detto Catrame, l'ufficiale dell'MI5 che si occupava degli agenti del doppio gioco ed era giunto a Hendon proprio in vista di quell'occasione. L'operatore era Charles Haines, un sottufficiale della sicurezza che in tempo di pace lavorava per la Lloyds Bank ed era stato con Pujol fin dall'inizio della sua vita in Gran Bretagna. Il suo nome in codice era Almura. Harris e Pujol avevano riferito a Madrid che era un riparatore radio e un coscienzioso obiettore di sinistra che aveva parteggiato per i repubblicani durante la Guerra civile spagnola. Ai tedeschi Pujol aveva inoltre detto di aver ingannato Almura fingendosi un repubblicano ansioso di tenersi in contatto con la clandestinità comunista in Spagna. Non avrebbe mai scoperto la verità, aveva assicurato a Madrid, perché i messaggi da trasmettere gli venivano sempre consegnati già completamente cifrati. La trasmittente utilizzata da Almura era un apparecchio portatile da cento watt che era stato confiscato a un vero agente tedesco arrestato in Sudamerica.

"Mancano ancora notizie di 3(3)" esordiva il messaggio. "Mi sono accordato con Almura perché si renda disponibile a ricevere un altro messaggio, perciò dovreste rimanere in ascolto secondo il piano del 2 maggio [un piano di trasmissione di emergenza]. Almura mi riferisce che il vostro trasmettitore ha un pessimo suono e che potrebbe guastare il contatto e suggerisce che regoliate l'apparecchio."

Alle 21.47 Garbo fece seguire un secondo messaggio. "Ho appena ricevuto un telegramma da 3(3) in cui mi avverte che arriverà a Londra stanotte alle 23.00; deve essere successo qualcosa che non può essere spiegato nel codice concordato tra noi per annunciare la partenza della flotta dal Clyde. Perciò questa notte dovrete rimanere in ascolto all'1.00 [le tre del mattino secondo l'ora legale inglese]."

Se il piano avesse funzionato e la stazione di Madrid fosse rimasta in ascolto per ricevere il messaggio di Garbo, che cosa avrebbe dovuto dire loro per incrementare la sua credibilità? Ci voleva qualcosa che i tedeschi potessero constatare con i loro occhi il mattino seguente. E a questo proposito, ancora una volta sarebbero stati i canadesi e il campo di Hiltingbury, tanto familiare a Glenn Dickin, a svolgere un ruolo cruciale.

L'altro agente fittizio di Garbo, 4, si trovava ancora a Hiltingbury, dove i tedeschi lo credevano isolato sin dalla fine di maggio. Harris e Pujol "organizzarono" la sua evasione dal campo, insieme a due radiotelegrafisti statunitensi che avevano deciso di disertare, per quella notte e riferirono che la 3ª divisione di fanteria canadese era partita in vista del D-Day, fornita di razioni di riserva e degli indispensabili sacchetti per il vomito. L'informazione sarebbe dovuta giungere a Berlino quasi nello stesso momento in cui Glenn stava correndo con l'acqua alle ginocchia verso la riva di Juno Beach. Con il che Garbo, uno degli importantissimi capitali invisibili di Ramsay, si sarebbe affermato al di là di ogni dubbio come una fonte attendibile di primissimo rango a proposito dell'invasione.

Quella sera Veronica Owen era di guardia a Fort Southwick. Alle nove il capitano Sinker, ufficiale superiore alle trasmissioni, passò in rassegna gli scriccioli uno per uno e annunciò la notizia. «Siamo partiti» disse a Veronica e alle sue compagne «e prima che finiate il turno le nostre truppe saranno in Francia. Domani è il D-Day.» Poco dopo comparve l'ammiraglio Andrew Cunningham, per manifestare il suo sostegno. Veronica non riusciva a contenere l'eccitazione. Paradossalmente, dato che in quella "notte delle notti" vigeva l'assoluto silenzio radio, non ebbe messaggi da decodificare prima delle sei del mattino, perciò approfittò della calma per scrivere una lunga lettera a casa. "Speriamo che tutto resti tranquillo com'è ora per il resto della notte" scrisse ai genitori. "Meno lavoro c'è, migliore è la traversata."

Da aprile in poi restrizioni rigorose in materia di sicurezza avevano impedito un suo viaggio a Londra. Ora forse avrebbe avuto modo di rivedere i genitori, i quali finalmente avevano lasciato l'affollato hotel di Londra per un appartamento tutto loro e stavano provvedendo ad arredarlo; magari avrebbe potuto raggiungerli per dare loro una mano. Ma dopo averli aggiornati sulle novità personali tornò a parlare della guerra. "La caduta di Roma è veramente una notizia meravigliosa, non vi pare?" scriveva. "Immagino che presto i russi cominceranno ad avanzare spediti e i tedeschi si troveranno accerchiati in una maniera tale che non potranno più venirne fuori."

Sui russi aveva ragione: nello stesso istante in cui Veronica scriveva quella missiva Stalin si trovava al Cremlino, immerso nella lettura dei piani per la futura offensiva sovietica. Su un lato della stanza c'era un lungo tavolo rettangolare dove gli ufficiali del suo stato maggiore potevano srotolare le carte geografiche; oltre il tavolo, sul pavimento, stava un grande mappamondo. Alle pareti erano appesi ritratti di Suvorov e Kutuzov, famosi condottieri russi. Stalin, che camminava a lunghi passi su e giù intorno al tavolo e di quando in quando si fermava per riempirsi di tabacco la pipa, stava seguendo i progressi sul fronte.

Verso la mezzanotte, ora di Mosca, ricevette due telefonate: una dal maresciallo Vasil'evsky, capo dello stato maggiore generale sovietico, l'altra dal maresciallo Žukov, che aggiornarono Stalin sui preparativi per l'attacco imminente. Il leader sovietico aveva già ricevuto il messaggio con il quale Churchill gli comunicava la notizia che il D-Day in Occidente era stato fissato per il giorno seguente. Ora Žukov gli aveva confermato che i preparativi per l'offensiva sovietica proseguivano senza intoppi.

Mentre Hans Speidel riceveva i suoi ospiti a cena nella residenza francese di Rommel, Hitler accoglieva Goebbels alla sua tavola al Berghof. Il ministro della Propaganda era d'umore estroverso e esprimeva i propri punti di vista su una varietà di temi. Fra i commensali vi era anche il generale Kurt Zeitzler, il capo di stato maggiore dell'esercito responsabile del fronte orientale, che aveva molte notizie da riferire sugli accaniti combattimenti contro l'Armata rossa.

Dopo cena assistettero alla proiezione di un cinegiornale e poi si misero a discorrere di cinema e teatro. Eva Braun, che dopo il matrimonio della sorella con Fegelein si sentiva più sicura della propria posizione nella cerchia del Führer, si unì alla conversazione. Goebbels ne rimase impressionato. Stava sviluppando, scrisse "una straordinaria abilità di discernere e di formulare opportuni commenti critici in questo campo". Rimasero a sedere intorno al caminetto, rievocando il passato e chiacchierando, fino alle due del mattino, quando finalmente Hitler andò a letto. "Alla fin fine" annotò Goebbels nel suo diario "l'atmosfera è quella dei cari, vecchi tempi."

Per tutta la serata l'andirivieni tra Whitehall e l'Hotel Connaught proseguì frenetico, nel disperato tentativo di ottenere la collaborazione di De Gaulle in tempo per il D-Day. Alle dieci e mezzo venne convocato al Foreign Office il suo ambasciatore a Londra, Pierre Vienot, il quale smentì che il capo di France Libre si fosse rifiutato di parlare alla radio, ma ribadì la sua decisione di non inviare i propri ufficiali di collegamento sulla flotta di invasione. Tornato al Connaught Vienot vi trovò De Gaulle ancora schiumante di rabbia e per nulla disposto a rinunciare alle sue pretese. Churchill non era altro che un bandito, gridò il generale, e gli Alleati erano deliberatamente partiti con l'idea di imbrogliarlo. «Non mi farò imbrogliare» ribadì. «Nego loro il diritto di sapere se parlerò alla Francia!»

Lo sventurato ambasciatore, tornato a Whitehall con questo messaggio, fu condotto in presenza del primo ministro. Ormai era quasi mezzanotte.

Churchill aveva cenato da solo con la moglie nel suo bunker: un evento raro che rivelava quanto profondamente avvertisse il bisogno del sostegno emotivo di lei in quella notte memorabile. Poi si spostò nella Sala delle carte geografiche, dove diede un ultimo sguardo ai piani di invasione. Mentre osservava un enorme diagramma Clementine gli si accostò per un istante. «Ti rendi conto» le disse «che all'ora in cui ti sveglierai domattina ventimila uomini potrebbero già essere stati uccisi?»

Ma per chi sarebbero morti? Churchill fremeva di rabbia per quella che ai suoi occhi era l'evidente indifferenza di De Gaulle agli sforzi degli alleati e alle possibili enormi perdite. Nel corso della serata aveva detto a varie persone che Eisenhower avrebbe dovuto rispedire il francese ad Algeri, in catene se necessario, e a un certo punto aveva addirittura dettato una lettera in cui ingiungeva a De Gaulle di lasciare immediatamente la Gran Bretagna. Quando arrivò l'ambasciatore del generale Churchill gli rivolse un'altra invettiva appassionata. "Fu un'esplosione di collera" ricorda il francese "un'esplosione di odio per De Gaulle che veniva accusato di 'tradimento nel momento culminante della battaglia'. Per dieci volte mi ripeté che la sua incapacità di comprendere il sacrificio dei giovani inglesi e americani che stavano per morire per la Francia era mostruosa. 'Il loro sangue non ha valore per voi!'." A un certo punto Churchill si spinse ad affermare che, dopo aver conosciuto il generale, riteneva che le disgrazie del suo paese fossero tanto comprensibili quanto meritate.

Quando il colloquio ebbe fine Churchill si rifiutò di alzarsi o di tendere la mano al francese. Ciò nonostante l'ambasciatore conservò la propria dignità. «Lei è stato ingiusto» disse a Churchill. «Ha detto cose non vere e violente che le rincresceranno. Quello che desidero dirle in questa storica notte è che, nonostante tutto, la Francia la ringrazia.» Churchill lo guardò esterrefatto e all'improvviso sembrò profondamente mortificato e commosso.

Mentre a Londra infuriava questa bufera politica Eisenhower aveva già lasciato il suo quartier generale. Dopo un viaggio in automobile di due ore verso nord in compagnia dei corrispondenti della stampa e dei fotografi raggiunse un campo d'aviazione fuori Newbury, nel Berkshire, per assistere alla partenza dei paracadutisti della 101ª divisione aviotrasportata statunitense e della 50ª divisione di fanteria britannica. Centinaia di paracadutisti, molti dei quali con le facce annerite, si accalcavano sulle piste, intenti a predisporre l'equipaggiamento, controllare le armi e prepararsi al lancio. Ike si mescolò agli uomini e fece ricorso alla sua giovialità per metterli a loro agio. «All'inferno, generale, non siamo preoccupati: se c'è qualcuno che dovrebbe preoccuparsi ora sono i crucchi!» disse uno. Un altro, un texano, gli offrì scherzosamente un impiego nel suo ranch dopo la guerra: lì almeno il cibo era buono. Eisenhower si trattenne finché gli uomini furono saliti a bordo degli aerei che, uno dopo l'altro, decollarono. Sul campo d'aviazione scese infine il silenzio. Tornò lentamente all'automobile, e la sua autista, Kay Summersby, si accorse che gli scendevano le lacrime dagli occhi. «Bene» disse Ike «è cominciata.»

In quel mentre un corrispondente di guerra assisteva alla partenza di una squadra di paracadutisti britannici della 6ª divisione aviotrasportata. "Ognuno di quei soldati dalla faccia annerita sembrava tanto largo e spesso quanto era alto a causa della colossale quantità di equipaggiamento che tutti i paracadutisti portavano con sé" scrisse in seguito. "Il generale di brigata e il tenente colonnello tennero brevi discorsi. 'Noi siamo la storia' dichiarò quest'ultimo; ci furono tre urrà e una breve preghiera e, mentre calava l'oscurità, si diressero verso l'aviosuperficie. Per quanto possa sembrare incredibile, gli uomini sul primo camion intonavano a pieni polmoni lo *Horst-Wessel-Lied.*"

Tornato alla sua roulotte a Southwick House Eisenhower si accomodò e si mise a chiacchierare oziosamente con Harry Butcher prima di andarsene finalmente a dormire. Nel momento in cui posò la testa sul guanciale il soldato scelto Bill Tucker era già atterrato sul suolo francese.

La giornata trascorsa al campo d'aviazione di Cottesmore era stata lunga. Aveva ricevuto la notizia che l'invasione era ripartita al momento della sveglia: nell'aeroporto erano parcheggiate decine di C-47, che ora avevano le ali dipinte con le tre bande bianche simbolo della flotta di invasione. Nel complesso sarebbero saltati in questi primi lanci circa tredicimila paracadutisti americani e inglesi e oltre ottocento aerei sparpagliati nei campi d'aviazione di tutta la Gran Bretagna erano pronti a decollare.

Inoltre Tucker aveva finalmente ricevuto le istruzioni di carico definitive. Avrebbe fatto parte di una "squadra di lancio" di diciotto uomini agli ordini di un direttore. Dopo l'ultima riunione informativa controllò per l'ennesima volta l'equipaggiamento e passò nuovamente in rassegna tutto insieme al suo amico Larry Leonard. Come era stato ordinato, si era fatto tagliare i capelli alla lunghezza di poco più di un centimetro, per facilitare le cure nel caso che fosse stato ferito alla testa. Avevano controllato che avesse le sue due piastrine di identificazione intorno al collo. Si era tinto la faccia di nero con una sostanza orribile che gli era andata anche nei capelli e aveva imparato la parola d'ordine di cui avrebbe avuto bisogno una volta atterrato in Francia per distinguere i compagni dai nemici, "Flash" ("Lampo"), a cui bisognava rispondere con "Thunder" ("Tuono") accompagnando la risposta con lo schiocco di un piccolo "grillo", un giocattolo di latta di cui era stato provvisto ogni soldato.

Nelle Midlands, a differenza di quanto avveniva più a sud e lungo la Manica, la giornata era splendida. Via via che le ore passavano fra i compagni di Tucker la tensione andava lentamente crescendo. "C'era un silenzio strano nell'aria" ricorda "come quando nella giungla scimmie e uccelli smettono di schiamazzare tutti insieme perché è in arrivo una tromba d'aria." Molti paracadutisti giocavano a carte o a dadi; lui invece preferiva rimanere tranquillo per conto suo, e di tanto in tanto faceva qualche esercizio ginnico per assicurarsi di essere sciolto e in forma. Lesse qualche altra pagina di *Un albero cresce a Brooklyn*, ma poi lo mise da parte perché faticava a concentrarsi.

Alle dieci, mentre la luce del giorno andava smorzandosi in un meraviglioso tramonto, sentì l'ordine: «Paracadute in spalla!». I fagotti con l'equipaggiamento erano già stati caricati sulle rastrelliere nell'aereo, sicché ora non rimaneva che raccogliere il paracadute principale e quello di riserva dai mucchi accuratamente predisposti sulla pista di decollo e regolare l'imbragatura. Avrebbe dovuto portare con sé circa sessantotto chili di equipaggiamento e, al pari dei suoi compagni, trovarsi carico "come un cavaliere medievale", secondo l'azzeccata descrizione di un osservatore. Quando sentì le parole «Salire a bordo!» si unì agli altri della sua squadra di lancio nel venerando rituale di avvicinarsi alla coda dell'aereo per orinare un'ultima volta prima del decollo, impresa non facile con tutti gli strati di indumenti che aveva addosso; poi si arrampicò faticosamente su per la breve scaletta ed entrò nel velivolo. Lungo ciascun lato della fusoliera correva una lunga panca di metallo, su cui si sedette muovendosi con cautela e sistemandosi accanto a Larry. Come tutti gli altri, si domandava se ce l'avrebbe fatta. Mentre saliva a bordo sia il cappellano Woods sia il sacerdote cattolico, entrambi pronti per saltare insieme ai soldati, recitarono il *Padre nostro*.

I motori sputacchiarono un paio di volte, poi si accesero e ruggirono, aumentando ben presto di regime fino all'urlo stridulo del tutto gas. Il pilota li provò per un paio di minuti, poi calò il gas, disinserì il freno e il C-47 stracarico prese il suo posto nella fila degli aerei che rullavano in attesa di decollare.

Tucker guardò fuori dal finestrino. C'erano centinaia di persone in fila sulla pista, disposte in due o tre file: personale di terra dell'aviazione americana e della RAF, ragazze dell'esercito britannico, cuochi e panettieri del campo. Stavano immobili, non salutavano: si limitavano a fissare la lunga e impressionante fila di aerei. Gesù, è grandioso, pensò Tucker. Ho la sensazione di far parte della squadra vincente.

Arrivò anche il loro turno di decollo e, mentre il C-47 acquistava velocità, le file di persone in attesa furono rapidamente inghiottite dall'oscurità. Sentì l'aereo alleggerirsi improvvisamente mentre si staccava da terra e puntava verso la Francia, in direzione dell'obiettivo di Sainte-Mère-Église. Erano le undici e mezzo. Finalmente era in viaggio.

10

Devono essere gli sbarchi

Il D-Day

Quando il C-47 che portava Tucker oltrepassò la linea di costa e puntò verso le isole del Canale fuori era buio pesto. Virando bruscamente verso est il velivolo si diresse verso la penisola del Cotentin e Sainte-Mère-Église; volava basso e sobbalzava al punto che almeno uno dei compagni di Bill ci rimise immediatamente la colazione. Tucker continuava a girarsi, cercando di avvistare terra, ma non appena vide la costa entrarono in una nuvola fitta e cominciarono a sussultare violentemente. Le nuvole furono illuminate dai lampi improvvisi delle cannonate; il C-47 cominciò a scartare e a impennarsi. Il direttore di lancio urlò: «Alzatevi e agganciate!». La lampada era rossa e intermittente, poi diventò verde. Larry stava proprio dietro di lui. Riusciva a vedere le traiettorie dei traccianti che arrivavano dritte contro di loro. Sentì Larry che gridava «Gesù Cristo, Tucker, non ci pagano abbastanza per questo!». Poi arrivò il comando «Andate!», e il primo a saltare dall'aereo fu il direttore di lancio. Subito dopo Tucker si rese conto di trovarsi in aria con il paracadute aperto. I traccianti continuavano a puntare contro di lui. Dietro di sé sentì un compagno, che era già stato colpito da una pallottola durante il lancio in Sicilia, sbraitare «Figli di puttana, mi hanno colpito di nuovo!».

All'una del mattino David Bruce, che stava a guardare dal ponte della *Tuscaloosa*, sentì gli aerei americani che tornavano indietro. "Mi rincresce per i paracadutisti" annotò nel suo diario. "Questa notte c'è vento forte ed è probabile che verranno malamente dispersi all'atterraggio." L'incrociatore seguiva un canale segnalato da due file di boe posate dai dragamine; a babordo si vedeva una fila interminabile di mezzi da sbarco. All'1.55 annotò che il vento soffiava a 32 nodi e il mare sembrava agitato. Tutti erano avvolti in maglioni e giacche pesanti. Alle 2.35 il *Tuscaloosa* calò l'ancora per aspettare un po'.

Tucker urtò il suolo con un colpo terribile. Si tirò su e verificò che l'equipaggiamento non gli fosse stato strappato dall'aria quando era saltato; era passata da poco l'una. Tutt'intorno sentiva il *click-clack* metallico dei grilli con cui i paracadutisti cercavano di localizzarsi a vicenda nel buio. Vide qualcuno che gli correva incontro e urlò la parola d'ordine, preparandosi a fare fuoco, ma per fortuna era un uomo della sua compagnia. Tre o quattro soldati che si erano lanciati dal suo stesso aereo riuscirono rapidamente a ritrovarsi fra loro e, guidati da un sergente, cominciarono a riprendere contatto con gli altri. Tucker fu lieto di ritrovare Larry sano e salvo. Montarono rapidamente la loro mitragliatrice.

Fino a quel momento non avevano incontrato resistenza. I soli colpi di arma da fuoco che avevano sentito erano indirizzati contro la fila apparentemente interminabile di aerei che passavano rombando a poche centinaia di metri sopra di loro. Quella notte molti paracadutisti americani atterrarono sparpagliati su una superficie molto ampia a causa degli errori di navigazione e della coltre nuvolosa che riduceva la visibilità, ma la compagnia di Tucker atterrò vicino alla zona prevista, nei pressi della chiesa di Sainte-Mère-Église. Non poteva sapere che questo fatto era già risultato fatale ad alcuni suoi compagni.

Poco prima di mezzanotte il sindaco di Sainte-Mère-Église, Alexandre Renaud, era stato svegliato da qualcuno che bussava in modo rumoroso e insistente alla porta di casa sua. Era in vigore il coprifuoco, perciò aprì con cautela; fuori c'era il capo dei vigili del fuoco che indicava in direzione della piazza. «C'è un incendio» spiegò agitato. Dietro di lui Renaud riuscì a scorgere un forte chiarore rossastro, su cui si stagliavano le sagome degli ippocastani intorno alla chiesa. Corse verso il quartier generale tedesco per chiedere il permesso di chiamare i volontari e nel giro di pochi minuti due file di uomini e donne semisvestiti si stavano già passando freneticamente di mano in mano dei secchi d'acqua, nel tentativo di salvare dalle fiamme la villetta di proprietà di Madame Pommier, che sorgeva sul margine del parco di fronte alla chiesa. I soldati della sola unità della Wehrmacht di stanza in città, una batteria antiaerea formata perlopiù da tirolesi abbastanza avanti con gli anni, stavano di guardia mentre gli abitanti lottavano con le fiamme. Quando l'incendio si propagò a una baracca colma di legna secca la campana della chiesa cominciò a suonare disperatamente per chiamare altri aiuti.

All'improvviso comparve proprio sopra le loro teste un aereo enorme. Volava solo centotrenta metri sopra le case, aveva tutte le luci accese e fu seguito da un altro, poi da un altro e da un altro ancora. I civili esausti si interruppero e alzarono lo sguardo verso il cielo illuminato dalla luna. Anche Renaud guardò ed ebbe l'impressione che enormi coriandoli stessero lentamente fluttuando verso terra. Poi si rese conto di che cosa si trattava.

Paracadutisti! I soldati cominciarono a sparare all'impazzata contro i fantasmi che sotto le loro cupole bianche stavano calando sulla piazza. I civili si dispersero in cerca di rifugio e Renaud vide uno dei paracadutisti manovrare furiosamente nel vano tentativo di evitare le fiamme: sprofondò fra le travi incendiate del tetto e finì giù nella fornace accesa, sollevando una nuvola di faville. Dopo di lui ne arrivò un altro, che aveva alcune bombe da mortaio legate alla cintola, e seguì una forte esplosione. Il sindaco vide le gambe di un terzo che si agitavano convulsamente nell'aria mentre veniva colpito da una pallottola. Un altro ancora atterrò sul tetto della chiesa: Renaud, inorridito, vide il suo paracadute impigliarsi sul campanile lasciando il soldato sospeso, facile bersaglio per i tedeschi e spettatore impotente del panico e del caos che imperversavano più sotto. Un americano che atterrò su un castagno gli fece venire in mente un serpente che si cala strisciando con cautela fra i rami, finché venne scorto da un tedesco armato di mitragliatrice: allora le sue mani smisero bruscamente di muoversi e il suo corpo si accasciò immoto nell'imbragatura, penzolando e ruotando sotto la luce della luna. "Se ne rimase lì appeso con gli occhi sbarrati" riferì Renaud "come se stesse fissando i fori delle pallottole."

In mezzo al caos un paracadutista sbucò all'improvviso dall'oscurità, si infilò tra i civili che lavoravano freneticamente alla pompa dell'acqua e formulò poche domande in inglese, ma poiché nessuno capiva una parola, sparì in fretta in una strada laterale. La squadra della Wehrmacht aveva superato il momento di confusione e ordinò a Renaud e agli abitanti del villaggio di fare ritorno nelle loro abitazioni. Mentre attraversavano la piazza e si dirigevano verso casa il sindaco si imbatté in uno dei soldati. «Paracadutisti Tommy, tutti kaputt» disse l'uomo, e insisté per indicargli un americano morto che giaceva accanto al proprio paracadute.

A quell'ora Tucker e un manipolo di altri si erano allontanati dalla città e raccolti in una formazione più numerosa per attaccare in forze. Era ancora buio pesto quando cominciarono ad arrancare lentamente attraverso le enormi siepi divisorie normanne: quei cumuli di terra, alti quanto un uomo adulto e sormontati da un groviglio inestricabile di cespugli e rovi, sembravano zigzagare in maniera imprevedibile per i campi e bloccavano la loro avanzata a ogni svolta. Ricordarono a Tucker i muri di pietra del New England, dove era nato, solo che erano molto più grandi e antipatiche; di sicuro nelle riunioni informative nessuno lo aveva avvertito della loro presenza.

Esausto, fu sul punto di cadere addormentato mentre si riparava dietro una siepe divisoria; più tardi, colto da un accesso di fame, aprì freneticamente le sue razioni di viveri. A quell'ora i pochi tedeschi rimasti in paese stavano organizzando un contrattacco e una mitragliatrice cominciò improvvisamente a sparare da una posizione vicina a loro, sulla sinistra. Tucker, impaziente di entrare in azione, bisbigliò a Larry: «Mettiamola fuori combattimento». Cominciarono ad arrampicarsi su per la siepe divisoria, finché una raffica di proiettili traccianti fece volare via le foglie sopra le loro teste; allora cambiarono rapidamente idea.

Ben presto cominciò a fare chiaro. Tucker ora vedeva che si trovavano su un tratturo un po' incassato, quasi completamente coperto dalle fronde. Di fronte a loro, nell'oscurità, scorsero un contadino francese che era incappato nel mezzo dei combattimenti. Il sergente, ricordando che Tucker aveva studiato francese alle superiori, gli chiese di informarsi se stavano andando nella direzione giusta. «Où est le centre de la cité?» riuscì ad articolare Tucker. Il contadino indicò una direzione e loro si avviarono da quella parte. Uno dei medici della compagnia, William Barrow, altrimenti noto come Red, aveva già il suo bel daffare per identificare i cadaveri che sarebbero stati raccolti in seguito.

Si avvicinarono alla piazza e Tucker cominciò a riconoscere gli edifici che aveva visto nelle fotografie presentate alle riunioni. La sparatoria si era ormai diradata e i civili correvano frettolosamente di qua e di là cercando di mettersi al riparo dallo scompiglio. Tucker pensò di poter fare loro coraggio. «Vive la France!» gridò, ma quelli continuavano a correre a testa bassa alla ricerca di un rifugio. Lui e Larry avevano raggiunto il parco autocarri tedesco nei pressi del centro della città. Montarono la mitragliatrice e cominciarono a sparare, anche se non sapevano bene a che cosa. Dato che nessuno rispondeva al fuoco, strisciarono fino al parco accanto alla chiesa, dove videro un grande albero e un muro di pietra alto circa un metro e mezzo.

Sembrava tutto molto tranquillo, troppo tranquillo. Tucker sentì qualcosa muoversi accanto a lui e brandì attorno la mitragliatrice. Non vide nulla finché non alzò lo sguardo: un paracadutista, appeso ai rami, oscillava piano, avanti e indietro. Aveva l'elmetto calato sulla faccia. Tucker notò che aveva le mani grandi.

Con l'aumentare della luminosità Tucker scorse un altro americano morto disteso nell'erba a una decina di metri, vicino al cancello del parco. Notò che gli mancavano gli stivali. Volse lo sguardo intorno e vide i cadaveri di altri sei paracadutisti appesi agli alberi. Poi avvistò il suo primo tedesco morto, che giaceva supino dinanzi a una delle porte della chiesa. Aveva la pelle un po' azzurrina e dall'angolo della bocca gli colava un rivolo di sangue; la sua uniforme era intatta e accanto a lui c'era il fucile con la baionetta innestata. Sarebbe sopravvissuto, pensò Tucker, se avesse sparato anziché cercare di trafiggere il nemico.

Tucker continuò ad avanzare. Mentre raggiungeva l'altro lato dell'abitato notò vari paracadute vuoti che pendevano dai tetti e dai camini. La compagnia cominciò a radunarsi. Ormai erano circa le cinque del mattino; i tedeschi se n'erano andati e gli americani avevano il controllo di Sainte-Mère-Église. Di fronte al municipio Palla di cannone Krause, il comandante del battaglione, innalzava orgogliosamente la bandiera americana, la prima a sventolare sulla Francia liberata, proprio come si era vantato di voler fare il giorno precedente a Cottesmore. Prima però si era premurato di trovare il cavo delle telecomunicazioni che collegava Cherbourg a Berlino e di tagliarlo; fatto ciò, mandò un corriere dal comandante del reggimento per annunciargli che la città era sotto il loro controllo.

Nel frattempo il sindaco Renaud era tornato a casa, come ordinato dai tedeschi. Alle due del mattino circa sentì un rumore di motori sulla strada e congetturò che la squadra antiaerea stesse evacuando il paese. Sbirciando attraverso le imposte vide delle motociclette sfrecciare via e poche automobili a fari spenti dirette verso sud. Circa un'ora più tardi vide il barlume di fiammiferi accesi e il chiarore di una torcia nella piazza della chiesa. Distingueva alcune sagome umane stese a terra sotto gli alberi. Sono tedeschi o inglesi? si domandò, perplesso da quella faccenda. Come tutti gli altri, era sempre stato sicuro che gli Alleati sarebbero sbarcati nel passo di Calais, il punto più stretto della Manica e l'approdo più vicino a Berlino. In aprile i tedeschi avevano incaricato squadre speciali di piantare nei campi circostanti dei tronchi di legno e di collegarli con filo spinato. «È nel vostro interesse lavorare rapidamente» aveva detto un ufficiale a Renaud. «Una volta ultimato il lavoro, gli aerei e gli alianti inglesi non potranno più atterrare e sarete al sicuro dall'invasione.» Gli abitanti del villaggio si erano fatti una bella risata all'idea che gli Alleati potessero sbarcare in Normandia. I campi alberati, le "candele di Rommel", come le chiamavano, non erano mai stati ultimati.

Poco a poco la notte si dileguò e Renaud si rese conto che gli uomini sotto gli ippocastani non erano Tommy ma americani: aveva visto i loro elmetti rotondi in foto su riviste tedesche. Alcuni di loro erano distesi a terra, altri stavano in piedi dietro il muro del piccolo parco. In confronto all'impeccabile abbigliamento dei tedeschi cui si era abituato in quei quattro anni di occupazione, le uniformi dei GI sembravano logore e trascurate. "Portavano le cartucciere per le mitragliatrici a tracolla e poi avvolte intorno alla vita" ricorda. "Apparivano veramente sgraziati nelle loro ampie uniformi [...] di un colore indefinibile tra il grigio, il verde e il kaki, aperte sul davanti. La casacca aveva un'enorme tasca piena di munizioni e di cibo e un'altra per le bende; c'erano tasche anche sui pantaloni e lungo le gambe, sui lati e sul retro. Portavano legato alla gamba destra un pugnale infilato nel suo fodero." A Renaud il loro aspetto selvaggio e trasandato sembrò quello di gangster di Hollywood o di eroi dei fumetti più che di liberatori.

Quando sorse il sole molti degli abitanti di Sainte-Mère-Église si erano raccolti nella piazza. Tutto era tranquillo. Paracadute giganti, bianchi, rossi e blu, pendevano dagli alberi e dai colmi dei tetti, ondeggiando dolcemente nell'aria, oppure giacevano stranamente sgonfi a terra; erano già stati adocchiati con avidità da gruppi di bambini. Qua e là giacevano sparsi a terra alcuni corpi e in un campo vicino c'era un aliante con le ali strappate, ma nessuna traccia dei soldati che aveva trasportato. La villa di Madame Pommier e la legnaia lì accanto continuavano ad ardere quietamente senza più fiamme. Uno dei suoi vicini stava aiutando un paracadutista ferito, che giaceva in un fosso, a bere da una grossa scodella di latte.

I soldati americani pattugliavano le strade, masticando gomme oppure stringendo una sigaretta fra i denti. Tucker e la 1ª compagnia erano stati messi di riserva e si stavano riposando in un piccolo frutteto di meli sul lato sudoccidentale del paese, quello opposto a Utah Beach. Stava cominciando a fare caldo. D'un tratto Tucker si rese conto che era esausto. Non aveva voglia di parlare. Perciò se ne rimase semplicemente disteso tranquillo, felice di essere sopravvissuto, in attesa di ordini.

Sul ponte della *Hilary*, spazzato dalla pioggia, il vento urlava fra i pali delle antenne radio; lo scafo gemeva e scricchiolava beccheggiando e rollando in mezzo alle ondate. Era l'una del mattino e nella Manica faceva ancora buio. Nel quadrato, su un tavolo della mensa un corrispondente di guerra stava allestendo la sua agenzia di stampa personale; accanto a lui il medico di bordo preparava con cura un posto di medicazione: l'infermeria era già pronta, ma i feriti rischiavano di essere molto più numerosi di quanto stimato e, se necessario, alcuni sarebbero stati curati lì.

Alle cinque del mattino una luce verde cominciò a lampeggiare da uno dei due sottomarini tascabili al largo della costa della Normandia. Nei due giorni precedenti l'unità era rimasta in immersione per guidare verso Juno Beach i canadesi della flotta di invasione.

Glenn Dickin, stringendo il fucile e con indosso il giubbotto salvagente Mae West, si calò lungo la rete stesa sulla murata della *Llangibby Castle* e, con grande cautela, saltò a bordo di uno dei diciotto mezzi da sbarco che portavano le tre compagnie dei Fucilieri di Regina: le imbarcazioni erano state calate con i paranchi nel mare agitato. Stretto insieme ad altri trenta soldati, faceva parte della prima ondata d'assalto; il cappellano del reggimento, capitano Graham Jamieson, era insieme a loro. Quando l'equipaggio dei Royal Marine* e il fuochista della Royal Navy avviarono il motore Glenn si trovava ancora a circa quattordici chilometri dalla spiaggia di Courseulles. Stava facendo chiaro. Dinanzi a loro i mezzi da sbarco che portavano carri armati anfibi e altri mezzi corazzati ondeggiavano furiosamente nel mare agitato. Sarebbero sbarcati per primi e avrebbero aperto il cammino alla fanteria.

Poco dopo i grandi cannoni delle corazzate, degli incrociatori e dei cacciatorpediniere di scorta, assistiti da alcuni dei mezzi da sbarco, scatenarono un enorme fuoco di sbarramento per fiaccare la resistenza delle postazioni di artiglieria a ridosso della spiaggia. C'era un rumore assordante. A bordo del *Tuscaloosa*, a ovest al largo di Utah Beach, ogni volta che veniva sparata una salva David Bruce sentiva i denti battergli nella testa e il ponte tremargli sotto i piedi;

* Truppe anfibie da sbarco. [N.d.T.]

persino i giunti dello scafo sembravano scricchiolare e stendersi allo spasimo. Dalle bocche dei cannoni uscivano volute di un bilioso fumo giallastro e l'aria era acre per l'odore di polvere da sparo, mentre sul ponte ricadeva una fuliggine simile alle ceneri di un'eruzione vulcanica. Al largo di Gold Beach l'incrociatore *Ajax* aprì il fuoco sulla batteria tedesca di Longues-sur-Mer, le cui coordinate erano state precedentemente inviate a Londra dall'amico di André Heintz che lavorava per la Resistenza. Alle 6.20 del mattino, dopo 114 granate da sei pollici, la batteria finalmente tacque.

Dal suo mezzo da sbarco Glenn aveva modo di vedere le granate che esplodevano sulla spiaggia, gli enormi lampi che illuminavano il cielo e i pennacchi di fumo. Quando le navi cessarono il fuoco, un'ora più tardi, il silenzio durò solo pochi istanti. Glenn udì improvvisamente un rombo di motori e le ondate di aerei che seguivano, celate dalle nubi fitte, scaricarono le loro bombe sulle fortificazioni difensive della spiaggia di fronte al centro abitato.

Per i fucilieri canadesi infreddoliti, fradici e impauriti, sballottati nel loro mezzo da sbarco per tre ore e costretti a inghiottire manciate di pillole contro il mal di mare, quella fu una visione rincuorante. Tutti sapevano che cosa era accaduto due anni prima a Dieppe: l'assenza di una copertura aerea e di bombardamenti prima dello sbarco aveva fatto sì che le truppe si trovassero sotto un fuoco assassino che aveva ucciso o mutilato la maggior parte degli uomini nel momento stesso in cui avevano posto piede sulla spiaggia. Questa volta sarebbe stato diverso, perché quando i cannoni delle navi e le bombe degli aerei avessero martellato per bene le difese costiere i soldati avrebbero guadato il tratto fino a riva incontrando una resistenza ormai esigua o comunque demoralizzata. I John avevano discusso e rimuginato all'infinito sulle loro probabilità di sopravvivere agli sbarchi. Gordon, l'amico di Glenn, era piuttosto fiducioso: dopo Dieppe, sosteneva, i nazisti avevano subito dure sconfitte in Russia e in Italia e sarebbero stati sopraffatti dalla potenza navale e aerea alleata. Pensava che i pochi tedeschi rimasti si sarebbero arresi immediatamente.

Purtroppo il suo ottimismo si sarebbe rivelato infondato. La densa coltre di nubi, che aveva tanto preoccupato Stagg e i comandanti dell'aviazione, aveva infatti costretto gli aerei a ricorrere al radar anziché al contatto visivo per identificare gli obiettivi; gli equipaggi, temendo di colpire gli uomini sui mezzi da sbarco, avevano dunque ritardato di vari secondi il lancio del carico, e così gran parte delle difese costiere di Courseulles era rimasta intatta.

Glenn lo avrebbe scoperto presto. Quando i bombardieri terminarono il loro lavoro il suo mezzo da sbarco si trovava ancora a circa quattro chilometri dalla costa. Improvvisamente virò e cominciò a girare: lo specchio d'acqua che li separava dalla spiaggia era così affollato di imbarcazioni che era stato dato l'ordine di posticipare il momento dell'approdo. Dopo che si furono fatti sballottare per dieci minuti in mezzo alle onde ripresero a navigare verso la spiaggia. Glenn riusciva a distinguere chiaramente la battigia e cominciò a identificare i punti di riferimento che aveva imparato a memoria: le guglie delle chiese di Bernières e di Courseulles, le dune coperte di erba, le bianche spiagge incontaminate. Controllò ancora una volta l'equipaggiamento e le munizioni, si assicurò di avere borracce d'acqua e razioni di cibo a sufficienza e si aggiustò il giubbotto salvagente Mae West. Quando erano circa un chilometro al largo le pallottole delle mitragliatrici tedesche e delle armi di piccolo calibro cominciarono a rimbalzare contro le fiancate del mezzo da sbarco e a sibilare sopra le loro teste.

Alle 8.15 venne calata la rampa. Glenn, tenendo il fucile alto per non bagnarlo, cominciò a correre avanti più veloce che poteva, immerso fino al petto nella risacca e con trentacinque chili di carico sulla schiena, cercando di raggiungere la spiaggia. Non c'era tempo per avere paura: ci si poteva concentrare solo sulla sopravvivenza. Alla sua destra sentiva il rumore di una mitragliatrice pesante: la compagnia A, che era sbarcata contemporaneamente alla sua, rimase bloccata dal fuoco che arrivava dalla grossa casamatta accanto al molo, uscita indenne dal bombardamento; i soldati vacillavano nell'acqua e crollavano sulla spiaggia. Vide che alcuni dei carri armati più avanti erano già stati neutralizzati: non si muovevano né sparavano più.

Era arrivato sulla spiaggia asciutta. Tenendosi basso corse a tutta velocità per cinquanta metri, si arrampicò con foga sull'argine e riuscì a superare il filo spinato senza farsi colpire.

Di fronte a lui c'era Courseulles. Mentre la compagnia B si faceva furtivamente strada dalla spiaggia nel labirinto di vie del paese, i soldati tedeschi nascosti nelle case fortificate cominciarono a infilarsi dietro di loro, percorrendo le trincee e i tunnel che erano stati predisposti con grande cura. In quel momento però il compito di Glenn era aiutare la sua compagnia ad avanzare e ad assumere il controllo degli obiettivi; dei tedeschi avrebbero dovuto occuparsi i fucilieri che li seguivano in posizione arretrata.

Sulle mappe che erano state distribuite in previsione del D-Day i pianificatori avevano accuratamente suddiviso la città in isolati numerati da 1 a 12, e la compagnia B sapeva con precisione verso quali dirigersi. Grazie agli ingrandimenti delle foto aeree Glenn sapeva esattamente dove i tedeschi avevano stabilito i loro capisaldi. Riusciva a riconoscere il terreno quasi come se stesse percorrendo le vie di Manor. Inoltre era stato addestrato al combattimento strada per strada.

Facevano progressi continui. Avevano sferrato un attacco all'isolato 2, completando il lavoro in tempo, e mentre la compagnia A continuava a combattere sulla spiaggia avevano sgomberato anche gli isolati 4 e 5. Un vecchio palazzo che si affacciava sulla piazza del mercato ospitava il quartier generale militare tedesco del posto. Dietro di esso, in un frutteto, c'erano ripari antiaerei robustamente fortificati. I Fucilieri di Regina non incontrarono molte difficoltà ad attaccare l'edificio e a penetrarvi; ben presto gli ufficiali sopravvissuti si arresero oppure scapparono. A quel punto le ondate di riserva della fanteria e decine di carri armati erano giunte sulla spiaggia ed erano pronte a fornire il loro appoggio. Erano approdati anche il comandante del reggimento, colonnello Foster Matheson, e il quartier generale del battaglione. E c'era anche Gordon Brown.

L'amico di Glenn era sopravvissuto per un pelo a uno sbarco difficoltoso con i suoi veicoli. Il suo mezzo da sbarco aveva urtato due mine che avevano danneggiato malamente la rampa, impedendone l'abbassamento, e lui era dovuto saltare fuori dal suo cingolato armato di mitragliatori Bren e muoversi nell'acqua alta fino alla cintola per spingere giù la rampa a mano. Poi aveva dovuto attendere che un bulldozer costruisse una rampa prima che i suoi veicoli potessero salire sull'argine. Mentre controllava le operazioni di scarico la fucilata di un cecchino lo aveva mancato di poco. Aveva trovato suo cugino Doug, sbarcato con la compagnia A, ferito sulla spiaggia: era uno degli 85 uomini, sui 120 del complemento, rimasti uccisi o feriti. Vide molti altri corpi che giacevano scomposti a terra.

Alle undici i Fucilieri di Regina avevano conquistato il controllo di Courseulles. I civili andarono loro incontro accogliendoli con fiori e bottiglie di vino nascoste per lungo tempo ai nazisti vennero dissotterrate dai giardini o recuperate dalle soffitte e offerte ai liberatori stanchi e assetati. Quasi tutti i tedeschi erano morti o fuggiti; alcuni, fatti prigionieri, erano stati condotti in colonna sulla spiaggia e costretti a togliere i corpi dalla battigia e ad ammucchiarli accanto all'argine. I barellieri stavano già caricando i feriti più gravi sui mezzi da sbarco vuoti che avrebbero effettuato un servizio navetta portandoli sulle navi al largo; prima della fine della giornata sarebbero stati al sicuro negli ospedali di Southampton o di Portsmouth. Quasi tutti i caduti erano stati colpiti sulla spiaggia. C'erano stati pochissimi combattimenti nelle strade del centro abitato; il problema principale erano stati alcuni cecchini.

Dopo aver riposato per un'ora circa e aver buttato giù le loro razioni Glenn e la compagnia B si spostarono in direzione di Reviers, un piccolo centro appena un po' più nell'entroterra. Era l'una e mezzo. Fino a quel momento tutto era andato bene.

Poco dopo mezzanotte André Heintz sentì alcuni aerei che passavano nel cielo. Il fitto fuoco di risposta dell'antiaerea proseguì molto più a lungo del solito. Intorno alle due e mezzo, ormai del tutto sveglio, si era improvvisamente reso conto che il vero obiettivo del D-Day doveva essere la Normandia e non il passo di Calais. Sentendo che la madre usciva dalla sua stanza da letto le andò incontro sul pianerottolo. «Devono essere gli sbarchi» disse lei, ma neanche allora André fu disposto a confessare che sapeva. «Perché non ti sei spogliato?» gli domandò, notando improvvisamente i suoi vestiti. Lui si strinse nelle spalle e rientrò in camera.

Guardando fuori dalla finestra non colse alcun indizio che stesse accadendo qualcosa al quartier generale tedesco dall'altra parte della strada. Poi, alle 3.45, sentì il rombo della motocicletta di un portaordini che sopraggiungeva urlando. Ma anche dopo per un po' tutto rimase tranquillo. Circa tre quarti d'ora più tardi vide vari veicoli che si allontanavano. Sua madre, disturbata dal rumore dei motori su di giri, uscì nuovamente sul pianerottolo e ancora una volta André fece finta di ignorare che cosa stesse accadendo.

Quasi nello stesso istante il cielo a settentrione cominciò a illuminarsi: gli enormi calibri delle navi alleate avevano iniziato il cannoneggiamento delle difese costiere. L'orizzonte apparve soffuso di un chiarore rosso cupo. «Forse sarà una buona idea riempire di acqua la vasca da bagno» disse André alla fine. «Chissà cosa succederà adesso.» Lei corse giù in cantina e seppellì i suoi gioielli, poi controllò il gas. Era ancora allacciato, perciò cucinò rapidamente un'enorme pentola di patate. Appena in tempo: alle otto del mattino la fornitura di gas, elettricità e acqua sarebbe stata interrotta, e l'erogazione non sarebbe stata ripristinata per settimane. André provò compassione per la popolazione dei centri abitati lungo la costa che si trovava sotto il cannoneggiamento.

Quel mattino si presentò al suo appuntamento segreto alla stazione Saint Pierre. Passò accanto a molte persone che uscivano per le loro consuete occupazioni: i cittadini di Caen avevano fatto l'abitudine ai bombardamenti e ai sorvoli di aerei, e anche quelli che avevano sentito l'annuncio degli sbarchi dato dalla BBC, come il padre di André, davano per scontato che stessero avvenendo più a nord. Alcuni, comunque, stavano facendo incetta di cibo. Quando il treno da Ouistreham non arrivò e Courtois non si presentò all'appuntamento fu un duro colpo per André: all'improvviso si sentì completamente tagliato fuori dalla Resistenza, bloccato e impotente. Non sapeva nemmeno come mettere le mani su una pistola: solo Courtois avrebbe potuto dirgli dove erano nascoste le armi. Dopo mesi e mesi di attesa, era un epilogo tremendo e demoralizzante.

Alla fine dovette entrare in azione per forza. Quel pomeriggio Caen fu sottoposta a un'accanita incursione di bombardieri alleati e molti antichi edifici del centro cittadino, con la struttura portante in legno, andarono in fiamme: i vigili del fuoco furono sopraffatti e centinaia di feriti richiesero l'intervento di ambulanze di fortuna e invasero i posti di pronto soccorso. "Sarei più utile se aiutassi la Croce Rossa" pensò André, e allora improvvisamente seppe che cosa doveva fare. Sua sorella Danielle era un'infermiera e gli trovò un lavoro nel personale del servizio di ambulanza. Mentre si affrettava per raggiungere uno dei centri di soccorso fu sorpreso da un'incursione aerea e trovò riparo in un portone. Correndo, guardava le bombe cadere e aveva la sensazione di essere intrappolato in mezzo a due linee ferroviarie su cui i treni stavano correndo all'impazzata contro di lui. Improvvisamente vi fu una terribile esplosione e si alzò un'enorme nube di polvere: la casa alle sue spalle era stata colpita in pieno da una bomba. Sebbene fosse stordito, si mise a dare una mano come meglio poteva, mentre le ambulanze trasportavano via i feriti, da tre a sei alla volta. Rimase stupefatto quando da una credenza uscirono illese due ragazze che vi avevano trovato rifugio.

Più tardi l'ospedale Bon Sauveur, l'ex manicomio dove lavorava Danielle, fu bombardato da un aereo alleato e diversi pazienti rimasero feriti, mentre i pochi internati ancora ricoverati lì si misero a girare urlando per i reparti. «Devi fare qualcosa, André» disse Danielle. La soluzione più ovvia sarebbe stata dipingere una croce rossa sul tetto dell'edificio, ma come poteva André trovare vernice rossa in quel momento, con i negozi in gran parte chiusi e i trasporti urbani nel caos? Pensò di rivolgersi a una delle chiese locali per chiedere quelle passatoie rosse che venivano stese all'ingresso in occasione dei matrimoni, ma la trovò chiusa e nessuno riusciva a scovarne le chiavi. Finalmente, in preda alla disperazione, lui e Danielle presero quattro grandi lenzuola bianche dal magazzino di biancheria dell'ospedale, le intinsero in secchi di sangue che avevano trovato in una sala operatoria e le stesero in modo da formare una croce nell'orto dell'ospedale. Proprio mentre stavano lavorando un aereo sbucò dalle nuvole e puntò dritto su di loro. Stavano per mettersi al riparo quando il pilota fece oscillare le ali: aveva riconosciuto la croce rossa e cabrò virando bruscamente, per sparire di nuovo nella nuvola. Più tardi le suore dell'ospedale trovarono alcune vecchie tende di colore rosso e le disposero sul tetto.

Alla fine della giornata André era completamente intontito dalla fatica, ma in compenso aveva trovato il ruolo attivo che agognava. Ora sapeva come fare la sua parte per il paese nel D-Day.

Quella mattina Alexis Lelièvre, il precedente contatto di André con la Resistenza, con il quale si era incontrato regolarmente nella chiesa locale, venne ucciso in prigione dalla Gestapo con un colpo di arma da fuoco. Fu uno dei circa settanta prigionieri trucidati dai nazisti in un'efferata serie di esecuzioni avvenute nel D-Day.

Gli ordini della Gestapo erano stati chiari. Nessun prigioniero politico sarebbe dovuto cadere nelle mani degli invasori: per loro era prevista la deportazione in Germania. I piani per evacuare quelli che si trovavano a Caen erano già in fase di attuazione quando comparvero gli Alleati. Così alle quattro del mattino, quando fu dato il primo allarme, ebbero inizio i preparativi per trasferirli alla stazione ferroviaria principale di Caen, dove avrebbero dovuto essere caricati sul treno per Belfort, una località nei pressi del confine franco-tedesco. Ai prigionieri fu ordinato di raccogliere i loro effetti personali. Ma un'ora dopo la stazione di Caen venne distrutta da un bombardamento alleato e i comandanti dell'esercito dissero a Harald Heyns, il responsabile locale della Gestapo, che avevano bisogno di tutti i loro camion e quindi non potevano fornirgli alcun mezzo di trasporto; allora Heyns telefonò dal suo ufficio di rue des Jacobins alla centrale della Gestapo a Rouen per chiedere istruzioni.

Alle otto, mentre Glenn Dickin lottava per raggiungere la riva di Juno Beach, Kurt Geissler, l'aiutante di Heyns, si presentò alla prigione insieme ad altri tre uomini della Gestapo. «Siamo qui per giustiziare i nostri prigionieri» annunciò. «Bisogna farlo qui, immediatamente.» Trasse di tasca un elenco di nomi.

Vennero scavate in tutta fretta alcune fosse fra le aiuole di un cortiletto cui si accedeva da un passaggio coperto fra due edifici.

Poi lungo i corridoi del terzo piano della prigione, dove venivano tenuti i "politici", risuonò il grido: «Fuori! Fuori! Le mani sulla testa. Lasciate lì i vostri pacchi!». I prigionieri furono scortati a sei per volta giù per le scale e poi fatti uscire dal portoncino che dava sul passaggio coperto. Si sentiva una raffica di mitragliatrice, qualche isolato colpo di pistola, e poi venivano portate di sotto le vittime successive.

Alle dieci e mezzo l'eccidio fu sospeso e la squadra della Gestapo tornò in rue des Jacobins. Quattro ore dopo si presentarono di nuovo alla prigione con un'altra lista. Ricominciarono le fucilazioni. Quando ebbero finito, a pomeriggio inoltrato, tutti i prigionieri politici, sia uomini sia donne, erano stati uccisi. Mentre André cercava freneticamente di realizzare una croce rossa con lenzuola intrise di sangue per proteggere l'ospedale della sorella, i soldati tedeschi erano intenti a gettare secchiate d'acqua in terra per cancellare le tracce del massacro nella prigione di Caen.

Sonia d'Artois era profondamente addormentata nel rifugio segreto di rue Mangeard quando fu svegliata, di primo mattino, dal suono delle forti esplosioni con cui i bombardieri alleati stavano mettendo fuori uso la stazione ferroviaria. Sydney Hudson dormiva su un divano in soggiorno, al piano di sotto, e quando sentì il bombardamento salì su di corsa per vedere se Sonia stava bene. Ma non si sarebbe dovuto disturbare: lei se ne stava tranquillamente distesa e non era affatto spaventata.

Dopo colazione Hudson inforcò la sua bicicletta e percorse i sedici chilometri fino al castello per andare al suo appuntamento delle undici con George Jones. Al suo arrivo l'operatore radio gli riferì dei messaggi in codice della notte precedente e lo informò che gli Alleati erano sbarcati quella mattina.

Hudson rimase quasi deluso dalla notizia del D-Day. Le istruzioni radio inviate a lui e al suo circuito seguivano lo schema generale del SOE: lanciare attacchi immediati ai sistemi di comunicazione tedeschi, cioè linee telefoniche e telegrafiche, strade e ferrovie. Il suo obiettivo principale erano i cavi del telefono, che vennero fatti oggetto di ripetuti attentati. Per impedire ai dipendenti delle poste francesi di riparare le linee, poi, gli uomini di Hudson sparsero la voce che in corrispondenza dei punti in cui i cavi erano stati tagliati c'erano trappole esplosive; così furono gli stessi tedeschi a doversi accollare il lavoro. Headmaster riuscì inoltre a far saltare in aria il centralino telefonico militare di Le Mans.

Ma la mattina del D-Day Hudson ebbe la sensazione di non essere ancora del tutto pronto a entrare in azione. La Sarthe si era già dimostrata un terreno di reclutamento piuttosto arido, e paradossalmente la notizia dell'invasione aveva reso ancora più arduo il suo compito. In seguito, nel suo rapporto al SOE a Londra Hudson avrebbe descritto così l'impatto degli sbarchi: "Si direbbe che abbiano avuto un effetto nefasto sul morale della popolazione. Un numero considerevole di persone, vedendo che si avvicina la possibilità di entrare in azione, ha paura e pensa alle responsabilità che ha nei confronti delle proprie famiglie".

Dopo che Hudson se ne fu andato in bicicletta Sonia uscì e fece la sua solita pausa in un caffè del luogo. La radio era accesa e rimase stupita dalla notizia degli sbarchi alleati: non se li aspettava così presto. Più tardi, quando lei e Hudson si incontrarono di nuovo, si sedettero a riflettere su ciò che avrebbero dovuto fare. Il loro primo pensiero fu abbandonare il castello: senza dubbio i rinforzi tedeschi sarebbero passati presto per Le Mans e il loro rifugio segreto sarebbe stato requisito. Inoltre ipotizzarono che l'avanzata alleata sarebbe stata rapida, perciò decisero di reclutare più in fretta possibile bande di giovani per tre formazioni del maquis. Si sarebbero nascosti nei boschi dei dintorni e avrebbero formato il nucleo di piccoli gruppi che avrebbero eseguito azioni di sabotaggio e di disturbo della Wehrmacht ogni volta che se ne fosse presentata l'occasione.

Albert Grunberg, nel suo nascondiglio parigino, fu svegliato alle quattro del mattino dal sonoro russare del fratello. Restò disteso per un po' cercando di riprendere sonno, ma alla fine si diede per vinto e decise di provare ad ascoltare la radio. Trovò un'emittente americana e la BBC: entrambe parlavano della liberazione di Roma, ma non dicevano molto di più. Alle otto, quando provò a sintonizzarsi su Radio Parigi, mancava l'elettricità. Si lavò e si preparò un caffè. Tre quarti d'ora dopo Lulu bussò sommessamente alla porta, portandogli cibo da parte della moglie.

Alle dieci del mattino finalmente Sami lasciò libero il letto e Albert sprofondò in un sonno greve, intercalato da sogni agitati, finché non venne svegliato, un'ora e mezzo più tardi, dal professor Chabanaud, il suo vicino del piano di sotto, con la notizia degli sbarchi alleati. Albert, in preda all'eccitazione, bussò alla parete divisoria fra la sua stanza e la cucina per allertare Sami, ma il fratello non se ne diede per inteso e alla fine Albert si risolse a vestirsi e andò alla porta accanto per riferirgli la notizia.

Stranamente, si rese conto di non essere sopraffatto dalla gioia. Fuori tutto rimaneva in silenzio. Nessuno dei vicini che a volte chiacchieravano con lui era venuto a trovarlo, neppure sua moglie né Madame Oudard. Così lui e Sami si trovarono a biascicare senza entusiasmo il loro pranzo solitario. A Parigi il cibo cominciava a scarseggiare sempre più e Albert si disse che pasteggiare a carote semicrude, pane raffermo e formaggio rinsecchito non era una gran cosa. Solo il giorno seguente, quando la notizia ebbe finalmente fatto presa e Marguerite e Madame Oudard vennero a fargli visita, provò un qualche senso di sollievo. Sicuro e lieto che la prigionia sua e di tutta la Francia fosse sul punto di terminare, abbracciò con entusiasmo le due donne. Poi, mentre ascoltavano insieme il notiziario della BBC, sua moglie batté le mani di contentezza come una bambina.

"Ssst!" avvertiva il ministero dell'Informazione con un grande annuncio pubblicato sul *Times* la mattina del D-Day.

> I tedeschi sono disperatamente avidi di qualunque brandello di informazione sui nostri piani di invasione. Una sola parola balorda, pronunciata inavvertitamente, può fornire a orecchie in ascolto indizi importanti sull'intera operazione. Ora più che mai i discorsi sbadati sono pericolosi: possono comportare la perdita di migliaia di vite umane e il ritardo di mesi della vittoria. Che cosa posso fare? Ricordare che quello che a me sembra un fatto risaputo può rappresentare una notizia preziosa per il nemico. Non parlare mai degli spostamenti di truppe o di mezzi o delle unità o convogli della marina in navigazione che posso aver osservato. Non riferire mai nulla sul mio lavoro per l'industria bellica o sulla posizione di fabbriche o sulle consegne di materiale bellico. Prestare particolare attenzione a ciò che dico nei luoghi pubblici (parchi, pub, autobus, ristoranti, stazioni ferroviarie, treni) e parlando al telefono. Qualsiasi cosa veda, apprenda o di cui venga a conoscenza per caso, me la terrò per me.

Il giornale era uscito dalle rotative qualche ora prima che venisse resa pubblica la notizia degli sbarchi in Normandia: i suoi titoli di apertura esaltavano ancora la presa di Roma e nella rubrica riservata alla posta dei lettori si discettava appassionatamente sul tema dei discendenti inglesi di Pocahontas. Sul *Times* non si poteva trovare il minimo accenno all'importanza di quella giornata. In tutta la Gran Bretagna la gente era andata al lavoro come al solito.

La notizia degli sbarchi fu resa nota ufficialmente alle nove e mezzo del mattino da un comunicato stampa dello SHAEF. Suscitò scarsa esultanza, e da questo punto di vista la reazione di Albert fu tipica: il sollievo per la fine dell'attesa era compensato dalla triste consapevolezza che molte vite sarebbero dovute essere sacrificate prima di poter conseguire la vittoria. Soprattutto, il pensiero andava agli uomini che combattevano sulle spiagge nonché ai marinai e agli aviatori che prestavano loro sostegno.

A Londra fu sollecitamente organizzato un rito di preghiera nella cattedrale di St. Paul. La congregazione cantò *O Signore, nostro aiuto nelle età passate* e *Soldati di Cristo sorgete*. Le giovani donne che avevano sentito la notizia mentre erano al lavoro nei loro uffici della City e quindi si trovavano sprovviste del cappello domenicale usarono un fazzoletto come copricapo di emergenza. All'abbazia di Westminster la gente pregò accanto al sacello del Milite Ignoto. Quanti vendevano bandiere per la Croce Rossa fecero buoni affari e la gente si mise tranquillamente in fila alle edicole, in attesa che arrivassero i furgoni a rifornirle delle ultime edizioni dei giornali. L'atmosfera era grave e seria. I negozi ebbero una brutta giornata e lo stesso fu per i taxi; i cinema, i teatri e perfino i pub rimasero semivuoti, come se la gente volesse starsene sola o a casa propria con i suoi pensieri. "In quello strano silenzio" scrisse la giornalista Mollie Panter-Downes "si poteva avvertire la tensione di una città che cercava di proiettarsi al di là dei frutteti, dei campi di grano e dello specchio d'acqua della Manica che la separava da quegli uomini che già cominciavano a morire nei frutteti e nei campi di grano francesi."

A New York le contrattazioni della Borsa furono sospese per due minuti di preghiera; il quotidiano cittadino *Daily News* soppresse gli articoli di fondo per pubblicare il *Padre nostro*. Al Madison Square Park si tenne una riunione pomeridiana di preghiera presso il monumento ai caduti della Prima guerra mondiale. Durante la sua consueta conferenza stampa delle quattro del pomeriggio il presidente Roosevelt disse che bisognava guardarsi da un ottimismo esagerato. «Fino a Berlino non è una passeggiata» ricordò «e quanto prima il paese se ne renderà conto, tanto meglio sarà.» Quella sera parlò alla nazione attraverso la radio e innalzò parole di preghiera rivolgendosi a Dio, commentò un corrispondente, "con toni familiari, colloquiali, quasi fosse un discorso del caminetto che veniva trasmesso verso il cielo."

Nelle chiese di tutto il Canada si celebrarono funzioni che erano state programmate da tempo, e alla Camera dei comuni di Ottawa i membri del parlamento intonarono la *Marsigliese*, cui fece seguito *God Save the King*. Anche il primo ministro Mackenzie King si rivolse alla nazione parlando alla radio. La battaglia sarebbe stata sicuramente dura, e avrebbe comportato costi elevati, avvertì. Non ci si doveva attendere risultati precoci; bisognava bensì essere pronti a rovesci e successi su scala locale. Poi riprese i sentimenti espressi nel messaggio finale rivolto alle truppe d'assalto dal comandante dell'esercito canadese, il generale Crerar. Riponeva la più completa fiducia nei suoi uomini e i tedeschi avrebbero dovuto guardarsi dai canadesi ben più che durante la Prima guerra mondiale. King concluse il suo discorso esortando tutti a pregare per il successo degli Alleati e la sollecita liberazione dei popoli dell'Europa. In Sudafrica, paese che aveva fornito migliaia di combattenti alla causa della guerra, prevaleva un cauto entusiasmo. Il governatore generale partecipò alla funzione di mezzogiorno nella cattedrale di St. George a Johannesburg e la popolazione affluì nelle chiese di tutto il *dominion* britannico per pregare.

Solo a Mosca, dove l'emittente radio sovietica ufficiale diffuse la notizia nel primo pomeriggio, la popolazione affollò le strade in preda all'eccitazione. Mentre gli altoparlanti rendevano note le colossali proporzioni della grandiosa armata del D-Day, alle finestre spuntavano le teste dei curiosi, i passeggeri dei tram saltavano giù dalle vetture, inglesi e americani si vedevano stringere la mano per strada e si formavano capannelli per discutere sulla notizia, mentre perfetti sconosciuti si sorridevano raccontandosi a vicenda i particolari. Un corrispondente di guerra britannico si vide trascinare all'Hotel Moskva per partecipare a una serie interminabile di brindisi a base di vodka con alcuni ufficiali britannici e sovietici, e la sua segretaria venne abbracciata nell'atrio dell'albergo da uno sconosciuto che era venuto a sapere che lavorava per un inglese. La sera le strade, tinte della chiara luce azzurrina della luna, "si riempirono di folla fino all'ora del coprifuoco e [l'atmosfera] palpitava della speranza e dell'allegria tanto a lungo represse in attesa di quel giorno". Il giornalista sovietico Il'ja Ehrenburg, in uno slancio di simpatia internazionalista proletaria, si lasciò trascinare dall'entusiasmo per gli avvenimenti in Normandia: "Gli eroi di Stalingrado e del Dnepr sono fieri dei loro alleati" annunciava estatico. "I soldati della Russia, temprati [dalle battaglie], salutano con tutta l'anima i loro compagni d'armi, i tessitori di Manchester, gli studenti di Oxford, i metallurgici di Detroit, gli impiegati di New York, gli agricoltori del Manitoba e i cacciatori del Canada, venuti da lontano per porre termine alla tirannide nazista."

Nelle prime ore del D-Day il capo dello stato maggiore generale sovietico, Alexander Vasil'evsky, fece visita al quartier generale della

V Armata, che si apprestava a portare l'attacco sul fianco settentrionale dell'imminente offensiva contro i nazisti. Dopo aver attentamente esaminato i piani per coordinare la fanteria, i carri armati, l'artiglieria e l'aeronautica se ne andò pienamente convinto che l'esercito era "saldo, valoroso e in mani affidabili". Quella stessa mattina, alle cinque, i bombardieri pesanti americani decollarono dalla base ucraina di Poltava per un'altra missione. Questa volta il loro obiettivo era la città natale di Alan Grunberg, Galaţi, in Romania.

Prima che Churchill facesse la sua comparsa alla Camera dei comuni era già passato mezzogiorno. L'assemblea era gremita di folla, l'atmosfera controllata. I lavori parlamentari iniziarono come al solito, con le interpellanze ai ministri, poi il presidente annunciò un intervallo di dieci minuti. Il canuto David Lloyd George, premier inglese durante la Prima guerra mondiale, fece il suo ingresso nell'aula e prese posto con studiata teatralità. Clementine, la moglie di Churchill, accompagnata dalla figlia più anziana, Diana, prese posto nella Galleria del presidente. Da ultimo entrò, fra sonori applausi e grida di approvazione, il primo ministro. Dopo essersi scusato per il ritardo impiegò vari minuti per celebrare la liberazione di Roma e l'abilità nel comando delle forze alleate in Italia dimostrata dal generale Alexander. Poi fece una pausa per accrescere la tensione prima di dare l'annuncio che tutti attendevano. «Nel corso della notte e delle prime ore del mattino» riprese «ha avuto luogo la prima serie di sbarchi in forze sul continente europeo. In questo caso l'assalto di liberazione ha avuto luogo lungo la costa della Francia.» Mentre stava parlando, proseguì, gli sbarchi procedevano bene ed era stata ottenuta una sorpresa tattica. Il discorso fu accolto da ulteriori manifestazioni di entusiasmo. Ma il deputato comunista Willie Gallacher fece vibrare la corda dell'emotività osservando che i cuori e i pensieri di tutti dovevano essere «con quei ragazzi e con le loro madri che sono a casa».

Più tardi, nel corso della giornata, Churchill tornò alla Camera per aggiornare l'assemblea sui successivi sviluppi in Normandia ed elogiare Eisenhower per il coraggio dimostrato nel prendere alcune decisioni difficili, soprattutto riguardo al tempo. La caratteristica saliente dell'invasione, dichiarò il primo ministro, erano stati i lanci di truppe aviotrasportate effettuati «su una scala di gran lunga maggiore di quanto si fosse mai visto prima d'ora».

La clamorosa dichiarazione pubblica di Churchill sul fatto che il D-Day sarebbe stato solo il primo di una serie di sbarchi provocò la costernazione di Tomas Harris e del gruppo di collaboratori che si occupavano del doppio gioco di Garbo.

Alle tre di quel mattino Harris, Pujol e Catrame, l'agente Robertson dell'MI5, avevano aspettato, al culmine della tensione, che l'operatore radio Charles Haines riuscisse a inviare il messaggio in codice morse a Madrid per "rivelare" ai tedeschi l'imminenza dell'invasione e fornire così la prova definitiva della credibilità di Garbo. Haines provò, riprovò e provò ancora, ma presto i presenti dovettero accettare una realtà sconfortante: malgrado la richiesta avanzata da Garbo il giorno prima, Madrid non era in ascolto.

Sulla prime quello sembrò un terribile contrattempo, ma Harris, mentre ne stava valutando le implicazioni, ebbe un'intuizione brillante sul modo per approfittare dell'opportunità da esso offerta. Se i tedeschi non si fossero messi in ascolto prima delle otto del mattino, l'orario normale delle comunicazioni, allora lui e Pujol avrebbero potuto inserire nel rapporto informazioni ancora più dettagliate sull'invasione, perché a quel punto gli sbarchi sarebbero stati già ben avviati e dunque ciò non avrebbe comportato alcun rischio per le forze di Eisenhower. A quel punto ai tedeschi sarebbe apparso evidente che "avrebbero potuto disporre di quei dati prima dell'ora H se non fossero stati così negligenti e inefficienti". In tal modo, sotto il profilo psicologico Pujol avrebbe tenuto nuovamente il coltello dalla parte del manico nei confronti dell'Abwehr. Lui e Pujol trascorsero il resto della notte a riscrivere i loro testi.

Alle otto del mattino, in perfetto orario, Haines ricevette una risposta al suo segnale di chiamata e cominciò a inviare i messaggi emendati. Così, per una straordinaria coincidenza, Madrid ricevette i rapporti di Garbo sui sacchetti per il vomito e sulla partenza dei canadesi dal campo di Hiltingbury proprio mentre Glenn Dickin e i suoi amici, ignari attori della messinscena di Garbo, si aprivano la strada combattendo su Juno Beach.

Ma Churchill, con la sua frase alla Camera dei comuni, aveva messo i bastoni fra le ruote agli artefici del depistaggio. Lo stesso aveva fatto Eisenhower, esortando i francesi a non sollevarsi prematuramente bensì ad aspettare "il momento giusto". Voleva dire che ci sarebbero stati ulteriori sbarchi?

Per contribuire alla copertura di Garbo Harris e Pujol avevano lasciato credere che la spia fosse al corrente delle direttive segrete del PWE sull'informazione giornalistica riguardo al D-Day. Inoltrando a Madrid uno di quei documenti inventati di sana pianta, Garbo aveva raccomandato all'Abwehr di leggerlo "al contrario" se voleva scoprirne il "vero" significato e in tal modo superare in astuzia il depistaggio alleato. La direttiva indicava che bisognava "avere cura di evitare qualsiasi riferimento a ulteriori attacchi e diversivi". Se i tedeschi avessero fatto ciò che Garbo aveva detto loro, sarebbero giunti alla conclusione che gli "ulteriori attacchi e diversivi" erano appunto quanto gli Alleati si proponevano di fare.

Tuttavia il discorso di Churchill e i commenti di Eisenhower trasgredivano la direttiva fittizia del PWE, prendendo pubblicamente in considerazione la prospettiva di ulteriori sbarchi, e Harris temette subito che l'Abwehr avrebbe posto domande imbarazzanti; peggio ancora, avrebbe potuto concludere che Garbo aveva inventato quella direttiva e dunque era un imbroglione, un doppiogiochista controllato dagli inglesi.

Così, proprio nel D-Day l'intero futuro di Fortitude South appariva in pericolo, ivi compreso l'importantissimo piano per convincere Hitler che gli sbarchi in Normandia erano soltanto un attacco simulato. Per ironia della sorte, la crisi era provocata da affermazioni che sembravano confortare il piano di depistaggio; inoltre, paradossalmente, ciò accadeva proprio perché sia Churchill sia Eisenhower pensavano di poter dare un apporto a tale piano. I loro discorsi erano stati sottoposti in anticipo allo SHAEF per ottenere il via libera ed erano stati approvati; dunque qualcuno al quartier generale di Eisenhower aveva commesso un errore potenzialmente disastroso.

Ma non c'era tempo per le recriminazioni. Per la seconda volta in ventiquattro ore Harris si trovava di fronte a un evento inatteso. Per il resto del D-Day, mentre i soldati si aprivano l'accesso alle spiagge combattendo, Harris si affannò a rimediare. Decise così di preparare un messaggio serale con cui spiegare tutto a Madrid in maniera plausibile.

Alle otto di quella sera Garbo iniziò a trasmettere e dichiarò sfrontatamente ai suoi superiori tedeschi che sia Churchill sia Eisenhower avevano violato la direttiva del PWE. Ciò aveva suscitato la costernazione all'interno dell'ufficio, dichiarò Garbo, e lui si era sentito in dovere di sollevare la questione con il direttore dell'agenzia in persona, che aveva riconosciuto il problema. D'altra parte, osservava Garbo, il primo ministro e il comandante supremo non avevano veramente altra scelta: Eisenhower doveva scoraggiare sollevazioni premature e in ogni modo le sue parole non erano molto precise. Per parte sua Churchill, data la carica che rivestiva, si era sentito in obbligo di non distorcere i fatti; ovvero, come aveva scritto Harris, che tirava i fili di Garbo da dietro la scena, "i grandi uomini e i condottieri delle nazioni sono vincolati a dire la verità ai loro popoli anche se la verità va contro gli interessi della segretezza". Harris e i pianificatori del depistaggio speravano che questa confessione sconvolgente ma sincera contribuisse a mantenere in gioco Garbo.

Ma il gruppo che si occupava del depistaggio non aveva concluso i suoi compiti per il D-Day. Verso mezzanotte Garbo mandò ai tedeschi un ultimo messaggio di felicitazioni, sottolineando innanzitutto di essere fiero di averli potuti preavvertire dell'invasione. Subito dopo, però, cambiò registro: in un messaggio stizzoso inviato mezz'ora più tardi riferiva di essere appena venuto a conoscenza del fatto che la notte precedente il suo operatore radio, Almura, non era riuscito a inoltrare quel messaggio di importanza vitale. Ovviamente la colpa era tutta di Madrid: non si erano messi in ascolto. Harris e Pujol poterono così dar fondo a un vasto repertorio di termini di ostentata indignazione, che si attagliavano benissimo al carattere focoso e melodrammatico del catalano così come essi lo avevano dipinto nel corso dei due anni precedenti. "Sono veramente amareggiato: stiamo combattendo una battaglia per la vita o la morte e non posso ammettere giustificazioni o negligenze" comunicò Garbo a Madrid. "Non riesco a mandar giù l'idea di far correre dei pericoli al servizio senza alcun beneficio. Non fosse per i miei ideali e la mia fede, lascerei questo lavoro, visto che mi sono dimostrato un inetto. Scrivo questi messaggi nonostante la stanchezza e l'esaurimento dovuti all'eccesso di lavoro che mi ha completamente affranto, affinché vengano inoltrati questa notte stessa."

Così, con questo tono misto di rimprovero e di autocommiserazione, Garbo, l'agente del doppio gioco, concludeva il suo D-Day.

Nella cella di Peter Moen non penetrò nemmeno un bisbiglio sugli eventi della giornata. I secondini eseguirono la prima delle loro due ispezioni quotidiane, chiamando il suo nome e numero e poi spalancando la porta della cella per perquisirla. Uno di loro era stato soprannominato dai prigionieri Nonno. Ogni volta che entrava ficcava il naso in tutti gli angoli, sollevando un putiferio per qualsiasi trascuratezza o banale infrazione del regolamento, e riusciva a rendersi estremamente sgradevole. "Un tipico sorcio di prigione" pensava Moen.

All'oscuro degli sbarchi in cui riponeva ogni speranza di essere liberato Moen trascorse la giornata a chiacchierare oziosamente con i compagni di cella, ma avrebbe desiderato essere lasciato solo. "Nonostante tutto" scrisse nel suo diario "nell'isolamento c'era un'esaltazione che nessuna compagnia può compensare." Anche se aveva smarrito la fede in Dio, continuava a riaffiorare in lui la rigida formazione luterana dell'infanzia, con tutta la sua enfasi sulla responsabilità individuale. Condividere le sventure con i compagni di cella gli era d'aiuto, ma nulla avrebbe cancellato la sua colpevolezza.

Era preoccupato anche per la moglie e per gli amici. Paradossalmente, sapere che anche sua moglie era prigioniera lo faceva sentire più vicino a lei di quanto fosse accaduto durante gli anni trascorsi insieme in tempo di pace. In febbraio, quando ancora si trovava in isolamento, si era svegliato in una limpida mattina d'inverno e si era reso conto che era il compleanno di Bella. "Un bel giorno d'estate, quando la Norvegia sarà tornata a essere un paese libero" scrisse "Bella e io andremo a camminare nei boschi e canteremo: 'Qual è il nome del paese in cui vivi? Felicità!!'. Oh, Dio, prego perché questo mi sia concesso. Bella! Da Mollergaten a Grini, un nuovo legame ci unisce. Soffriamo per la nostra causa e siamo compagni in quello che è per noi un nuovo senso del mondo. Compagna Bella. Vivremo e ameremo."

Il D-Day colse i tedeschi completamente alla sprovvista.

A differenza degli altri accoliti di Hitler Goebbels non aveva una propria casa nell'Obersalzberg, dato che al pari del dottor Morell preferiva soggiornare in un hotel di Berchtesgaden. Rientrando a tarda ora dopo la serata trascorsa con il Führer si fermò alla villa di Martin Bormann per discutere di politica per un'ora circa, ed ebbe così modo di prendere parte al proseguimento delle celebrazioni del matrimonio di Hermann Fegelein e Gretl Braun. Quando finalmente se ne andò un tremendo temporale stava rumoreggiando sopra le montagne. Erano le quattro del mattino.

Un'ora prima il telefono aveva squillato al quartier generale dell'OKW a Berchtesgaden ed era stato riferito dell'arrivo di paracadutisti e alianti sulla penisola del Cotentin. Alle 6.45 il quartier generale della VII Armata telefonò al quartier generale della XV Armata riferendo del cannoneggiamento navale, ma osservando che fino a quel momento non erano avvenuti sbarchi e assicurando di poter fronteggiare la situazione da sé. «Sicché» osservò il generale von Salmuth, comandante della XV Armata «l'invasione nemica è già fallita» e si coricò. Il quartier generale della marina a Parigi impiegò un altro paio d'ore prima di giungere alla conclusione che quegli sbarchi erano le battute d'avvio di un'invasione in piena regola.

Anche allora, però, né von Rundstedt né l'OKW erano convinti. «Siete così sicuri che questa sia l'invasione?» domandò Jodl, il capo delle operazioni. «Stando ai rapporti in mio possesso potrebbe essere un attacco con scopi diversivi.» Solo una successiva telefonata a Berchtesgaden alle 8.15, ricca di particolari sull'enorme flotta di navi al largo della Normandia, riuscì finalmente a convincere l'Alto comando che in effetti gli Alleati avevano aperto il secondo fronte in Europa, atteso da tanto tempo. Un'ora più tardi ne ricevettero la conferma ufficiale per bocca dello stesso Eisenhower, durante la trasmissione del suo discorso alla BBC.

«Il Führer è stato svegliato?» domandò Albert Speer alle dieci, arrivando al Berghof in vista della riunione. «No» rispose un aiutante di campo militare «riceve le notizie dopo aver fatto colazione.» Hitler, ingannato da Garbo e dal depistaggio alleato, da giorni continuava a profetizzare che i primi sbarchi sarebbero stati solo un attacco simulato. Ora nessuno osava svegliarlo solo per dirgli che si era trattato di un trucco.

Quando finalmente si alzò, indossò la vestaglia e udì le novità si mostrò decisamente baldanzoso, come se d'un tratto si fosse tolto un peso. «La notizia non potrebbe essere migliore» spiegò esuberante a Keitel. «Finché erano in Gran Bretagna non avevamo modo di attaccarli. Ora li abbiamo là dove possiamo prenderli.» La sede dell'OKW era suddivisa fra diversi edifici di Berchtesgaden, e così nel corso della mattinata i telefoni suonarono freneticamente in tutto l'abitato, mentre il personale sparpagliato qua e là cercava di delineare un quadro coerente di ciò che stava accadendo sulle spiagge della Normandia.

Quel giorno la consueta riunione militare di mezzogiorno di Hitler si tenne nel castello di Klessheim, a circa un'ora di automobile dal Berghof: vi stava avendo luogo una visita di stato con un pranzo speciale in onore del primo ministro ungherese, il generale Sztójay. All'arrivo del Führer i membri del suo Alto comando si trovavano solennemente riuniti in una stanza laterale e si assiepavano intorno a mappe e carte geografiche. Quando li vide Hitler ridacchiò. «Bene, ci siamo finalmente» disse con la sua larga pronuncia austriaca prima di ribadire che era giunta l'opportunità di regolare i conti con il nemico. Nessuno osò contraddirlo. Göring trasudava il consueto ottimismo, von Ribbentrop non sollevò obiezioni e Jodl aveva un tono sicuro.

Tuttavia lo stesso Hitler si mostrava prudente. «Ricordate?» domandò in tono retorico, dimenticando comodamente le sue precedenti previsioni secondo cui il vero obiettivo dell'invasione sarebbe stato la Normandia. «Poco tempo fa abbiamo ricevuto un rapporto che prevedeva esattamente il momento e il luogo dell'invasione. Ciò dimostra che questa non è la vera invasione.» Solo alle due e mezzo del pomeriggio, in seguito alle richieste insistenti e sempre più disperate che avevano continuato a giungere da Parigi per tutta la mattinata, Hitler si risolse a permettere che entrassero in azione le due divisioni corazzate di riserva di stanza in prossimità di Parigi. Ordinò anche di dare inizio all'offensiva con le bombe volanti su Londra, pianificata da tempo.

Quando i partecipanti alla riunione lasciarono il castello di Klessheim Hitler era ottimista: prevedeva che gli Alleati sarebbero stati respinti in fretta e che le loro forze aeronautiche sarebbero state distrutte. "Al momento del congedo il Führer è molto emozionato" annotò nel suo diario un ben più scettico Goebbels. "Esprime l'incrollabile convinzione che riusciremo a espellere il nemico dal suolo europeo in tempo relativamente breve. La fermezza della sua convinzione è davvero impressionante." Cadeva una pioggia torrenziale e sulla valle di Salisburgo era sospesa una densa nebbia. Sarebbe stato bene, pensò Goebbels, se ci fosse stato un tempo così su tutta la Francia: avrebbe mandato all'aria i piani di Churchill e Roosevelt. Quella sera Goebbels si ubriacò durante una festa, sproloquiò sulla cultura e si sedette al pianoforte per una sonata a quattro mani con una contessa.

Di ritorno al Berghof Hitler incontrò una delegazione di gerarchi del Partito nazista con le rispettive consorti e colse l'opportunità per tenere loro una conferenza sui meriti del vegetarianesimo. «L'elefante è il più forte degli animali» disse loro, dando una dimostrazione della sua logica molto personale, «eppure neanche lui sopporta la carne.» Fece la sua solita passeggiata alla Casa del tè, schiacciò un sonnellino e poi ribadì con convinzione che gli sbarchi erano solo un attacco simulato.

Durante il pranzo al castello di Klessheim Goebbels si era trovato seduto accanto al capo di stato maggiore del primo ministro ungherese, il quale gli riferì che il reggente d'Ungheria, ammiraglio Horthy, era uno strumento nelle mani di una cricca giudaica. Ciò dimostrava, secondo l'informatore di Goebbels, che le "misure antisemite adottate nel paese sono inefficaci".

Ma mentre pronunciava queste parole un altro contingente di ebrei ungheresi giungeva ad Auschwitz e veniva avviato alle camere a gas. Due coppie di sorelle gemelle vennero risparmiate per essere sottoposte a esperimenti medici. Un centinaio di ebrei ungheresi che si trovavano già ad Auschwitz I vennero trasferiti a Monowitz, Auschwitz III, per essere messi al lavoro nel complesso industriale della Buna; altri duemila che sembravano ancora idonei al lavoro vennero inviati al campo di concentramento di Mauthausen, in Austria, dove sarebbero stati ammazzati di fatica.

Walter Schwender condivideva la sicurezza di Hitler circa il fatto che le truppe naziste avrebbero rapidamente ributtato in mare gli Alleati. Il D-Day lo trovò di turno al telefono nel suo posto di servizio a Nantes. Dato che aveva tempo libero e poteva usare una macchina da scrivere dell'ufficio scrisse un'altra lettera ai suoi genitori, che abitavano vicino ad Auschwitz. "Ormai la posta è veramente un problema, non vi pare?" osservò, dato che non aveva più loro notizie da diversi giorni. "La roba non arriva più." Si domandava se in giardino le piante fossero ancora in fiore. Comunicò che di recente aveva scritto al fratello del padre, Hans, il quale era stato promosso soldato scelto. Lo zio gli aveva spiegato che avrebbe preferito ricevere un altro tipo di promozione; una di quelle, congetturava Walter, "che ti mandano a casa". Walter aggiungeva: "È quello che vorremmo tutti più di ogni altra cosa". Inoltre lo zio gli aveva riferito che avevano ricevuto "molte visite dagli inglesi", intendendo riferirsi ai bombardieri della RAF; a parte questo, era lieto di riferire che il fratello del padre stava abbastanza bene.

In effetti, scrisse Walter, tutto andava abbastanza bene anche a Nantes; gli capitava ancora di mangiare nel migliore albergo della città. Aveva sentito la notizia che durante la notte gli inglesi erano sbarcati sulla costa della Manica e sicuramente nei giorni a venire si sarebbe parlato molto di questo fatto. "Ma verranno ributtati in mare immediatamente" promise. "È certo che non avranno nulla di cui sorridere."

La spensierata reazione di Walter al D-Day non era necessariamente condivisa dai suoi commilitoni sulla linea del fronte in Normandia. Un ufficiale di artiglieria tedesco che si trovava di guardia in una posizione dominante sopra Sword Beach prese il binocolo, scrutò nella luce grigiastra dell'alba e vide l'orizzonte letteralmente straboccante di centinaia di navi. "Fu una visione indimenticabile. Non avevo mai visto nulla di così bene organizzato e disciplinato" ricorda. "Guardavamo la flotta, assolutamente pietrificati, e la vedevamo avvicinarsi sempre più in modo inesorabile."

Rommel era ancora in vestaglia: stava disponendo i regali di compleanno di sua moglie sul tavolo della sala da pranzo, ricoperto di fiori, quando squillò il telefono. Era Speidel che gli riferiva di sbarchi sulla costa della Normandia. Dopo una seconda chiamata dal suo capo di stato maggiore, il quale gli confermava che quella era effettivamente l'invasione, Rommel abbandonò in tutta fretta i festeggiamenti e rientrò in automobile a La Roche-Guyon. Il tragitto gli richiese la maggior parte della giornata: continuava a incitare l'autista a guidare più veloce, battendo con impazienza il pugno inguantato sul palmo dell'altra mano e imprecando ad alta voce che quella era la dimostrazione che bisognava disporre del controllo sui mezzi corazzati in prossimità della testa di sbarco.

Arrivò solo alle 21.15. Il suo aiutante di campo, Lang, saltò fuori dalla Horch e si lanciò di corsa su per le scale del castello. Dall'ufficio di Speidel, il cui ingresso si affacciava sull'atrio, sentì provenire le note di un'opera. «Generale, l'invasione è cominciata e lei se ne sta ad ascoltare Wagner!» osservò sbalordito. «Mio caro Lang» gli rispose Speidel «crede davvero che il fatto che io ascolti Wagner farà qualche differenza per il corso dell'invasione?»

I servizi informativi tedeschi erano scadenti, i comandanti militari del Reich erano nel caos e il Führer era più che mai isolato in un mondo tutto suo. La reazione della Wehrmacht agli sbarchi mise in luce le profonde incrinature che si erano aperte nella mole, peraltro impressionante, della sua macchina da guerra. Le truppe di terra opposero una resistenza che ebbe successo solo in casi sporadici (il più significativo fu quello di Omaha Beach) e la Luftwaffe lanciò un'unica missione di bombardamento contro le spiagge, effettuata da quattro bimotori Junker: al di là di tale incursione, l'aviazione tedesca cedette la completa supremazia aerea agli Alleati per le prime, cruciali quarantotto ore della battaglia. Come ha scritto il giornalista Chester Wilmot nella sua classica ricostruzione storica *La lotta per l'Europa*, "questo fu, singolarmente, il fattore più importante in vista del successo dell'invasione".

Quanto alla marina, neppure la maniacale ossessione di Hitler per gli U-Boot procurò risultati soddisfacenti. Quando apparvero evidenti le dimensioni della flotta del D-Day l'ammiraglio Dönitz, che era un ex sommergibilista e aveva perso due figli nel corso del conflitto, rivolse un appello disperato ai suoi comandanti di sottomarini di Brest, Lorient e Saint Nazaire. Il suo messaggio di incitamento riassumeva in modo efficace quella che secondo lui era la posta in gioco:

> Il nemico ha dato avvio all'invasione dell'Europa. In questo modo la guerra è entrata nella sua fase decisiva. Se gli sbarchi angloamericani avranno successo, ciò provocherà la perdita di ampi territori vitali per la nostra economia di guerra e comporterà una minaccia immediata per le nostre regioni industriali più importanti, senza le quali la guerra non può continuare. Il nemico è nelle condizioni di massima debolezza proprio nel momento degli sbarchi. Bisogna colpirlo in quel momento e infliggergli perdite tali da dissuaderlo dal tentare ancora l'impresa. Solo allora, inoltre, le forze di stanza qui potranno essere inviate sul fronte orientale, dove scarseggiano gli uomini. Combattenti dell'arma degli U-Boot! Il futuro della nostra nazione tedesca dipende anche da voi, ora più che mai. Perciò vi chiedo di agire nel modo più energico, senza prendere in considerazione misure di sicurezza che in altri casi riterreste valide. Si dovrà sferrare un attacco accanito contro ogni unità nemica che potrebbe essere utilizzata per gli sbarchi, anche qualora vi sia il pericolo di perdere il vostro U-Boot. Ogni soldato e ogni arma nemica resi inoffensivi prima dello sbarco riducono le prospettive di successo degli Alleati. In questo momento critico so che voi, combattenti dell'arma degli U-Boot, voi che siete stati messi alla prova nelle battaglie più dure, siete gli uomini su cui posso contare.

Nove sommergibili dotati di *Schnorchel* avrebbero dovuto attaccare la flotta alleata al largo dell'isola di Wight, mentre una squadra di dimensioni più ridotte, composta da sette sottomarini privi di tale congegno, si sarebbe posizionata all'ingresso della Manica. Gli ultimi diciannove U-Boot avrebbero dovuto vigilare sul golfo di Biscaglia per impedire uno sbarco alleato più a sud. Ma nel D-Day i sottomarini tedeschi, che dovevano costituire la prima linea di difesa di Hitler contro l'Operazione Neptune, non affondarono nemmeno una nave della flotta alleata.

La strada che la compagnia di Glenn Dickin avrebbe dovuto percorrere quel pomeriggio verso Reviers, tre chilometri a sud di Courseulles, era già stata sgombrata dalla compagnia C. Era stata sbarrata da un imponente reticolato di filo spinato e da cartelli con il teschio che avvertivano della presenza di mine, i quali però si dimostrarono più che altro una messinscena, e l'avanzata verso Reviers, il primo obiettivo dei Fucilieri di Regina verso l'interno (denominato in codice Aden nel corso della riunione informativa segretissima, anzi "fanatica", cui Glenn aveva partecipato a Hiltingbury) si dimostrò relativamente agevole. I pochi soldati nemici che incontrarono, perlopiù *Osttruppen*, opposero scarsa resistenza e si arresero rapidamente.

Mentre Glenn avanzava nell'aperta campagna sul confine della città si imbatté in Gordon Brown, che stava rientrando da Reviers sulla sua rombante motocicletta Norton dopo aver accompagnato alla linea del fronte un convoglio di cingolati armati di mitragliatori Bren e cannoni anticarro. Gordon sfrecciava a oltre 140 chilometri all'ora. Stava portando un messaggio per l'ufficiale al comando del reggimento, Foster Matheson, che si trovava ancora a Courseulles, quando d'un tratto avvistò Glenn sulla strada. Subito frenò, si arrestò, saltò giù dalla moto e lo abbracciò ruvidamente, sollevato di rivederlo dopo la loro separazione a Hiltingbury: poiché Glenn era stato assegnato alla prima ondata d'assalto, le sue probabilità di uscire indenne dallo sbarco sulla spiaggia erano solo una su due. Dopo un concitato aggiornamento reciproco sulle ultime novità i due amici ripresero ognuno la propria strada.

Il cammino di Glenn lo conduceva lungo lo stretto tratturo campestre che costeggiava la Mue, un corso d'acqua orlato di alberi largo appena tre metri che si snodava fra i pascoli della Normandia. Il tragitto presentava pochi ostacoli seri. Alle tre del pomeriggio aveva già raggiunto Reviers e, poco più tardi, il quartier generale del battaglione. Lì la sua compagnia fece un'altra sosta. Tre ore dopo partì alla volta di Fontaine-Henry, il prossimo villaggio a sud, nome in codice Bolivia.

Intanto in Inghilterra Eisenhower trascorse la giornata senza avere molto da fare se non aspettare e sperare che la Grande Crociata avesse avuto un esordio felice. Alle sette del mattino l'ammiraglio Ramsay gli telefonò per riferirgli che, fino a quel momento, tutto procedeva bene. Quando Harry Butcher entrò nella roulotte, pochi minuti dopo, trovò il comandante supremo seduto sul letto a fumare una sigaretta e leggere un romanzo western. Poi Ike dettò un messaggio al generale Marshall a Washington, riportando le notizie incoraggianti di Ramsay e riferendo della visita della notte precedente, durante la quale aveva assistito alla partenza delle truppe aviotrasportate. "Gli uomini" riferì a Marshall "avevano negli occhi la luce della battaglia." Il messaggio fu trasmesso proprio mentre Bill Tucker e i suoi compagni dell'82ª aviotrasportata si stavano riposando dopo la conquista di Sainte-Mère-Église.

Per il resto del D-Day Eisenhower rimase perlopiù a Southwick Park, a camminare incessantemente su e giù, a fumare come un camino e a studiare i rapporti frammentari e a volte contraddittori che affluivano dalla Francia. Parlò di nuovo con Ramsay, fece una breve visita a Montgomery, cenò presto e andò a coricarsi. Quello stesso giorno suo figlio si era diplomato a West Point e il comandante della scuola aveva letto ad alta voce un messaggio inviato alla classe dei diplomandi dall'orgoglioso padre, il supremo comandante alleato.

La giornata di Churchill, cominciata nelle primissime ore del mattino, era stata frenetica. Ancora infuriato con De Gaulle, aveva dato ordine a Desmond Morton, il suo consulente personale per i servizi segreti e braccio destro per le questioni francesi, di rispedire il generale ad Algeri prima possibile, se necessario in catene. Dopo un breve sonno alle tre del mattino prese il telefono che lo collegava direttamente con i decrittatori di Bletchley Park. All'altro capo l'apparecchio squillò direttamente nell'ufficio del capo, Edward Travis. A quella scrivania stava lavorando l'assistente venticinquenne di Travis, Harry Hinsley, che attendeva di passare al comandante alleato le intercettazioni delle prime reazioni tedesche all'invasione. «Il nemico è già informato che stiamo arrivando?» domandò bruscamente Churchill. Hinsley rispose che i primi messaggi navali tedeschi erano già in corso di trasmissione via telescrivente a Londra e che il primo ministro avrebbe potuto visionarli entro breve. Un'ora e mezzo più tardi Churchill chiamò di nuovo: «Come sta andando?» domandò. «È andato storto qualcosa finora?» Questa volta Hinsley fu in grado di dirgli che poco prima delle quattro la 5ª squadra di torpediniere tedesche aveva avuto l'ordine di attaccare le unità al largo della costa della Normandia. Il messaggio decrittato era già stato inoltrato ai comandanti alleati. Churchill grugnì e riattaccò.

Ormai completamente sveglio, e con i soldati in procinto di approdare sul suolo francese, Churchill ebbe un ripensamento su De Gaulle e ritirò il suo ordine di deportazione. Per il resto della mattinata, fino al momento di pronunciare la sua dichiarazione alla Camera dei comuni, seguì il corso delle operazioni sulle spiagge nella Sala delle carte geografiche. Poi pranzò con il re a Buckingham Palace. Nel pomeriggio, dopo aver telegrafato a Stalin per informarlo che tutto era cominciato bene, visitò il quartier generale alleato a St.

James's Square insieme al re e al generale Smuts. Poi fece la sua seconda apparizione alla Camera dei comuni e si ritirò nel suo bunker a studiare le intercettazioni di Bletchley Park che continuavano ad affluire senza sosta.

Per la maggior parte quei messaggi fornivano vividi dettagli sulle reazioni concitate dei tedeschi all'invasione. I lanci di paracadutisti, gli atterraggi di alianti e i primi assalti alle spiagge: tutto contribuiva a fornire una gradita testimonianza del caos che regnava nel comando tedesco a ogni livello. Inoltre le intercettazioni rivelavano notizie positive dall'Italia: i partigiani stavano bersagliando con attacchi continui e feroci i nemici in ritirata e incoraggiavano alla diserzione i loro compatrioti che ancora combattevano con i nazisti. In effetti Kesselring era talmente snervato che aveva informato le SS di aspettarsi da un momento all'altro uno sbarco di forze alleate che si sarebbero ricongiunte con quelle partigiane.

Churchill, compiaciuto ma esausto, si distese sul letto, si fece portare la cena e cominciò a leggere un'altra pila di intercettazioni.

Tuttavia la questione De Gaulle era ancora aperta. A mezzanotte Churchill aveva fatto una tremenda litigata al telefono con Eden. Il generale si era dimostrato pienamente all'altezza degli eventi della giornata e aveva rivolto un appello radiofonico travolgente al popolo francese: dalle rive della "vecchia Inghilterra", aveva detto, era stato sferrato un attacco gigantesco. Ora era stata ingaggiata la battaglia suprema, quella per la Francia e di Francia. Dovevano avere la certezza che l'azione dietro le linee nemiche venisse coordinata con l'avanzata delle truppe alleate e francesi. "Dietro la grave nube del nostro sangue e delle nostre lacrime" concluse "ha ripreso a splendere il sole della nostra grandezza."

Churchill aveva ascoltato quel discorso e sentendo il riferimento alla "vecchia Inghilterra" si era sciolto in lacrime. Accortosi che Ismay lo fissava lo aveva apostrofato grugnendo: «Che cosa guardi, barile di lardo? Non sai che cosa sia il sentimento?». Ciò nonostante, era adirato per il riferimento al "governo della Francia" ed era impaziente di veder partire De Gaulle. Ancora a mezzanotte, al telefono, nonostante l'insistenza di Eden perché venisse stipulata qualche forma di accordo con l'uomo in cui la Francia riconosceva evidentemente la sua guida si era dimostrato inflessibile. Su tale questione, dichiarò al suo segretario agli Esteri, «lui e F[ranklin]D[elano]R[oosevelt] erano pronti a combattere contro il mondo intero».

Glenn Dickin raggiunse i sobborghi di Fontaine-Henry alle sette di sera circa. La sua compagnia avanzava lentamente e con prudenza lungo la strada principale, tenendosi vicina alle case basse e sfruttando ogni minima copertura disponibile. Glenn era stato addestrato ad avanzare in quel modo. Alla scuola ufficiali in Canada era stato il secondo del suo corso, e si era distinto anche in Inghilterra, ottenendo nei rapporti riservati il giudizio "A" in affidabilità, capacità di comando e senso di responsabilità. Le case avevano le imposte sbarrate, le strade erano deserte. Sentiva il rimbombo ininterrotto dell'artiglieria navale pesante sulla costa, ma qui gli unici suoni erano il crepitio degli stivali sulla ghiaia, l'occasionale abbaiare di un cane e il chiocciare delle galline. Voltando la cantonata alla fine del villaggio non scorsero traccia di tedeschi. Di fronte a loro, sulla sommità di un dolce pendio, stava la chiesa, la cui tozza guglia grigia si stagliava sul cielo serale.

Gli abitanti del villaggio avevano riferito che alcuni soldati tedeschi si erano nascosti nella torre del campanile. Era primavera inoltrata e gli alberi avevano messo tutte le foglie; il cielo ormai si era schiarito. Glenn amava la campagna. Solo tre settimane prima a Hiltingbury, una domenica sera, era andato a fare una passeggiata ed era stato colto da un afflato lirico che lo aveva indotto a scrivere alla madre dei fossati e delle siepi in piena fioritura. Aveva addirittura fatto in modo che le venissero recapitati dei fiori per la Festa della Mamma e le aveva inviato una lettera speciale. "Spero che tu ti renda conto" scriveva "che penso tu sia il meglio che un uomo possa avere. Non crucciarti troppo mamma, e non preoccuparti per me. Sono una persona piuttosto capace." La primavera era sempre un periodo speciale nella prateria. La neve finalmente si scioglieva ed era ora di uscire, riparare i danni provocati dalle bufere e seminare in vista del raccolto. Sapeva quanto sua madre contasse sul suo aiuto. Quell'anno, tuttavia, era troppo tardi per poterglielo assicurare, ma promise che l'anno successivo avrebbe cercato di tornare per le pulizie di primavera.

Alla sua destra ora si apriva la piazza del villaggio: un'area erbosa dolcemente ondulata sulla quale sorgevano radi alberi di ippocastano. Poco più in là c'era il monumento alla memoria dei caduti della Prima guerra mondiale. La strada antistante curvava rapidamente in salita e spariva dietro la chiesa in direzione di Le Fresnay-Camilly, un altro dei paesini costruiti in pietra color miele che punteggiavano quelle campagne ondulate. La località era stata denominata in codice Amazon e sarebbe stata il quartier generale del battaglione per la notte del D-Day.

Glenn varcò l'enorme cancello in ferro battuto dello Château de Fontaine-Henry. Il suo tetto di ardesia dalle forti pendenze culminava in un'elaborata decorazione di pietra lavorata, fregi e balaustrate. Sotto il grande edificio un labirinto di cantine risalenti al Medioevo aveva assunto la funzione di rifugio antiaereo per gli abitanti del villaggio. La compagnia procedette carponi lungo il basso muro di pietra del cimitero, rimanendo sempre attaccata all'inferriata, e dopo una cinquantina di metri raggiunse il cancello della chiesa.

Da lì potevano procedere sull'uno o sull'altro lato. A destra c'era la parte principale del camposanto, con il suo labirinto di vecchie lapidi; più in là un filare di alberi stava già sprofondando nell'ombra. A sinistra c'erano un vecchio tasso e il muro di cinta posteriore dei terreni del castello.

Svoltarono a sinistra verso il selciato alla base del campanile della chiesa.

In quel momento esplose una granata di mortaio che proiettò una pioggia di schegge micidiali contro le opere murarie, danneggiando il tronco del tasso e uccidendo all'istante Glenn, insieme a Frank Peters e Alan Kennedy. Morirono raggomitolati accanto al muro presso il portale della chiesa.

Scese un profondo silenzio e la sera trapassò quietamente nel crepuscolo. Nulla si muoveva più e le imposte delle case sullo spiazzo verde rimasero sbarrate. Poi, mentre calava l'oscurità, alcune ombre sbucarono dagli alberi e salirono i gradini della chiesa: gli abitanti del villaggio, recando grandi mazzi di rose fra le braccia, coprirono delicatamente e amorevolmente di boccioli i corpi di Glenn e dei suoi amici.

I tre commilitoni rimasero a giacere lì tutta la notte. Il mattino seguente gli abitanti del villaggio fabbricarono tre bare di legno, scavarono una fossa a tre posti e portarono lenzuola di lino come sudari. Dopo un breve funerale deposero su ciascuna delle tombe un mazzo di fiori legato con un nastro tricolore francese.

"Oggi è martedì sera che giornata" scrisse Veronica Owen ai suoi genitori, dimenticandosi della punteggiatura per l'eccitazione. "Ancora non riesco a credere che siamo davvero sbarcati in Francia e che tutto quello che abbiamo aspettato e agognato per tanto tempo possa essere finalmente accaduto e a quanto pare riuscito." Le ultime due ore del suo turno di notte, quando la flotta aveva finalmente rotto il silenzio radio, erano state concitate: i messaggi avevano ricominciato ad affluire nel plesso nervoso sotterraneo di Neptune. A fine turno Veronica andò a Fareham per fare un po' di spese, sentì l'annuncio ufficiale degli sbarchi alla BBC e poi cadde profondamente addormentata fino alle quattro del pomeriggio. Poi scrisse la sua lunga lettera a casa, rammendò qualche indumento, prese la bicicletta e andò a Titchfield, dove aiutò gli Spurway a cogliere e a disporre le rose del giardino del vicario. Dopo cena, alle nove, i tre si sedettero intorno alla radio e ascoltarono il discorso del sovrano. "Veramente ottimo" annotò Veronica nel suo diario. Poi riprese la bicicletta e tornò a Heathfield per farsi una buona nottata di sonno prima del turno di guardia del pomeriggio dell'indomani. Gli avvenimenti del giorno preannunciavano settimane di lavoro frenetico e poco sonno per tutti. "Ma un bel divertimento!" annotò lietamente Veronica.

Al quartier generale di von Rundestedt a Parigi si stava cercando di raccapezzarsi in quella situazione caotica. Sembrava che fino a quel momento nell'assalto fosse stata dispiegata solo una piccola parte delle truppe a disposizione nella parte meridionale della Gran Bretagna. Secondo un rapporto recente e attendibile dell'Abwehr, dichiaravano gli analisti di von Rundstedt in un resoconto sulla situazione e sugli eventi del giorno, le truppe nemiche erano divise in due gruppi: il 21° gruppo di armate britannico, al comando di Montgomery, e il FUSAG, al comando di Patton. Fatto strano, non era stata avvistata nemmeno una squadra del gruppo di Patton. Da ciò si poteva trarre una sola conclusione: il nemico aveva in programma un altro sbarco su larga scala sulla costa della Manica, e il luogo più ovvio per tale sbarco sarebbe stato il passo di Calais.

Sembrava che il piano di depistaggio alleato e il grande impegno e l'ingegnosità profusi da Tomas Harris e Juan Pujol per rendere credibile Garbo stessero operando efficacemente il loro incantesimo.

Bill Tucker, che si riposava in un frutteto di meli a Sainte-Mère-Église, ebbe la fortuna di sopravvivere fino al pranzo.

Un soldato tedesco, strisciando lungo una siepe confinaria, aprì improvvisamente il fuoco sugli esausti soldati della 1ª compagnia immobilizzandoli sotto gli alberi e mettendoli nell'impossibilità di recuperare le loro armi. Fortunatamente uno dei paracadutisti si era allontanato per andare ad attingere acqua a un pozzo vicino portandosi dietro il lanciagranate. Al ritorno scorse il tedesco che sparava nel frutteto e lo fece saltare in aria con un colpo solo.

A quell'ora i tedeschi avevano cominciato a bersagliare con granate e colpi di mortaio la città da postazioni trincerate a nord e a sud. Alle dieci del mattino, sapendo che la sorte di tutta la testa di ponte Utah dipendeva dal fatto che loro tenessero la posizione conquistata, Palla di cannone Krause ordinò alla 1ª compagnia di attaccare i tedeschi che sparavano dal minuscolo abitato di Fauville, circa un chilometro e mezzo più a sud a cavallo della Route Nationale 13, l'arteria principale lungo la direttrice nord-sud. Tucker, costeggiando il margine occidentale del paese, si trovò rapidamente smarrito nel labirinto di siepi confinarie. Neppure le manovre lo avevano addestrato alla sensazione di vagare inutilmente in cerchio, sicché lui e Larry continuavano a trascinare nella macchia i pezzi della loro mitragliatrice. Finalmente sbucarono, accaldati ed esausti, sulla Route Nationale 13, poco a sud dell'abitato.

Meno di due chilometri più avanti, lungo il rettifilo della strada, riuscirono a scorgere in cima a una modesta altura le case sparpagliate e gli edifici delle fattorie di Fauville. I fossati sui due lati della strada offrivano una minima copertura e loro ne approfittarono, ma mentre stavano rimontando la mitragliatrice si trovarono sotto un fitto fuoco nemico. I tedeschi lanciarono loro addosso alcune granate dall'altra parte della strada, da una distanza inferiore ai venti metri. Poi la compagnia si trovò presa di mira dal fuoco che arrivava da un campo sulla sinistra e decise di ritirarsi. Tucker cominciò a strisciare all'indietro lungo il fossato, ma finì per cadere in una buca scavata dai civili francesi come riparo contro i bombardamenti alleati. Il soldato che veniva dietro di lui gli urlò di proseguire. Tucker, che cercava disperatamente di trascinarsi fuori, fu costretto a lasciare lì la canna della mitragliatrice.

Ormai il suo pacco di viveri era crivellato da fori di pallottole, le sue sigarette erano frantumate in tabacco sciolto e gli si era stracciata una gamba dei pantaloni. Fu lieto di trovare riparo insieme a Larry in un piccolo frutteto. Era riuscito a malapena a riprendere fiato quando una mitragliatrice aprì il fuoco e lui fu costretto a tuffarsi per cercare riparo dietro la siepe confinaria successiva, finendo dritto nel brago di un porcile. Quando finalmente riuscì a rientrare nel centro dell'abitato, dopo mezzogiorno, era coperto di fango nero puzzolente.

A quel punto Krause inviò la 1ª compagnia in riserva, e Tucker e Larry trascorsero la maggior parte del pomeriggio scavando una trincea nel cortile sul retro di una casa a Sainte-Mère-Église, mentre le granate sibilavano sopra le loro teste.

I civili cercavano freneticamente riparo dove meglio potevano. A causa dell'elevato livello freatico del terreno le case non disponevano di rifugi sotterranei, perciò la maggior parte degli abitanti fece ritorno alle trincee che erano state scavate per ripararsi dai bombardamenti alleati. Il sindaco Renaud e la sua famiglia si rifugiarono in un fossato nei pressi di una fontana accanto alla loro abitazione, e per proteggersi dall'umidità distesero per terra a mo' di fodera i paracadute raccolti da un campo vicino. Quando scese la notte il sindaco ebbe modo di sentire gli stormi di aerei che passavano sopra le loro teste, le granate che cadevano nei pressi e le mitragliatrici che sparavano in lontananza. Rimanendo nascosto nell'ombra osservò due soldati tedeschi che passavano di corsa davanti al suo nascondiglio, inseguiti da sagome silenziose.

«Scavate in profondità» aveva ordinato il sergente, e per il resto della giornata tutto ciò a cui Tucker poté pensare furono i tedeschi che aveva incontrato fuori Fauville e che avrebbero attaccato quella notte. Gli era stato ordinato di recuperare la canna della mitragliatrice, ma era un ordine ovviamente insensato e lui lo ignorò. La compagnia G, che aveva cercato riparo lì vicino, fu gravemente colpita. Tucker tenne giù la testa, sperando per il meglio.

Improvvisamente nella strada a pochi metri di distanza scoppiò una sparatoria. Tucker sbirciò cautamente fuori dalla sua trincea e vide che sulla sinistra una piccola rimessa; riusciva a malapena a distinguere un uomo che si muoveva carponi a fianco di essa. Era un soldato tedesco, che dopo aver voltato l'angolo si diresse dritto verso Tucker. Il paracadutista levò la carabina e premette il grilletto. L'otturatore si mosse e poi si fermò a metà strada: l'affannoso strisciare nel fango e nei fossati doveva aver intasato il caricatore. Terrorizzato, Tucker cercò freneticamente di far scattare l'otturatore. Ma poi la paura passò come era venuta: il tedesco, sentendo il suono dell'otturatore, si era rituffato nell'oscurità.

Giunse la mezzanotte ed ebbe termine il "giorno più lungo": la bandiera a stelle e strisce sventolava ancora su Sainte-Mère-Église e la testa di ponte Utah si era unita ai paracadutisti dell'82ª e della 101ª divisione aviotrasportata. Lungo il fronte di Normandia, che misurava ottanta chilometri, gli esausti soldati britannici, canadesi e americani si stavano trincerando per la notte. Non c'era punto in cui fossero penetrati più di sedici chilometri all'interno, e su Omaha Beach stavano ancora lottando per non essere respinti. Nessuna delle singole teste di ponte si era ancora collegata con le altre, a eccezione di

Gold e Juno, e pochi degli ambiziosi obiettivi del giorno erano stati effettivamente raggiunti. In compenso ben centotrentaduemila uomini, oltre a innumerevoli carri armati, veicoli e pezzi di artiglieria, erano a terra e incolumi. Allo spuntar dell'alba, poche ore dopo, un'altra immensa e irresistibile ondata di forze di invasione si sarebbe riversata sulla riva. E sebbene in alcuni punti le perdite fossero state molto elevate, nel complesso furono di gran lunga inferiori al previsto. Nel frattempo, grazie soprattutto all'abile gioco di depistaggio di Garbo, Hitler si rifiutava di mandare in battaglia la sua XV Armata, in attesa che la "vera" invasione venisse scatenata più a nord. Gli uomini della Resistenza erano stati mobilitati e stavano già seminando il disordine dietro le linee nemiche.

Nel millesettecentotrentanovesimo giorno della Seconda guerra mondiale la liberazione dell'Europa occidentale era iniziata. La lunga strada verso Berlino era ormai aperta.

Epilogo
Che cosa ne è stato di loro?

Nelle sei settimane che seguirono il D-Day Sonia d'Artois, Sydney Hudson e altri membri del circuito Headmaster del SOE effettuarono varie missioni di sabotaggio, specialmente contro le linee telefoniche e telegrafiche tedesche. Subirono anche una grave battuta d'arresto quando un gruppo del maquis che avevano organizzato nella foresta di Charnie fu sbaragliato dai tedeschi e molti dei loro sostenitori vennero uccisi, ma si ripresero rapidamente e dopo che gli Alleati ebbero rotto l'accerchiamento in Normandia i tedeschi evacuarono Le Mans l'8 agosto. I due agenti del SOE si misero in collegamento con le forze della III Armata di Patton e, facendosi passare per una coppia sposata, eseguirono varie missioni di ricognizione dietro le linee tedesche per conto dei servizi informativi dell'esercito statunitense. Nel corso di una di queste missione furono tenuti per breve tempo in ostaggio e Sonia d'Artois fu stuprata sotto la minaccia delle armi da due soldati tedeschi.

Dopo aver ultimato gli incarichi per l'armata di Patton si incontrarono a Parigi con altri membri del Reparto francese del SOE, fra cui Guy d'Artois, il marito di Sonia, che aveva capeggiato un gruppo del maquis in Borgogna. Poco dopo Sonia si imbarcò per il Canada per iniziarvi la vita matrimoniale insieme a Guy, cui diede sei figli. Lui è morto nel 1998 e lei attualmente vive a Hudson, nel Québec. Sydney Hudson, una volta tornato a Londra, visto che il suo matrimonio era ormai finito era deciso a trovarsi un nuovo scopo nella vita e si presentò volontario per entrare a far parte del reparto del SOE in Estremo Oriente, noto come Force 136. Fino alla fine della guerra operò dietro le linee giapponesi, prima in Thailandia e poi in Vietnam. Fu decorato per i meriti conseguiti lavorando al servizio del SOE. Dopo la guerra ha lavorato in Germania occupandosi di programmi di rieducazione per conto dell'Autorità di controllo britannica e successivamente come direttore del personale per la società petrolifera Shell e per la Bank of Scotland. Nel 2001 ha rivisto Sonia d'Artois per la prima volta dalla fine della guerra in occasione delle riprese di un documentario televisivo sul SOE.

Peter Moen, nella sua cella carceraria a Oslo, venne a sapere del D-Day circa undici giorni dopo gli sbarchi in Normandia. "Non so come stia andando. Finirà quest'anno? E sarò vivo allora? Mi gira la testa solo a pensarci" annotò nel suo diario sabato 17 giugno 1944. Purtroppo la sua vicenda ebbe un epilogo tragico e Moen non ebbe più modo di ricongiungersi con la sua adorata moglie Bella. Il 6 settembre, dopo che Parigi e Bruxelles erano state liberate, fu imbarcato sulla nave *Westfalen* insieme ad altri cinquanta compatrioti per essere trasferito in un campo di concentramento in Germania. La nave venne silurata nello Skagerrak e Moen, insieme alla maggior parte dei prigionieri, annegò. Ebbe però il tempo di confidare a un sopravvissuto il segreto del suo diario che, dopo la fine della guerra, venne rinvenuto nel condotto dell'aerazione della cella in cui era stato rinchiuso e dato alle stampe. Sua moglie fu liberata dal campo di Grini alla fine del conflitto. Non avevano figli.

Alla fine della guerra, dopo aver lasciato gli scriccioli, Veronica Owen si laureò in storia all'Università di Londra, fu capitano della squadra femminile di cricket, diventando una specialista della palla lenta, insegnò storia in scuole secondarie, sia private sia statali, e dal 1960 al 1968 fu preside della scuola femminile Limuru in Kenia, dove in un'occasione guidò una spedizione di ragazze sul monte Kilimangiaro. Tornata in Gran Bretagna, divenne preside del Collegio femminile di Malvern prima di andare in pensione nel 1983. È autrice di un libro di preghiere, *Fire of Love*; è stata membro attivo della congregazione anglicana e negli anni della pensione adorava andare a camminare sui colli del Malvern. Non si è mai sposata ed è morta nel luglio del 1999.

Il fonte battesimale ottagonale della chiesa di St. Peter's a Titchfield, di cui Frank Spurway era vicario e che Veronica frequentava spesso durante la guerra, è stato dedicato alla memoria dei soldati che attraversarono il centro abitato nel corso del loro avvicinamento ai punti di imbarco per il D-Day.

André Heintz vive tuttora a Caen. Dopo aver lavorato per la Croce Rossa e aver prestato assistenza alle forze di occupazione alleate in seguito alla liberazione di Caen, avvenuta il 9 luglio del 1944, ha trascorso i primi due anni di pace insegnando francese all'Università di Edimburgo. Nei trentasei anni seguenti ha insegnato francese come lingua straniera agli studenti provenienti dall'estero presso l'Istituto di tecnologia dell'Università di Caen. Nel 1948 si è unito in matrimonio con Marie Françoise; hanno avuto cinque figli. È un attivo sostenitore del Mémorial de Caen e lavora come guida e interprete per i giri turistici sui campi di battaglia in Normandia.

Per André il D-Day significò la liberazione e un motivo di speranza per il futuro. "Ci trovavamo nella situazione di sapere che cosa volesse dire libertà" mi ha riferito. "Il giorno della liberazione di Caen fu il più bello di tutta la mia vita. Ci sono ricordi di privazione di libertà e di crimini nazisti che non riesco a cancellare, come la fucilazione dei membri della Resistenza a Caen la mattina del D-Day: fra di loro c'era il mio capo, Alexis Lelièvre. Ma, come disse De Gaulle vari anni dopo la guerra, 'È giunto il tempo della riconciliazione con la Germania'. Ho fatto del mio meglio perché i miei figli non provassero gli stessi sentimenti che nutro io."

Albert Grunberg rimase nascosto fino alla liberazione di Parigi, facendo ritorno al proprio appartamento mercoledì 23 agosto 1944 e unendosi alle FFI per combattere sulle barricate due giorni dopo, durante le ultime ore della lotta contro gli odiati boche. Poi tornò a occuparsi del suo salone. L'ultima annotazione del suo diario risale all'ottobre del 1944: riguarda il suo sostegno al Partito comunista e le sue speranze che venisse creata una repubblica sovietica francese in grado di rendere giustizia al popolo di Francia. "Ma la mia felicità sarebbe completa" scriveva ancora "se avessi notizie dei miei bambini a Chambéry." Grunberg morì a Parigi nel 1976, a settantotto anni. Il suo diario è stato depositato presso gli Archivi nazionali di Parigi dal figlio Roger nel 1998. Il fratello di Grunberg, Sami, morì poco dopo la guerra anche a causa dei maltrattamenti subiti nel campo di prigionia di Drancy. Madame Hélène Oudard, la portinaia che lo protesse e a cui Albert dovette la vita, è morta a Parigi nel 1999 all'età di novantotto anni.

Walter Schwender non sopravvisse alla guerra. Le truppe americane liberarono Nantes l'11 agosto 1944 e il mese seguente Walter, ancora di stanza in Francia, fu colpito al braccio e alla spalla destra, probabilmente da un aereo alleato. Morì in seguito all'amputazione dell'arto all'ospedale militare di Menge, in Germania, dove era stato trasportato e dove poi venne sepolto. Dopo la guerra la sua salma fu riesumata e trasferita nella tomba di famiglia ad Altstadt, nel Saarland. Il suo nome è inciso sul grande portale di accesso al cimitero, insieme a quelli di tutti gli altri giovani del villaggio uccisi nella guerra di Hitler.

Dopo trentotto giorni di combattimento in Normandia Bill Tucker, insieme ai superstiti del suo reggimento, fece ritorno alla base di Quorn, nel Leicestershire. Solo metà degli oltre duemila uomini che erano stati paracadutati in Francia fece ritorno: 186 furono uccisi, 656 feriti e 51 fatti prigionieri; i dispersi furono 60. Solo 45 dei 144 uomini della compagnia di Tucker tornarono in Inghilterra. "Quando gli uomini sbarcarono dalle navi e misero piede in Inghilterra" ricorda Chappie Woods, il cappellano, "si inginocchiarono e baciarono il suolo. Per loro era terra consacrata." Tucker ormai aveva la sensazione di trovarsi più a casa sua in Gran Bretagna che in America. Nel corso del viaggio di rientro a Quorn, ricorda, "accadde una cosa stranissima". Da qualche parte, su un treno o in una stazione ferroviaria, trovò un'altra copia di *Un albero cresce a Brooklyn*, "così alla fine potei terminarlo". Tucker continuò a combattere nell'82ª divisione aviotrasportata per tutto il resto della campagna d'Europa, partecipando anche all'assalto di Arnhem e alla battaglia della Bulge, durante la quale venne ferito.

Dopo la guerra tornò a Boston e diventò avvocato. In seguito ha ricoperto il ruolo di presidente della Commissione per il commercio interstatale degli Stati Uniti, vicepresidente della ferrovia Central Penn e consulente speciale della Eastern Airlines. Sposato, vive nel Massachusetts e ha due figlie.

"Chiunque abbia servito nell'82ª dall'Africa a Berlino" ha scritto "dentro di sé non se ne è mai staccato. Non esiste un processo di educazione o di maturazione che sia mai equivalso all'impatto di essere un paracadutista dell'82ª. Abbiamo sempre ricordato le parole: 'Mai ritirarsi. Mai accettare la sconfitta'. L'educazione che ho ricevuto all'82ª ha avuto un valore inestimabile per me ogni volta che si è trattato di intraprendere un lavoro duro e di portarlo a termine."

Il duo dei virtuosi del depistaggio, Juan Pujol e Tomas Harris, sopravvisse alla guerra, e anche la loro amicizia rimase intatta. Garbo fu decorato membro dell'Ordine dell'impero britannico nel dicembre del 1944 (dopo aver ricevuto la Croce di ferro dai tedeschi per la presunta attendibilità dei suoi rapporti informativi nelle vesti di Arabel) e nel 1945 si stabilì a Caracas, in Venezuela, dove per molti anni lavorò come insegnante di lingue per la Shell Oil. Per proteggerlo l'MI5 sparse la voce che era emigrato in Angola ed era morto di malaria. La sua vera identità fu rivelata solamente nel 1984, quando tornò in Gran Bretagna per ricevere i ringraziamenti personali del duca di Edimburgo per il contributo prestato nel conflitto. Morì a Caracas nel 1988.

Harris riprese la sua professione di mercante d'arte, si trasferì a Majorca con la moglie Hilda e morì in un incidente automobilistico nel 1964. Le congetture formulate nel dopoguerra riguardo a suoi possibili legami con i servizi segreti sovietici, contratti grazie agli amici Philby e Blunt, non hanno mai trovato conferma.

Erwin Rommel fece del suo meglio con le forze che aveva a disposizione in Normandia, ma perse la campagna e la vita. Indirettamente implicato nel fallito attentato contro Hitler del luglio del 1944, ebbe la possibilità di scegliere tra un processo, che avrebbe coperto di infamia la moglie e il figlio, e un onorevole suicidio, che gli avrebbe consentito di essere sepolto con tutti gli onori militari. Scelse quest'ultimo e nell'ottobre del 1944 si avvelenò. È sepolto a Herrlingen, presso Ulm. Nel dopoguerra il figlio Manfred è stato sindaco di Stoccarda.

Adolf Hitler portò il suo paese alla distruzione e si tolse la vita il 30 aprile 1945 dopo aver ucciso la sua amante Eva Braun, che aveva sposato il giorno precedente, in mezzo alle macerie della Cancelleria di Berlino, mentre le truppe dell'Armata rossa occupavano la città. Il suo cadavere venne bruciato e i suoi resti furono successivamente scoperti, asportati e poi occultati o dispersi dai sovietici.

Dopo aver orchestrato la vittoria alleata in Europa, Winston Churchill venne sconfitto nelle elezioni politiche che si svolsero in Gran Bretagna nel luglio del 1945. In qualità di capo dell'opposizione e prestigiosissimo statista mondiale lanciò un allarme eloquente a proposito della minaccia sovietica, sollecitando una solida alleanza angloamericana, e assicurò un fermo sostegno alla campagna per l'unità europea. Fu rieletto primo ministro nel 1951, incarico da cui rassegnò infine le dimissioni nel 1955. Rimase membro del parlamento fino al 1964 e morì l'anno seguente all'età di novant'anni. È sepolto nel cimitero di Bladon, nell'Oxfordshire, nei pressi del luogo in cui era nato, a Blenheim Palace.

Dwight D. Eisenhower rimase comandante supremo alleato fino alla sconfitta della Germania; divenne comandante supremo delle forze alleate in Europa per la NATO (1950-1952) e fu eletto trentaquattresimo presidente degli Stati Uniti come candidato del Partito repubblicano per due mandati consecutivi (1953-1961). Visse con sua moglie Mamie a Gettysburg, in Pennsylvania, e morì nell'ospedale militare Walter Reed a Washington nel marzo del 1969, dopo aver pronunciato queste ultime parole: «Ho sempre amato mia moglie. Ho sempre amato i miei figli. Ho sempre amato i miei nipoti. Ho sempre amato il mio paese». Fu sepolto, dopo un funerale militare, ad Abilene, in Kansas, dove era nato.

Dopo la guerra David Bruce, che è stato definito dal suo biografo "l'ultimo aristocratico americano", compì una brillante carriera diplomatica, diventando ambasciatore degli Stati Uniti in Francia (1949-1952), nella Repubblica federale tedesca (1957-1958) e in Gran Bretagna (1961-1969). Fu capo negoziatore agli incontri di Parigi per la pace in Vietnam, diresse la rappresentanza statunitense nella Repubblica popolare cinese fra il 1973 e il 1974 e fu rappresentante permanente degli Stati Uniti alla NATO fra il 1974 e il 1976. Morì nel 1977.

Il 14 giugno 1944 il capo di France Libre Charles De Gaulle sbarcò sul suolo francese di Courseulles-sur-Mer, liberato nel D-Day da Glenn Dickin e dai Fucilieri di Regina, ed entrò trionfalmente a Parigi il 25 agosto (lo stesso giorno in cui Albert Grunberg combatteva sulle barricate); nell'ottobre del 1945 fu eletto capo del governo provvisorio del suo paese. Dopo aver improvvisamente rassegnato le dimissioni pochi mesi più tardi, si ritirò per diversi anni a vita privata, salvo riemergere per salvare la Francia dalla crisi provocata dalla guerra d'Algeria. Nel 1958 fu eletto con una maggioranza schiacciante presidente della V Repubblica, che dominò fino a quando rimise l'incarico nel 1969. Morì un anno dopo nella sua casa di Colombey-les-Deux-Églises.

Dopo aver orchestrato l'Operazione Neptune l'ammiraglio Sir Bertram Ramsay rimase comandante in capo della flotta alleata e alla fine del 1944 trasferì il proprio quartier generale a Saint-Germain-en-

Laye, fuori Parigi. Il 2 gennaio 1945 decollò con il suo Hudson della RAF dal campo d'aviazione di Toussy-le-Noble in vista di un incontro con il generale Montgomery a Bruxelles, ma l'aereo si schiantò in fase di decollo e lui rimase ucciso sul colpo. È sepolto a Saint-Germain-en-Laye.

Le spoglie di Glenn Dickin riposarono nel camposanto di Fontaine-Henry fino a dopo la guerra, quando insieme a quelle di Frank Peters e Alan Kennedy vennero riesumate ed ebbero una seconda sepoltura nel cimitero canadese di guerra a Bretteville-sur-Laize nel Calvados, in Francia. Il cimitero ospita 2957 caduti della Seconda guerra mondiale, la maggior parte dei quali canadesi. Una funzione in memoria di Glenn fu celebrata a Manor, nella chiesa anglicana di St. Margaret, venerdì 17 giugno 1944. Dopo la sua morte tutti i primogeniti dei suoi fratelli sono stati battezzati Glenn. Il lago Dickin, nel Saskatchewan, è stato così chiamato in suo onore.

Appendice I

Ordine del giorno del generale Eisenhower, distribuito dallo SHAEF a tutti i combattenti alleati in occasione del D-Day

Soldati, marinai e aviatori della forza di spedizione alleata! State per imbarcarvi nella Grande Crociata a cui abbiamo puntato per tutti questi mesi. Gli occhi del mondo sono rivolti su di voi. Al vostro fianco marciano le speranze e le preghiere dei popoli amanti della libertà, ovunque essi si trovino. In compagnia dei nostri valorosi alleati e fratelli d'armi che combattono sugli altri fronti, voi renderete possibile la distruzione della macchina da guerra tedesca, il rovesciamento della tirannide nazista sulle popolazioni oppresse dell'Europa, e restituirete a noi tutti la sicurezza di vivere in un mondo libero.

Il vostro compito non sarà facile. Il vostro nemico è ben addestrato, ben equipaggiato e temprato in vista delle battaglie. Combatterà con tutte le sue forze.

Ma siamo nell'anno 1944! Molte cose sono accadute dai trionfi nazisti degli anni 1940-1941. Le Nazioni Unite hanno inflitto ai tedeschi gravi sconfitte in campo aperto, nel combattimento corpo a corpo. La nostra offensiva aerea ha gravemente compromesso sia la loro aviazione sia le loro capacità di muovere guerra sul terreno. I nostri fronti interni ci hanno conferito una superiorità schiacciante in fatto di armamenti e munizioni di guerra e hanno messo a nostra disposizione imponenti riserve di combattenti ben addestrati. I tempi sono cambiati! Gli uomini liberi del mondo stanno marciando insieme verso la vittoria!

Confido pienamente nel vostro coraggio, nella vostra dedizione al dovere e nella vostra abilità in battaglia. Non accettiamo nulla di meno di una completa vittoria!

Buona fortuna! Imploriamo la benedizione del Signore onnipotente su questa grande e nobile impresa.

Appendice II

Messaggio del generale Eisenhower sulla condotta delle truppe nei paesi liberati, distribuito insieme al suo Ordine del giorno per il D-Day

Ben presto vi troverete impegnati in una grande impresa: l'invasione dell'Europa. È nostro intento rendere possibile, insieme ai nostri Alleati e ai nostri compagni d'armi su altri fronti, la totale sconfitta della Germania. Solo mediante una completa vittoria possiamo liberare noi stessi e le nostre patrie dal timore e dalla minaccia della tirannia nazista.

Un ulteriore elemento della nostra missione è la liberazione di quei popoli dell'Europa occidentale che ora soffrono sotto l'oppressione tedesca.

Prima che vi imbarchiate per questa operazione, ho un messaggio personale per voi, con cui intendo fare appello alla vostra responsabilità individuale: riguarda gli abitanti dei paesi che sono nostri alleati.

In quanto rappresentanti di questo paese, sarete accolti con profonda gratitudine dai popoli oppressi che per anni hanno agognato tale liberazione. È estremamente importante che questo sentimento di amichevolezza e buona volontà non venga in alcun modo turbato da un comportamento sconsiderato o indifferente da parte vostra. Viceversa, una condotta gentile e rispettosa può fare molto per rafforzare proprio quel sentimento.

Gli abitanti dell'Europa occupata dai nazisti hanno sofferto grandi privazioni e scoprirete che molti di loro sono a corto di risorse, perfino delle più elementari. Voi, d'altra parte, siete provvisti (e continuerete a esserlo) di cibo adeguato, indumenti e altri beni necessari. Non impoverite le già scarse riserve locali di cibo e derrate facendo acquisti indiscriminati e alimentando così la "borsa nera" che può solo inasprire le già dure condizioni di vita degli abitanti.

Il diritto degli individui per quanto riguarda le loro persone e proprietà deve essere scrupolosamente rispettato, come se foste nel vostro paese. Dovete ricordare sempre che queste persone sono nostri amici e nostri alleati.

Invito caldamente ciascuno di voi a tenere sempre a mente che sulla base delle vostre azioni sarete giudicati non soltanto voi in quanto individui, ma anche il vostro paese. Allacciando con i popoli liberati un rapporto basato sulla mutua comprensione e sul rispetto reciproco ci guadagneremo il loro sincero sostegno in vista della sconfitta del nostro comune nemico. In tal modo porremo le basi di una pace duratura, senza la quale tutto il nostro grande sforzo sarà stato vano.

Bibliografia

AMBROSE, Stephen, *The Supreme Commander*, Cassell, London 1971.
—, *Ike's Spies. Eisenhower and the Espionage Establishment*, Doubleday, New York 1981.
—, *Eisenhower, Soldier and President*, Simon and Schuster, New York 1990.
—, *D-Day*, Touchstone, New York 1994.
—, *Cittadini in uniforme*, Longanesi, Milano 1999.
ASTLEY, Joan Bright, *The Inner Circle*, Quality Book Club, London 1972.
BARNOUW, David, Van Der Stroom, Gerrold (a c. di), *I diari di Anne Frank*, Einaudi, Torino 2002.
BAUDOT, Marcel, *Libération de la Normandie*, Hachette, Paris 1974.
BELOW, Nicolaus von, *At Hitler's Side*, Greenhill Press, London 2001.
BENNETT, Ralph, *Ultra in the West. The Normandy Campaign of 1944-45*, Scribner's, London 1979.
—, *Behind the Battle. Intelligence in the War Against Germany*, Sinclair-Stevenson, London 1994.
BERTHON, Simon, *Allies at War*, HarperCollins, London 2001.
BIALER, Seweryn (a c. di), *Stalin and His Generals*, Westview, London 1984.
BLAIR, Clay, *Ridgway's Paratroopers. The American Airborne Forces in World War II*, The Dial Press, New York 1985.
—, *Hitler's U-Boot War. The Hunters 1939-1942*, Random House, New York 1996.
BLANDFORD, Edmund, *Two Sides of the Beach*, Airlife, Shrewsbury 1999.
BLEICHER, Hugo, *Colonel Henri's Story*, Kimber, London 1954.
BOTTING, Douglas, *The U-Boats*, Time-Life Books, Alexandria (Va.) 1979.
BRADLEY, Omar Nelson, *Storia di un soldato*, Mondadori, Milano-Verona 1952.
BREUER, William, *The Secret War with Germany*, Airlife, Shrewsbury 1988.
—, *Hoodwinking Hitler. The Normandy Deception*, Praeger, Westport (Conn.) 1993.

BRISTOW, Desmond, *A Game of Moles*, Warner, London 1994.
BROADFOOT, Barry, *Six War Years 1939-1945. Memories of Canadians at Home and Abroad*, Paper Jacks, Don Mills (Ontario) 1976.
BROOKE, Alan, *War Diaries, 1939-45*, Weidenfeld and Nicolson, London 2001.
BROWN, Anthony Cave, *Wild Bill Donovan. The Last Hero*, Times Books, New York 1981.
BROWN, Gordon, Copp, Terry, *Look To Your Front... Regina Rifles. A Regiment at War, 1944-45*, Laurier Centre for Military, Strategic, and Disarmament Studies, Wilfrid Laurier University, Waterloo (Ontario) 2001.
BRUSSELMANS, Anne, *Rendez-Vous 127*, Edward Benn, London 1954.
BUCHHEIM, Lothar-Günther, *U-Boat War*, Alfred Knopf, New York 1978.
BUFFETAUT, Yves, *The Allied Invasion Fleet, June 1944*, Naval Institute Press, Annapolis (Md.) 1994.
BUTCHER, Harry, *Tre anni con Eisenhower: diario personale del capitano Harry S. Butcher della Marina americana, aiutante navale del generale Eisenhower dal 1942 al 1945*, Mondadori, Milano 1948.
CARRELL, Paul, *Sie Kommen! Arrivano!*, Longanesi, Milano 1962.
CARTER, Miranda, *Anthony Blunt. His Lives*, Macmillan, London 2001.
CASEY, William J., *The Secret War Against Hitler*, Regnery Gateway, Washington (D.C.) 1988.
CHALMERS, William S., *Full Cycle. The Biography of Admiral Sir Bertram Home Ramsay KCB, KBE, MVO*, Hodder and Stoughton, London 1959.
CHANDLER, Alfred D., *The Papers of Dwight D. Eisenhower*, vol. III: *The War Years*, Johns Hopkins University Press, Baltimore (Md.) 1970.
CHURCHILL, Winston, *La Seconda guerra mondiale*, Mondadori, Milano 1952.
—, *Memories and Adventures*, Weidenfeld and Nicolson, New York 1989.
COLLIER, Richard, *Diecimila occhi: la guerra segreta del Vallo Atlantico*, Mursia, Milano 1977.
—, *D-Day*, Cassell, London 1992.
COOPER, Diana, *Autobiography*, Michael Russell, London 1979.
COOPER, Duff, *Old Men Forget*, Rupert Hart-Davis, London 1953.
COWLEY, Robert (a c. di), *La storia fatta con i se*, Rizzoli, Milano 2003.
CZECH, Danuta, *Calendario degli avvenimenti nel campo di concentramento Auschwitz-Birkenau 1939-1945*, Alice, s.l. 2001.
DAHLA, H.F. *et al.*, *Norsk Krigsleksikon 1940-1945*, J.W Cappelens Forlag, Oslo 1995.
DEANE, John R., *La strana alleanza: storia dei tentativi americani di cooperazione bellica con la Russia*, Garzanti, Milano 1947.
DEAR, Ian C.B. (a c. di), *The Oxford Companion to World War II*, Oxford University Press, New York 1995.
D'ESTE, Carlo, *Fatal Decision. Anzio and the Battle for Rome*, HarperCollins, London 1991.

—, *Decision in Normandy*, HarperCollins, London 1994.
—, *Eisenhower. A Soldier's Life*, Henry Holt, New York 2002.
DE GAULLE, Charles, *Memorie di guerra. L'unità. 1942-1944*, Garzanti, Milano 1959.
DE GUINGAND, Francis, *Operation Victory*, Hodder and Stoughton, London 1947.
DIXON, Piers, *Double Diploma*, Hutchinson, London 1968.
DOUGHTY, Martin (a c. di), *Hampshire and D-Day*, Hampshire Books, Crediton 1994.
EDEN, Anthony, *Le memorie*, vol. II: *La resa dei conti, 1938-1945*, Garzanti, Milano 1968.
EISENHOWER, David S., *Eisenhower. At War 1943-1945*, Collins, London 1986.
EISENHOWER, Dwight D., *Crociata in Europa*, Mondadori, Milano 1949.
—, *The Eisenhower Diaries*, a c. di Robert E. Ferrell, Norton, New York, 1981.
ELLIS, L.F., *Victory in the West*, vol. I: *The Battle of Normandy*, HMSO, London 1962.
ERICKSON, John, *The Road to Berlin*, Weidenfeld and Nicolson, London 1983.
FARAGO, Ladislas, *Il gioco delle volpi: storia dello spionaggio tedesco negli Stati Uniti e in Gran Bretagna durante la Seconda guerra mondiale*, Garzanti, Milano 1973.
FEST, Joachim, *Hitler*, Garzanti, Milano 1999.
FISCHER, Klaus P., *Storia della Germania nazista: nascita e decadenza del Terzo Reich*, Newton Compton, Roma 2001.
FLETCHER, Marjorie H., *The WRNS. A History of the Women's Royal Naval Service*, Batsford, London 1989.
FOURCADE, Marie, *Noah's Ark*, George Allen and Unwin, London 1973.
FRANK, Wolfgang, *I lupi e l'ammiraglio: trionfo e tragedia dei sommergibili*, Baldini & Castoldi, Milano 1959.
FRASER, David, *Rommel: l'ambiguità di un soldato*, Mondadori, Milano 1996.
FRITZ, Stephen G., *Frontsoldaten. The German Soldier in World War Two*, University of Kentucky Press, Lexington 1995.
GALLAGHER, Tag, *The Adventures of Roberto Rossellini*, Da Capo Press, New York 1998.
GAVIN, James M., *On To Berlin*, Viking, New York 1978.
GILBERT, Martin, *La grande storia della Seconda guerra mondiale*, Mondadori, Milano 1990.
—, *Winston S. Churchill*, Mondadori, Milano 1994.
GLANTZ, David, *Soviet Military Deception in the Second World War*, Cam, London 1989.

GOEBBELS, Joseph, *Joseph Goebbels Tagebücher 1924-1945*, vol. V: *1943-1945*, a cura di Ralf Georg Reuth, Piper, München 1999.

GRANATSTEIN, Jack Lawrence, *The Generals*, Stoddart, Toronto 1993.

GRANATSTEIN, Jack Lawrence, Morton, Desmond, *Bloody Victory. Canadians and the D-Day Campaign*, Lester and Orpen Dennys, Toronto 1984.

GRUNBERG, Albert, *Journal d'un coiffeur juif à Paris, sous l'Occupation*, Les Éditions de l'Atelier, Paris 2001.

GUTMAN, Yisrael, Berenbaum, Michael, *Anatomy of the Auschwitz Death Camp*, Indiana University Press, Bloomington 1994.

HAMILTON, Nigel, *Monty. Master of the Battleflield 1942-1944*, Hamish Hamilton, London 1983.

HARRIMAN, W. Averell, Abel, Elie, *Special Envoy to Churchill and Stalin 1941-46*, Random House, New York 1975.

HARRIS, Brayton, *Submarines*, Berkley Books, New York 1997.

HARRISON, Gordon A., *Cross-Channel Attack*, Department of the Army, Washington (D.C.) 1951.

HARVEY, John (a c. di), *The War Dairies of Oliver Harvey*, Collins, London 1978.

HASTINGS, Max, *Overlord: il D-Day e la battaglia di Normandia*, Mondadori, Milano 1994.

HASWELL, Jock, *The Intelligence and Deception of the D-Day Landings*, Batsford, London 1979.

HINSLEY, F.H. (a c. di), *British Intelligence in the Second World War*, vol. III, t. II, HMSO, London 1988.

HÖHNE, Heinz, *The Order of the Death's Head*, Penguin, London 2000.

HOWARD, Michael, *British Intelligence in the Second World War*, vol. V: *Strategic Deception*, a c. di F.H. Hinsley, Cambridge University Press, New York 1990.

HOWARTH, David, *Il giorno dell'invasione*, Longanesi, Milano 1965.

HUDSON, Sydney, *Undercover Operator*, Pen and Sword Books, Barnsley 2003.

IRVING, David, *La pista della volpe*, Mondadori, Milano 1978.

—, *The Secret Diaries of Hitler's Doctor*, Macmillan, New York 1983.

—, *Goering: il maresciallo del Reich*, Mondadori, Milano 1991.

—, *La guerra di Hitler*, Settimo Sigillo, Roma 2001.

JACOB, Alaric, *A Window in Moscow, 1944-1945*, Collins, London 1946.

JAMES, M.E. Clifton, *I Was Monty's Double*, Rider, London 1954.

JOACHIMSTALER, Anton, *The Last Days of Hitler*, Arms and Armour, London 1998.

JUTRAS, Philippe, *Sainte-Mère-Église*, Éditions Heimdal, Bayeux 1994.

KAHN, David, *Hitler's Spies*, Hodder and Stoughton, London 1978.

KARDORFF, Ursula von, *Diary of a Nightmare*, Rupert Hart-Davis, London 1965.

KEEGAN, John, *Six Armies in Normandy*, Penguin, Harmondsworth 1982.

KERSAUDY, François, *Churchill and De Gaulle*, Collins, London 1981.
KERSHAW, Ian, *Hitler*, Bompiani, Milano 2001.
KERSHAW, Robert J., *D-Day. Piercing the Atlantic Wall*, Ian Allan, London 1993.
KHARLAMOV, N.M., *Difficult Mission*, Progress Publishers, Moscow 1986.
KIMBALL, Warren (a c. di), *Churchill and Roosevelt, the Complete Correspondence*, vol. III: *Alliance Declining: February 1944-April 1945*, Princeton University Press, Princeton 1984.
LACOUTURE, Jacques, *De Gaulle*, vol. I: *The Rebel*, Norton, New York 1990.
LANG, Jochen von, *The Secretary. Martin Bormann*, Random House, New York 1979.
LANKFORD, Nelson D., *The Last American Aristocrat*, Little, Brown, Boston (Mass.) 1996.
—, (a c. di), *OSS Against the Reich*, Kent State University Press, Kent (Oh.) 1991.
LATIMER, Jon, *Deception in War*, John Murray, London 2001.
LEVI, Primo, *Se questo è un uomo*, Einaudi, Torino 1997.
LEWIS, Adrian R., *Omaha Beach. A Flawed Victory*, University of North Carolina Press, Chapel Hill 2001.
LONGMATE, Norman, *The GIs in Britain*, Hutchinson, London 1975.
MANVELL, Roger, Fraenkel, Heinrich, *Goering*, Longanesi, Milano 1964.
MARRUS, Michael, Paxton, Robert, *Vichy France and the Jews*, Basic Books, New York 1981.
MASON, Ursula, *Britannias Daughters. The Story of the WRNS*, Leo Cooper, London 1992.
MASTERMAN, John Cecil, *Il doppio gioco della spia*, Rizzoli, Milano 1973.
MEIN, Stewart A.G., *Up The Johns! The Story of the Royal Regina Rifles*, Turner-Warwick, North Battleford (Saskatchewan) 1992.
MILLER, Francis Pickens, *Man From The Valley*, University of North Carolina Press, Chapel Hill 1971.
MILLER, Russell, *Nothing Less Than Victory*, Penguin, London 1994.
MOEN, Peter, *Peter Moen's Diary*, Faber and Faber, London 1951.
MOOREHEAD, Alan, *Operazione eclissi*, Garzanti, Milano 1969.
MORGAN, Frederick, *Overture to Overlord*, Hodder and Stoughton, London 1950.
MORISON, Samuel Eliot, *The Invasion of France and Germany 1944-1945*, Little, Brown, Boston (Mass.) 1984.
MÜLLER, Rolf Dieter, Volkmann, Hans-Erich (a c. di), *Die Wehrmacht. Mythos und Realität*, Oldenbourg, München 1999.
MÜLLER, Melissa, *Anne Frank: una biografia*, Einaudi, Torino 2000.
MUNRO, Ross, *Gauntlet to Overlord*, Macmillan, Toronto 1945.
MURPHY, Robert M., *Le Meilleur Endroit Pour Mourir*, Robert Murphy, South Dennis (Mass.) 1998.

NANSEN, Odd, *Day After Day*, Putnam, London 1949.
NEILLANDS, Robin, De Normann, Roderick, *D-Day 1944*, Cassell, London 2001.
NEUFELD, Michael J., Berenbaum, Michael, *The Bombing of Auschwitz*, St Martin's Press, New York 2000.
NEWTON, Verne E., *The New Yorker Book of War Pieces. London, 1939 to Hiroshima, 1945*, Schocken Books, New York 1947.
—, *FDR and the Holocaust*, St Martin's Press, New York 1996.
NOLI, Jean, *The Admiral's Wolf Pack*, Doubleday, New York 1974.
O'CONNELL, Geoffrey, *Southwick. The D-Day Village That Went to War*, Buchan and Enright, Ashford 1994.
ORIGO, Iris, *Guerra in Val d'Orcia*, Vallecchi, Firenze 1968.
OSE, Dieter, *Entscheidung in Westen 1944. Der Oberbefehlshaber West und die Abwehr der alliierten Invasion*, Deutsche Verlags-Anstalt, Stuttgart 1982.
O'TOOLE, George J.A., *Honorable Treachery*, Atlantic Monthly Press, New York 1991.
PADFLELD, Peter, *Himmler*, Henry Holt, New York 1990.
PASSY (André Dewaurin), *Mémoires du Chef des Services Secrètes de la France Libre*, Odile Jacob, Paris 2000.
PAWLE, Gerald, *The War and Colonel Warden*, Harrap, London 1963.
PERRAULT, Gilles, *Il segreto del giorno D*, Bompiani, Milano 1968.
PETROW, Richard, *The Bitter Years. The Invasion and Occupation of Denmark and Norway - April 1940-May 1945*, William Morrow, New York 1974.
PHILBY, Kim, *My Silent War*, MacGibbon and Kee, London 1968.
POGUE, Forrest Carlisle, *The Supreme Command*, Departrnent of the Army, Washington (D.C.) 1954.
POLMAR, Norman, Allen, Thomas B., *World War II*, Random House, New York 1996.
POZNANZKI, Renée, *Être juif en France pendant la Seconde Guerre Mondiale*, Hachette, Paris 1994.
PUJOL, Juan, *Garbo*, in collaborazione con Nigel West, Weidenfeld and Nicolson, London 1985.
QUELLIEN, Jean, Vico, Jacques, *Massacres Nazi en Normandie*, Éditions Charles Corlet, Condé-sur-Noireau 1994.
RACZYNSKI, Edward, *In Allied London*, Weidenfeld and Nicolson, London 1962.
RAMSAY, Bertram, *The Year of D-Day*, University of Hull Press, Hull 1994.
REILE, Oskar, *Der Deutsche Geheimdienst im II Weltkrieg Westfront*, Weltbild Verlag, Augsburg 1990.
REIT, Seymour, *Masquerade. The Amazing Camouflage Deceptions of World War Two*, Robert Hale, London 1979.

RENAUD, Alexandre, *Sainte-Mère-Église*, Juilliard, Paris 1986.
REYNOLDS, David, *Rich Relations. The American Occupation of Britain 1942-1945*, HarperCollins, London 1996.
RICHARDS, Francis Brooks, *Secret Flotillas*, HMSO, London 1996.
RUFFIN, Raymond, *Résistance Normande et Jour "J"*, Presses de la Cité, Paris 1994.
RUGE, Friedrich, *Rommel e l'invasione*, Baldini & Castoldi, Milano 1962.
RYAN, Cornelius, *Il giorno più lungo: 6 giugno 1944*, TEA, Milano 1994.
SCHEID, Michel, *Nantes 1940-1944*, Éditions Ouest-France, Caen 1994.
SCHOENBRUNN, David, *Soldiers of the Night*, E.P. Dutton, New York 1980.
SEAMAN, Mark, introduzione, in *Garbo. The Spy Who Saved D-Day*, Public Record Office, London 2000.
SEATON, Albert, *The Russo-German War 1941-45*, Arthur Barker, London 1971.
SEBAG-MONTEFIORE, Hugh, *Il codice Enigma*, il Saggiatore, Milano 2003.
SMITH, Bradley, *Sharing Secrets with Stalin*, University Press of Kansas, Lawrence 1996.
SMITH, Sally Bedell, *In All His Glory. The Life of William S. Paley*, Simon and Schuster, New York 1990.
SOAMES, Mary, *Clementine Churchill*, Cassell, London 1979.
SPEER, Albert, *Memorie del Terzo Reich*, Mondadori, Milano 1997.
SPEIDEL, Hans, *Vallo Atlantico*, Corso, Roma 1952.
STACEY, Charles P., Wilson, Barbara M., *The Half Million. The Canadians in Britain, 1939-1946*, University of Toronto Press, Toronto 1987.
STAFFORD, David, *Camp X. Canada's School for Secret Agents*, Lester and Orpen Dennys, Toronto 1986.
—, *Churchill and Secret Service*, John Murray, London 1997.
—, *Roosevelt and Churchill. Men of Secrets*, Little, Brown, London 1999.
—, *Secret Agent*, London, BBC Worldwide, 2000.
STAGG, James, *Forecast for Overlord*, Ian Allen, London 1971.
STEEN, S. (a c. di), *Norges krig 1940-1945*, vol. III, Gyldendal Norsk Forlag, Oslo 1950.
STRONG, Kenneth, *Guerra segreta per l'Europa: ricordi di un ufficiale dello spionaggio*, Garzanti, Milano 1970.
TEDDER, Arthur William, *With Prejudice*, Cassell, London 1966.
THOMPSON, Julian, *The Imperial War Museum Book of Victory in Europe*, Imperial War Museum, London 1995.
THOMPSON, Kate (a c. di), *Fareham: D-Day. Fifty Years On*, Fareham Borough Council, Fareham 1994.
TOLAND, John, *Adolf Hitler*, Doubleday, New York 1976.
TUCKER, William H., *Parachute Soldier*, International Airborne Books, Harwichport (Mass.) 1994.

USSR DEPARTMENTS OF STATE AND PUBLIC INSTITUTIONS, *Stalin's Correspondence with Churchill, Attlee, Roosevelt and Truman 1941-45*, Lawrence, London 1958.
VASILEVSKY, A., *A Lifelong Cause*, Progress Publishers, Moscow 1981.
WADGE, D. Collett, *Women in Uniform*, Sampson Low, Marston, London 1946.
WALLACE, Robert, *The Italian Campaign*, Time-Life Books, Alexandria (Va.) 1981.
WARLIMONT, Walter, *Inside Hitler's Headquarters 1939-45*, Weidenfeld and Nicolson, London 1964.
WEITZ, Margaret, *Sisters in the Resistance*, John Wiley and Sons, New York 1995.
WERNER, Herbert, *Le bare di ferro*, Mondadori, Milano 1970.
WERTH, Alexander, *La Russia in guerra 1941-1945*, Mondadori, Milano 1966.
WILLIAMS, Charles, *De Gaulle: l'ultimo grande di Francia*, Mondadori, Milano 1995.
WILLS, Deryk, *Put On Your Boots and Parachutes!*, Deryk Wills, Oadby 1992.
WILMOT, Chester, *La lotta per l'Europa*, Mondadori, Milano 1965.
WILSON, Theodore, *The World At Arms*, Reader's Digest, New York 1989.
—, (a c. di), *D-Day 1944*, University Press of Kansas, Lawrence 1994.
YOUNG, Martin, Stamp, Robbie, *Troian Horses. Deception Operations of the Second World War*, Mandarin, London 1991.
ZIEGLER, Philip, *London at War*, Alfred Knopf, New York 1995.
ZUCOTTI, Susan, *The Holocaust, the French, and the Jews*, Basic Books, New York 1993.

Ringraziamenti e fonti

Sono debitore della massima gratitudine nei confronti di coloro che animano le pagine di questo libro con le loro vicende personali, nonché nei confronti delle loro famiglie e dei loro congiunti. Tutte le volte che mi è stato possibile ho cercato di costruire le parti narrative del volume basandomi sui diari originali dei protagonisti, su lettere o su altri documenti dell'epoca; quando invece non ho avuto modo di farlo ho attinto a fonti il più possibile vicine al D-Day dal punto di vista cronologico, a racconti che potevano essere messi a confronto con documenti di quel periodo e a interviste effettuate con le persone coinvolte.

Nel giugno del 2002 allo Special Forces Club di Londra ho incontrato Sonia d'Artois e Sydney Hudson, i quali mi hanno aiutato a ricostruire i loro spostamenti e le loro attività di quel periodo giorno per giorno. Ne ho confrontato i racconti con i rapporti di fine missione custoditi negli archivi del SOE e divenuti accessibili di recente presso il Public Record Office (*vedi* HS 6/566, "Blanche's [D'Artois'] Report", e HS 6/572, "Albin's [Hudson's] Report").

Sydney Hudson mi ha gentilmente concesso l'opportunità di leggere il manoscritto delle sue memorie sul SOE, intitolato *Undercover Operator*, in seguito dato alle stampe dall'editore Pen and Sword Books nell'aprile del 2003, mentre Sonia d'Artois mi ha prontamente consentito di leggere la trascrizione della sua intervista per il programma televisivo della BBC sulle donne agenti del SOE, *The Real Charlotte Grays*, realizzato dalla Darlow Smithson Productions, in cui è apparsa nel 2001.

Inoltre entrambi mi hanno fornito delucidazioni approfondite sia di persona sia al telefono e hanno risposto in modo paziente alle mie numerose domande riguardo a eventi ormai così remoti delle loro vite. Naturalmente, qualsiasi errore si possa riscontrare nel volume va imputato a me solo. Sonia d'Artois mi ha poi messo a disposizione la foto che la ritrae con suo marito

Guy, scomparso nel 1998, il giorno del loro matrimonio (qui pubblicata fra le illustrazioni fuori testo).

Per quanto riguarda il materiale su Glenn Dickin sono profondamente grato ai membri della famiglia Dickin in Canada, che hanno risposto con entusiasmo alla mia richiesta di aiuto fornendomi lettere, fotografie e ricordi; a Terry Dickin e in particolar modo a sua nipote Dolores Hatch di London (Ontario) per avermi generosamente concesso di leggere le copie delle lettere inviate da Glenn a casa, fornendomi così una grande quantità di informazioni sulla famiglia Dickin, nonché per avermi inviato le fotografie e lo stato di servizio ufficiale di Glenn.

Gordon Brown, che fu il migliore amico di Glenn durante la guerra e ora risiede a Red Deer (Alberta), mi ha messo a parte dei ricordi che serba di lui, e lo stesso ha fatto il suo vecchio compagno di scuola e amico Dutchy Doerr, anche lui di London (Ontario). Nei confronti di Brown e Doerr sento di avere un profondo debito di riconoscenza, soprattutto in quanto la rievocazione dei loro ricordi non poteva che rinnovare il dolore e il lutto per la scomparsa di Glenn. Tuttavia nessuno dei miei racconti su di lui sarebbe stato possibile senza l'aiuto straordinariamente generoso del mio amico Terry Copp, professore alla Wilfrid Laurier University a Waterloo (Ontario), che mi ha aperto molte porte e mi ha fornito un'enorme quantità di materiali preziosi sull'esperienza dei Fucilieri di Regina durante il secondo conflitto mondiale, estratti da diari di guerra e documenti per le riunioni informative preparatorie al D-Day. Inoltre ho attinto abbondantemente all'inestimabile volume di cui sono coautori Gordon Brown e Terry Copp, *Look To Your Front... Regina Rifles. A Regiment in War, 1944-45*, i cui dati completi sono riportati in bibliografia.

Uno dei momenti più memorabili della mia ricerca è stato l'incontro, avvenuto a Fontaine-Henry, in Francia, con Guy Chrétien, che ha dedicato la vita a raccontare ai suoi compatrioti e al mondo la storia dei canadesi in Normandia e mi ha condotto nei luoghi che la sera del D-Day hanno costituito la scena dell'azione in cui è morto Glenn.

Voglio inoltre ringraziare la contessa d'Ouilliamson, di Château Fontaine-Henry, che con grande gentilezza ha accolto la mia richiesta d'*impromptu* di visitare la sua residenza.

Il giornalista alle cui memorie ho occasionalmente fatto riferimento per ricostruire il contesto delle vicende dei Fucilieri di Regina è il corrispondente di guerra canadese Ross Munro, il cui volume è citato in bibliografia; mi è stato utile anche il testo del giornalista australiano Alan Moorehead, anch'esso citato in bibliografia.

Il diario di Peter Moen, tristemente dimenticato, è stato pubblicato per la prima volta in inglese nel 1951; altre informazioni utili sul suo ruolo nella Resistenza norvegese mi sono state fornite dal dottor Ivar Kraglund e dal dottor Arnfinn Moland del Norges Hjemmerfrontenmuseum di Oslo. Sono particolarmente grato a Ivar Kraglund e al museo per avermi permesso di utilizzare le fotografie di Peter Moen e a Ian Harrington per aver risposto alle mie domande sulla Resistenza norvegese, e in particolare sugli eventi che hanno fatto da contorno all'incendio dell'Aula.

Il diario di Albert Grunberg è stato depositato negli Archivi nazionali di Parigi nel 1998; una sua versione abbreviata è stata pubblicata in francese nel 2001. Sono particolarmente grato alla professoressa Renée Poznanzki dell'Università Ben Gurion in Israele e al mio amico ed ex collega Michael Marrus: sia l'una sia l'altro hanno scritto molto sull'esperienza ebraica in Francia durante la guerra, e ai loro lavori pubblicati ho attinto il materiale che mi serviva per delineare il contesto della vicenda di Grunberg

Quanto a Bill Tucker, ho fatto riferimento alla copia originale della cronologia delle sue esperienze negli anni di guerra con l'82ª divisione aviotrasportata, scritta nel 1946, che può essere reperita negli archivi del Mémorial de Caen; un'altra versione della stessa cronaca è comparsa nel resoconto di Deryk Wills *Put on Your Boots and Parachutes!*, pubblicato nel 1998. In seguito Tucker ne ha redatto una versione più elaborata e completa, intitolata *Parachute Soldier* (1994), e durante la stesura del mio libro mi ha aiutato rispondendo a ulteriori interrogativi che erano sorti dalla lettura di quei resoconti, nonché fornendomi generosamente varie fotografie. Voglio ringraziare anche Deryk Wills, il quale, oltre ad aver risposto alle mie domande e ad avermi messo in contatto con Bill Tucker nel Massachusetts, ha tenuto accesa in Gran Bretagna la fiaccola del ricordo dell'82ª aviotrasportata.

Le lettere di Walter Schwender si possono reperire presso il Feldpost Archiv di Berlino, cui sono riconoscente per avermi accordato il permesso di citarle. Il dottor Clemens Schwender e la famiglia Schwender mi hanno fornito altro materiale utile, e sono profondamente grato a Clemens per aver risposto con tanta prontezza e franchezza a molte domande riguardo a suo zio e alla sua famiglia; anche lui ha messo a disposizione alcune foto che ho utilizzato in questo libro. Desidero ringraziare il mio infaticabile amico a Berlino, Willie Durie, che per primo ha reso possibile tutto questo.

A Caen André Heintz è stato un anfitrione estremamente ospitale e ha trascorso molto tempo con me rievocando le sue attività nella Resistenza francese prima del D-Day; mi ha inoltre fornito una grande quantità di materiale prezioso, tra cui alcune fotografie. Fatto memorabile, mi ha gentilmente presentato anche due suoi amici che hanno fatto parte del leggendario maquis di Saint Clair, Philippe Durel e André Hericy, che ho avuto il privilegio di incontrare. *En route*, mi ha accompagnato al cimitero canadese a Bretteville-sur-Laize, dove sono sepolti Glenn Dickin e i suoi commilitoni. Sono grato anche a Duncan Stuart, decorato con l'Ordine di San Michele e San Giorgio, ex consulente del SOE presso il Foreign and Commonwealth Office.

Le lettere di Veronica Owen ai suoi genitori sono conservate all'Imperial War Museum di Londra, i cui curatori ringrazio per avermi consentito di accedervi. Il fratello di Veronica, il capitano della Royal Navy Hugh Owen, mi ha anche gentilmente consentito di leggere il diario della sorella in suo possesso e si è dimostrato generoso nel fornirmi ulteriori particolari sulla famiglia Owen, mettendomi a disposizione una fotografia di Veronica e rispondendo ad alcune domande importanti sulla marina. Gli sono profondamente grato per tutto il suo aiuto. Per le informazioni che mi ha dato su Veronica voglio inoltre ringraziare Sam Hesketh del Collegio femminile di Malvern.

I dossier Garbo su Juan Pujol sono stati declassificati di recente e resi accessibili presso il Pubblic Record Office (*vedi* in particolare i documenti KV 2/39, 2/40, 2/41 e 2/63-71). Il riassunto ufficiale del caso Garbo, redatto da Tomas Harris, è stato dato alle stampe dal Public Record Office nel 2000 con il titolo *Garbo. The Spy Who Saved D-Day* (con un'introduzione di Mark Seaman): tale documento fornisce un utile correttivo al volume di memorie dello stesso Juan Pujol, giovevole ma spesso fuorviante, oltre che alla sua autobiografia, *Garbo*, scritta in collaborazione con Nigel West.

Per l'episodio del sottufficiale fuggito, del Comando occidentale e dei timori per la segretezza del D-Day che ne derivarono, di cui riferisco nei capitoli 5 e 6, mi sono rifatto al memoriale del maggiore H.R.V. Jordan, del servizio di controspionaggio militare, Comando occidentale, che è depositato presso gli archivi dell'Imperial War Museum di Londra.

Quanto ai personaggi storici principali, elenco qui di seguito le fonti che ho trovato particolarmente utili.

Per Churchill non si può fare a meno della biografia ufficiale di Martin Gilbert; sono parimenti indispensabili i numerosi volumi della storia ufficiale dei servizi informativi britannici nella Seconda guerra mondiale curati da F.H. Hinsley e, ovviamente, la storia della Seconda guerra mondiale scritta dallo stesso Churchill. Ho integrato queste fonti soprattutto con documenti tratti dalle serie PREM, HS, HW, KV, WO E CAB del Public Record Office di Kew (Londra); i rapporti inviati dall'MI5 a Churchill durante il periodo bellico si possono reperire in KV 4/83, la corrispondenza di Lord Selborne con Churchill a proposito del SOE è custodita nei dossier HS/8.

Il profilo di Eisenhower è ben tracciato nelle biografie dello scomparso Stephen Ambrose, di Carlo d'Este e di David S. Eisenhower. I diari pubblicati del suo ufficiale di collegamento navale, Harry S. Butcher, mi sono risultati utili, pur essendo stati gravemente censurati dopo la guerra per tutelare il segreto del depistaggio. Inestimabili sono i documenti di Ike che risalgono al periodo bellico, curati da Alfred D. Chandler.

Quanto a David Bruce e all'OSS, mi sono rifatto al diario pubblicato a cura di Nelson D. Lankford, oltre che ai documenti di Francis P. Miller conservati alla George C. Marshall Foundation di Lexington, Virginia, che fanno luce su alcuni aspetti interessanti delle missioni Sussex.

Dei molti studi su Hitler, si è dimostrata utile la recente biografia in due parti di Ian Kershaw, mentre le memorie di Albert Speer e i diari di Joseph Goebbels hanno consentito di precisare le sue occupazioni quotidiane al Berghof.

Anche Rommel è stato oggetto delle attenzioni dei biografi, in particolar modo quelle di David Irving in *La pista della volpe* e di David Fraser in *Rommel: l'ambiguità di un soldato.*

Per la figura di De Gaulle mi sono rifatto soprattutto agli studi di François Kersaudy, Charles Williams e Jacques Lacouture, oltre che alle sue memorie di guerra. Per quanto riguarda il materiale su Auschwitz, mi è risultato particolarmente utile il *Calendario degli avvenimenti nel campo di concentramento Auschwitz-Birkenau 1939-1945* di Danuta Czech, e sono grato a Sir Martin Gilbert per avermelo segnalato.

Esistono fin troppi libri sul contesto storico generale, ivi compreso il D-Day, che andrebbero menzionati qui. In bibliografia ho inserito quelli che mi sono stati più utili. I quotidiani aiutano a ritrovare la prospettiva di quei giorni e mi sono rifatto spesso alla stampa londinese, in particolar modo al *Times*, al *Sunday Times* e al *Daily Telegraph*.

Per non distrarre l'attenzione del lettore con una selva di note a piè di pagina o a fine capitolo mi sono astenuto dal fornire riferimenti a particolari documenti, citazioni ecc., ma sarò lieto di fornirli su richiesta.

Mi sono avvalso in misura cospicua e in varie forme dell'aiuto di amici e colleghi di tutto il mondo. I miei sinceri ringraziamenti vanno dunque a tutti voi, scusandomi in anticipo se posso inavvertitamente aver trascurato di menzionare qualcuno: dottor Paul Addison, dottoressa Sarah Colvin, dottor Jeremy Crang, Marianne Czisnik, reverendo Vill Day, vicario di St. Peter's a Titchfield, dottoressa Hilary Footit, professor Jürgen Förster, professor Arthur Layton Funk, Sir Martin Gilbert, professor Jack Granatstein, Fanny Hugill, Madeleine Haag, colonnello dottor Winfried Heinemann del Militärgeschichtliches Forschungsamt di Berlino, professor Gerhard Hirschfeld, Oliver Hoare, Bob Hunt, professor Roderick Kedward, Robert McCormick, professor Jim McMillan, Russell Miller, Esther Poznansky, David Ramsay, dottor Olav Riste, Bob Steers e Dominic Sutherland.

Nessuno studioso può lavorare senza fare affidamento sull'aiuto di reggimenti di professionisti consacrati alla gestione di biblioteche e archivi. Vorrei ringraziare in particolare il personale delle seguenti istituzioni, la cui competenza ha reso molto più agevole il mio compito: l'Imperial War Museum, Londra; la National Library of Scotland; il Public Record Office, Kew; i musei e il Record Service della città di Portsmouth, dove Andrew Whitmarsh mi ha guidato attraverso la sua collezione sul D-Day; la signorina Dawn Bowen del Record Office dello Hampshire; Dorothy Sheridan e il Mass Observation Archive dell'Università del Sussex; Irina Renz della Bibliothek für Zeitgeschichte di Stoccarda, Germania; Mike Timonin dei Marshall Research Archives di Lexington (Virginia); Alan Edwards, ufficiale dell'Ordine dell'impero britannico, che mi ha aiutato a orientarmi fra i documenti dell'Intelligence Corps Museum Archives conservati al Defence Intelligence and Security Centre di Chicksands; Stéphane Simonnet, Franck Marie e Marie-Claude Berthelot dei Services Archives et Documentation del Mémorial de Caen, in Normandia.

Come sempre, devo esprimere la mia gratitudine ad Anthea Taylor e al personale dell'Institute for Advanced Studies dell'Università di Edimburgo per aver agevolato enormemente il mio lavoro e al professor John Frew, direttore dell'istituto, al quale sono grato di avermi procurato un ufficio dove ho potuto ultimare la maggior parte delle mie prime ricerche.

Un grazie va anche a David Darloz, Sam Organ e Nion Hazell della Darlow Smithson Productions, i quali mi hanno agevolato l'accesso alle trascrizioni delle interviste a Lise de Baissac e Sonia d'Artois per il loro documentario televisivo *The Real Charlotte Grays*.

Devo l'idea di scrivere questo libro al mio agente, Andrew Lownie, e sebbene il testo, via via che cresceva, abbia inevitabilmente cambiato forma, gli sono profondamente grato per questo oltre che per avermi fornito il suo aiuto paziente nel corso del lavoro.

Il mio *editor* alla Time Warner, Alan Samson, è sempre stato pronto ad ascoltarmi, e il fatto che questo libro abbia felicemente toccato il suolo in orario in vista della sua piccola missione del D-Day è dovuto in gran parte alla sua guida sicura. Grazie anche a Linda Silverman per la ricerca iconografica paziente e creativa, a Stephen Guise per i tanti preziosi suggerimenti nonché per aver guidato il libro attraverso i suoi vari stadi di lavorazione e a Richard Dawes per la sua acuta revisione redazionale, oltre che per l'aiuto fornito su alcune traduzioni dal francese.

Vorrei inoltre esprimere la mia gratitudine nei confronti di Walter e Bettye Cannizzo, miei suoceri, la cui consueta generosità e il cui sostegno hanno reso possibile la mia permanenza negli Stati Uniti per scrivere questo libro. La disponibilità del personale della Collier County Library di Naples (Florida) e le sue collezioni librarie di primissimo rango smentiscono l'opinione secondo cui la Florida è un deserto intellettuale e gli Stati Uniti sono un paese privo di una vivace cultura pubblica. Ringrazio Barry Weisler e il personale di Computer Connection di Naples (Florida), che mi ha guidato alla soluzione di alcuni problemi di redazione elettronica dei testi e a ottenere una prima bozza stampata del manoscritto; Darlene Plog, che mi ha fornito alloggio; mia sorella, Margaret Crowe, che mi ha aiutato nella ricerca bibliografica; e inoltre Michael Conroy e mia cugina, Elizabeth Wilde McCormick, per l'ospitalità datami a Londra in alcune fasi della mia ricerca.

Infine, come sempre, ringrazio mia moglie Jeanne: ricercatrice impavida, redattrice creativa a cui rivolgersi innanzitutto, critica riflessiva e compagna sul cui sostegno ho potuto fare affidamento ancora una volta in questa nuova avventura narrativa.

Edimburgo, Scozia

Indice analitico